REINALDO ARENAS

Nació en Holguín (Cuba) en 1943, en el seno de una familia de campesinos. Desengañado de la Revolución (a la que, sin embargo, se había adherido al principio y con la que incluso había colaborado), pasó dos años encarcelado por ser considerado un «peligro social» y «contrarrevolucionario». En 1980 logró salir de Cuba y se instaló en Nueva York, ciudad en la que, enfermo de sida, se suicidó en 1990. Tusquets Editores, en su propósito de rescatar parte de la obra de Reinaldo Arenas, ha publicado, además de *El portero* (Andanzas 526 y Fábula 260) y *Termina el desfile* seguido de *Adiós a mamá* (Andanzas 621), la pentagonía que incluye los títulos *Celestino antes del alba, El palacio de las blanquísimas mofetas, Otra vez el mar, El color del verano* y *El asalto* (Andanzas 395 –y Fábula 188–, 428, 463, 357 –y Fábula 298– y 497), la novela *El mundo alucinante* (Andanzas 314 y Fábula 177) y su estremecedora autobiografía *Antes que anochezca* (Andanzas 165 y Fábula 55).

Biblioteca

Reinaldo Arenas
en Fábula

Biblioteca
Reinaldo Arenas

El color del verano
o Nuevo «Jardín de las Delicias»

Novela escrita y publicada sin privilegio imperial

FÁBULA
TUSQUETS
EDITORES

1.ª edición en colección Andanzas: enero de 1999
1.ª edición en Fábula: febrero de 2010

© 1999, Estate of Reinaldo Arenas
© del Glosario: 1996, Éditions Stock y Liliane Hasson
Los textos originales de la novela *El color del verano o Nuevo «Jardín de las Delicias»*,
terminada de escribir en Nueva York en 1990, forman parte de la colección de manuscritos
de Reinaldo Arenas de la Universidad de Princeton, Nueva Jersey.

Diseño de la colección: adaptación de FERRATERCAMPINSMORALES
de un diseño original de Pierluigi Cerri

Ilustración de la cubierta: detalle de la fotografía *Del carnaval de la Vega* (1987),
de Domingo Batista. © Domingo Batista, 1998. Derechos reservados.

Reservados todos los derechos de esta edición para
Tusquets Editores, S.A. - Cesare Cantù, 8 - 08023 Barcelona
www.tusquetseditores.com

ISBN: 978-84-8383-213-4
Depósito Legal: B. 1.672-2010
Impresión y encuadernación: Liberdúplex, S.L.
Impreso en España

Índice

NOTA DEL AUTOR

El autor, tanto en vida como después de muerto, asume todas las responsabilidades sobre el contenido de esta obra literaria y exonera a su editor, a sus herederos y a su agente literario.

Pues do hay tantas putas ninguna obedece.

Carajicomedia

Al juez

¡Un momento, querida! Antes de internarte en estas páginas con el fin de meterme en la cárcel, no olvides que estás leyendo una obra de ficción y que por lo mismo sus personajes son infundios o juegos de la imaginación (figuras literarias, parodias y metáforas) y no personas de la vida real. No olvides además que la novela se desarrolla en 1999. Sería injusto encausarme por un hecho ficticio que cuando se narró ni siquiera había sucedido.

El autor

La fuga de la Avellaneda
Obra ligera en un acto (de repudio)

ESCENARIOS

El Mar de las Antillas, Cayo Hueso y el Malecón de La Habana

FECHA

Julio de 1999

INTÉRPRETES PRINCIPALES

Intérpretes principales en el mar:
Gertrudis Gómez de Avellaneda y José Martí

Intérpretes principales en el Malecón de La Habana (por orden de aparición):
Halisia Jalonzo
Virgilio Piñero
Fifo (caracterizado por un doble)
Delfín Proust (aparece también en Cayo Hueso)
Dulce María Leynaz
Tina Parecia Mirruz
Karilda Olivar Lúbrico
H. Puntilla (aparece también en el mar y en Cayo Hueso)
José Zacarías Tallet
Coro de prostitutas rehabilitadas
Rita Tonga
Paula Amanda, alias «Luisa Fernanda»
Ulises Ruego (aparece también en Cayo Hueso)
José Lezama Lima
Julián del Casal

17

Coro del Malecón habanero:
integrado por poetas menores como Cynthio Metier, Retamal, José Martínez Mata, Pablo Amando, Miguel Barniz y un centenar más; también lo integran miembros del CDR —Comité de Defensa de la Revolución—, enanos, militares de alto rango y, a veces, todos los que están en el Malecón

Jefe de escena:
Fifo

Maquillista y coreógrafo:
Raúl Kastro

Resurrecciones:
Óscar Horcayés

Música:
de la Orquesta Sinfónica Nacional, dirigida por Manuel Gracia Markoff, alias Cara de Fo y Marquesa de Macondo

Intérpretes principales en Cayo Hueso (por orden de aparición):
José María Heredia
Fernando González Esteva
Zebro Sardoya
Un locutor
Primigenio Florit
Coro de niños
Bastón Dacuero

Coro de poetisas:
Ángel Gastaluz (este personaje goza, por una bula papal, del don de la ubicuidad; por lo tanto a lo largo de toda la novela podrá estar en varios sitios a la vez si así lo desea)
El alcalde de Miami
El presidente de los Estados Unidos
Un dirigente político
Una jefa de una revista de modas
Kilo Abierto Montamier
Una poetisa laureada

Un representante por el estado de Ohio
El fiscal general
El obispo de Miami
La Única Loca Yeyé Que Queda en Cuba (también goza del don
de la ubicuidad otorgado por santa Marica)
Mariano Brull
Una dama miamense
Una anciana
Un sacerdote
Una monja
Una profesora de literatura
Otra poetisa (laureada por ella misma)
Un astrólogo
Alta Grave de Peralta
Una dama enjoyada
Un académico
El presidente de un museo cubano en el exilio
Andrés Reynaldo

Coro de Cayo Hueso:
integrado por tres mil poetisas, por profesoras de latín, por cientos
de aspirantes a la presidencia de Cuba y por otros políticos de
nota; a veces lo integra toda la población de Cayo Hueso; otras,
se subdivide en pequeños coros.

Jefe de escena:
Moscoso

Resurrecciones:
Alta Grave de Peralta

Maquillista y coreográfo:
Kilo Abierto Montamier

Música
de la Orquesta de Guadalajara, dirigida por Octavio Pla, alias Fray
Nobel, según infundios de Tomás Borge.

Antes de que comience la acción, nos vemos en la necesidad legal de aclarar que, de acuerdo con las reglas dramáticas de esta pieza, una persona del público debe morir de un tiro durante la representación. Ni la empresa ni el autor asumen la responsabilidad de esa muerte voluntaria. El espectador, al entrar en el teatro, debe estar consciente de que puede perder la vida.

Para evitarnos cualquier problema con la justicia, el espectador, al comprar el boleto, deberá firmar en el espacio que aquí se le indica.

Estoy absolutamente consciente de que al ver esta obra de teatro puedo perder la vida de un tiro en plena función. Y para que así conste estampo mi nombre y firma debajo de este texto.

Firma, nombre y dirección del espectador.

ACCIÓN

La acción tiene lugar cuando la Avellaneda, que ha sido resucitada por orden de Fifo para que participe en los festejos de sus cincuenta años en el poder, escapa en una lancha al parecer rumbo a la Florida. Enterado inmediatamente de la fuga, Fifo manda que la arresten, pero comprendiendo al instante que eso sería un escándalo internacional, ordena para guardar las formas un acto de repudio popular, mientras secretamente conmina a los tiburones y a los enanos para que hagan todo lo posible por impedir su fuga. El acto de repudio comienza con la participación de un grupo de poetas relevantes que aún están en la isla, algunos de los cuales también han sido resucitados para este evento. Se supone que todos estos poetas deben convencer a la Avellaneda para que no se vaya del país. Por orden de Fifo, deben tirarle a la Avellaneda gran cantidad de huevos podridos que miles de enanos han depositado junto al mar. Por otra parte, aunque en un principio el rumbo de la Avellaneda es incierto (eso de «hacia la Florida» fue una bola lanzada por Radio Aguado), los poetas del exilio, incluyendo algunos resucitados para este acto, deciden hacer una gran manifestación al sur de los Estados Unidos (esto es, en Cayo Hueso) para estimular y apoyar moralmente a la Avellaneda. Además de dedicarle todo tipo de poemas, también le tirarán péters de chocolate, manzanas de California, bombones y hasta perlas falsas.

LA AVELLANEDA *(echando un bote al agua en el Malecón habanero):*
 ¡Perla del mar! ¡Estrella de occidente!
 Me marcho ahora mismo aunque me parta un diente
 de perro. Ni siquiera tu brillante cielo
 La noche cubre con su opaco velo.
 ¡Pero voy a partir! *La chusma diligente*
 me obliga a marcharme del nativo suelo.
 ¡No puedo soportar más a esta gente!
 ¡Adiós, patria feliz, edén querido
 donde hasta el gran esbirro a otros esbirros teme!
 Por mucho que en tu suelo fatiguéme
 jamás pude encontrar un buen marido.
  ¡Ah, pero ya miro la lancha!
  Mi pecho aún más se ensancha...

(Se sube a la lancha y empieza a remar rápidamente. Se trata de una gruesa mujer envuelta en un largo vestido negro del siglo XIX con un velo también negro que le cubre el rostro. Los tiburones, al ver aquella figura tan estrambótica, se alejan emitiendo lastimeros aullidos. Los enanos también reculan espantados hasta la costa. A Fifo no le queda otra alternativa que confiar en el acto de repudio cuyo comienzo ordena de inmediato.
Halisia Jalonzo, entrando en el escenario, comienza el acto de repudio. Carga un inmenso huevo de avestruz. En realidad, la Jalonzo no debería estar entre los poetas, pero con ella no hay quien pueda, no olvidemos que acaba de cumplir —dicen— cien años de edad. De todos modos elevaremos nuestra queja al difunto René Tavernier, presidente del Pen Club.)

HALISIA JALONZO:
  ¡Solavaya! ¡Gran Papaya!
  Y después que no te quejes.
  Bien sé que en estos tejemanejes
  se oculta la Plisezcaya.
  Se oculta la Plisezcaya,
  a quien le hago cruz y raya.

(Levanta el inmenso huevo de avestruz y lo tira al mar provocando un inmenso chasquido y levantando columnas de agua que empapan a la Avellaneda.)

LA AVELLANEDA *(empapada, pero sin dejar de remar):*
   La pintura que hacéis prueba evidente
   que no sólo eres bruta mal pagada,
   sino también ogresa y mala gente.
   Ahí te dejo, bruja, ciega y enfangada,
   en tierras de miserias y de lloro.
   ¡Yo seré libre cuando llegue Febo!
   Tú en cambio has empeñado tu tesoro.
   De todos modos, gracias por el huevo.
   Y, créeme, en verdad mucho yo siento
   que hayas vendido a los cerdos tu talento.

(Halisia Jalonzo, con cara de derrota, mira con una inmensa lupa hacia el pecho de la Avellaneda, que se ensancha cada vez más. Sin poder contenerse, pero en voz baja, dice estos versos):

HALISIA JALONZO:
   Ya te alejas, puta vieja.
   Y yo aquí, también pelleja,
   sin poder decir mi queja...

(En estos momentos uno de los fornidos enanos le da un empujón a Virgilio Piñera para que comience su acto de repudio. El poeta, todo temblores, se sube al muro del Malecón y mirando hacia el mar musita en voz baja):

VIRGILIO PIÑERA:
   La maldita circunstancia del agua por todas partes
   te dice, querida amiga Avellaneda, *¡parte, parte!*
   Yo también quisiera acompañarte,
   pero no puedo ni mover las alas
   pues a mi lado tengo a Coco Salas
   que no me pierde pie ni pisada.
   Decididamente estoy salada.
   Decididamente soy muy desdichado:
   Esta misma noche en que seré ajusticiado
   a los verdugos tengo que entregarles mi mejor bocado lírico
   y de paso hacerles el panegírico.

Así,
velado,
humillado,
fúnebre,
descalzo
(tú subes a la balsa
y yo al cadalso)
mientras secretamente por ti mi copa alzo
a toda voz debo condenarte.
Pero, por Dios, no escuches esta parte.
No permitas que te asfixie *la maldita circunstancia*
del agua por todas partes.
No pierdas tu arrogancia.
Parte, parte.
　　Parte, mujer,
aunque partir sea tu única razón
de ser...

FIFO *(enfurecido):*
　　¿Qué está mormollando ese viejo maricón
　　a quien esta misma noche voy a joder?

VIRGILIO PIÑERA *(alzando desesperado la voz):*
　　¡Niña! ¡Niña!
　　Ten cuidado
　　que los hados
　　son fatales.
　　Quédate aquí, sí, aquí,
　　en estos platanales.
　　Aplatánate, querida,
　　para que salves la vida,
　　que los hados son fatales.
　　Quédate aquí, sí, aquí.
　　Pues estando yo en París
　　me robaron cuatro reales.

(para sí mismo):
　　Estos versos son horrorosos
　　y no hay dioses que los alaben.
　　Los digo, ustedes lo saben,
　　porque si no me destrozo.

23

Y yo quiero hallar reposo
aunque esta noche me muera,
como prometió ya la fiera.
Ay, que no sea en la carretera.
Que mi cadáver lo laven
que los ángeles lo claven,
que Olga Andreu lo bendiga
que Arrufat lo santifique,
y que digan lo que digan
el tiempo me justifique...

(Virgilio tira un pequeño huevo de cernícalo que cae fatalmente dentro de un ojo de la Avellaneda. Ésta, convertida en un basilisco, toma el ancla de su nave y la tira contra la muchedumbre del Malecón, matando a un enano, dicen que de cien cabezas.)

FIFO *(aún más enfurecido):*
Harán ahora lo que quiero:
¡Dispárenle en el trasero
a ese engendro traicionero
que por mí ha resucitado
y mi gran fiesta ha amargado!

LA AVELLANEDA:
¡No, por Dios, no en el trasero,
que es la almohada de mi Poema!
Escuchad, éste es mi lema:
Por el frente todo quiero.

(Todos los participantes en el acto de repudio le tiran huevos podridos a la Avellaneda.)

CORO:
¡Dispárenle en el trasero
a ese engendro traicionero
que por mí ha resucitado!
Si esto es lo que ha quedado
preferible es el envés.
Ya veo que no hay pujanza,
ya veo que no hay fiereza.
En cuanto coja a Horcayés

24

haré de mi pecho lanza
y le cortaré la cabeza...
    En tanto,
para espantar mi quebranto
remaré hasta con los pies.

VIRGILIO PIÑERA *(alejándose):*
    ... Bien hecho es.
Tú tienes grandes pies
y un tacón jorobado.
Parte, que aquí se acabó hasta lo acabado.

(De pronto, viendo que Coco Salas lo sigue con una grabadora, se vuelve
hacia el mar y a toda voz grita):
    ¡Qué haces, insensata,
    regresa y no des más lata!

LA AVELLANEDA *(alejándose del Malecón y del puerto):*
    Sata sí, mas no insensata,
    que lo que mi vagina desata
    ni el mismo Hércules lo acata.

CORO *(subido al Malecón):*
    ¡Dispárenle en el trasero
    a ese engendro traicionero
    que por mí ha resucitado
    y mi gran fiesta ha amargado!

(Una nueva ola de huevos podridos cruza la bahía.)

LA AVELLANEDA *(saliendo ya al mar abierto entre una lluvia de huevos po-*
dridos):
    ¡Qué luz inefable, qué extraña alegría!
    Del cielo destierran los negros crespones.
    Cumpliéronse los tiempos, tronó la artillería.
    Disparad, disparad, disparad, maricones.
    Disparad sin cesar en mi vasto frontero,
    que en él cabe una armada y algún escudero.
    Disparad mientras sigue la ruda algarabía.
        ¡Oh Antilla dichosa! ¡Oh mágicos sones!
        ¡He prestado a la noche la pompa del día!

(Dando una gran pirueta, luego de mirarse en un espejo portátil que se abre como un inmenso abanico, salta al Malecón Delfín Proust. Hace varios giros, brinca como una rana, abre y cierra los brazos. Sin dejar de saltar comienza su discurso poético.)

DELFÍN PROUST:
Donde tu debías crecer
agranda su copa un árbol de caoba.
(Ven y soba.)
Ya no atravieso la ciudad y el miedo.
(Simplemente obedezco.)
No es tuya la victoria, es de la luz.
(Mira cómo crezco.)
Todo lo que se te escapa lo disfruto yo en la Loma de la Cruz,
donde tu debías crecer.
Vuelve,
que yo te llevaré a los brazos de Tina Parecia Mirruz.
(Ya no soy una mujer.)

(Delfín Proust le tira una semilla de caoba a la Avellaneda que le entra por el busto. La Avellaneda se saca la semilla de entre sus senos, la contempla con tristeza, la tira al mar. Inmediatamente se reanima.)

LA AVELLANEDA:
Ya del Betis
por la orilla
mi barquilla
libre va.
¡Ni tortilla
ni semilla!
Boga, boga,
buen remero,
que el lucero
va a salir
y lo que quiero
es partir...

(Se escuchan unos ladridos. Aparece un perro bulldog caminando a dos patas y apoyado en un inmenso bastón. Se trata de Nicolás Guillén, alias Guillotina, mueve sus enormes orejas y amenaza con el bastón el sitio donde se aleja la poetisa.)

26

NICOLÁS GUILLÉN:
Partir no podrás.
El Partido te lo impide
y la patria aquí se mide
con vara de capataz.
Arará, cueva no.
Arará, a tu salud.
Partir no podrás
si conmigo no te vas.
Tú eres vieja.
Tú le temes a la reja
como tanto temo yo.
Lo soy yo,
del Camagüey como tú.
Oye bien, para el bus,
que nos iremos los dos.
Arará, para el bus,
que somos la misma cosa
yo,
tú.
Tú, yo.
Queremos salir de este rollo
y jugar libres al yoyo.
Bollo yo, bollo tú.
¡Aboyándonos nos iremos los dos!

(Mientras la orquesta sinfónica en medio de una gran confusión toca «El son entero», Guillén suelta el bastón y se lanza al mar tratando de alcanzar el bote donde navega la Avellaneda. Sus orejas se mueven como remos descomunales.)

CORO *(dando la voz de alarma):*
¡Sensemayá,
la culebra se nos va!

(Fifo ordena que saquen inmediatamente a Guillén del mar. El Poeta Nacional, chorreando agua, es conducido a la presencia de Fifo.)

FIFO *(irónico, a Guillén):*
Me duele que a veces tú

27

te olvides de quién soy yo.
Vas a sufrir un revés.
Desde ahora seremos tres.

(Fifo ordena que le corten a Guillén las dos piernas. Los eficaces enanos, con un serrucho, realizan la operación. El poeta se desangra sobre el Malecón y muere de una gangrena. La gran orquesta hace sonar sus clarines y toca unos acordes fúnebres. Por orden de Fifo se hace un minuto de silencio en homenaje al Poeta Nacional desaparecido. Luego la orquesta ejecuta danzas típicas, mientras sobre una tarima, cerca del Malecón, Halisia baila la muerte del cisne negro.)

RAÚL KASTRO *(mientras cien enanos retiran los restos mortales de Guillén):*
    ¡Qué confusión,
    qué barullo!
    Y en medio de este chanchullo
    yo no encuentro al bugarrón.

(Todo el ejército, tal vez pensando que se trata de la despedida del duelo a Nicolás Guillén, repite los versos de Raúl hasta que Fifo ordena silencio con un ademán de muerte.)

FIFO:
    Que esto sea una velada y no una danza.
    Piensen que la noticia podría publicarse en Francia.
    Y ya no contamos con el canalla de Sartre
    que nos transformaba los fusilamientos en una obra de arte.
    ¡Traigan los focos, enciendan la luz!
    ¡Llamen a Dulce María Leynaz y a Tina Parecia Mirruz!
    ¡Que de una vez la gran palestra se abra al público!
    ¡Ah, y no olviden traer a Karilda Olivar Lúbrico!

(Aparece Dulce María Leynaz. Sube la improvisada escalerilla que conduce al Malecón. Largo traje de seda, guantes blancos y sombrero de paja sobre el cual yace prisionera un aura tiñosa viva, la última que quedaba en toda la isla.)

DULCE MARÍA LEYNAZ:
    Los juegos de agua brillan a la luz de la luna.
    Hay que apretar el agua para que suba fina
    y en el agua lanzar un pomo de estricnina...
    No olviden que yo soy una dama aristocrática

por eso me encanta la rigidez burocrática
y le hago el juego al color escarlata.
Yo una vez serví cocaína en bandejas de plata...

(La Leynaz le ofrece una bola de cocaína a Tina, que sube al Malecón del brazo de Cynthio para evitar un tropezón. Tina, con exquisita humildad campesina, va a tomar la coca, pero Cynthio se lo impide.)

CYNTHIO METIER:
Estás loca; eso es coca, mujer.

TINA PARECIA MIRRUZ:
Lo sé, era sólo para Paquito Metier...

(Ya sobre el Malecón, Tina da comienzo a su poema):
Tú, dulce niña, sólo puedes entrar en el parque Lenin
y allí ver a los que van y a los que vienen.
Yo sólo entro en ciertos rojos, en ciertas aves
(siempre y cuando Odiseo me dé la clave).
Tú, bella niña, te vistes aquí con telas suaves
porque eres grande y sola en el reino indisoluto del agave.
Para ti nada en este país puede ser grave:
tienes las ropas tejidas por un hada.
Pero esa ropa, bella niña, ahora está empapada.
Has tocado la magia de las rosas, conoces lo exterior,
pero yo tengo mi casita de guano, donde te daré calor.

(Surge Karilda Olivar Lúbrico. Viste un traje de noche rojo. Gran escote. En la boca una rosa también roja. Karilda, ya en el Malecón, propulsa uno de sus largos brazos y le tira la rosa a Fifo.)

KARILDA OLIVAR LÚBRICO:
No es amor eso que dice la pajuata,
que amor es lo que mata.
Amor es un *beso de carne y de me muero.*
¡Y eso es lo que quiero!
Y por ese amor también Tula deambula.
¡Tula!
Profesional del fósforo apagado,
no me negarás que siempre en fuego has fracasado
y que siempre te tumbó la mula.

Por eso estoy aquí, para decirte «quédate a mi lado».
Profesional del fósforo apagado,
salta, ven aquí, marcha a mi lado,
o te pincho con la punta de mi seno.
Pues cuando miro tu pecho exorbitado,
me desenfreno, me desenfreno.
Me entran unos pujos, unos vahídos,
me supuran el bollo y los oídos.
Dime, ¿a cuántos hombres has conocido?
Dime, ¿a cuántos militares has palpado?
Dime, ¿a cuántos inocentes has vuelto malos?
Te envío mi semen derretido
para que hagas con él un estofado de falos.
Oh, pero dime «puta y pajarito» y suelta un grito.
Tú sabes que he vivido de rodillas
y que navego al nivel de tu cintura:
mi arada carne hará de tierra dura
para que plantes en ella tu semilla.
Semilla sin igual, roja, amarilla.
¡No me prives, por Dios, de esa cosquilla!
(tengo un ungüento contra las ladillas).
Tú que fuiste fuego de espigas
apaga mis ortigas.
He crecido y soy de rabo a cabo
un espino que clama por un clavo.
Vuelve a girar, oh lira, tu gran güira.
Las dos somos viejas y pellejas.
Y ya no hay tiempo para quejas.
Mátame a escupitajos
o anonádame con tu peste a grajo.
Luego entremos desnudas para siempre en la bahía de Matanzas.
Para nosotras nada queda, querida, en lontananzas.
Voy a navegar al pie de tu cintura
(cintura sin contorno ni mesura)
hasta que encontremos las dos cama segura
donde un centauro (o cien) nos den ternura
y nos sanen estas terribles mataduras.
Voy a remolcarte hasta ganar la orilla.
Mi propia frente servirá de quilla.
¡Sal, sal ahora mismo de esas aguas!
Tomemos una guagua.

El centauro puede ser hasta un guagüero
(o cien) pero recuerda que lo vi primero...
Voy a bajar al pie de tu cintura
antes de que el mismo mar te borre,
¡pero corre!, ¡corre!,
que el centauro es lo que apura.

(Al terminar su declamación, Karilda se dirige hacia uno de los cañones co-
locado por los enanos en el muro del Malecón, saca, no se sabe de dónde,
una inmensa papaya, la coloca, como si fuera una bala, en el cañón y prende
la mecha a la máquina de guerra. La enorme fruta se estrella contra el pecho
de la Avellaneda, derrumbándola, manchando sus negros atuendos y bam-
boleando el bote, que se llena de agua. La Avellaneda se come parte de la
fruta, y le devuelve el resto a sus enemigos. Luego, con las manos y con una
mantilla, trata de sacar el agua del bote.
Fifo le propina una patada a H. Puntilla en el trasero, en señal de que debe
comenzar su declamación poética. H. Puntilla se acaricia arrobado el trasero
golpeado, y compelido por el mismo empujón sube al Malecón.)

H. PUNTILLA:
Allá va la pájara muerta
agitando sus plumas de horror.
Allá va la pájara tuerta
mancillando nuestro honor.

(En voz baja):
Otra vez me ha tocado el papel de villano.
Yo que pensaba que el justo tiempo ufano
iba a llegar.
Estoy cansado de ser siempre la mala.
¡Baka! Quítale las alas a Coco Salas
que voy a volar.

(Mientras el coro hace la ronda de «La pájara pinta» cantada por Miriam
Acebedo, H. Puntilla se coloca unas inmensas alas de búho y sale volando
en medio de la confusión.
H. Puntilla se pierde por el cielo. Los focos alumbran a la Avellaneda, quien
sigue recibiendo la andanada de huevos podridos mientras intenta mantener
su nave a flote. Ahora, sacando agua con un velo, mira al cielo y se abanica
con una flor de loto.)

AVELLANEDA:
No existe lazo ya, todo está roto.
Plúgole al cielo así, ¡bendito sea!
Se hunde para siempre esta batea,
me arrastra sin remedio un maremoto.
Amargo cáliz con placer agoto.
Mi alma reposa al fin: nada desea.

(Al terminar de decir estos versos, la Avellaneda comienza a masturbarse frenéticamente con la flor de loto. Terminado este acto cae desmayada sobre el
bote, que sigue a la deriva, amenazando con naufragar.
Súbitamente se enciende el otro extremo del escenario donde está Cayo Hueso.
Envuelto en una inmensa luminaria aparece José María Heredia. Viste con
los atuendos típicos de principios del siglo XIX. Kilo Abierto Montamier se
acerca provisto de una escobilla, le pinta al poeta unas enormes ojeras. Heredia queda ahora sólo iluminado por un potente foco. Rechaza fotógrafos y
periodistas pero no puede evitar que un enorme ventilador colocado a sus espaldas le agite el cabello. Perseguido por el ventilador, Heredia se sube a la
tarima que para este evento se ha levantado en Cayo Hueso.)

HEREDIA (tratando de ser oído por la Avellaneda):
Reina el sol y las olas serenas,
corta en torno la proa triunfante
que hondo rastro de espuma brillante
va dejando la nave en el mar.
No desmayes que ansiosos miramos
el confín del incierto horizonte.
Tu presencia, mujer, imploramos.
Mueve piernas y brazos y tetas
que te espera Domingo del Monte
y te aguardan tus obras completas.

(Se apagan las luces de Cayo Hueso. Se ve a la Avellaneda en medio del
mar. Las mentiras piadosas de Heredia reaniman a la poetisa, quien llena
de entusiasmo comienza a limpiar el bote de todas las inmundicias mientras
declama):

AVELLANEDA:
Más me inspira tu voz que mi obra completa.
Voz aún viril aunque en funeral lamento.
No te atormentes, no. Nada me inquieta

si tu divino son dilata el viento.

Por ti, cantor eximio, vuelvo al embate
que horrible me lanzara al océano.
No importa que mi cautiverio se dilate
si al fin voy a conocer a un gran cubano.
Con él perseguiré nuestro destino:
Patria, numen feliz, edén querido.
(Cayo Hueso me interesa a mí un comino.)

Por Iberia pasearemos nuestras almas.
Y cuando roto al fin quede el camino
seguiremos paseando por las palmas.

(Oscuridad. Se oye el estruendo del mar y luego a la Orquesta de Guadalajara, dirigida por Octavio Pla, que toca «La bayamesa». Vuelven las luces. Por el cielo aparece H. Puntilla. Batiendo sus inmensas alas se detiene en el aire sobre el bote de la Avellaneda. Saca un grueso manuscrito. Se trata de En mi jardín pasta Herodes.*)*

H. PUNTILLA: Tula, por favor, no puedo más. A Cuba no la soporta ni la Chelo, que es de Seguridad. Ahí te dejo eso; entrégaselo a J.J. Armas Maquiavelo. Dile que vamos a la mitad. Dicen que el justo tiempo ufano va a llegar, pero yo no lo puedo esperar...

(H. Puntilla prosigue su vuelo, llega a Cayo Hueso y se acerca a José Martí, quien está allí de incógnito entre la muchedumbre y ha resucitado por su propia voluntad. H. Puntilla lo abraza familiarmente y le extrae de la chaqueta una botella de ginebra que se toma de inmediato. Martí se retira ofendido a un costado del mar.
Se ve ahora una gran muchedumbre en Cayo Hueso que, como acto de bienvenida, le lanza péters de chocolate a la Avellaneda junto con frutas y diversas chucherías. Todo esto salpica a la Avellaneda y es devorado por los tiburones. La Avellaneda, haciendo un esfuerzo desesperado, logra levantar la pesada obra de H. Puntilla y la tira al mar. Pasa un tiburón —se trata de Pedro Ramón Lapa— que engulle la obra, da un salto mortal en el agua y expira. La Avellaneda rema ahora a toda velocidad.)

CORO DE CAYO HUESO:
    ¡Vuela, vuela, peregrina,
    vuela, vuela, Tula entera,

que en cada esquina te espera
un jugo de mandarina
y un *cake* de la Sagüesera!

(Continúan arribando a Cayo Hueso innumerables poetisas, todas con sus libros dedicados a «la Franca India», a «la Peregrina», a «Tula» y a otros seudónimos utilizados por la Avellaneda. Sobre una gran tarima Martha Pérez interpreta la zarzuela Cecilia Valdés. *Ómnibus repletos de senadores, alcaldes y clérigos de nota arriban al cayo. Alguien anuncia que dentro de unos momentos hará su llegada el helicóptero presidencial. Ahora las poetisas, acercándose al mar, le lanzan sus libros a la Avellaneda. Ante esta avalancha de papeles que caen sobre su bote, la Avellaneda casi naufraga. Pero «la Franca India» echa al mar la carga y sigue adelante. Los tiburones se alejan lanzando lastimeros gemidos...*
Entre la confusión que reina en Cayo Hueso, Raúl Kastro, haciendo de espía, se pasea disfrazado de Olga Guillot.)

RAÚL KASTRO *(mirando ávido a los marineros norteamericanos):*
    ¡Qué confusión,
    qué barullo!
    Y en medio de este chanchullo
    yo no encuentro al bugarrón.

(Raúl Kastro se desprende del disfraz de Olga Guillot, le pide prestadas las alas a H. Puntilla, quien se las da gustoso, y vuela hacia el Malecón habanero. Allí tampoco está su bugarrón. Enfurecido llama a Abrantes, ministro del Interior, y lo condena a muerte por negligencia. «¡Cómo ha dejado escapar a ese hombre!», se le escucha decir mientras abofetea al ministro. Abrantes, junto con otros militares de alto rango, parte escoltado por los enanos. Se oye una descarga de fusilería a un costado de La Cabaña.)

FIFO *(enfurecido):*
    ¡Cómo haces eso, traidor!
    ¿Y el silenciador?

RAÚL:
    No te preocupes, ya empezó el carnaval.
    Ese ruido puede confundirse con un cohete provincial.

FIFO *(colérico):*
    ¡No hay carnaval! ¡No hay carnaval

hasta que a Tula no le hagamos todo el mal
posible!
Y ahora dime, ¿qué viste en el horrible
lodazal?

RAÚL:

¡Uf! Terrible tarea me has encomendado.
Todo el cayo está inundado de gusanos.
A la Avellaneda la esperan como una heroína
con banderas en las manos.
Tiemblo. Tú sabes que tengo la carne de gallina.

FIFO:

A Cayo Hueso ella no puede llegar.
¿Viste a todos mis agentes?

RAÚL:

Sí, sí. Vi hasta al presidente.
Ahora déjame ir a mamar...

FIFO:

Imposible. El acto debe continuar.

(A un ademán de Fifo continúan las manifestaciones «espontáneas» contra la Avellaneda. La orquesta, dirigida por Manuel Gracia Markoff, toca una guaracha. Mientras todos bailan, Silbo Rodríguez canta «Por amor se está hasta matando».)

FIFO:

Callen a ese idiota.
Siempre exagera la nota.

(A Raúl):
¿Es cierto que Puntilla se fue volando?

RAÚL:

Sí, allá está, aunque no se sabe hasta cuándo.

FIFO:

Volverá: una vez me vio orinando.

(Súbitamente aparece sobre el mar Caribe un enorme zepelín de la BBC de Londres. Desde el aparato una voz anuncia que se encuentran en aguas internacionales y que su propósito es ofrecer una transmisión imparcial al mundo entero. La comunidad cubana en el exilio ha pedido equal times, *por lo que se establecerá un mano a mano entre los poetas de Cayo Hueso y los del Malecón habanero. Se encienden los focos que alumbran a Cayo Hueso. Aparece el poeta Fernando González Esteva con una guayabera y unas maracas. Por cierto que a partir de ahora esta obra podrá verse por la televisión; si no, los reto a que sigan leyendo el mamotreto.)*

GONZÁLEZ ESTEVA:
Ella saltó para afuera
como un negro terremoto.
De milagro no se ha roto
la rodilla o la cadera.
La poesía, sol remoto,
nos llega en una piragua.
Yo crucé la Sagüesera
en busca de Cayo Hueso
porque quiero darle un beso
antes que salga del agua.

CORO DE CAYO HUESO:
Ven, Tulita de mi corazón,
que aquí te espera un burujón
de cosas que no conoces:
el batido de mamey,
el tranque del expresway
y mil poetas dando coces.

(Para escenificar las palabras del coro, miles de poetas y poetisas, desde luego, comienzan a propinarse patadas. Mientras siguen las patadas, Olga Guillot canta «Tú me acostumbraste». Se apaga Cayo Hueso. Tiempo ahora para el Malecón habanero. Desde el zepelín alguien anuncia: «Ahora tiene la palabra un viejo cuatrero y camaleón. ¿Nadie sabe quién es? Se llama José Zacarías Tallet». José Zacarías Tallet sube al Malecón trabajosamente, pues acaba de cumplir ciento diez años. Una voz potente anuncia desde un peldaño: «A este anciano que está aquí se le ha otorgado la Orden del Mérito José Martí». Se encienden las luces de Cayo Hueso. Se ve a Martí negar con una mano. Se apaga Cayo Hueso y se enciende el Malecón.)

36

JOSÉ ZACARÍAS TALLET:
Tula, mi querida Tula, ¿qué chanza es ésa?
Dale marcha atrás al timón y regresa.
Barbuda vieja,
escucha mi queja.
Mira cuánto te amamos.
Dime, ¿no sientes lástima por los que nos quedamos?
Yo en cambio siento por ti una inmensa piedad desordenada
no exenta de tenaz remordimiento.
Vuelve que con ciento diez años aún está enhiesto
mi instrumento.

(Al terminar su poema, Tallet se tambalea y cae de espaldas sobre el Malecón dando testimonios de su enorme erección. Grita: «Conmigo no hay quien pueda». Pero dos milicianos se lo llevan en una silla de ruedas.)

CORO DE PROSTITUTAS REHABILITADAS *(contoneándose sin cesar mientras miran al mar):*
¡Que se vaya la plebe!
¡Que se vaya la escoria!
¡Que el diablo se la lleve
a comer zanahorias!
¡Ella no es de esta noria!
¡Ella es puta notoria!

(Mientras sigue la danza, Elena Burke, con una inmensa panza y una cabeza descomunal, interpreta «Canta lo sentimental». Sus bramidos terminan con un mugido. Ahora se enciende la farola del Morro. Se ve a la Avellaneda, cuyo bote sigue siendo inundado por los huevos podridos lanzados desde Cuba y por los péters de chocolate que vienen de Cayo Hueso. Comienza a anochecer, pero las luces de los helicópteros más la farola del Morro hacen que el mar resplandezca como si fuera de día. De todos modos, la Avellaneda, mientras continúa remando, empieza a recitar su famosa «Noche del insomnio y del alba».)

LA AVELLANEDA *(tirando huevos y péters de chocolate al mar):*
Noche
triste
viste ya,
aire,

cielo,
suelo,
mar...

(De repente el escenario del teatro es ocupado por una inmensa pantalla. En ella se ve a un travestido obeso con largas pestañas postizas y largos tirabuzones al estilo de la Avellaneda. Lleva puesta una corona de laurel. Se trata de Zebro Sardoya —la Chelo—, quien contoneándose trabajosamente se dirige al público. Se ve el rostro de Zebro Sardoya en primer plano; detrás, en el mar, la Avellaneda diciendo algo que nadie puede escuchar.)

ZEBRO SARDOYA *(mira rápidamente a la Avellaneda, luego se dirige al público):* Lo sentimos muchísimo, pero ni la BBC de Londres, ni Radio Francia ni todas las cadenas publicitarias del mundo que en este momento están transmitiendo este espectáculo pueden difundir ese largo poema que le restaría eficacia al programa y lo convertiría en una desmesura lírica. Ay, mi hermana, perdona que yo también soy camagüeyana. Pero ya sabes el lema, tesoro: «El tiempo no es poema, es oro». Y oro tengo que pagarle al buga moro. Y ahora, antes de proseguir con la fuga que nos tiene a todas en suspenso —yo por mi parte estoy tensa, y me dicen que no cabe un pájaro más en los hospitales—, veremos algunos comerciales muy atractivos y de suma importancia para su delicadísima salud. Síí..., atiendan todos, *please...*

(Desaparece Zebro Sardoya. La pantalla es ocupada por un conocido locutor de Miami. Tiene largas patillas y un enorme bigote.)

LOCUTOR *(con voz exaltada y ojos desorbitados):* ¡Un nuevo producto ha salido al mercado! ¡El batido AVELLANELA! ¡Ése sí que es la candela! ¡Hecho con avena, avellana, canela y nela! ¡Algo que ahora mismo debe probar! ¡Poetice su paladar! ¡Tome batidos AVELLANELA! ¡Con el sabor, la pulpa y la gracia de la Franca India sin igual! ¡No prive a su paladar de este poema estomacal! ¡AVELLANELA! ¡Avellana! ¡Avena! ¡Canela y nela! ¡Batidos hechos por Goyo para viejos y pimpollos! ¡Tome AVELLANELA en plástico o en botella y después a tomar Pompeya o la flor de la canela! ¡Ah, y recuerde que AVELLANELA es un producto Goyo y si es Goyo tiene que ser bueno hasta el meollo!

(El locutor levanta el brazo con el batido en la mano. Se lo toma y cae muerto

al momento. Inmediatamente desaparece la pantalla y se ilumina Cayo Hueso. Vista general de Cayo Hueso, de donde salen potentes focos que rayan el cielo. Comienzan a llegar algunas estrellas de Hollywood que intentan robarse el show o promover alguna de sus películas. Entre las estrellas se destacan Elizabeth Taylor —que dice estar en favor de la fuga de la Avellaneda—, Jane Fonda —que se manifiesta en contra— y Joan Fontaine —neutral—. También arriban estrellas del deporte y un equipo completo de baloncesto que al instante improvisa un juego. Entre todos los deportistas se destaca José Canseco, quien declara que allí mismo hará una demostración de sus dotes como jonronero. En efecto, Canseco batea con tal fuerza una pelota que la misma sale de Cayo Hueso y se interna en el mar estrellándose en el pecho de la Avellaneda, que por unos segundos pierde el conocimiento. Mientras se comenta que ya sí es inminente la llegada del avión presidencial, arriba, a tambor batiente, una delegación de lesbianas profeministas. En una explanada junto al puerto de Cayo Hueso, ofrecen una demostración de defensa personal al son de la orquesta de Guadalajara. En cuanto terminan las demostraciones de las artes marciales, perfectamente ejecutadas, sube a la tribuna el gran poeta Primigenio Florido. Florido lleva unos enormes audífonos que intentan remediar su sordera. Estos audífonos semejan enormes orejeras o guatacas de mulo que se levantan por encima de su cabeza.)

PRIMIGENIO FLORIDO *(contemplando el mar, donde ya se divisa en la lejanía el bote de la Avellaneda):*
Así hay que mirarla:
con el pecho navegando al horizonte
(su pecho que es un monte).
Ay, yo quisiera ser mar para acunarla.
    ¡Dios mío!
Tal vez algún día uno de esos pechos será mío.
Uno de ellos vibrante,
más hecho a la caricia que al puñal.
    Pecho descomunal
que temo que de un golpe me levante
y atónito me convierta en estatua de sal.
Pero estatua es ella,
la que navega bajo las estrellas.

(Las inmensas orejeras de Florido, impulsadas por el viento, levantan a veces al poeta a varios metros de la tribuna, depositándolo luego sobre el mismo sitio donde impertérrito continúa recitando su poema.)
    ¡Sí, estatua blanca, diosa de alabastro,

rema, rema, huyendo de Kastro!
Ya tu perfecta geografía sabe
que es fuego el aire y mefítico el rocío
en un país donde no puedes decir ni pío.
Beso de paella, carne para tus dientes,
nos alegra que detestes la chusma diligente.
¡Ven hacia mí, palomita de hierro!
¡Rema, rema, sal de ese encierro!
Rema, rema, aprovecha este viento
que sopla por todos lados
y en el cual me pierdo.
Aquí te haremos un monumento,
clara estatua de besos apagados
en el recuerdo...

(El viento eleva a Florido a gran altura. Ya casi en las nubes, sus orejeras se desprenden y salen impelidas cayendo sobre el bote de la Avellaneda, quien al momento las usa como si fueran dos velas. El bote, impulsado por esas velas provisorias, navega ahora a gran velocidad.)

LA AVELLANEDA *(a todo trapo sobre el mar):*
 ¡Bate la espuma!
 ¡Rompe la bruma!
  ¡Parte veloz!
 ¡Vuelve la barca!
 ¡Dobla la fuerza!
 ¡Canta y esfuerza!
 ¡Brazos y voz!

(Florido cae de nuevo sobre la tribuna de Cayo Hueso y continúa recitando su poema sin escuchar los gritos de la muchedumbre ni del Comité Organizador, que le dicen que ya su tiempo ha expirado. Por último, varias personas lo levantan en vilo y lo sacan de la tribuna. En tanto el alcalde de Hialeah propone que deben tomarse las palabras de Florido «al pie de la letra», por lo que deben erigirle una estatua a la Avellaneda en el puerto de Cayo Hueso, sitio por donde todos la esperan.
Se desató una airada polémica y una encarnizada competencia entre las personas que quieren esculpir la estatua de la Avellaneda. Cientos de escultores presentan sus proyectos al alcalde de Hialeah. Se determina que cada escultor haga una estatua y luego la someta a un jurado competente que hará la selección. Al momento todos comienzan a tallar una estatua de la Avellaneda,

pues el tiempo apremia. Cayo Hueso se llena de cientos de estatuas gigantescas. La Avellaneda desnuda, la Avellaneda con un traje largo y un escudo en la cabeza, la Avellaneda con una paloma en un hombro y una antorcha en la mano... Dentro de los cientos de muestras, el jurado premia una estatua hecha por Tony López. La misma representa a la Avellaneda con un largo traje empapado navegando sobre una palmera. De entre las pencas de la palmera salen estrellas y en su copa hay un negro desnudo tocando una trompeta. De un lado a otro de la palmera cruza un enorme letrero que dice «WELCOME TULA». La gran estatua es depositada por una grúa en la entrada del puerto de Cayo Hueso. Pero la protesta de los perdedores es tan grande que el jurado declara que todas las estatuas han sido finalistas, por lo cual también deben ser exhibidas. Ahora todo Cayo Hueso es una mezcla de estatuas y seres humanos entre los cuales sigue tocando la Orquesta de Guadalajara. Sobre cada estatua se ha encaramado un niño con largos tirabuzones.)

CORO DE NIÑOS *(sobre las estatuas):*
    ¡Se acerca, se acerca!
    ¡Otra vuelta de tuerca
    para Fifo, la puerca!

(Se ilumina el Malecón habanero. Se ve a Fifo junto a Raúl.)

RAÚL:
    ¿Oíste eso?, por terca,
    ¡se acerca, se acerca!,
    te han llamado puerca.
    Lo mejor es dejarla escapar
    y a mí dejarme fletear.

FIFO:
    ¡Así que la vieja se aleja
    y tú con tus quejas!

RAÚL *(mirando con un catalejo):*
    Con tu terca doctrina
    la has convertido en una heroína.
    Hasta le han hecho una estatua pendeja.
    Esa gente no conoce de simetría.

FIFO:
    Déjate de bobería

y de tantos estudios.
¡Levanta la «estatua del repudio»!

RAÚL:

¿A quién quieres que ponga
en esa magna empresa?

FIFO:

A Rita Tonga,
si no está presa.

RAÚL:

Nada de presa.
Es una roja tigresa.

FIFO:

¡Pues ésa!

*(Mientras Rita Tonga talla a toda velocidad la estatua, Halisia y su cuerpo
de baile interpretan* La danza del repudio. *Se trata de una serie de saltos
enfurecidos, patadas, escupitajos y gestos que parecen aplastar ladillas y cu-
carachas en pleno aire y lanzarlas al mar.
Rita Tonga termina la estatua; se inclina ante Fifo.)*

RITA TONGA:

Aquí está la estatua de la repudiada,
la por mi alma mil veces pateada.

FIFO:

Yo quería un adefesio
horripilante;
algo cuya fealdad no tuviera precio.
¡Esto es un desplante!

RAÚL:

Es fea, te lo digo yo.
Es la imagen de Gorbachov.

FIFO:

¡Ay, desgraciado!
La furia me ahoga.

42

¡Mencionar la soga
en casa del ahorcado!

RAÚL:

No te preocupes que Raysa lo piensa asesinar.

FIFO:

¡So! Que algún miembro de la KGB te puede escuchar.

RAÚL:

De la KGB o de la CIA.
Ya no se puede creer ni en la Virgen María.

FIFO:

Ay, quién nos lo diría...
Pero, en fin, analicemos esta porquería.

(Se acerca a la estatua de la Avellaneda.)
¡Qué horror! Tiene patas en vez de muletas.
Es mulata en vez de mulato.
Yo prefiero dos alacranes en vez de dos tetas.
Yo quiero algo más chato.
Y esa boca, esa cintura, ese ademán...
¡No, no, no! ¡Yo lo que quiero es un caimán!
Al enemigo no lo podemos idealizar.
Dame el cincel que yo mismo la voy a tallar.

(Mientras Rita Tonga es maniatada y a patadas conducida a un carro patrullero, Fifo, fiero, mientras firma un informe contra Rita «¡La maldita!» convierte la estatua en algo aún más deforme.
Halisia y su grupo bailan entre las enormes ruinas de lo que era la estatua. En un momento, Halisia, asomándose por un hueco de la estatua, provoca tal pavor que hasta el mismo Fifo cae en los brazos de Raúl.)

FIFO:

¿De dónde salió esa bruja sin igual?

RAÚL:

Es Halisia en su danza ritual.
No le temas, es una bestia fiel.
Mientras danza dice: «¡Fidel, Fidel, Fidel!».

43

FIFO:
Nada hay más fiel que una estatua.
A ella sólo debes confiarle tu secreto.
Así que agárrala y dale un baño de concreto.

(Se establece una terrible cacería para capturar a Halisia, quien dando enormes fuetés le da una patada a Raúl; luego, de un solo jeté, se tira al mar. Ya en el agua, comienza a bailar el segundo acto de El lago de los cisnes. Casi todos los bailarines se tiran al mar con el pretexto de rescatar a Halisia, pero transformados en verdaderos cisnes se marchan nadando a toda velocidad, saltando por encima de la Avellaneda y, averiándole más el bote, llegan a Cayo Hueso, donde son aclamados. Halisia, que sigue bailando cerca de la costa, es rescatada por Coco Salas.)

FIFO *(a Raúl)*:
Bueno, no la petrifiques
para que contra los traidores testifique
que se iban en una lancha de motor.

RAÚL:
Nada de motor, se fueron nadando.

FIFO:
¡Lo sé, mi amor!
Pero por lo menos pon que iban remando.
¡Ay, hasta cuándo tendré que lidiar con esta escoria!
¡Hasta cuándo tendré que soportar a este maricón!

CORO *(cantando uno de los himnos de Fifo)*:
Hasta siempre será nuestra victoria.
Hasta siempre nuestra revolución.

(Mientras prosigue o se repite el himno, las luces iluminan a la Avellaneda, que sigue navegando, y terminan enfocando a Cayo Hueso. Cae la gran pantalla y en la misma aparece Zebro Sardoya.)

ZEBRO SARDOYA *(en la pantalla)*:
Bueno, ahora con ustedes el poeta Bastón Dacuero,
aunque yo prefiero aquello de «muero porque no muero».

(Se apaga la pantalla y se ve a Bastón Dacuero en la tribuna de Cayo Hueso.)

BASTÓN DACUERO:
 Yo soy un indigente
 y he corrido a la orilla del mar
 para verte llegar...

(Se ilumina la pantalla, aparece Zebro Sardoya interrumpiendo a Bastón Dacuero.)

ZEBRO SARDOYA:
 Y yo estoy aquí para verte mamar.

(Se apaga la pantalla detrás de Dacuero, que la mira enfurecido pero prosigue con su poema.)

BASTÓN DACUERO:
 Soy un indigente
 y vago de parque en parque desolado...

(Se enciende la pantalla.)

ZEBRO SARDOYA:
 ¡Indigente! Dime, de Batista ¿cuántos cheques has cobrado?

(Se apaga la pantalla.)

BASTÓN DACUERO *(aún más enfurecido, pero tratando de controlarse):*
 Ay, Carmelina, vámonos al monte a picotear golosinas...

ZEBRO SARDOYA *(en la pantalla):*
 ¿Golosinas?
 Si de un bocado engulles diez gallinas.

(Se apaga la pantalla.)

BASTÓN DACUERO *(intentando ignorar a Sardoya):*
 Te esperaré en cada esquina inflamado como una amapola,
 allá donde la gloria de Dios se ensancha
 para ser tu salvación, tu lancha...

ZEBRO SARDOYA *(en la pantalla):*
Vamos, viejo, déjate de hacerte el comebolas,
y vámonos pa'llá, pa' la cumbancha.

BASTÓN DACUERO *(con voz estentórea):*
¡Yo he venido aquí a cantarle
a la rosa de Villalba,
y no a platicar con una loca calva!

(Bastón Dacuero se lanza de cabeza contra la pantalla donde aparecía Zebro Sardoya; el poeta traspasa la pantalla y cae del otro lado. Por un momento lo único que se ve es la pantalla hecha jirones donde se menea trucidada la imagen de Zebro Sardoya.)

CORO DE POETISAS *(saltando alrededor de la pantalla rota):*
¡Auxilio o exilio!
Ya no sabemos qué hacer.
Por favor callen su caca,
que aquí la que destaca
es Gertrudis, la mujer.
Y para que se haga la luz
entre tanta confusión,
eleven una oración,
hagan la señal de la cruz
y que hable el poeta Ángel Gastaluz.

(El poeta Ángel Gastaluz sube a la tribuna de Cayo Hueso. Viste sus hábitos sacerdotales y del cuello le pende un inmenso escapulario que termina en una cruz de plata que se le enreda entre las piernas. En una mano lleva un incensario humeante con el cual parece exorcizar al mar y a la multitud conglomerada en Cayo Hueso, que lo aclama. Ya instalado en la tribuna, el padre se desenreda del largo escapulario, cuya cruz, sin desprenderse de la cadena, se sumerge en el mar.)

ÁNGEL GASTALUZ: *Salvum me fac Deus: quoniam intraverunt aquae tuae usque ad animam mea...*

(De repente un tiburón, al parecer aún fiel a Fifo, se traga la gran cruz de plata y tirando del escapulario arrastra al padre Gastaluz al mar.)

ÁNGEL GASTALUZ *(en el mar, remolcado por el tiburón):* ¡Sálvame, Dios mío!, porque han penetrado tus aguas hasta mi alma...

(El poeta se pierde entre las aguas. Al momento se desata en Cayo Hueso una manifestación espontánea. Los manifestantes portan grandes carteles donde se insulta a Fifo y se pide clemencia y libertad para el padre Ángel Gastaluz. Ahora aparece la gran pantalla, donde un locutor anuncia que el presidente de los Estados Unidos en persona llegará de un momento a otro a Cayo Hueso y que con el fin de apoyar la manifestación y de restarle publicidad a Fifo hará públicamente el amor con su querido conejo. Gran expectación. Ya vemos en la pantalla llegar el avión presidencial. Se abre la puerta del avión y el presidente desciende las escaleras abrazado a un conejo blanco. Se apaga la pantalla. Se ve al poeta Ángel Gastaluz remolcado por el tiburón. El poeta pasa cerca del bote de la Avellaneda y desesperado se agarra al mismo. Ahora el bote es remolcado hacia Cuba.
La Avellaneda golpea con un remo las manos del sacerdote, quien cae de nuevo al agua.)

LA AVELLANEDA *(mirando desaparecer en el mar al padre Gastaluz):*
Deja, deja,
de horror lleno
nuestro cieno
mundanal.
No exhales ninguna queja
pues a vastos horizontes
en la barca de Aqueronte
te remontas triunfador.

(Pez y sacerdote se pierden en medio del mar mientras se ilumina el Malecón habanero.)

PAULA AMANDA, ALIAS LUISA FERNANDA *(a Fifo):*
El grupo de *Orígenes* en el exilio contraataca.

FIFO:
¡Pues clávales una estaca!

PAULA AMANDA:
No, mejor es que llamemos a nuestra vaca oficial
y que recite su mejor melopea.

FIFO:

¡Pues rápido! ¡Hay que luchar con lo que sea,
antes de que el presidente nos opaque con su conejo!

PAULA AMANDA:

No te inquietes, que este chivo viejo
se presta para las cosas más feas.

FIFO:

No veo a ningún chivo, será que me voy quedando ciego.

PAULA AMANDA:

Aquí está. Es el poeta Odiseo Ruego.

(Se ve al poeta Odiseo Ruego con su barba de chivo y caminando con un bastón hasta subir al Malecón. Mientras recita su poema, aparecerá detrás de la pantalla donde el presidente realiza el amor con el conejo.)

ODISEO RUEGO *(dirigiéndose a la Avellaneda, cada vez más lejana):*
Yo te pregunto, señora del lomo y del laúd salvaje,
qué resuelves con ese viaje
por mar,
cuando aquí serenamente, calladamente, puedes contemplar
los álamos de la Avenida de Paula
y al sinsonte en su jaula
cantar.

(Mientras Odiseo recita su poema, se verá detrás de él, en la pantalla, al presidente de los Estados Unidos con su conejo en un combate erótico cada vez más desmesurado. El presidente se ha quitado toda la ropa: el conejo mete su cabeza completa en el ano presidencial. El presidente suelta un alarido de placer. El conejo sigue escarbando con los dientes y con las patas el ano como si tratara de hacer allí una madriguera. Los jadeos desaforados del presidente se mezclan con los chillidos del conejo.)

ODISEO RUEGO:

Muchacha de las frutas siniestras,
mira a tu diestra,
aquí están tus hermanos,
estrechándonos las manos.

Sálvate, señora de las grutas.
No navegues hacia el mar de las putas.

(En la pantalla se ve ahora al conejo escarbar con más furia entre las nalgas presidenciales. Finalmente de un golpe se introduce completamente por el culo del presidente. El presidente lanza altísimos gemidos de goce, brinca en la pantalla con el conejo en sus entrañas. Por último, echa a correr saltando de cayo en cayo y lanzando aullidos de placer. Así llega hasta la Casa Blanca, salpicando de sangre sus columnas.)

ODISEO RUEGO:
> Dulcemente añorarás en la bruma
> el murmullo gentil de la playa
> que ante ti se desmayaba
> mientras la espuma
> tu magnánima papaya
> acariciaba...

FIFO:
> Pero ¿qué dice ese idiota? Nos acaban de robar el *show*
> y está hablando de brumas y papayas.

PAULA AMANDA:
> Es un poeta de talla.

FIFO:
> No le tires la toalla.

PAULA AMANDA:
> Es un poeta fulgente.

FIFO:
> Mira, con esta gente
> necesitamos algo más caliente
> que un cañaveral.
> A ése lo mejor es lanzarlo al mar.

(Fifo corre hasta el Malecón y de un puntapié lanza a Odiseo a la bahía.)

ODISEO RUEGO *(mientras se hunde)*:
> Oh corrupción, oh bruja de culo plano,

tu fin está cercano.
Ante ti se abre una gruta.

FIFO:

¡Más cercano está tu fin, hijo de puta!

(Mientras Ruego se hunde, aparece el padre Ángel Gastaluz cabalgando al tiburón que antes lo remolcase.)

GASTALUZ:

Monta sobre esta bestia que he convertido al cristianismo,
y partamos ahora mismo.

(Los dos poetas, montados sobre el tiburón, se marchan a toda velocidad. El sacerdote conduce al pez tirando de su gran escapulario, que ahora usa como un bozal.)

FIFO:

No me interesa esa morralla.
¡Que se vaya!

(A Paula Amanda):

Después del espectáculo del presidente
necesitamos algo caliente.
Que se masturbe la gente
hasta que le salgan llagas.

PAULA AMANDA:

¿Llagas en las manos o en el culo?

FIFO:

Donde sea, pero sin disimulo.
Llagas, llagas,
hay que robarle el espectáculo.

PAULA AMANDA:

Querrás decir el *espectaculo.*

FIFO:

No me pongas trabas ni acentos.
¡Mira que te reviento!

PAULA AMANDA: Si lo que quieres es que la gente se masturbe hasta que le salgan llagas, contamos con el resucitado Endinio Valliegas.

(Antes de que Valliegas comience con su poema se ilumina Cayo Hueso. Se ve a varios ejecutivos, alcaldes, presidentes de museos y agentes de publicidad alrededor de una mesa.)

EL ALCALDE DE MIAMI: Después de la templeta del presidente creo que hemos ganado la batalla publicitaria, que es lo que cuenta, pues si Tula llega o revienta es cosa secundaria.

UN DIRIGENTE POLÍTICO: De todos modos hay que robar pantalla hasta que Tula llegue a la playa.

UNA JEFA DE UNA REVISTA DE MODAS *(con aspiraciones a senadora)*: Sin televisión no hay promoción, sin promoción no hay yira y sin yira nadie te mira.

KILO ABIERTO MONTAMIER:
Además está el poder...

EL FISCAL GENERAL:
Claro, claro, mujer...

UNA POETISA LAUREADA:
Ahora que están de moda las resurrecciones,
a ellas hay que darles promociones.

UN REPRESENTANTE:
Lo importante no es quién resucite,
sino el escándalo que lo acredite.

EL OBISPO DE MIAMI:
¿Y quién será el próximo resucitado?
Para, si es importante,
pedirle al instante
al obispo una hopalanda de tul.

UNA MONJA *(al obispo)*:
¡Niña! Nada menos que Mariano Brull.

CORO DE POETISAS:
    ¡Brull! ¡Brull! ¡Brull!

OBISPO:
    ¡Mariano Brull! ¡Pues a vestirse de tul!

CORO DE POETISAS:
    ¡Tul!, ¡tul!, ¡tul!...

(Al instante todas las personas que están en Cayo Hueso, incluyendo niños, ancianos y estatuas, visten largos trajes de tul. Mientras se agitan comienza la danza El renacimiento de don Mariano Brull. *De entre los danzantes emerge Alta Grave de Peralta con un huevo gigantesco que agita incesantemente. El huevo parece muy ligero; a veces se eleva a gran altura y luego desciende, golpeado por un helicóptero. Todos levantan las manos al cielo. Se ve a la Única Loca Yeyé Que Queda en Cuba —seguramente infiltrada— recitando uno de sus poemas pornopops.)*

LA ÚNICA LOCA YEYÉ *(mientras danza)*:
    La loca de mar, tules y azules.
    La loca de mar entre abedules...

(El huevo se eleva a una altura desmesurada, parece que se escapa definitivamente. Entonces Alta Grave de Peralta saca una pistola de debajo de su falda de tul y le dispara. El huevo se abre y de él sale Mariano Brull absolutamente vestido de tul. Envuelto en enormes ropajes vaporosos realiza un descenso suave, como si cayese en un paracaídas. El poeta aterriza sobre la tribuna de Cayo Hueso y empieza a recitar.)

MARIANO BRULL *(absolutamente vestido de tul, largas faldas, mangas acampanadas, etc.)*:
    Soy prisionero del ritmo del mar
    y por eso *me voy a la mar de junio.*
    A la mar de junio, niño,
    con mis tules de armiño.
    Lunas miles, soles a ceremiles
    y yo desnuda en el tibisal.
    Novilunio, a la mar de junio
    y a buscarme un novio de los Haticos del Purial
    por el verde verde, por el verde verde mar.
    ¡Del Purial!

Rar, rar, rarrrr.
Por el verde verde mar
empapada en carne viene la todobollipoderosísima.
Viene, *viernes, vírgula,* virgen rolliza.
¡Todobollipoderosísima!
Verdularia, cantárida.
Rar, rarrr, rarrrrr.
Por el verde limón verde.
¡Huye que el bugarrón te muerde!
Por el verde verde, por el verde verde.
Verdehalago húmedo, verdolaga.
(Mama y paga.)
Por el verde verde
la puta se pierde
prisionera del ritmo del mar.
¡Ay, y sin mamar!

(Se ve a Zebro Sardoya acompañada por la Orquesta de Guadalajara cantando «Soy prisionera del ritmo del mar».)

UNA DAMA MIAMENSE *(envuelta en tules y danzando):*
¿Así que ése es el Poeta Nacional?
A mí me parece un inmoral.

UNA ANCIANA *(en una silla de ruedas):*
Nacional no, municipal.

UN SACERDOTE:
De todos modos no me parece normal.

ZEBRO SARDOYA *(contoneándose trabajosamente entre la multitud, pasa cantando cerca de los que en estos momentos hablan):*
Soy prisionera del ritmo del mar...

UNA MONJA:
Nada me han gustado esos versos perversos e indigestos
que además tenemos que pagar con nuestros impuestos.

UNA PROFESORA DE LITERATURA:
Y pensar que de un poeta tan fino eso es lo que queda.

OTRA POETISA LAUREADA *(por ella misma):*
La culpa la tiene la Avellaneda.
Ella es su inspiración.

LA MONJA:
Y por lo tanto, su perdición.

LA ANCIANA:
Como lo fue de Cepeda.

UN ASTRÓLOGO RESPETABLE *(se trata de uno de los tantos agentes de Fifo en el exilio):*
Para el año 2000 practicará el incesto con su hermana
en un prostíbulo de Tijuana.

EL FISCAL GENERAL:
¡Qué horror! Aquí no puede llegar esa ciudadana.

LA MONJA:
Ay, madre María.
¿Y es cierto que escribe con faltas de ortografía?

UNA AMA DE CASA:
Y sin embargo a pesar de su gordura parece tan suave...

EL ASTRÓLOGO:
Ahí está la clave.
Tula no es un ave,
es una mula.

LA ANCIANA:
Dicen que practica la gula.

LA PROFESORA DE LITERATURA:
Yo estoy indecisa,
pero ¿alguien con esas tetas podrá ser poetisa?

MARIANO BRULL *(siempre vestido de tul):*
Me ofende que me comparen con esa mujer rolliza.
Yo soy otra cosa.
Jamás he visto que ella le haya escrito a la rosa.

54

Yo no llevo una vida escandalosa.
Y vivo para cantarle incesantemente a la rosa.
Rosa rosarum rosososa, amorosa.
La osa rencorosa no le canta a la rosa, ¡osa, osa, osa!...

CORO *(señalando hacia el mar, donde casi naufraga la Avellaneda):*
¡Osa, osa, osa!

(Se apaga Cayo Hueso y se ilumina el Malecón habanero.)

DELFÍN PROUST:
Ahí sube la loca de mama y paga, o mejor dicho, la Valliegas.

ENDINIO VALLIEGAS *(sobre el Malecón):*
Descalza voy por la arena y por la mar desnuda, porque soy una rosada caracola.

DELFÍN PROUST *(interrumpiéndola):*
Tú lo que eres es un comebola.

VALLIEGAS:
Soy *un árbol, la punta de una aguja...*

DELFÍN PROUST:
Una loca que se lamenta y puja...

VALLIEGAS:
No soy el que frecuenta aquellas salas presidida por una sanguijuela...

DELFÍN PROUST:
La sanguijuela es Coco Salas.

VALLIEGAS *(enfurecido, a Delfín):*
¡La sanguijuela es el bollo de tu abuela!

(con tono sereno y empostado):
No soy el que traiciona las palomas.
O, como Delfín, singa en las lomas.
Soy la golondrina en cruz, el aceitado vuelo de un búho, el susto de una ardilla...

DELFÍN:
Sorprendida en medio de una descomunal tortilla...

VALLIEGAS:
Soy todo menos eso que se dibuja en los burdeles y en los cementerios.

DELFÍN:
Soy un pájaro cursi y a la vez serio.

VALLIEGAS:
Soy lo que me destines, lo que inventes para enterrar mi llanto en la neblina.

DELFÍN:
Soy un imbécil repitiendo pamplinas.

VALLIEGAS:
Soy una verde voz desamparada que inocente busca y solicita con dulce silbo de pastor herido.

DELFÍN:
Soy una loca que quiere ser singada por un miembro del Partido.

VALLIEGAS:
Soy todo menos aquello que se oculta bajo una seca máscara de esparto.

DELFÍN:
Soy una loca que grita: «Me parto, me parto...».

VALLIEGAS *(a Delfín):*
¡Cállate, maricón, que ya me tienes harto!

(Ahora se dirige al mar y habla con voz quejumbrosa):
Desmayado vivir, *ciega obediencia,* es preferible huir antes de que caiga la sentencia...

DELFÍN:
Marica, ten paciencia.

VALLIEGAS:
Lo intento, *mas no puedo aclimatarme.*

DELFÍN *(imitando el tono de Valliegas):*
Ya vienen los bugarrones a matarme.
Pero cuando yo esté ausente,
no lloréis más, delfines de la fuente,
que yo se las mamé hasta que se me gastaron los dientes.

VALLIEGAS:
Cállate, insolente.
No mojes más del musgo la madeja.

DELFÍN:
Cállate tú, loca vieja.

VALLIEGAS *(intentando olvidar a Delfín):*
Me apresuro en doradas cabriolas a dibujar efímeros anillos.

DELFÍN:
¡Qué espanto! Preferible es oír a un grillo.

VALLIEGAS *(esgrimiendo una navaja):*
¡O te callas o te hago picadillo!

FIFO:
¡Pero qué espectáculo es el de esos maricones!
¡Llévenselos ahora mismo para los paredones!

DELFÍN Y VALLIEGAS *(al unísono, lanzándose al mar):*
Soy un mudo pececillo.
(Convertidos momentáneamente en pargos, se alejan de la costa.)

FIFO:
Otros hijos de puta que se nos escapan.
Bueno, mientras menos bulto más claridad.
Además, qué falta de seriedad
y de decoro.

RAÚL:
Tesoro, tesoro.
no te preocupes, que hemos resucitado a un poeta de calidad
y de gran actualidad.
Alguien que en estos momentos está en la cima.

FIFO: ¿Quién?

RAÚL: José Lezama Lima.

(Se apaga el Malecón y se enciende Cayo Hueso. Llegan nadando Delfín Proust y Endinio Valliegas. Inmediatamente, todos abandonan a Odiseo Ruego y a Ángel Gastaluz y se van tras los recién llegados.)

UN PERIODISTA *(señalando a Proust y a Valliegas):* Estos dos sí son grandes poetas, no estos viejos de *Orígenes* que llegaron en muletas.

DELFÍN: Pero ¿no llegaron sobre un tiburón? Por eso he cruzado este marasmo. Sólo con un tiburón siento el orgasmo.

EL PERIODISTA: Sí, vinieron sobre un tiburón y por eso son sospechosos. De ahí la treta de las muletas.

UNA DAMA ENJOYADA: Hubiese sido mejor que hubiesen llegado cabalgando un hipogrifo. Los tiburones son agentes de Fifo...

DELFÍN: ¿Y a la Avellaneda, que viene en un bote, cómo la recibirán?

LA DAMA ENJOYADA: No sé. Haremos el *paripé.* Hay que cuidarse del *qué dirán.*

UN DIRIGENTE POLÍTICO: Nada sabemos de esa señora, ni siquiera si es de nuestro bando.

DELFÍN: ¡Jesús! Antes de que se pongan a averiguar sobre mí, me voy nadando.

(Delfín se tira al mar y llega al Malecón no sin antes darle un cabezazo al bote de la Avellaneda, que se deteriora aún más. Con la llegada del Delfín se enciende el Malecón. En ese momento se anuncia la presencia del poeta José Lezama Lima. Gran expectación. Llega una cuadrilla de enanos que conducen una enorme parihuela; sobre ella viaja una suerte de bola gigantesca tapada con un manto. Se deposita la inmensa parihuela sobre el Malecón. María Luisa Bautista tira cariñosamente del manto y bajo él aparece el poeta Lezama Lima, quien viene vestido a lo griego. El poeta se incorpora trabajosamente sobre la litera y empieza su discurso.)

JOSÉ LEZAMA LIMA: Ah, *que tú escapes*, ya que yo no pude pues la Tenebrosa Moira se interpuso, más los gondoleros de pasos evaporados que ante mí se alargan sin dejarse definir.

Millones de horribles lestrigones salieron de *una oscura pradera, antílopes, serpientes, cantidades rosadas de ventanas,* chimborazos cornetas, duendecillos haciendo mil funciones lúbricas, cantidades hechizadas de palanganas tibetanas; gigantesco lebrel que se apresura a reculones nadando entre la sangre y la tiara del ilota.

FIFO: Pero ¡qué carajo es eso! ¡Qué está haciendo ese idiota!

LEZAMA *(impávido):*
Paladeo, malva errante,
ciego en gotas.
Marmotas, marmotas y marmotas
del Tíbet, ya lo ve.
Ni garza cazaré, ni zorzales,
ni siquiera al gran jabato
que azota mis perplejidades rectales
sobre las cuales me debato.
Gatas, gatas, gatas y gatos y gaticos.
Imágenes de Perseo,
todo eso veo
y de la vieja Rosa los zapaticos.
Vieja transhumante, carbunclosa,
se trata de la bruja de Perronales
donde Proserpina al crear el pseudo protón trotón
despliega sus aguas septentrionales.
Sortilegio de pegar en la arena un brisote portando sus fanales.
Jáquima empleada por Eurídice para tumbar caimitos.
Perros de llamas malditos.
Contorsiones aberrantes.
El limoncito, la almeja y sus panales.
Fauno de las granjas avícolas, entra desnudo en mi lecho
marmóreo con andares de *caracol nocturno.*
Te aguardan los anillos de Saturno,
pues te zambullirás en el repertorio de mi saliva.
Secularidad del UNO. Fauno tocando el tokonoma deseoso
que se encabrita ante el descubrimiento placentario, *pradera infusa.*
Cuanto más hondo el hueco mayor el placer.

Abismado Faraón de centrados ojos ciegos.
Vidriosa patada del mulo adentrándose en la corona del pleamar.
Corona, tras corona, salte el mulo,
insólita Gorgona,
hay que afilar...

FIFO:

    ¡Callen a esa cabrona
    de una patada en el culo
    y tírenla al mar!

(Soldados y enanos, provistos de grandes varas, hacen rodar a Lezama por el Malecón hasta el mar en medio de un enorme alboroto.)

LEZAMA *(mientras rueda hacia el mar):*

    Este hundimiento será mi epifanía.
    Desciendo cual Antígona soberana.
    Pero díganme, en medio de esta algarabía,
    ¿es cierto que mi amigo Rodrigo de Triana
    renunció a la sodomía?

(Cae al agua, provocando la subida de la marea, que inunda el Malecón y el bote de la Avellaneda.)

LA AVELLANEDA *(bamboleada por las olas):*

    Mar
    brindando
    al mundo
    profundo
    solaz.
    Voy a volar.
    Tal vez en el cielo
    encuentre la paz.

FIFO *(A Paula Amanda):*

    ¿Así que esa mierda es el poeta que nos ha recomendado?
    Y de contra nos ha inundado.

RAÚL:

    Miles de dólares nos costó el haberle resucitado.

PAULA AMANDA *(desesperada):*
   Yo les prometo algo más distinguido.
   Algo histórico. Algo verdaderamente sin igual.

FIFO: ¿Cuál?

PAULA AMANDA: Julián del Casal.

(La Paula Amanda y otros policías compelen a Horcayés a que resucite inmediatamente a Casal. El poeta surge en el Malecón. Viste un gastado traje del siglo XIX.)

JULIÁN DEL CASAL *(mirando el mar, por donde huye la Avellaneda):*
   Ansias de aniquilarme sólo siento
   y por eso aplaudo tu intento.
   Yo también *suspiro por las regiones*
   donde vuelan los halcones
      sobre el mar.
   Un paraíso quiero habitar
   poblado de centuriones
   que me inviten
      a mamar.

FIFO *(enfurecido):*
   ¡Enfílenle los cañones!

(Mientras los artilleros preparan los cañones, Casal prosigue con su poema.)

CASAL:
   Ver otro cielo, otro monte,
   Otra playa, otro horizonte
   donde trinando cual sinsonte,
   ante una tropa ruda,
      pueda desnuda
         danzar.

FIFO:
   ¡Apunten y a disparar!

CASAL *(mientras los cañones le apuntan):*
   Ah, si yo pudiera

dejar esta isla de caimanes,
con qué gusto partiera
para Argel,
donde diez mil macharranes
me esperan en su vergel
para ofrecerme
un clavel.

FIFO:
¡Fuego con él!

CASAL *(a toda velocidad):*
¡Sí, para Argel!
Ésas son mis intenciones.
Donde hay bugarrones
a granel.

(Las tropas de Fifo hacen fuego, matando a Casal y averiando seriamente el bote de la Avellaneda, que ha perdido sus remos.)

LA AVELLANEDA:
¡Horror, horror! ¡Qué pasa en mi bajel!
¡Ay, Cepeda, ay Fonseca, ay Gabriel,
ay Quintana, ay Zorrilla,
mande rápido una flotilla
o no llegaré a la orilla!
¡Ay Camilo José Cela,
por favor, sopla mi vela!

(Mientras la Avellaneda casi naufraga, en Cayo Hueso se discuten las cifras de una encuesta realizada por una importante compañía norteamericana acerca de la popularidad de Fifo, que según los estudiosos ahora ha subido.)

UN ALCALDE:
La prensa ha reportado
que ha resucitado
a Casal, a Lezama
y a otra gente de fama.

UNA POETISA:
Sí, sí, sí.

La prensa, algo siniestro,
nunca está al lado nuestro.

CORO:
Sí, sí, sí...

UN ACADÉMICO:
Y la culpa siempre la tiene el totí.
Es decir, los que estamos aquí.

CORO:
Sí, sí, sí...

EL PRESIDENTE DE UN MUSEO CUBANO:
Sí, claro, algo siniestro.
Yo propongo para que nada quede así
la resurrección del Maestro,
que gente de fama no nos falta.
Llamen a Alta Grave de Peralta
y que resucite a José Martí.

CORO:
Sí, sí, sí...

(Gran tensión en Cayo Hueso. Alta Grave de Peralta aparece con su gigantesco huevo plástico que lanza por los aires mientras los focos lo alumbran. El huevo sigue elevándose. Surge la gran pantalla y en ella Zebro Sardoya.)

ZEBRO SARDOYA:
Dentro de unos segundos, de ese huevo
que veis alzarse ahí
saldrá nuestro relevo:
José Martí.

(El huevo se eleva cada vez más.)

ZEBRO SARDOYA *(en la pantalla):*
Parece que no quiere aterrizar.

(Se apaga la pantalla.)

ALTA GRAVE DE PERALTA:
Tírenle pero no a matar.

(El sheriff de Cayo Hueso saca una pistola y le dispara al huevo, que se abre en dos mitades. Está vacío. Mientras tanto, de entre el público, donde se encontraba, sale José Martí; cabalga un caballo de palo y porta una extraña maleta o maletín.)

UNA POETISA LAUREADA:
¡Ahí va! ¡Ése es nuestro Martí!

CORO:
Sí, sí, sí.

(Martí cruza con su caballo de palo por entre la muchedumbre, que hace silencio y se lanza al mar. Siempre cabalgando llega hasta la Avellaneda.)

LA AVELLANEDA *(a Martí)*:
¡Ayúdeme por Dios!
Mire que voy a naufragar.
Tal vez si somos dos
contra el mar
nos podamos salvar.

MARTÍ:
Imposible,
mi destino
es cabalgar.

AVELLANEDA:
¡Ay, triste sino!
Mi destino
es naufragar.

MARTÍ:
Así es, su bote está hecho pedazos.

AVELLANEDA:
¡Por piedad déme su brazo!
¡No me deje instalada en el fracaso!
(Martí parece dispuesto a marcharse.)

Pero, óigame, ¿no me va a ayudar?
Dígame, ¿no es usted un hombre?
Por favor, déme su nombre
para que lo pueda insultar.

MARTÍ:
Mi nombre es José Martí.

AVELLANEDA:
Ah, tú eres Martí.
Algo de ti leí
a escondidas en La Habana.
Tienes buen tono,
pero no te perdono
que prefieras a la Zambrana
en vez de a mí.

MARTÍ:
No hay tiempo para perder
en literaria querella,
usted viene en busca del poder,
yo parto por una estrella.

AVELLANEDA:
¿Una estrella?
¿Quién es ella?
¿Cuál es el nombre de esa mujer?
Si no es el mío no tengo paz.

MARTÍ:
Se llama libertad.
Y no es una mujer,
es un deber.

AVELLANEDA:
Pero ¿no dejas la libertad?
¿Por qué te quieres perder?
¡No, no, detrás de ti hay una mujer!

MARTÍ:
¡Qué manera de joder!...

Me voy porque éste no es mi país,
porque ya no puedo soportar esta vida aquí,
porque un mundo donde sólo cuenta el dinero
no es precisamente lo que quiero.
Me voy porque necesito disfrutar del mes de enero,
sobre guásimas mecerme,
bajo un jubabán tenderme.
Me voy porque quiero ser yo o al menos parecerme
a lo que quiero ser.
Mira, mujer:
me voy porque me muero de frío.
Muero de soledad, de pena muero.
Me voy porque quiero escuchar el aguacero,
quiero pelear por algo mío.
Me voy porque no puedo comer más el pan del desterrado.
Tú no sabes lo que es vivir siempre humillado.
Tal vez no puedas entender mi dolor.
Pero, óyeme, *sólo las flores del paterno prado tienen olor.*
Aquí las alegrías no florecen
y hasta las miradas injurias me parecen
y el sol más que en grato calor
se enciende en ira.

AVELLANEDA:
Mira,
tú estás lleno de escepticismo.
Yo en cambio traigo el ímpetu del romanticismo.

MARTÍ:
Tula, tu tiempo ya no existe.
Aquí todo lo que tiene un mes es obsoleto.

AVELLANEDA:
Y yo que a Washington le traía un soneto...

MARTÍ:
Lo conozco,
no es nada tosco.
Es algo sólido.

AVELLANEDA:

Lo escribí de un bólido.
Pero yo sabía que te gustaría.
Se lo leí a mi prima
y sólo me elogió la rima.

MARTÍ:

En rima eres lo mejor que he conocido.

AVELLANEDA:

Sí, sí, pero no hay buena rima sin contenido.
Te lo volveré a leer para que quedes convencido.

MARTÍ:

¡No! No tengo tiempo. Soy jefe de un partido.

AVELLANEDA:

¡Oh vate excelso, escucha aunque sea mi agonía!
Quédate conmigo esta noche,
medita en mi pecho hasta que llegue el día.
¿Acaso no te conmueven mis reproches?
¿Acaso no doy pena?

MARTÍ:

¡Penas! ¿Quién habla de penas?
Penas grandes son las mías.

AVELLANEDA:

Cada cual carga con sus condenas...

MARTÍ:

Tu condena
es volver a las tertulias y a los homenajes.
Vestir bellos trajes,
que te besen la mano.
Y ser coronada por un tirano.

AVELLANEDA:

¡Águila real soy, enemiga de tiranos!
Debilidades tengo. Tú también eres humano.
Has traicionado a tu mejor amigo,
te acuestas con la mujer del que te dio abrigo.

MARTÍ:
   ¿Amigos? No me hagas reír.
   Mira, me voy porque deseo de una vez morir.
   Soy un montón de papeles dispersos.

AVELLANEDA *(conmovida):*
   Quedan tus versos.
   Algo que nunca se volverá a repetir.
   Te queda un universo.

MARTÍ:
   Que no voy a ver.

AVELLANEDA:
   ¿Cómo ha de ser?

MARTÍ:
   ¿No te das cuenta de que para yo ser
   tengo primero que dejar de vivir?
   Yo no soy de este lado.
   Regreso a Cuba para ser crucificado.

AVELLANEDA:
   En Cuba ya no existe la crucificación,
   sino la crucipinguificación.

MARTÍ:
   ¡Qué indignación!

AVELLANEDA:
   ¿Y si vivieras muchos años?

MARTÍ:
   Me moriría de desengaños.
   Y parto,
   que ya estoy harto.

AVELLANEDA:
   Pero dime, ¿cuáles son las verdaderas razones
   que te lanzan al mar en este tiempo de ciclones?

MARTÍ:

¿Las razones? ¿Acaso ya no te las dije?
Además de acabar con los bribones,
mis razones
son las hojas amarillas que aquí se arremolinan a mis pies.
La prestada casa,
el bárbaro lenguaje
el vivir una vida al revés
y envuelta siempre en este horrible traje.
Los inviernos amargos,
los calzoncillos largos.
Me voy.
Aquí cáscara de mí sólo soy.

AVELLANEDA:

¿Y tu vida?

MARTÍ:

Una herida
que no acaba de sangrar.

AVELLANEDA:

Óyeme lo que te voy a decir,
déjate de tanto romanticismo.
Allá te van a matar.

MARTÍ:

Me da lo mismo.
Grato es morir, horrible vivir muerto.

AVELLANEDA:

Muere aquí. Aquello es un desierto.

MARTÍ:

Con mi sangre haré un huerto.

AVELLANEDA:

Sabes bien que es cierto.
Aquel es un país de delincuentes. Traficarán con tus huesos.

MARTÍ:

    Y esa gente en Cayo Hueso,
    ¿crees que tiene corazón?

AVELLANEDA:

    Llegué aquí por equivocación.
    No es éste el sitio que he seleccionado.

MARTÍ:

    Ah, a ti también te han embarcado...

AVELLANEDA:

    No, pero tengo una misión:
    llegar al Niágara, publicar mi obra completa
    con prólogo de Espeleta.
    Tal vez podríamos juntos triunfar.
    La Real Academia quiere que yo suba.

MARTÍ:

    Pamplinas de mujer.
    Yo lo que quiero es una escopeta
    y un mapa de Cuba
    para empezar a pelear.

AVELLANEDA:

    Entonces, ¿no nos volveremos a ver?

MARTÍ:

    Me verás en medio de esa gente fatua.
    Allí encontrarás mi estatua.
    Pero, por favor, no repares en la escultura,
    la cabeza es de una desmesura
    que a mí mismo me causa paúra.

AVELLANEDA:

    La rima es del Dante...

MARTÍ:

    Sí, porque la cabeza es gigante.
    En cuanto a la frente,
    es más larga que un puente.

AVELLANEDA:

Es que has pensado tanto...

MARTÍ:

Sé que soy calvo, pero no de espanto.

AVELLANEDA:

Hay que perdonar a los estetas
de la arquitectura humana.
A mí que soy plana
me pintan con enormes tetas.

MARTÍ *(mirando los enormes pechos de la Avellaneda):*
No sabía que usaras relleno.

AVELLANEDA:

¿Relleno? Mío es este seno.
Ahora mismo te lo voy a enseñar...

MARTÍ:

Bueno, bueno,
no hay que exagerar...
Ya te dije, cuando llegues a la playa
busca mi estatua que por allí se halla
y lee un letrero escrito en mi pecho de piedra.
Un letrero que es como una hiedra.
Y por el que ahora mismo cruzo el estrecho.

AVELLANEDA:

Espera, espera,
una pregunta antes que me muera,
atiende mi voz que te reclama.
Dime, ¿esa maleta qué encierra?

MARTÍ:

Un lanzallamas
para ganar la guerra.

AVELLANEDA:

Tu contradicción me hace sufrir

por el absurdo que ella encierra:
vas a morir
y piensas ganar la guerra.

MARTÍ:
    Cuando se muere por un sueño,
    la muerte es una victoria.
    No me quites ese empeño.

AVELLANEDA:
    Tú también buscas la gloria.

MARTÍ:
    No, pero tengo un ideal.

AVELLANEDA:
    Mal, mal, muy mal
    es dejar a una mujer que te ama.
    Yo te quiero. Tú estás solo...

MARTÍ:
    Yo tengo mi lanzallamas.

AVELLANEDA *(palpando el lanzallamas):*
    ¡Ah, el lanzallamas!
    Mi pecho se inflama
    de emoción,
    Bartolo,
    digo, Martí,
    hazme aquí
    una demostración.

(Martí extrae el lanzallamas y se lo lleva a la cintura. La Avellaneda mira arrobada para el lanzallamas.
La Avellaneda, palpando el tubo de escape del potente lanzallamas):

    ¡Qué largo es! No parece la invención de un vil gusano.

MARTÍ:
    Es un nuevo y potente invento humano,
    la patente es de un americano.

72

AVELLANEDA *(abrazando a Martí mientras aprieta la punta del lanzallamas):*

¡Dispara, y que el fuego nos fulmine a los dos!

(Martí hace fuego en dirección al mar, pero el bote de la Avellaneda es tocado por las llamas.)

MARTÍ:
Y ahora adiós.

AVELLANEDA:
Me dejas sola
y te vas botando fuego
y agua caliente
como una fumarola.

MARTÍ:
La guerra no es un juego.
Ya encontrarás gente
que por oírte harán cola.

AVELLANEDA:
Espera, escucha mi lamento.

MARTÍ:
Lo siento.
Quiero morir en el monte
o en medio de un cañaveral.
Que me susurre un sinsonte,
que me arrulle algún palmar,
que alguien sepa mi dolor.
Además de matar
al tirano
quiero caer en medio del color
del verano natal.

AVELLANEDA:
El calor del verano infernal,
querrás decir.

MARTÍ:
Tal vez tengas razón, pero allí quiero morir.
Y por favor, dije «color» y no «calor».

AVELLANEDA:
Me dejas sola.

MARTÍ:
No. Te dejo con las olas.

AVELLANEDA:
No escuches a esta infeliz que te reclama,
pero al menos piensa otra vez en la fama.

MARTÍ:
Yo de otra locura estoy preso,
pero tú en Cayo Hueso
tendrás buena aceptación.
Tu versos
malos no son.

AVELLANEDA:
Vas en pos de una quimera,
de un espanto intransferible.
Desprecias mi mano
y todo lo que darte pudiera
a cambio de un verano
insufrible.
Dime, ¿no hay otro camino?

MARTÍ:
No. Para mí sólo existe el torbellino.

AVELLANEDA:
Mal, mal, muy mal
es sucumbir al color del verano tropical.

MARTÍ:
¡Voto a tal!
Ese color es mi amor primordial.

*(Martí echa a andar sobre su caballo de madera con el lanzallamas en ristre.
Así avanza sobre el mar.)*

AVELLANEDA:
    ¡José! ¡José!
    ¿Adónde vas con esta bruma?

MARTÍ:
    A morir en algún monte de espuma.

AVELLANEDA:
    Lo sé, lo sé.
    Y me orgullece mirarte.
    Y hasta quisiera imitarte,
    pero sólo tengo la pluma.

MARTÍ *(desapareciendo en el mar):*
    Lo sé, lo sé.

AVELLANEDA *(narrativa):*
    A pesar de mi voz que lo llama,
    se ha ido con su lanzallamas.
    Oigo ahora un fuerte estampido de fusilería.
    Ay, ¿qué cosa es ese ruido, esa algarabía?
    ¡Jesús! ¡Ya lo han matado!
    ¡Y yo con mi bote incendiado!

*(Se oye una descarga de fusiles; luego un sonoro disparo que mata a un es-
pectador cuyo cadáver debe retirarse inmediatamente de la sala. La Avellaneda intenta, desesperada, apagar las llamas del bote, pero éstas se hacen más
potentes. Pide auxilio. Pero sólo recibe como respuesta una lluvia de huevos
podridos por parte de la gente del Malecón habanero y otra de péters de chocolate por parte de la gente de Cayo Hueso. Mientras prosigue la avalancha,
ambos bandos comienzan a insultarse.)*

CORO DEL MALECÓN:
    ¡Gusanos!

CORO DE CAYO HUESO:
    ¡Marranos!

AVELLANEDA:
¡Ay, una mano, una mano!...

CORO DEL MALECÓN:
¡Agentes del imperialismo!

CORO DE CAYO HUESO:
¡Fósiles del marxismo!

AVELLANEDA:
¡Ay, ay, voy a entrar en el abismo!

CORO DE CAYO HUESO:
¡Desaparecerán en un segundo!

CORO DEL MALECÓN:
¡Nosotros somos los amos del mundo!

AVELLANEDA:
¡Me hundo, me hundo!

(Mientras prosiguen los insultos, la Avellaneda se hunde en el mar. Silencio. Baja la gran pantalla. En ella se ven las olas en alta mar. Inmediatamente se ve un parque abandonado con dos estatuas carcomidas por el tiempo, la de Martí y la de la Avellaneda. Detrás de esas estatuas aparece el poeta Andrés Reynaldo.)

ANDRÉS REYNALDO: A Gertrudis Gómez de Avellaneda, que escribió que sólo es grande el que hace grande a su pueblo, que sólo es libre el que rige a pueblos libres. A José Martí, que escribió o más bien gritó en silencio que sólo son bellas las playas del destierro cuando les decimos adiós... ¡A esos dos, por el amor de Dios, oh, Néstor Almendros, retrátalos!

(Un potente flash *ilumina a todo el público en escena, que acaba de ser retratado. Oscuridad. Telón.)*

Abre, obra, obre, ubra, abra, ebro...

¿Sabrá Zebro que él sobra lo mismo si escribe *Kobra* o quema todas sus obras, volutas de falsos Sèvres? Jamás sabia, jamás sobria. Macabra culebra ebria sobre ubres de otros orfebres ante los que se descubre, la pobre, que toda es cobre. Voluble como una cebra, sus obras son sólo sobras que enhebra sobre otras hebras y sobre otros libros labra. ¡Y por extraño abracadabra por ese atraco ella cobra!

(Para Zebro Sardoya)

Del bugarrón

El viejo bugarrón se levantó de su poltrona y caminó por su enorme residencia ahora en ruinas y casi vacía que hacía muchos años le regalara Fifo cuando juntos salían a bugarronear. El viejo bugarrón atravesó la gran sala desierta y caminó hasta el espejo que cubría una pared de su cuarto. Espejo que había reflejado gran parte de sus actividades bugarroniles a través de sesenta años. El viejo contempló su rostro seco y a la vez papujo, su frente llena de arrugas, las bolsas terribles de sus ojos, que le colgaban como un par de chipojos negros. De toda su dentadura quedaban solamente dos colmillos, y su cuerpo era una combinación de venas, huesos y pellejos atrofiados. Sus piernas se habían vuelto zambas y de su cabeza salía un pequeño capullo o retoño tardío de pelo blanco que se alzaba ofensivo y ridículo en medio del desierto de su calvicie. Y pensar, se dijo mirándose en el espejo, que yo fui el bugarrón número uno de la isla de Cuba; el único que se templó a Mella, a Grau San Martín y a Batista (todos ellos notables bugarrones), y después, ay, a Fifo, que hoy celebra sus cincuenta años en el poder. Cincuenta años que en realidad son cuarenta, aumentados por él en diez más, pues él ama por encima de todo los números redondos y la publicidad... Y ese guiñapo humano que se contemplaba en el espejo tenía aún el atrevimiento de estar vivo, y lo que era aún más trágico, todavía deseaba singar. Y singarse a otro bugarrón. No se equivoquen conmigo, pues como superbugarrón que es lo que siempre he sido (y ahí radica mi tragedia) nunca he podido singarme a un maricón. Sí, niña, la tragedia de este bugarrón era ésa: sólo se le paraba cuando se singaba a otro bugarrón. Dios mío. Pero poco a poco, después de muchas andanzas y ensartajes, el bello bugarrón (entonces no era un viejo) descubrió que el único bugarrón que quedaba sobre la Tierra era él. En sus largas peregrinaciones eróticas por todo el globo siempre había creído templarse a otro bugarrón; él, el superbugarrón. Pero cuál no sería su sorpresa al descubrir que todos aquellos bugarrones eran maricones, pues se dejaban encular por otros bugarrones, bugarrones que no eran tales, pues a la vez se dejaban encular por otros bugarrones y así *ad infinitum*. De manera que el viejo bugarrón descubrió, con pavor, que en el mundo solamente había maricones. Maricones de todos los tipos; algunos disfrazados de bugarrones; otros, absolutamente tapados o tapiñados (éstos eran los peores), casados, con mujeres, queridas, hijos y nietos, pasaban el tiempo singándose entre ellos o, en la mayoría de los casos, sumidos en una renuncia bovina y beatífica, gastaban sus vidas delante del televisor mirándole los bultos a los negros jugadores de baloncesto. En fin, gastaban sus vidas en una gran mariconería visual. El viejo bugarrón caminó trabajosamente hasta la gran imagen del Sagrado Corazón de Jesús que se alzaba en un altar en una esquina del cuarto. Dios mío, exclamó el superbugarrón, dime, ¿dónde podré encontrar un bugarrón para singármelo? En ningún sitio, señor, respondió el Señor, y le mostró una nalga al gran bugarrón. Esperaba esa respuesta, se dijo el viejo bugarrón y recordó su último desengaño. Era entonces el singante de Fifo quien se las daba de superbugarrón y le juraba al bugarrón que solamente a él le daba el culo en un acto de sacrificio y por lo tanto de amor. Con el propósito de templarse una vez más a Fifo había subido el superbugarrón al último piso del hospital Piti Fajardo, destinado por Fifo a la templeta. Allí estaba Fifo, en cuatro patas, recibiendo la obra de varón del Che Guevara y éste era a la vez enculado por Camilo Cienfuegos y Camilo por... El viejo bugarrón no pudo contenerse ante el recuerdo de esa traición. Fue en busca de su poltrona, recorrió con ella toda la mansión y la estrelló contra el enorme retrato de Fifo que aún se levantaba sobre una chimenea que nunca se había usado. El retrato (pintado por Raúl Martínez) se hizo mil pedazos. Entonces el viejo bugarrón se metió un rollo de billetes antiguos en el bolsillo y abandonando aquella mansión en la cual, por orden del mismo Fifo, se hallaba ahora confinado, salió resuelto a la calle.

Por la Quinta Avenida cruzaba la gran caravana que escoltaba al presidente de la Argentina, quien también participaría en la gran fiesta que en ese mismo momento daba Fifo. El viejo bugarrón vio cómo el presidente y sus escoltas se tocaban recíprocamente las nalgas. Asqueado sigue su marcha. Desde el muro del Malecón adolescentes de traseros dorados se tiraban de cabeza al agua, burlando la vigilancia y sorteando tiburones, sólo por el placer de manosearse en el fondo del mar. Soy el último bugarrón del mundo, dijo trágicamente el viejo bugarrón de pie en el muro. Así vio llegar a un carro patrullero. Los policías, con voces y gestos de tragamundos, prendieron a los jóvenes que se bañaban desnudos y a culatazos los metieron en el carro patrullero. Una vez todos dentro, los policías comenzaron a mamarles las pingas a los jóvenes maricones bañistas.

Soy el último bugarrón del mundo, repitió ahora el bugarrón con voz aún más trágica. Y se fue caminando hasta Coco Solo. Entró en la casa de José Antonio Portuonto, que decían que era un famoso ex bugarriche. Portuonto acababa de armar un órgano oriental. Lo voy a estrenar en el carnaval, cuando Fifo haga su entrada, explicó; seguramente después de este homenaje Fifo me vuelve a rehabilitar y me concede la embajada del Vaticano. Portuonto comenzó a darle vueltas a la manigueta del órgano oriental, que empezó a tocar la pieza «Se va el caimán, se va para Barranquilla». Y mientras hacía girar la manigueta, Portuonto, a pesar de sus noventa años cumplidos, se contoneaba desaforadamente. El viejo bugarrón se despidió de Portuonto, que no lo escuchó, y fue a visitar al Negro Cuquejo. Cuquejo, pensó el viejo bugarrón, aunque ya está retirado por su avanzada edad, había sido un buen bugarrón, nunca le vi darle el culo a nadie. Cuquejo, Cuquejo, llamó a la puerta del negro viejo el viejo Bugarrón y como nadie respondía entró en aquella suerte de cueva en pleno derrumbe. Entonces el viejo bugarrón oyó unos profundos suspiros y vio al Negro Cuquejo desnudo, con las patas hacia arriba, metiéndose una enorme morronga de goma. La morronga entró finalmente en el cuerpo de Cuquejo y éste, aún no satisfecho, se introdujo también los dos huevos sintéticos. El viejo bugarrón se marchó cerrando despacio la puerta. En uno de los recovecos del Parque Central de La Habana vio a la Tétrica Mofeta, reescribiendo una vez más su novela perdida, *El color del verano*. Trabajaba ahora en un capítulo titulado «Del bugarrón». Qué puede saber ese pobre pájaro de los bugarrones, pensó el viejo bugarrón, y se retiró caminando por entre las grandes tarimas que se levantaban con motivo del próximo carnaval. Ningún maricón ha conocido nunca a un verdadero bugarrón, porque un verdadero bugarrón no se singa nunca a un maricón. Un bugarrón que se singa a un maricón es sencillamente otro maricón... Desconsolado, el viejo bugarrón fue a visitar a su abuelo, un anciano de más de ciento treinta años llamado Esteban Montejo. Cuando niño, el viejo bugarrón fue violado por su abuelo. Evidentemente, pensó el viejo bugarrón, su abuelo había sido un bugarrón nato. ¡Niño! ¡Qué viejo estás! Pero entra que me estoy preparando para la fiesta, le dijo su abuelo, completamente vestido de mujer, al viejo bugarrón. Entra y dame tu opinión sobre este regio disfraz que estrenaré en el carnaval. Pero el viejo bugarrón no entró y echó a caminar por la costa. En un cañaveral, cerca del mar, varios macheteros voluntarios se mamaban recíprocamente sus morrongas sin dejar de cortar caña. En una trinchera numerosos soldados en camiseta se poseían los unos a los otros. En un parque, supuestos hombres dejaban a sus mujeres en un banco y entraban en un baño donde eran enculados por otros pájaros. Soy el último bugarrón, soy el último bugarrón, volvió a decir casi con un grito ahogado el viejo bugarrón recordando sus tiempos dorados; aquellos en que un soldado virgen le había roto el culo a un negrito varonil que después se ahorcó, aquellos en que él, en misión secreta, se había templado a un guerrillero colombiano y al jefe de la KGB de Panamá. Los hombres ya no existen, el bugarronato ha sido abolido o es sencillamente una falacia. Todo no es más que una representación, una máscara incesante. Los maricones, gracias a esa máscara, pueden hacerse la ilusión de que son singados por un bugarrón, y el maricón bugarrón puede después ser singado por otro maricón sin cargos de conciencia pues ya hizo su papel de bugarrón; el padre de familia, luego de singarse a su esposa y acunar a su hijita, puede pagarle a un supuesto bugarrón para que se lo singue puesto que ya ha cumplido con sus deberes varoniles. Y hasta puede sentirse feliz. Pero yo, con mi bugarronato a cuestas, vago solo por la Tierra con mi pinga, digo, con mi cruz, ya sin uso... El viejo bugarrón vio a Raúl Kastro correr detrás de una yegua blanca y con un machete cortarle la cola, lo vio luego robarle un inmenso mosquitero a Vilma Espina —el gran mosquitero cubría todo el dormitorio poblado por mujeres gigantescas—, lo vio saltar la tapia del Cementerio de Colón y tomar de la tumba de Luisa Pérez de Zambrana la corona de laurel hecha de oro que la Avellaneda, a regañadientes, había devuelto a solicitud de Fifo. Con todos esos objetos metidos en un saco verde, la loca generala desapareció en un Toyota blindado rumbo al palacio de Fifo. Pues esa misma noche, en la gran fiesta fifal, si su hermano (que además tenía un cáncer en el culo) no lo nombraba heredero absoluto luego de haber tenido Raúl que fusilar a cincuenta de sus generales preferidos (los cuales se singaban obligatoriamente a los dos hermanos), él, Raúl, el jefe de las fuerzas armadas de la nación, se tiraría al mar en pleno carnaval con una gran cola de caballo, la corona de laurel y envuelto en el enorme mosquitero que le serviría de mortaja... Pero aún tengo algo que hacer, se dijo súbitamente el superbugarrón viendo a Raúl partir a todo trapo. Ese maricón de Fifo va a saber quién soy yo: le aguaré la fiesta.

El viejo bugarrón, haciendo uso de todas sus energías, se encaminó casi corriendo hasta la enorme puerta del palacio catacumbal.

—¡Fifo! —gritó con una voz que podía oírse hasta en los polos—. ¡Maricón! ¡Me has engañado haciéndote pasar por bugarrón mientras otros, además de yo mismo, te singaban! ¡Óyeme, soy el primero y el último bugarrón que se suicida por ti!

El viejo bugarrón, sacando una pistola de la época de sus luchas revolucionarias junto a Mella, se dio un tiro en la cabeza. El viejo bugarrón cayó agonizante sobre el cadáver del presidente de la Real Academia Española, que allí había sucumbido hacía sólo unas horas cuando la puerta de hierro del palacio cayó como una guillotina. Qué destino tan terrible el mío, pensó el viejo bugarrón moribundo, ni siquiera soy el primer hijo de puta que se suicida delante del palacio de Fifo. Y el viejo bugarrón cayó, tal vez por puro instinto, en las nalgas del extinto presidente de la Real Academia. Entonces el venerable académico, ante lo que él consideraba un insulto, volvió a la vida enfurecido. ¡Cómo te atreves a tocarme el culo!, le gritó al viejo bugarrón tomándolo por el cuello. ¡Ni después de muerto perdono esa afrenta! ¡Aquí el único que coge culos soy yo! Y el viejo bugarrón, mientras se asfixiaba y desangraba, lanzó una carcajada descomunal. Al final de su vida se había encontrado con un bugarrón de su talla. Ambos hombres, en combate sin igual, mientras trataban de cogerse sus respectivos culos, cayeron muertos frente a la gran puerta del palacio. Seguramente este escándalo tiene que haber llegado allá adentro, pensó el viejo bugarrón mientras agonizaba. Pero nada, querida. Tal era el taconeo, el tiqui tiqui y la algarabía de las putas y los maricones palaciegos, que allí adentro nadie pudo escuchar ruido alguno procedente del exterior, al menos en esos momentos. Claro, los escoltas exteriores y la guardia de seguridad presenciaron la batalla, pero no consideraron que valiera la pena reportarla a Fifo. Por lo demás, todos se estaban entollando unos a otros. Sólo la gran comitiva de despechados que no habían sido invitados a la fiesta, y que insistían en que lo fueran, siguió con atención aquella batalla *post mortem*. Peligrosísimo es permanecer cerca de estos cadáveres, sentenció el padre Gastaluz, y luego de hacerles la señal de la cruz se alejó apoyándose en los brazos de Valentina Terescova y de la Diaconisa Marina. Todos los despechados siguieron a estos personajes y se instalaron cerca de la costa. No lejos del palacio, pero a una distancia prudencial de la gran puerta.

En el gigantesco urinario

Dios mío. Qué hora era. Las dos de la tarde, las tres de la tarde, las tres y quince, las tres y media. De seguir mirando el reloj serían pronto las doce de la noche. Y todo eso en menos de cinco minutos. Pues, evidentemente, la Tétrica Mofeta, su enemigo número uno, había enloquecido aquel reloj para que marchase de esa forma y la pobre Tedevoro jamás pudiera llegar a tiempo a ningún sitio y sobre todo a la cita anhelada. Pues cita, y no otra cosa, era lo que ella tenía. Una cita con un ejército, con una multitud de macharranes, con miles, casi un millón, de hombres enardecidos. Sin duda alguna, toda esa multitud masculina le estaba esperando a ella en medio del meneo y del repiqueteo de los tambores para, finalmente, taladrarla. Corre, corre, y ya veía en la distancia a la muchedumbre erotizada en medio del tum tum... Desatrácate, vuela; bien sabes que ésta es tu última oportunidad, que esta noche comienzan y culminan los carnavales y no volverán nunca más. Así lo anunció Fifo en un discurso de doce horas. Después de este carnaval, sentenció, se acabó el relajo. ¡Habrá que trabajar por lo menos durante cien años para cumplir nuestras metas gloriosas!... Ay, pero mi meta es que me la metan, pensó Tedevoro. Mi esperanza está en llegar a esa multitud y ser ensartada. Corre, corre, corre para que llegues a tiempo, antes de que los otros pájaros se te adelanten y se posesionen de las portañuelas. Y Tedevoro apretó contra su pecho el tomo 27.º de las *Obras completas* de Lenin prologadas por Juan Marinello (libro que usaba a manera de escudo político) y con el grueso volumen a manera de blasón echó a correr para llegar a tiempo. Ay, pero su reloj, dislocado por la Tétrica Mofeta, seguía avanzando vertiginosamente. Las cuatro de la tarde, las cinco en punto de la tarde, las seis de la tarde y todavía apenas si había avanzado un corto tramo. Y allá, en la distancia, aquellos colorines, aquel desparpajo, aquella cantidad de negros y mulatos contoneándose, aquellos anchos pantalones ostentando el divino tesoro de sus divinidades. ¿Y si llegaba tarde al convite ostentoso? ¿Y si no encontraba más que un montón de vasos de cartón vacíos, pancartas meadas y serpentinas destrozadas? Ya veía un gran catafalco brillante sobre el que mil putas danzaban semidesnudas. Ay, espérenme, por Dios, recuerden que yo soy la devoratriz, la superdiabólica, la que nunca se da por vencida. Y al pronunciar estas palabras su reloj avanzó dos horas en un minuto. Si las cosas seguían así, la fiesta terminaría antes de que él llegase al centro de la vorágine, donde de seguro la esperaban. Rápidamente Tedevoro sacó una pistola, aquella que clandestinamente guardaba (junto con la botellita de gasolina blanca) con el fin de volarse la tapa de los sesos si definitivamente estaba condenada a la virginidad, y lanzó un disparo al aire como señal de que se iba acercando, de que la esperaran. Los tambores siguieron retumbando con un terrible y erotizador estruendo, indiferentes a las angustias del pájaro, mientras regios hombres, apretados unos con otros en el tumulto de una conga, entraban ya en la Avenida del Puerto. Tedevoro, desesperado, corriendo con su gran libro de tapas rojas, pero casi sin avanzar apenas y a veces hasta, sin quererlo, reculando, miró al cielo, al inminente cielo de verano, y vio que las nubes también volaban hacia el gran carnaval configurando abultados testículos y falos descomunales y erectos. Y abajo, abriendo el gran desfile veía, o creía ver, por truculencias de la Tétrica, la gran bola roja en la que viajaba Fifo por encima de todos los danzantes. Y una comezón inaplazable poseyó al pájaro. Imagínate, loca, tú danzando en medio de miles de hombres embriagados y erotizados. ¡No, de ninguna manera podía quedarse ella fuera de aquel barullo, tenían que esperarla! Y Tedevoro, a pesar del riesgo que corría por «uso ilegal de armas de fuego», volvió a lanzar otros disparos al aire y luego, casi derrotada, lanzó la pistola al viento. Ah, pero cerca de ella, y al parecer también apresurado, marchaba un hombre. ¡Y qué hombre! Un ser de pelo ensortijado y dorado, de piernas ágiles, de dimensiones armoniosas y rotundas. Aquel dios poseía las manos más hermosas que ojos humanos hayan visto y una de aquellas manos se dirigió a la bragueta y se apretó las entrepiernas, evidenciando la gran puerta del paraíso. Y aquella maravilla se volvió hacia Tedevoro y le preguntó la hora. ¡La hora! ¡La hora! Pero el reloj de la loca comenzó a girar aún más enloquecido que la loca misma. La loca se hizo un ovillo tratando de perseguir el tiempo. Se agachó, mirando las manecillas del reloj que giraban vertiginosamente, y hecha un aro comenzó a dar vueltas en el asfalto. ¡Sí, sí, la hora, la hora! Giraba el aro sin poder dejar de girar tratando de descifrar qué hora era. Pero el joven, que al parecer no tenía tiempo que perder ni siquiera para saber qué tiempo era, echó a andar con pasos cada vez más rápidos, en realidad casi corría, por lo que Tedevoro, dejando de girar, se lanzó tras la maravilla. Además, ¿adónde podía ir aquella luz sino hacia el sitio donde relampagueaban todos los cuerpos? Hacia allá, hacia allá, hacia donde el mar se encrespaba erotizado y los hombres danzaban por última vez alrededor de un tambor. Y ahora el joven corría cada vez más apresurado, palpándose su abultada portañuela; y la loca, detrás, volaba sin soltar el gran tomo de las *Obras completas* de Lenin. El pájaro se veía en una silla de ruedas sobre un mar de vidrios, sobre la punta de su propia lengua, avanzando sin cesar hasta el fin. De repente, el joven se paró ante una gran puerta de madera que daba a una regia mansión colonial, única en toda aquella calle y tal vez en toda la ciudad. El joven abrió aquella puerta, la tiró en la aleteante nariz de Tedevoro. Como por arte de magia el fornido y al parecer erotizado dios se había esfumado. Tedevoro, sin poder dar un paso, se quedó petrificado, mas no clavado, ante la gran puerta de la mansión colonial. Así estaba cuando otro hombre rotundo, se trataba de un mulato en pulóver blanco y pantalones de pana azul, palpándose también sus divinos dones, traspuso la gran puerta y la volvió a tirar ante Tedevoro. Al instante un adolescente único traspuso la gran puerta, y más atrás un joven marino con todos sus arreos. Dios mío, y ahora entraba un negro envuelto en un mono de mecánico y apretándose sus divinas proporciones. Detrás del negro entraron varios reclutas y un respetable señor de punta en blanco y con bigotes a lo Máximo Gómez. ¿Qué era aquello? ¿Cuántos hombres imponentes habían sido invitados a aquella casa? ¿Quién sería su dueño? ¿Acaso el mismo Fifo estaba celebrando allí alguna de sus orgías secretas? Por delante de la loca interrogante cruzaron tres obreros flamantes, varios becados con sus uniformes planchados, varios militares de rango, y todos al llegar a la puerta se palpaban los testículos como si ese gesto fuese la contraseña que allí los admitiera. ¡Jesús, y ahora un jabao casi imberbe de ojos de ámbar entraba apretándose su bragueta, bragueta única, al parecer pintada por El Bosco, que de un momento a otro amenazaba con estallar! ¡Jesús!, y ahora otro mulato de fuego, de dulce empuñadura entre sus piernas, traspasaba el recinto mientras se abría la portañuela, portañuela que exhalaba una orden que ni Tedevoro ni nadie podía eludir. Y Tedevoro, desengurruñándose, saltando sobre el chapoteo de su propio sudor nervioso, avanzó hasta la puerta. Estaba casi seguro de que al entrar allí podía ser arrestada, torturada, condenada a muerte por intenciones terroristas, o tal vez por sospecha de ser un espía, pues era muy probable que aquella casa fuese el sitio de recepción u orientación de toda la policía secreta que vigilaría el rumbo ideológico del carnaval. Pero la orden de «sígueme» dada por aquel cuerpo, por todos los cuerpos que allí habían entrado, se imponía por encima de todos los terrores y riesgos. Con el libro de tapas rojas, tal vez para no dejar huellas digitales, Tedevoro empujó la gran puerta colonial, que aún ostentaba un aldabón de bronce con cara de dragón y varios clavos de cobre, y entró en la mansión. Al instante descubrió que aquel noble palacete bicentenario, cuna de la mismísima condesa de Merlín, se componía ahora de largos vertederos adosados a las paredes de todos sus salones; y sobre esos largos vertederos cientos de hombres, miembro viril en mano, orinaban, convirtiendo la mansión en una insólita fuente que los más bellos surtidores humanos jamás antes vistos nutrían. Nunca, se dijo Tedevoro respirando un perfume que lo embriagaba, la condesa de Merlín pudo imaginar que su residencia iba a ser destinada a una empresa tan noble. En efecto, aquella residencia, aquel monumento histórico, por orden de la Reforma Urbana y por lo tanto de Fifo, que detestaba la arquitectura colonial (y todo lo que no fuese obra suya), se había convertido en un gigantesco urinario.

Alla, ella, illa, ollo, ulla...

Esa ladilla pilla llamada puntilla que todo lo mancilla por una pesetilla, chilla y se humilla porque no brilla y huye y destruye porque no halla hoyo, valla, boya, bulla, bollo, bugabello, muelle, quilla o gran morcilla que la abollen y la embullen a boyar. Ella quiere ser estrella, ocupar una gran silla, ser del mundo maravilla y dirigir la tortilla; pero es sólo una putilla que ostenta grandes patillas y no puede escribir ni una cuartilla que no sea de pacotilla.

(Para H. Puntilla, cuyo verdadero nombre es Leopoldo Ávila)

Pintando

Yo pintaré plantas con raíces al revés que buscan en el cielo su alimento. Yo pintaré hojas móviles que al mirarlas cambien de posición en el cuadro y hagan preguntas imposibles. Yo pintaré un montón de huesos —yo misma— pudriéndose en un yerbazal. Pintaré el rostro angustiado de la luna contemplándome. Entre los capullos de las hojas pintaré muchos fetos, todos mis fetos que no pudieron llegar a ser niños porque en este cuarto ya no cabe un cuadro más, ni siquiera la misma cama y las cuatro sillas donde recibo a los visitantes que vienen a sacarme alguna información y sobre los cuales yo también tengo que informar. Yo pintaré a Tomasito la Goyesca delatándose a sí misma ante las computadoras por no tener ya a quién delatar. Pintaré los encendidos pedregales y los charcos pestilentes donde la juventud se congrega soñando que está en una playa. Pintaré demonios que huyen espantados mientras un foco descomunal manipulado por otros demonios aterrorizados los alumbra. Yo pintaré mi querida calle Muralla en perenne derrumbe y en ella a la Tétrica Mofeta arrastrando un baúl lleno de botellas vacías. Pintaré las descascaradas paredes de mi cuerpo. Pájaros insólitos, nubes donde viaja una rata tocando varios instrumentos musicales. Yo pintaré una danza gigantesca alrededor de una inmensa cosa roja con apariencia de fruta y encima a un negro desnudo conminando a todo el mundo a que gire a su alrededor. Yo pintaré la lengua desesperada de Tedevoro desplegándose por toda la ciudad. Pintaré la ciudad con su cielo de desastre y sobre ella a Gabriel y Lazarito intentando partir en un globo. Pintaré la desolación de Reinaldo por no poder escribir la novela gracias a la cual aún no se ha quitado la vida que está a punto de perder. Pintaré la madre agónica de Oliente Churre yaciendo en una improvisada casa de campaña, cerca de aquí, en el parque Habana. Pintaré las recogidas de todos los jóvenes para ser enviados a un campo de trabajo forzado. Ejércitos armados, brazos alzados, el bombillo y el toro aullando. Cabezas rapadas, cabellos que flotan en el cielo, un plato gigantesco lleno de espaguetis hechos con los cabellos, espaguetis que Fifo engulle ante los ojos exorbitados y hambrientos de la multitud que abajo espera libreta en mano mientras hace la cola del pan que no llegará. Mi cuadro será también un gigantesco gemido tropical, el estruendo de un gemido que se derrumba. Pintaré ejércitos de tiburones erotizados, devorando, por orden de Fifo, la franja azul oscura de las aguas donde comienza el mar abierto. Pintaré un palacio con un acuario siniestro donde hace sus ejecuciones Tiburón Sangriento. Pintaré a la Mayoya arrobada en la costa, contemplando al gran tiburón elástico y reluciente. Sobrevolando la ciudad pintaré a Óscar buscando incesantemente a un adolescente; y la ciudad completa también será pintada, y mis tetas caídas y todas sus consecuencias también serán pintadas. Y la isla completa también será pintada, y las murallas de la ciudad también serán pintadas; paredes salpicadas de sangre también serán pintadas o repintadas; y la plataforma insular de la isla también será pintada, la plataforma insular roída por los dientes de todos los que quieren separar a la isla de su base y escaparse en ella como si fuera un bote gigantesco —hacia otra parte—. Pintaré un banco y un árbol y en el banco a dos enamorados que se acarician y sobre el árbol a Rubén Valentín Díaz Marzo, el Aereopagita, masturbándose. Ahora por el parque donde está el árbol cruzan miles de jóvenes rumbo a no se sabe qué guarida, sótano o embajada, que alguien ha dicho que se ha abierto y como un hueco negro se traga a la gente y la dispara a otro mundo, y detrás del estampido: turbas con picas, ametralladoras, banderas, espadas, una bruja siniestra sobre un caballo blanco; martillos, corolas y pistilos ensangrentados. Yo pintaré las iras más fieles de todos los jóvenes. Pintaré a Teodoro Tapón, mi marido, contemplando un trozo de madera y pensando: De aquí podría sacar unas plataformas mejores que las que fabrica Mahoma que me transformarían de enano en gigante... La última parte del cuadro será muy oscura, casi negra, en ella se aglomerarán todos los expulsados, es decir, los que han intentado vivir y por lo mismo han sido condenados a muerte por el Dios Siniestro que rige todos los destinos vitales. En esa parte se verá un cielo extrañamente iluminado y el que se acerque al cuadro escuchará explosiones y chillidos y sordos derrumbes. Se podrá ver la estampida y el desastre final. Mi cuadro salpicará de horror toda la isla, y en ese cuadro, agazapada entre las hojas y las púas o detrás de una columna deteriorada, estaré yo o mi doble, puta escondida, mirando cómo mi hijo de seis años le pide una peseta a un marinero y le hace señales diciéndole que conoce a una mujer (yo misma) con la que podría acostarse por sólo cinco pesos. Sí, que aprenda temprano el oficio de chulo, y que se relacione sobre todo con los marineros griegos, a ver si un día puede meterse dentro del barril de un barco y no parar hasta la isla de Mikonos o hasta la misma Cochinchina —lo demás es ficción—. Ya estoy pintando el barril y el barco y a mi hijo que se agita dentro del barril. Pintaré el mar inmenso y miles de aves sobrevolándolo, rescatando a mi hijo y llevándoselo lejos, bien lejos, tan lejos que el viaje no termine nunca, porque si llega a algún sitio no hay duda de que encontrará la misma mierda, el mismo horror más o menos disfrazado, pero horror, en cualquier parte. Y por encima de todo, Óscar revoloteando desesperado sobre el sitio donde estaba la isla y donde sólo quedará un remolino de aguas turbulentas tragándose a todo el que allí se acerque... Todo eso y mucho más pintaré, porque también pintaré el carnaval, el último carnaval de este siglo, y yo dentro del carnaval con mis enormes tetas postizas y exhibiendo mis disfraces prohibidos. No habrá maricón que se me escape, empezando por mi marido; no habrá delatora ni puta que se me escape, empezando por mí misma; no habrá niño llorón, ni madre desesperada, ni gente acorralada, ni calamidad alguna que no quede aquí representada. Mierda de gato y soles de fuego, tazas que no descargan y guaguas repletas; chanchullos, gritos, trapos remendados, cuerpos despotricados, mayimbes y pordioseros, todos girando alrededor de la bola roja, de la fruta gigantesca y al parecer, de lejos, deliciosa. Todos queriendo devorar una manzana, un plátano, un racimo de uvas, una morronga, algo que finalmente se revuelve contra nuestra ávida inocencia, contra nuestra soledad sin límites y nos fulmine. Entonces, el estallido. La muerte les tocará su violín hasta a los amantes más persistentes, valientes o testarudos. Peste a sicote y viejas desdentadas, locas de atar y hombres que al singarme —es ya un decir— se mueren de envidia pues quisieran ser ellos los singados. Dios a cuatro patas mamándosela a un negro y el negro enfurecido deseando encontrar una morronga para él. Enanos sobre los árboles, yeguas a dos patas bailando una danza clásica, piaras de cerdos masturbándose con la boca, la condesa de Merlín sodomizando a un ratón. Sí, sí, no te preocupes, también pondré a la Avellaneda nadando sobre sus tetas... La traquimaña y el meneo, el terror y la bobería, el miedo y el desparpajo. Todo entre hojas, plagas, hipocresías, huesos y dientes de tiburones. Verás la luna bajar hasta un orinal, timbales que braman, cuerpos que se descoyuntan. Nada se me escapará. Y en la tercera parte del tríptico, en medio de la explosión final, todos, yo también, reventando, luego de haber pasado por todos los espantos. Estallar, ésa es la recompensa que el buen Dios depara a los hijos que han querido disfrutar su obra. Cuerpos inflados, soltando chorros de sangre, humor y mierda, elevándose como surtidores hasta las alturas donde mi hijo intenta inútilmente salir huyendo tirado por los pájaros. La maldición total, sin explicación ni fin, para que sea perfecta. Ése será mi cuadro. Todo eso pintaré y ahora mismo, ahora mismo voy a comenzar. En un rapto de furia lo pintaré todo antes de que comience el carnaval. Pintaré el carnaval antes de salir a verlo. Los que creían que ya había concluido mis obras maestras se equivocan. Ahora mismo pintaré mi gran obra... Dios mío, pero si no tengo ni un lienzo más, ni un pedazo de trapo, ni un tubo de óleo. Tendré que hacerle la visita a Saúl Martínez, a Peña, a la Medive o a alguna otra loca oficial (esas que tienen de todo porque se pasan la vida pintando retratos verdes del Che o de Fifo) y mientras les doy alguna información útil, como delatar a mi bisabuelo bugarrón, les robo los pinceles, los óleos y un gran lienzo. Tal vez pueda antes pasar por el osario del padre Gastaluz y llevarles a los pintores algún hueso para que preparen una sopa sustanciosa. Mi obra, mi obra, eso es lo que importa. ¡Teodoro, Teodoro! ¡Levántate! ¡Despierta, hija, vístete, ráspame las piernas enfangadas, destápame las orejas! ¡Por Dios, abre los ojos de la cara y gira, circula! Ponte los zuecos más altos que ahora mismo vamos a hacerle la visita a Saúl Martínez. Ah, y coge la grabadora que nos dio el teniente que nos atiende por si acaso al pájaro se le va un chiste contrarrevolucionario...

Las siete grandes categorías de la locura

—Las siete grandes categorías de la locura, distinguida concurrencia, son las siguientes. Y no admito que se me interrumpa durante esta breve, pero contundente exposición —dijo la Antichelo, poniéndose de pie en el escenario de la sala de conferencias, que seguía inundándose.

Esta loca, como antítesis de la Chelo, era un pájaro de pensamiento profundo y de cuerpo espigado, y habló de esta manera:

—*Primera gran categoría:* LA LOCURA SUBLIME. Esta locura engendra héroes, mártires y genios. Ejemplos: Jesucristo, Leonardo da Vinci, Cervantes.

»*Segunda gran categoría:* LA BELLEZA. Este tipo de locura produce artistas notables y suicidas arrebatados. También puede desencadenar la lujuria. Ejemplos: Dostoievski, Virginia Woolf, Marcel Proust...

»*Tercera gran categoría:* LA INTUICIÓN. Esta locura fabrica obras de calidad, pero sometidas al riesgo del tiempo. Ejemplos: casi todos los escritores que han obtenido el Premio Nobel de Literatura, desde Sartre hasta Herman Hesse, y en general casi todos los escritores de cierto talento.

»*Cuarta gran categoría:* LA INTELIGENCIA. Esta locura no produce obras de arte, pero sus posesos saben negociar con los artistas, pueden ser académicos, agentes literarios, periodistas de nota. Los ejemplos son innumerables. Citemos un solo caso: Karment Valcete.

»*Quinta gran categoría:* EL SENTIDO PRÁCTICO. Esta locura detesta el arte y casi todas las bellezas de la vida. Sus practicantes son por lo general moderados cobardes, aplicados burócratas y hasta grandes pero oscuros traidores; también suelen dedicarse al comercio. Ejemplos, John Davison Rockefeller, Armand Hammer y compañía.

»*Sexta gran categoría:* LA NORMALIDAD. Esta terrible locura es la menos normal de todas las locuras y la más cercana al sentido práctico. Puede atacar a casi todo el género humano y tiene un carácter permanente y mediocre. Sus víctimas pueden durar hasta cien años. A veces padecen la manía de creerse superiores y de pertenecer a otras categorías de la locura. Ejemplo, entre miles de millones, Rafael Alberti.

»*Séptima gran categoría:* LA LOCURA GROTESCA. Extremo opuesto de la locura sublime. Los que la padecen ocupan la presidencia de una república, llegan a ser grandes dictadores o se convierten en vagabundos; les da por representar roles supuestamente históricos. Ejemplos: Hitler, Stalin o nuestro adorado Fifo.

Todo eso dijo la Antichelo bajo la máscara de Albert Jünger, que como aún estaba vivo se había negado rotundamente a participar en este evento, pero a través de la condesa de Merlín hizo llegar su ponencia, ponencia que la condesa modificó a su antojo y comisionó a una de sus bellas robotas (la Antichelo) para que la leyera.

Pájaros junto al mar

—Aquel que acaba de salir del agua me encanta —dijo la Reina.

—Es caballero cubierto —afirmó la Duquesa.

—¡Miren a aquel negro que se va a lanzar desde la botella! ¡Es lo mejor de toda La Concha! —saltó la Triplefea.

—Dicen que es uno de los maridos de la Tétrica Mofeta y que por lo mismo tiene gonorrea —comentó la Duquesa.

—¡Niñas! Dicen que tiene una pinga casi tan grande como la de la Llave del Golfo. El bulto que se le marca es gigantesco —comentó la Supersatánica.

—En materia de pingas nada se ha escrito que sea definitivo —sentenció la Reina—. Las apariencias muchas veces nos engañan.

—De todos modos cobra diez pesos. Así que ni soñemos —dijo la Duquesa.

—Esta playa siempre ha sido famosa por poseer a los bugarrones más regios. Aquí hace cien años venían la Marlon Brando y la Tennessee Williams directamente de Cayo Hueso a buscar macharranes —anunció solemne la Supersatánica.

—¡Miren, miren quién acaba de hacer su aparición! ¡El Niño de Oro! —exclamó la Triplefea, señalando para la puerta de salida del balneario.

—Nunca he sido corruptora de menores —afirmó la Reina—. Para mí, los hombres de verdad, como los deseaba Voris Palovoi.

—Esta noche, en la confusión del carnaval, tal vez los puedas encontrar —dijo la Supersatánica—. Aquí es donde se forma el destape.

—Además —afirmó la Duquesa—, después que un hombre se toma tres cervezas y entra en un urinario, cualquiera se lo puede pasar.

—Sí, si no fuera porque por cada hombre que entra en un urinario hay diez mil locas esperándolo —se lamentó la Triplefea.

—Y diez mil policías vigilando —afirmó la Duquesa.

—A veces los mismos policías entran en la bachata —dijo la Reina.

—Sí, pero si les caes atravesado te pueden llevar a una galera —le replicó la Duquesa.

—A veces te singan y después te llevan presa precisamente por haberles dado el culo —afirmó la Supersatánica.

—Ya no se puede confiar ni en los bugarrones natos —dictaminó la Reina.

—Muchos de ellos se vuelven policías para templarse a los policías —intervino piadosa la Triplefea.

—Sí, y con el tiempo se vuelven maricones —afirmó la Supersatánica.

—Ése es el destino —dijo con voz trágica la Reina.

De pronto, todos hicieron silencio mientras miraban hacia el mar.

Casi junto a la costa, una tropilla de bugarrones cabalgaba el agua, agitándola. Era un agua implorante que quería subir hasta los muslos y llegar a las trusas de los jóvenes. Las olas, deshaciéndose, emitían pequeños quejidos de dolor al no poder llegar al destino anhelado. Pero la tropilla siguió corriendo impasible mientras todos en la playa permanecían como petrificados mirando a aquellos muchachos.

Finalmente, saliendo del éxtasis, la Triplefea sentenció:

—Deben de pertenecer a las tropas secretas de Fifo. Él escoge a los mejores.

—Dicen que después que se acuesta con un hombre lo manda matar —comentó la Supersatánica.

—Ése no es Fifo, es Ramiro Valdés —replicó la Duquesa.

—Por Dios, hijas, si cada vez que Fifo se acuesta con un hombre lo mandara matar, ya no quedaría ni uno en toda esta maldita isla —intervino la Reina.

—No creas que quedan muchos —afirmó la Triplefea—. Entre los hombres que Fifo mata y entre los que se comen los tiburones, esto se va quedando tan despoblado de macharranes que pronto no nos quedará más remedio que meternos en un convento.

—Para ti eso no será ninguna tragedia —le respondió la Supersatánica.

—¡Ahí viene la Mayoya! —anunció la Duquesa—. Dicen que está enamorada de Tiburón Sangriento.

—No hagan ningún comentario en contra de Fifo ni de los tiburones —aconsejó la Reina—. La Mayoya es mala gente, chivato es, estoy seguro. La he visto nadar mar afuera sin que ningún tiburón se la coma.

—Lo mejor sería que aprovechemos la confusión del carnaval para picarle la cara —propuso la Supersatánica.

—Y las tetas. Pues el pájaro se las da de tener tetas —agregó la Triplefea.

—¡Cállense, que ya llega! —ordenó la Reina.

Todas las locas, con sus trusas desteñidas hechas con pedazos de saco y pantalones viejos, se tiraron en la arena a tomar el sol mientras se tapaban los oídos: los gritos de las olas que no podían llegar hasta los muslos de los jóvenes que las cabalgaban eran ensordecedores.

Oración

¿Qué nuevo ritmo descubriré hoy? ¿Qué palabra que ya creía irrecuperable me devolverá la infancia? ¿Qué colores sorprenderán mis ojos? Entre los pinos, ¿qué trino escucharé que a toda costa querré imitar? Junto a un madero podrido, ¿qué flor, hongo o caracol será el colmo de mi alegría? ¿Con qué estruendo me saludarán las olas? Al sumergirme, ¿qué nuevos paisajes submarinos descubriré? ¿Con qué olores me perfumará el mar? ¿Qué hoja sin igual encontraré entre la yerba? ¿Qué espléndido adolescente me dejará petrificado al doblar el callejón? ¿Qué tesitura, qué brisa, qué suave aire me ofrecerá la tarde? ¿Qué canción remota escucharé y me hará recordar otra canción remota y me conminará a cantar otra canción remota? ¿Qué pequeña piedra reclamará mi atención y me guardaré en el bolsillo? ¿Qué voz alegre retumbará a mis espaldas y me devolverá la alegría? ¿Qué grupo de nubes nunca antes contemplado contemplaré hoy? ¿Qué puesta de sol me envolverá hasta difuminarse? ¿Qué pedazo de rama me llevaré a la nariz y su perfume será una aventura única? ¿Qué negro gigantesco me hará una señal que no podré ni querré eludir? ¿Qué vidrio destellará en mi honor un brillo súbito? ¿Qué repentina calma caerá sobre el mar y me hará conocer la plenitud? ¿Qué batir de árbol me desconsolará? ¿Qué libro abierto al azar me restituirá la fe en las palabras? ¿Qué mosca, vestida de fiesta, pasará zumbando sobre mi cabeza? ¿Qué recogimiento exhalará el oscurecer y su complicidad me abarcará? ¿Qué inenarrable esplendor ostentará el cielo? ¿Qué íntimos cuchicheos poblarán la noche? ¿Con qué bella imagen en la memoria me quedaré dormido? ¿Qué silbido lejano me hará soñar que aún soy aquél y que estoy vivo?... Oh, Dios, de todos esos milagros, concédeme aunque sea el más insignificante.

Una carta

París, mayo de 1993

Mi querido Reinaldo:

Tampoco sé si esta carta llegará a tus manos, pero de todos modos te escribo. Desde luego que lo primero que hice al llegar, sin sacudirme las ladillas del camino, fue entrar en una librería y preguntar por el libro *El espejo mágico*. Ni en español, ni en francés, ni en chino he encontrado ese libro que tú tanto me encargaste y que perdiste en una playa mientras huías de algún bugarrón asesino. Así que tendrás que continuar tu novela sin citar ese libro, como has hecho en las otras, o pon las mismas citas ya citadas. De todos modos, a estas alturas, mi amor, nadie lee nada. Y si alguien lee algo lo lee mal. Yo aquí he visitado a algunos escritores y les he hablado de ti, de tu cautiverio nada suave. Todos son muy cautelosos; a pesar de lo que ha pasado en el mundo, no quieren pelearse con el gobierno de Fifo, pues sus playas (a las que tú no puedes entrar) son muy bellas, sus agentes son muy complacientes con los artistas extranjeros en la extensión más larga de la palabra «complaciente». Además, Fifo otorga premios literarios y otras recompensas. Todavía para muchos atacar a Fifo es de mal gusto, y además están los intereses creados durante cuarenta años. Cuando finalmente critican a Fifo lo hacen en tono bajo —en el doble sentido de la palabra—. En cuanto a las vacas sagradas del exilio, son eso, vacas. Todas se creen geniales y son muy hipersensibles en lo relacionado con su ego. Ninguna de ellas piensa ni siquiera por un instante ser de menos valía que el mismo Cervantes.

Mucho peo perfumado, eso es lo que abunda por aquí.

Pero, bueno, como sé que a ti no te interesa que te hablen de los escritores, te voy a hablar de un puente.

En cuanto llegué a París vi de lejos un puente. Era un puente muy lindo. De hierro viejo, negro, estrecho, lleno de balaustres muy finos y retorcidos como gajos de una enredadera. Y por ese puente no pasaba ningún automóvil. Sólo la gente. En cuanto pude intenté llegar a aquel puente, pero ya cuando lo podía divisar, súbitamente empezó a llover. Era una lluvia helada y torrencial que me traspasaba los huesos y el alma y que no me dejaba avanzar. Regresé en el metro por miedo a coger una pulmonía. Pero a la semana siguiente me armé de un paraguas y me dirigí otra vez al puente. Pero nada, querida: antes de llegar al puente se presentó otra vez el aguacero. Era una verdadera tormenta que me despalilló la sombrilla, me la viró al revés y por poco me lanza al Sena. Solté lo que me quedaba de la sombrilla o paraguas o como te dé la gana llamarlo y eché a correr rumbo al metro por miedo a la dichosa pulmonía, pues los que tenemos el virus del sida (yo lo tengo, desde luego) somos muy sensibles a esa enfermedad. Me imagino que mi sombrilla habrá llegado al puente... Después he hecho otros intentos por llegar al puente (siempre bajo la lluvia, una lluvia en forma de diarrea, que es la que aquí predomina y cae sin cesar además de las otras), pero siempre que salgo todo me parece tan gris, tan húmedo, que ya no sé, realmente, si vale la pena que yo llegue a ese puente, aunque, desde luego, seguro que lo veré de cerca y te mandaré una foto, antes de que me pudra o me congele o me muera de pena. Pues aquí *la primavera se demora* —tal como dice *El espejo mágico*— pero *la hierba del pesar reverdece en todas las estaciones...* No, no vengas, derrítete al sol allá, muérete de furia dentro de tu propia soledad. No vengas a padecer un frío que no es tuyo y unas calamidades que te son ajenas pero que tendrás que asumir. Mis santos se han secado, mis *orishas* han perdido las plumas y hasta el pellejo. Y como si eso fuera poco, también la plaga. Ya no podemos ni siquiera singar, mi amiga. Vírgenes nos hemos vuelto y en espera de una muerte atroz, no de una canonización o de una destrucción inmediata. ¿Quién nos iba a decir que nuestros sufrimientos no tendrían fin y que serían además impredecibles? ¿Qué te parece la mueca que nos ha hecho la Diablesa? Pues si existe el infierno, y es lo único que existe, ni siquiera está regido por el Diablo, sino por una Diabla. Es cruel decirte todo esto; sobre todo a ti que aún sueñas con una esperanza más allá del muro. Pero tal vez más cruel sería callarme la boca.

De los franceses te diré que la mayoría carecen de mentón y tienen una nariz respingada, como si estuvieran oliendo a un ratón que cuelga a unos metros de altura. Por la expresión de su rostro es evidente que ese ratón está podrido. Por otra parte, la ciudad huele a bollo.

Me voy para Nueva York. Desde allá te escribiré como lo hago siempre donde quiera que estoy. Pero ¿por qué no me escribes? Te he enviado cientos de cartas y no he obtenido respuesta, te las he enviado bajo todos los seudónimos y por todos los medios posibles, hasta por correo. He visitado a turistas maoístas que me han prometido echarme la carta en algún buzón cubano pues les he mentido diciéndoles que soy íntima de la Chelo.

Algunos de esos turistas me han dicho que incluso han tirado la carta por debajo de tu puerta en el hotel Monserrate. Así que tienes que haber recibido noticias mías. No me digas que ingresaste en el Partido y que mis cartas las utilizas como pruebas de fidelidad entregándolas al teniente que te atiende. O dímelo, para escribirte más a menudo y seguirte ayudando. Pero, por Dios, hazme una letra. Mira que vivo en un desierto empapado. Para colmo hasta los árabes han dejado de ser bugarrones y las maricas se han casado y paren.

Te besa acongojada,

la Tétrica Mofeta

Un paseo por La Habana Vieja en compañía de Alejo Sholejov

Se abrió la inmensa puerta del palacio catacumbal y la comitiva presidida por Fifo salió al exterior. Aunque de acuerdo con el calendario solar eran ya prácticamente las diez de la noche, el sol aparentemente rajaba las piedras, pues el calendario fifal, para prolongar ese día, había hecho modificaciones sustanciales a través de enormes espejos, cañonazos, rayos láser, lámparas flotantes y de un inmenso lanzallamas que, según los agentes de Fifo, había sido incautado a un agente de la CIA. De modo que un tórrido mediodía (que súbitamente podría convertirse en noche cerrada) abatía toda la isla.

Antes de que Fifo inaugurase el gran carnaval, tenía que tener lugar, de acuerdo con el programa, una excursión por La Habana Vieja guiada por Alejo Sholejov, quien para este evento había sido también resucitado. Se esperaba que, de acuerdo con las órdenes impartidas por el mismo Fifo, Sholejov fuera breve. Pero, mi niña, quién puede callar a un viejo de verborrea decimonónica que además se había pasado casi veinte años en silencio bajo una lápida. Su barroco de gabinete salía ahora a borbotones a través de una voz que era como el croar de una rana francesa con reumatismo. Seguido en primer lugar por Alfredo Lam (también para esto resucitado), que manejaba, con una pericia inadmisible hasta para Caballero Bonald, su silla de ruedas, Sholejov comenzó su periplo no por La Habana Vieja, como era de esperarse, sino que, a paso insólito para su edad, se lanzó por la Calzada de Jesús del Monte, cruzó, siempre dando explicaciones, toda la Calzada del Cerro; hablando recorrió la Calzada de Luyanó, la Avenida de Carlos III, el Paseo de Infanta, se remontó a Galiano y atravesó toda la calle de la Reina, discurseando tanto en español como en francés sobre aldabas de bronce, guardavecinos y guardacantones. De repente se detenía y ante la fatigada comitiva enumeraba, levantando su bastón, las ventajas del *brise-soleil* de Le Corbusier o aseguraba que en toda La Habana existía una arquitectura *Style* parisiense de comienzos de siglo, incluyendo hasta las mismas barbacoas de madera construidas por la Tétrica Mofeta y donde a veces se hacinaban hasta cien personas... Ya los miembros de la comitiva no podían más. El carnaval retumbaba con toda su pega-pega y ellos, como fieles de una extraña procesión, tenían que seguir tras aquel viejo vestido de negro que hablaba ahora de mamparas majestuosas y macizas, de vitrales de medio punto y de otras cosas que no se veían por ninguna parte. Sin duda para epatar hasta la misma memoria de Lezama, Sholejov entrelazaba ojivas con citas de Racine y aseguraba siempre en un parlero croar de rana bretona que La Habana estaba mucho más cerca de Segovia y de Cádiz que de las mismas Cholulas y hasta que del mismo castillo de El Morro... Juboncillos festoneados se mezclaban, vaya usted a saber por qué, mi querida loca, con las piernas de Louis Jouvet, con las teorías de Robert Desnos y hasta con unos párrafos de André Breton. Finalmente, dando una voltereta sobre su bastón, Sholejov enfiló la calle Obispo, en La Habana Vieja. Y allí mismo desarrolló una descomunal teoría sobre el barroco cubano, que según él consistía en acumular, coleccionar, dividir y multiplicar y sumar. Así, entre explicaciones aritméticas, saltó de la calle Obispo a la Revolución francesa y de allí a Versalles y a las rejas palaciegas de rosetones como colas de pavorreal, de arabescos entremezclados y de lancerías prodigiosas... Mientras el escritor hablaba de la reja severa, de la reja votiva, de la reja gótica y de un estilo denominado por él mismo «supliciano», los invitados ya no podían soportar tal suplicio. Por lo que hasta el mismo Fifo le ordenó a uno de sus enanos que estrangularan a «ese viejo cabrón» (según sus propias palabras). El mismo Lam manifestó entonces que él voluntariamente le pasaría por encima con su silla de ruedas. Pero antes de que Sholejov fuese ejecutado, el ministro de Cultura le dijo a Fifo al oído que entre los espectadores se encontraba una poderosa delegación de la UNASCO, desde luego, francesa, que iba a contribuir con una fuerte donación para la supuesta remodelación de La Habana Vieja, por lo que el discurso de Sholejov era de vital importancia. No quedó más remedio que seguir escuchando al viejo escritor, quien ahora afirmaba que la reja cubana remedaba el motivo capruno de las rejas de la casa del Greco y aseguraba que no faltaban en Cuba los alcázares moriscos, ni los castillos medievales de remozadas facturas, ni las más inesperadas alusiones a Blois de Chambord. Y sin mayores trámites, el anciano saltó con su bastón al centro de la Plaza Vieja y se internó en lo que podríamos llamar «el meollo de su conferencia»: «Decíamos que La Habana, o Llave del Nuevo Mundo, es la ciudad que posee columnas en número tal que ninguna población del continente en eso podría aventajarla». Y aquí el escritor, seguido de su fiel comitiva, comenzó a recorrer corredores en su mayoría apuntalados, nombrando, y a veces tocando con el bastón, cada columna... Aquí tenemos una columna de medio cuerpo dórica y otra corintia, y esta otra es una columna enana, y ésta, hecha con cariátides de cemento, ostenta extraordinarias ilustraciones de una *vignola* del siglo pasado. Hemos burlado el sol y hasta el tiempo gracias a tantas columnas. Estamos, queridos amigos, en la Gran Ciudad de las Columnas. Columnas, columnatas, columnitas, columnotas, de tanto vivir entre columnas nos hemos olvidado de las columnas y de que tenemos que salvarlas, pues ellas no sólo nos protegen del verano, sino que sostienen nuestras azoteas y tejados y escoltan hasta al mismo Fernando VII con sus leones emblemáticos... *Columnas, troncos de selvas posibles, foros inimaginables, coliseos infinitos.* Columnas, columnas, *mágicas columnas habaneras que nos hacen pensar, atinadamente, desde luego, en los versos de Baudelaire:*

> *Temple où de vivants piliers*
> *laissent parfois sortir de confuses paroles...*

Y aquí el escritor resucitado, con el fin de tomar un respiro y de seguir recitando el poema (no olvidemos que todos los miembros de la UNASCO eran franceses), se recostó en una de aquellas columnas. Hecho que le costó la sobrevida pues la columna, como todas las de La Habana Vieja, se sostenía casi por obra y gracia del Espíritu Santo y de unos puntales carcomidos; de manera que al no poder soportar el peso de aquel cuerpo, se vino abajo y con ella el portal completo, arrastrando a las columnas de toda la calle, que fueron cayendo una tras otra como una fila de dominós. Las últimas palabras en francés de Sholejov se ahogaron entre las columnas que lo sepultaron sin remisión.

Pero tal vez lo más insólito de este hecho no fuera el desplome de las columnas, cosa que de todos modos pronto iba a suceder, sino que junto con las columnas y los portales se vinieron abajo un sembrado de maíz, un platanal, una tomatera y un yucal. Se trataba de un conuco aéreo que los habitantes de La Habana Vieja habían plantado sobre las azoteas con el fin de mitigar el hambre producida por cuarenta años de racionamiento. De modo que una selva no sólo arquitectónica, sino también vegetal, sepultó para siempre al autor de *El saco de las lozas*. Pero este último detalle —el desplome vegetal— al parecer pasó inadvertido tanto para los miembros de la comisión de la UNASCO como para la comitiva en general, que contempló con un suspiro de alivio la muerte del escritor. Es más, todos aplaudieron su discurso «magistral» y el final «heroico» del escritor que se sacrificó en aras de su ciudad. Allí mismo se calificó al derrumbe como un desastre nacional y los miembros de la UNASCO se comprometieron a cooperar no sólo con los diez millones de dólares que ya habían prometido, sino con cincuenta millones más.

—¡Que firmen ahora mismo ese convenio desinteresado! —ordenó Fifo.

Y al instante, entre columnas destruidas, cangres de yuca y matas de maíz, se firmó el contrato y se acordó que La Habana Vieja se llamaría la Ciudad de las Columnas —a nadie se le ocurrió que podría llamarse también Hombres de Maíz—, y que allí mismo se erigiría una columna más alta que la que ostenta Barcelona con la estatua de Colón. Al final de esa columna se levantaría la imagen de Sholejov, quien llevaría en la mano una pequeña columna jónica.

—¡Y ahora, al carnaval! —ordenó Fifo satisfecho.

Y la gran comitiva oficial, con Fifo al frente dentro de su enorme globo rojo, tomó la Avenida del Puerto, abriendo el gigantesco desfile detrás del cual vendrían las carrozas y todas las comparsas. Quedaba pues inaugurado el gran carnaval habanero, que por otra parte ya había comenzado hacía muchas horas.

Las tortiguaguas

La Duquesa, la Sanjuro, el Camelias, la Supersatánica, la Pitonisa Clandestina, la Triplefea, la Reina, la Superchelo, la Perro Huevero y otras locas de atar, luego de haberse achicharrado toda la mañana fleteando en la playa de La Concha, se habían trasladado entre saltos y caminatas, pidiendo a veces botella y sujetas por último al guardafango de una ruta 62, hasta la playa de El Mégano, persiguiendo como siempre el sueño dorado: un hombre.

Luego de tres horas de fuego y flete en aquella playa infernal, el único hombre que se les apareció fue un policía (un policía que en verdad daba la hora) vestido de civil, para pedirles el carné de identidad. Y luego de chequear la obligatoria identificación, les dijo a las pájaras que aquella playa era considerada zona turística para extranjeros, por lo que debían marcharse al momento.

La Duquesa argumentó que sus antepasados eran italianos y que ella provenía de la noble casa de los Piamontes.

—Mira —le dijo terminante el policía, un rotundo dios malvado de unos veinte años de edad—, si eres de los Piamontes vete a piar al monte que ya aquí estamos de maricones hasta la coronilla. Además ustedes desmoralizan la imagen pública de la patria ante el extranjero. Así que recojan los bártulos y lárguense ahora mismo —concluyó el bello ejemplar represivo.

Ay, niña...

—No me digas más niña, que tengo cincuenta años y más pelos que un oso.

Malagradecida, digo niña para elogiarte. Bien, prosigo: Ay, loca vieja y pelleja, como te contaba, las pobres pájaras tuvieron que tomar las de Villadiego y caminar muy tiesas, casi militarmente, escoltadas por el policía-primor hasta la parada de la guagua que las llevaría hasta la terminal de ómnibus de Guanabo, donde luego de hacer una cola kilométrica deberían regresar derrotadas a La Habana. El policía, muslos y braqueta que parecían estallar dentro de su pitusa extranjera, se quedó por allí, cerca de la parada, pero no junto a las locas, esperando que las brujas se fueran. Sabía que si les daba la espalda volverían a la playa.

El sol martirizaba de tal modo a las pobres locas (específicamente a ellas) que saltaban en un solo pie sobre el pavimento que reverberaba.

De pronto, las locas vieron la figura de un pájaro flaco y desgarbado salir del pinar descalzo y con una mochila empapada a cuestas dirigirse resueltamente al magnífico policía disfrazado de pepillo. Se trataba de la Tétrica Mofeta, quien desde hacía mucho tiempo (o tal vez sólo unas horas), luego del robo de sus patas de rana por Tatica en la playa Patricio Lumumba, no podía contener su frenesí y sus deseos de venganza y atravesaba todas las playas y costas de La Habana. Poseída por una doble furia —moral y cular—, la loca se había trasladado a Guanabo y allí había escrutado cada ola, cada mata de pino, cada centímetro cúbico de arena buscando al bello y cruel ladrón que era Tatica. La Tétrica Mofeta se les había insinuado a todos los jóvenes, quienes la miraron torvos y escupieron; por último, nadando por debajo del agua, se había lanzado a las pichas de un centenar de bañistas, quienes con amenazas de muerte la persiguieron por mar a riesgo de ser devorados por los tiburones. Finalmente, la loca había sido condenada por los bañistas a no poder regresar jamás a tierra, pero experta nadadora (aun sin las patas de rana), se sumergió y nadando por el fondo del mar, mientras los erizos huían aterrorizados, salió casi junto al magnífico pepillo policía que vigilaba a las pájaras desterradas, o mejor dicho, desplayadas.

—No le digan que es un policía. Ni siquiera la saluden, para que se la lleve presa —dijo la Supersatánica.

—Ay, sí. Vamos a divertirnos viendo cómo se llevan argollada a esa loca de argolla —comentó en voz baja la Duquesa—. Si a mí, que soy de sangre real, me han expulsado, qué no le hará a esta loca campesina y común.

—Miren qué descarada es la suicida, cómo se le acerca al macharrán y sin más comienza a hablarle —dijo la Reina simulando serenidad.

—Y el macharrán, como buen policía, le sigue la corriente para que la loca se destape —comentó la Triplefea.

—Y bien que se destapa —dijo la Sanjuro—. Miren cómo ya le enseña las nalgas.

—Ahora se la llevará presa —vaticinó la Pitonisa Clandestina.

—A lo mejor hasta le da un tiro en la cabeza —sentenció la Supersatánica.

—¡Jesús! —exclamó la Reina—. Que mis nobles ojos tengan que ver un asesinato perpetrado casi junto a mis regias pestañas...

—Mira, mariquita —le contestó la Superchelo—, no te hagas la santa que tú lo que estás es loca por ver cómo le abren la cabeza al pájaro.

—¡Impía! Mis sentimientos son tan puros como los de la mismísima Oliente Churre —le replicó la Reina.

—¡Pero qué atrevida es la Tétrica! —exclamó la Perro Huevero—. Miren cómo se lleva al policía para debajo de la mata de guayaba y allí le sigue hablando.

—¡Y el otro, qué espera para arrestarla! —se quejó la Supersatánica.

—No miren, no sea cosa que también nos arreste a nosotros por complicidad —recomendó la Pitonisa Clandestina.

—Ay, qué tontos fuimos, debimos habernos metido debajo de esa mata de guayaba para no derretirnos —se lamentó la Sanjuro.

—¡Miren! ¡Miren! La Tétrica Mofeta descaradamente le está pasando la mano por la portañuela al policía —exclamó en voz baja la Duquesa.

—¡Miren, miren! La portañuela del policía parece que va a estallar.

—¡Jesús! ¡Qué cosas tienen que ver mis regios ojos!

—¡Serenidad! ¡Serenidad! Ahora le dará el tiro en la cabeza. Seguro que el revólver lo lleva escondido entre los mismos huevos...

—¡Miren! ¡Miren! ¡La Tétrica Mofeta se ha arrodillado y ha comenzado a mamársela al policía!...

—¡Ay, me muero! ¡Llamen a la policía!

—¡Idiota! ¡Si es a la policía a quien se la están mamando!

—¡Miren, miren! ¡La Tétrica Mofeta se ha bajado los pantalones y los calzoncillos y sigue mamando! Miren cómo se la mete toda en la boca, la gandía...

—Cálmense, ahora seguro que la mata con la boca en la masa.

—¡Y qué masa! Seguro que la mata, pero de un pingazo...

—¡Dios mío, en plena vía pública! Yo, una reina, mirando ese espectáculo. A lo mejor puede pasar un niño. Insisto en que se llame a la policía.

—Querida, la policía está ahora muy ocupada, como podrás ver.

—¡Miren! ¡Miren! ¡La Tétrica Mofeta le ha bajado los pantalones al policía y el policía se la está metiendo!

—¡Ay, tierra, ábrete y trágame!

Las locas seguían comentando, cada vez más desesperadas y envidiosas ante aquel espectáculo. En verdad el combate sexual entre la Tétrica y el joven policía no tenía paralelo en la historia sexual de la vía pública de Guanabo. La Tétrica, con los pantalones en los tobillos, se había aferrado al tronco del guayabo, mientras era poseída furiosamente por el policía, y sacudía con tal violencia la mata de guayabas que los cuerpos desnudos se cubrían de frutas. El joven policía bufaba de placer, la Tétrica lanzaba unos aullidos que retumbaban en todo el pinar y la mata de guayaba se estremecía y seguía lanzando sus frutas. Por último ambos cuerpos se despojaron completamente de su indumentaria y cayeron al suelo. La Tétrica, a cuatro patas, recibía toda la obra policial, que era, en verdad, monumental. Bajo el sol tropical se veía aquel falo que entraba, salía y volvía a entrar en el cuerpo encorvado de la Tétrica. La Tétrica arrancaba la yerba con los dientes, tiraba guayabas al aire. El policía se despojó en un santiamén del calzoncillo verde y de la pistola y siguió poseyendo a la Tétrica, quien poseída también por el delirio lanzó lejos de sí la pistola y su propia mochila, de la cual salió el manuscrito empapado de su novela *El color del verano*, en el cual trabajaba la loca... Botas, medias verdes, calzoncillos verdes, yerbas, hojas, semillas, una cartuchera llena de balas, guayabas maduras, todo salía como disparado de aquellos cuerpos desnudos trabados en un combate sexual más poderoso que la razón política y que la razón geográfica. Por último, la Tétrica se extendió sobre la yerba y boca abajo era taladrada por el joven policía, quien ahora no parecía que poseyese a un cuerpo humano sino a la tierra entera.

En ese momento, para júbilo de las pájaras desesperadas que contemplaban aquel atrevido acoplamiento, una ruta 162 surgió en el horizonte.

—Háganle una señal —ordenó la Reina—. Que pare aquí mismo y que se lleve presos a esos depravados.

—¡Sí! —gritó la Supersatánica—. ¡Que se pudran en la cárcel por desacato, por escándalo público, por sodomía en plena vía!...

—Y por alta traición —interrumpió la Superchelo—. No olviden que hay implicado un militar.

—Y por daño a la propiedad estatal —agregó la Pitonisa Clandestina—. Miren cómo han dejado la mata de guayaba, sin una fruta y completamente destrozada.

—¡Qué vergüenza! —exclamó la Reina—. Para el fusilamiento, pues seguramente los van a fusilar, me pondré la corona.

—Pues yo iré con un taparrabos hecho con hojas de guayaba —dijo la Triplefea.

—Yo, regia. De negro hasta el cuello. Es un acto solemne...

—Yo...

—Cállense y compórtense como murallas, que ahí está la guagua.

Una ruta 162 repleta había frenado junto a las locas y éstas entre saltos y chillidos señalaban para donde tenía lugar la apasionada templeta. Un enorme alboroto se produjo dentro de la guagua. Cientos de cabezas salieron como pudieron por las estrechas ventanillas. Una mujer murió de un infarto. Tan grande era la algarabía, que el chofer tuvo que dar unos bocinazos antes de comenzar a hablar.

—¡Caballeros! —dijo—. Sáquense las manos de los bolsillos o de donde las tengan y óiganme bien: si ustedes están de acuerdo, en vez de seguir rumbo al paradero de Guanabo, vamos directos a la estación de policía que está a sólo cinco minutos de aquí. Que venga una patrulla y los arreste.

—¿Por qué no los arresta usted mismo? —preguntó imperiosa la Reina.

—¿Me has visto cara de policía? —replicó el chofer, que ya estaba además erotizado. Y no teniendo nada que pisar, pisó el acelerador y partió a toda velocidad rumbo a la estación de policía.

—¡Maricones! —les gritaron todos los pasajeros a los cuerpos desnudos que seguían ajenos a todo lo que no fuese la posesión.

Ya iban las pajaritas de lo más contentas rumbo a la policía, todas colgadas de la puerta de la guagua, pues dentro no cabía ni una pluma más. Ellas serían las principales testigas de cargo, por encima de toda la otra gente de la guagua, gente que aunque tenía tan tremenda calentura que casi no podía aguantar, se cubrió de una tremenda moral. Qué moralina, niña...

—Ya te dije que de niña nada...

De una moralina, loca vieja, que hasta las locas viejas como tú y las viejas enloquecidas que desesperadas y ruinas (como tú) hasta hacía unos minutos no le quitaban la vista y hasta la mano a la bragueta del joven que estaba de pie frente a ellas, se volvieron monjas. La Erick, una monja carmelita; la Osuna, una monja dominica; hasta la Horrible Marmota, que viajaba disfrazada de miliciana y que en plena guagua se la había mamado a un miliciano, se transformó, rápida, en una monja de clausura. Monjas eran también las locas que viajaban prendidas a la puerta de la guagua y que a veces, a riesgo de sus vidas, quedaban prendidas de una sola mano al vehículo mientras, beatíficas, se persignaban... Ay, loca, pero una cosa piensa el viajero y otra el vehículo, es decir, el ómnibus en el que todas aquellas monjas ansiosas de justicia viajaban. Déjame decirte, burra...

—¡Burra será tu madre!

Déjame decirte, burrita, que la susodicha guagua era prima hermana de la guagua «Leyland la Celestina» que tantos entollamientos había propiciado en sus viajes municipales e interprovinciales. Esa señora, Leyland, aunque ahora maltrecha y convertida por truculenciales del azar en ruta 10, fue amiga íntima y secreta de Margot Thayert. La amistad se produjo a primera vista el día en que la primera ministra fue a visitar la fábrica de las guaguas Leyland. La dama quedó encantada con aquel ejemplar reluciente y potente de ómnibus y mientras le pasaba la mano le masculló una cita amorosa que esa misma noche cumplió disfrazada de obrero del transporte. Aquella noche de amor, las palabras lujuriosas de la primera ministra, su potencial sexual (en realidad la dama de acero descubrió esa noche que su calibre sexual sólo podía acoplarse con una guagua inglesa), despertaron en todos los miembros de la noble familia Leyland una militancia lesbiana indestructible y poderosísima.

Por eso, al ver aquellos cuerpos desnudos revolcándose en la yerba, la sufrida guagua marca Leyland, convertida trágicamente en ruta 162, sintió que toda su carrocería, sus poleas, sus ruedas y sobre todo su motor, se calentaban. La carga erótica que aquellos cuerpos le insuflaron fue tal que salió disparada, no en busca de la estación de policía de Guanabo, donde intentaba conducirla el chofer, sino de otra guagua Leyland con la cual acoplarse al instante.

La velocidad a la que ahora marchaba aquella viejísima guagua era realmente insólita (más de doscientas millas por hora), por lo que todos los pasajeros comenzaron a protestar a gritos; pero el chofer, que también gritaba, nada podía hacer. La guagua, borbotando aceite y gasolina rusa, rugía, gemía, bramaba y zumbaba en busca de otra guagua con la cual ensartarse al instante, ajena a las desesperadas maniobras del chofer y a los alaridos de los pasajeros, entre los que se destacaba el socorro en *do mayor sostenido* emitido por la Superchelo y coreado por las demás pájaras, convertidas súbitamente en meteoros.

Al arribar al puente de madera de Bocaciega, Leyland, la desesperada, se tropezó con una vieja ruta 162 que se encaminaba hacia La Habana pujando trabajosamente. Sin mayores preámbulos la Leyland erotizada se lanzó sobre la otra y ambas guaguas comenzaron a frotarse tan violentamente que los muelles, las gomas, los asientos, los bombillos, todo, se desprendía. El público, aterrorizado, ignorando lo que realmente estaba sucediendo, clamaba porque abriesen las puertas para alejarse de aquella colisión. El chofer hizo numerosos intentos y apretó todas las palancas para que las puertas se abrieran. Pero las dos guaguas ya eran ajenas a todo lo que no fuese su recíproco frotamiento. Vueltas de lado en pleno puente de madera, que crujía, restregaban sus complicadas panzas metálicas con tal furia que pronto las dos tortilleras de hierro se pusieron al rojo vivo. Entonces, en el colmo del paroxismo, un chispazo encendió ambos motores y los depósitos de gasolina. Se oyó un enorme estampido y las dos guaguas abrasadas y abrazadas, formando un solo amasijo candente, se elevaron a gran altura, culminando su rito amoroso en una explosión final. Explosión que fue acogida por todo el público habanero como seña oficial de que Fifo había disparado ya los primeros fuegos artificiales, inaugurando el gran carnaval. Pero, a los pocos minutos, Radio Rebelde desmintió el rumor. Detrás de un estruendo de tambores prematuros, un locutor anunciaba que «un chofer borracho, depravado y contrarrevolucionario había lanzado un ómnibus, que el Partido le había confiado para que lo manejase, contra otro ómnibus también en servicio público, provocando la muerte de trescientos veinticinco compañeros».

Los únicos sobrevivientes a esta catástrofe fueron la Duquesa, la Sanjuro, la Supersatánica, la Pitonisa Clandestina, la Triplefea, la Reina, la Superchelo y la Perro Huevero y otras tres locas de atar, quienes como viajaban en el exterior de la guagua fueron expelidas por la explosión sin ser antes aniquiladas. Así, ya en el aire, como verdaderos pájaros, alzaron el vuelo, y cayeron, verdad que algo chamuscadas, sobre el Paseo del Malecón, donde carrozas y comparsas comenzaban sus ensayos finales.

Cuando la Tétrica Mofeta oyó la explosión pensó que era el joven que finalmente había eyaculado dentro de ella, merecedora (así lo creía el pájaro) de tan estruendoso homenaje. Entonces se escurrió del cuerpo aún tenso, se vistió a toda velocidad, recogió sus pertenencias además de tres guayabas maduras y echó a caminar.

—¡Párate ahí, maricón y date preso! —gritó el bello policía que ya se había venido dentro del fugitivo unas doce veces y por lo tanto había recuperado su moral revolucionaria y su pistola—. ¡Párate ahí o disparo! ¡Roedor!

Pero la Tétrica Mofeta, que ya estaba preparada para esas eventualidades y otras aún peores, desapareció como por arte de magia entre los manglares mientras a sus espaldas retumbaba un disparo.

Óscar vuela de noche

Óscar es una loca de dientes gigantescos, cabeza calva y redonda, cuerpo nudoso y encorvado, como el de un murciélago. Pero de noche, ya lo dijo una loca sabia (¿la Papayi Taloka?, ¿la Julio Natilla?), «todos los gansos son pájaros». Por eso Óscar vuela de noche. ¡Óscar! ¡Óscar!, oye la pájara cómo la llaman los más fornidos jóvenes bajo los grandes árboles de la heladería Coppelia. Pero al descender, al posarse en alguna rama, Óscar ve a un grupo de locas desenfrenadas y aleteantes, como ella, buscando inútilmente a un hombre... Óscar abre sus inmensas alas y otra vez remonta el cielo atisbando... ¡Óscar! ¡Óscar! ¡Óscar!, siente de nuevo el vocerío de miles de jóvenes que la reclaman. Y la gran loca murciélago desciende. Mil pájaras desesperadas, encaramadas sobre las ramas, cacarean, se caen a picotazos, se insultan y se despellejan en medio de una algarabía ensordecedora. Óscar toma impulso y se pierde por el cielo nocturno... ¡Óscar! ¡Óscar! ¡Óscar!, oye ahora cómo lo llaman los hombres más viriles del mundo. Y Óscar bate sus inmensas alas de murciélago, escruta con sus enormes ojos saltones y rojos, y su desproporcionada cabeza baja en picado. Miles de maricones de la peor catadura inundan el Paseo del Prado, soltando tantas plumas que, por un momento, Óscar no puede ni siquiera ver lo que está pasando allá abajo. Finalmente lo ve, y se eleva. Ahora, desde lo alto, Óscar contempla la ciudad atestada e histérica, las colas infinitas para un helado o una pizza, las colas superinfinitas para ver una película cien veces vista ya, el Malecón, donde miles de personas se aproximan cautelosas pues los tiburones de Fifo pueden estar vigilando casi en la orilla del mar. Óscar se pierde ahora aún más alto entre las nubes, soñando. Si existiera un sitio, si existiera un sitio donde un pájaro de su siniestra fealdad pudiera ser aceptado... Pero Óscar sabe que si cuenta con alguna posibilidad remota de ser ensartado es allí, en aquella isla contaminada por la locura, la desesperación y el caos. En otro sitio la meterían en una jaula y la exhibirían en algún circo. Allí no es necesario porque el espanto es una cosa familiar y además todo el mundo está en una jaula. ¡Óscar! ¡Óscar! Vuelve a escuchar ahora el vocerío de un ejército que la aclama y que la quiere poseer. Y Óscar desciende y toca casi rauda el suelo para presenciar la recogida de maricones más gigantesca que se ha realizado en la historia de la humanidad y de la localidad. Miles de locas son apresadas y a patadas son conducidas a guaguas, jaulas de hierro y carros patrulleros y de allí al campo de trabajo forzado. Óscar despega a toda velocidad y ya está otra vez entre las nubes —la luna recula aterrorizada—, oyendo las voces de miles de jóvenes que lo llaman.

Viaje a Holguín

Gabriel volvía a Holguín a visitar a su madre, como hacía casi todos los años. Siempre al llegar a la casa en el barrio, nada alegre, de Vista Alegre, la madre estaba barriendo la calle. La madre barría de una forma tan leve que apenas si la escoba rozaba la tierra y mucho menos se llevaba la basura. Gabriel veía en aquella forma de barrer de su madre una resignación tenaz y, desde luego, una imagen poética. Lo importante en sí no era barrer, sino dar la visión de que ella estaba barriendo; de que no se resignaba a tanto polvo, a tanta basura, aunque a la vez sabía que nunca podría acabar con ellos, que jamás limpiaría la calle. Pero tal vez, pensaba Gabriel, como él siempre le anunciaba por carta su llegada a Holguín, la madre lo esperaba escoba en mano para demostrarle a él, el hijo que la había abandonado, cuán sufrida y trabajosa era su vida y con cuántas derrotas en la memoria lo aguardaba sin dejar de barrer. Pero en aquel rostro, además de la resignación, había también una enorme tristeza, una silenciosa pena, mientras ella proseguía con su labor inútil, cambiando de lugar unos papeles viejos, amontonando unas hojas, luchando casi con desgano, pero sin poder evitarlo, contra los escombros y el churre. A veces la madre hablaba sola, pero en voz tan baja que sólo la escoba podía escucharla. Tal vez era precisamente un diálogo entre ella y la escoba, su compañera más fiel durante más de sesenta años.

La madre tuvo una vez un marido que la abandonó dejándole un hijo que siendo casi un adolescente también se largó del pueblo. Le quedaba la escoba. Lo que siempre tuvo. De niña, ¿no bailaba sola con la escoba? Y aquella manera de barrer incesantemente la calle mientras hablaba, ¿no era también una manera de dar un paseo con su amiga más fiel, la escoba? Era lógico que le hablara a la escoba, lo único que no la había abandonado.

Gabriel llegó hasta la madre y ella sin soltar la escoba lo abrazó y lo besó. Entraron en la casa calenturienta, pues el techo era de fibrocemento. La madre, antes de dedicarle toda su atención al hijo, dio unos escobazos por la sala. Luego puso su instrumento de trabajo junto a la puerta. Allí se quedó la escoba, como vigilando el diálogo entre la madre y el hijo. Diálogo que siempre era el mismo. Ella: ¿Qué tal de salud, qué tal de trabajo, cómo está tu mujer y el niño, por qué no vienen a verme, por qué no se mudan para Holguín? La Habana es tan ruidosa... Él: Estoy bien, en el trabajo no me va tan mal, el niño es muy saludable y ella está bien, ya tú sabes: estamos acostumbrados a La Habana, es difícil cambiar de lugar... Y la madre ponía una expresión de sufrida resignación ante el hijo, la misma que ponía ante la escoba. Y el hijo sentía por ella una inmensa lástima, un inmenso cariño, y también sentía unos enormes deseos de llegar hasta la madre y abrazarla suplicándole que no pusiera esa cara de pena que después de todo no tenía tantas cosas de qué lamentarse y hasta sentía deseos de decirle que si él había abandonado el pueblo era para que no llegaran hasta ella los rumores de su vida íntima y que si se había casado y hasta había tenido un hijo era para que ella pudiera decírselo a sus amigas y sin duda a la escoba, acallando así cualquier sospecha sobre la vida sexual de él, su hijo. Mira, me he casado, tengo un hijo, todo eso lo he hecho por ti. He hecho infelices a otras personas por ti, he traído una criatura al mundo que no tenía por qué venir a sufrir a este infierno por ti. Y sobre todo, mira, mira, no me he traicionado a mí mismo. No soy una persona, sino dos y tres a la vez. Para ti sigo siendo Gabriel, para aquellos que leen lo que escribo y que casi nunca puedo publicar soy Reinaldo, para el resto de mis amigos, con los cuales de vez en cuando me escapo para ser yo totalmente, soy la Tétrica Mofeta. Tú tienes una escoba, yo no tengo más que la desesperación. ¡Entiéndeme! ¡Acéptame como soy! Casi todo lo he sacrificado por ti. Perdóname por ser eventualmente la Tétrica Mofeta y correr detrás de un hombre, o de miles. Porque, óyeme, tal vez a mí me gusten tanto los hombres porque tú no pudiste retener el tuyo y de alguna manera ese ciclo que en ti quedó trunco tiene que cumplirse. El hombre, o los hombres que tú deseaste y que nunca tuviste, soy yo (por una misteriosa ley) quien tiene que encontrarlos en los matorrales o en cualquier lugar a riesgo de mi propia vida. Yo soy el culpable. Además en esto no existe la culpa...

—¿Y el niño ya gatea?

—Sí, ya da hasta unos pasitos —mintió Gabriel.

—¿Y tu mujer ya volvió al trabajo?

—Sí, desde hace meses —mintió Reinaldo.

—Dime la verdad. ¿Son ustedes felices, se llevan bien?

—¡Sí! ¡Sí! —mintió con entusiasmo la Tétrica Mofeta—. Yo soy muy feliz.

—¿Y ella? —preguntó la madre, comenzando a barrer ahora el pasillo.

—Ella también es muy feliz. ¿Por qué no habría de serlo? —preguntó Gabriel.

—No sé —dijo la madre—. La última vez que la vi me pareció que había algo en ella que no quería decirme. Algo muy triste.

—Ya te dije que ella es tan feliz como yo —aseguró Reinaldo.

Feliz, qué palabra tan ridícula, pensó la Tétrica Mofeta. Feliz, y por poco suelta una carcajada detrás de su madre, que continuaba barriendo. Una carcajada no feliz, por cierto. Cómo podía ser feliz un pájaro casado, con un hijo, integrado oficialmente en el régimen. Cómo podía ser feliz una persona cuya verdadera existencia era clandestina, alguien que casi siempre tenía que estar poniéndose una máscara, fingiendo, representando, simulando que creía, que amaba, que confiaba plenamente en el régimen que aborrecía y en el cual aparentemente militaba y contra el cual además temerosamente conspiraba... Feliz, no me hagas reír. Cierto que a veces, cada vez que podía, se escapaba de su papel de esposo y padre, se transformaba en otra persona y tenía esas aventuras con algún hombre o por lo menos con alguien que lo parecía. Antes de casarse, la Tétrica Mofeta vivía con una tía siniestra que le robaba lo poco que le tocaba por la libreta de racionamiento. Pero tenía un cuarto en aquella casa que los dueños habían dejado para irse huyendo a Miami; en ese cuarto la Tétrica, burlando o creyendo burlar la vigilancia de su tía, metía furtivamente algún hombre. Entonces, a pesar del peligro, mientras alguien lo poseía, la Tétrica sí era feliz o creía haberlo sido, tal vez porque era joven. Pero el peligro se fue haciendo cada vez más inminente, la tía lo denunció a las autoridades, se pasó un año preso en El Morro. Oh, el rostro de la madre entrando en la prisión de El Morro con una jaba... Entonces, la Tétrica decidió «enmendarse», casarse, olvidarse de sus preferencias sexuales, de su propia vida y pensar en la vida de aquella vieja solitaria, dueña sólo de una escoba. Sí, se casó (la madre fue a la boda), tuvo un hijo (la madre fue al bautizo casi clandestino). Gabriel llegó a sentir cariño por su esposa y un gran amor por su hijo. Pero nadie puede traicionarse a sí mismo toda la vida. Y cuando un joven pasaba junto a él, cuando un hombre lo miraba, Gabriel se transformaba en la Tétrica Mofeta, disfrazada de hombre y, niño en brazos, la esposa al lado, sentía una llamada más ineludible que todas las otras llamadas. Y comprendía que para él no había otra redención que llegar a acostarse con alguno de aquellos hombres que furtivamente contemplaba. A Reinaldo le fue imposible, aun cuando se refugiase en la literatura, desobedecer aquella llamada más poderosa que cualquier peligro y Gabriel volvió a ser la Tétrica Mofeta, volvió a ocupar el cuarto en el hotel Monserrate que con miles de subterfugios había conseguido al poco tiempo de haber salido de la cárcel, volvió a ser una loca aún más desesperada que la que había sido anteriormente porque ahora era más viejo y el tiempo para poder conquistar algún cuerpo se hacía cada vez más corto. En realidad ahora pasaban meses y no iba a visitar a su esposa ni a su hijo, a quienes él por lo demás ya había matado (junto con él, el esposo) en una de sus novelas impublicables.

—No me gusta La Habana —dijo la madre, volviendo a depositar la escoba contra la puerta de la calle—. Allí hay tanta gente mala, tanta gente depravada. Tanta envidia. Recuerda lo que te hicieron una vez. Fuiste a parar a la cárcel. Eso me destruyó.

—Por favor, mamá, no empecemos ahora con lo mismo de siempre. Ya de eso hace mucho tiempo. Yo sé lo que hago.

Pero la madre comenzó a repetir lo mismo de siempre. Cuánto había sufrido por Gabriel.

—Si te hubieses quedado aquí, en Holguín, aquellos delincuentes que decían ser tus amigos no te hubiesen metido en problemas políticos —ésa fue la versión que la Tétrica Mofeta le dio a su madre acerca de las causas de su prisión—, nunca hubieses ido a parar a la cárcel y yo no me hubiese quedado destrozada.

«Destrozada», ésa fue la palabra que utilizó. Y como si después de aquella palabra no quedase ninguna otra que sirviese para agrandar su drama, la madre dio varios escobazos en el portal y comenzó a preparar la comida.

—Como sabía que ibas a venir compré en bolsa negra un bisté y unas malangas. ¡Desde niño te han gustado tanto las malangas!

El resto del día lo pasaron hablando de las vicisitudes actuales, de la escasez.

—El agua la ponen una hora cada dos días —comentó la madre.

Al anochecer seguía hablando sin haber agotado el tema del racionamiento y otras calamidades presentes. Reinaldo le pidió a la madre que le trajese la caja con las fotografías familiares. Así, por lo menos, podría viajar en el pasado y olvidar el infierno presente. Pero la madre respondió que una de sus primas (otra vez una prima), «que siempre pregunta por ti», se había llevado las fotos para ponerlas en un álbum.

Gabriel sabía que aquella prima, igual que muchos de sus familiares, era ahora miembro de la policía secreta o una simple informante. Por alguna razón política se había llevado las fotos y ahora él, Reinaldo, jamás podría volver a contemplarse cuando era un niño. Mientras la madre seguía hablando, la Tétrica Mofeta pasó el resto de la tarde cavilando sobre la vileza del sistema que hacía que los mismos miembros de la familia se vigilasen y que escrutaba hasta en las fotos de su infancia. Tal vez algún siquiatra estuviese analizando ahora sus gestos más pueriles. Tal vez todas esas fotos conformasen ahora un grueso y peligroso expediente. Todo eso no sólo aumentó más el perenne terror en que vivía Gabriel, sino que lo sumió en una depresión tan profunda que su rostro se ensombreció aún más, adquiriendo ese aire de tragedia que a veces lo poseía en plena playa, en pleno urinario, en plena multitud y que le había otorgado el justo apodo de la Tétrica Mofeta. La madre dejó de hablar y antes de que oscureciese completamente comieron en silencio.

—Ahora la electricidad la ponen un día sí y un día no —comentó la madre al terminar la comida, prendiendo una vela.

Y la expresión de la Tétrica Mofeta se hizo aún más tétrica. Pero antes de que oscureciera completamente, la madre se puso de pie y comenzó a revolver en un cajón lleno de trastos. Tanto ruido hacía la anciana que hasta la Tétrica Mofeta, saliendo de su ensimismamiento, le preguntó qué buscaba.

—Busco la bigornia. Tengo un clavo en el zapato y quiero remacharlo.

¡La bigornia! Súbitamente la expresión de la Tétrica cambió, su rostro se iluminó y poco faltó para que sonriese.

—La bigornia, la bigornia —dijo en voz alta mientras caminaba hacia su madre—. Qué palabra, qué palabra.

Y la palabra lo transportó a la infancia, cuando en la casa de su abuelo en el campo había una bigornia y él, Gabriel, solía usarla para arreglar sus zapatos. Y ya aferrado a aquella palabra, la Tétrica volvió a ser un niño campesino en su elemento. Y otra vez volvió a correr bajo la arboleda, se bañó en el arroyo, jugó en el patio con tierra, comenzó a tirar hojas al aire.

—¡Bigornia! ¡Bigornia! ¡Bigornia! —decía en voz alta Reinaldo mientras abrazaba a su madre.

—Tú también te has vuelto loco —dijo la madre—, como todo el mundo en este país.

Pero finalmente se contagió con la alegría del hijo y los dos terminaron riéndose a carcajadas.

La bigornia, que por cierto no apareció, había roto el hielo entre la madre y el hijo. Y algo aún más importante, había roto esa sensación de desesperanza que desde hacía tiempo se había apoderado de Gabriel.

Por la noche, la madre y el hijo se sentaron en el portal y hablaron de toda la familia y hasta hubo un momento en que la madre hizo un chiste y los dos volvieron a reírse. Gabriel se acostó esa noche con la sensación de que había vuelto a la infancia. Y se durmió arrullado por una multitud ya inexistente de grillos invisibles.

Al otro día, Reinaldo se despidió de su madre en el portal.

—Hubiese querido quedarme más tiempo —le dijo Gabriel a la madre—, pero el trabajo, las responsabilidades no me lo permiten.

La madre le dijo que lo comprendía perfectamente y lo abrazó.

—La próxima vez, ven con tu mujer y con tu hijo o con tus hijos, pues a lo mejor para entonces ya tienes otro.

—Pensamos tener una docena —dijo burlón la Tétrica Mofeta y volvió a besar a su madre—. ¡Ah, y gracias por la bigornia!...

—¡Cómo! No me digas que te llevas la bigornia de tu abuelo...

—Me llevo la palabra —dijo Reinaldo, cargando con la mochila que la madre le había llenado con comida preparada, viandas, gofio y hasta una botella de manteca de puerco.

—No sabes el sacrificio que he hecho para conseguirte esas cosas.

Ya en la esquina, rumbo a la terminal de trenes, Gabriel se volvió y vio a su madre barriendo la calle con el mismo gesto de resignación de siempre y con la misma forma leve, tan leve que la escoba ahora no tocaba el suelo.

Entonces la expresión de alegría con que la palabra «bigornia» aún le iluminaba el rostro desapareció.

Viaje a la Luna

Mucho antes de que la Tétrica Mofeta fuera a parar a la prisión del castillo de El Morro, fue recogida en La Habana, creo que en la esquina de Coppelia o en la cafetería del Capri o en la playa de La Concha. Junto con siete u ocho mil pájaras más —no recuerdo, pues yo era muy niña—, fue internada en un campo de concentración en Camagüey. Allí pasó tres años arrancando yerba con la mano. Allí fue donde realmente adquirió aquel aire tétrico y huraño. Una vez, algo le conmovió profundamente: una loca salió corriendo del campamento y en fuga desesperada se lanzó contra la cerca electrificada, achicharrándose. La Tétrica Mofeta, sabiendo que para el mundo ni ella ni los miles de pájaros confinados contaban para nada —el mundo entonces entonaba loas a la revolución socialista y al hombre nuevo como ahora se las entona al chamán de Uganda—, se olvidó de sí misma, de sus propios deseos sexuales, siguió escribiendo cada vez que podía y arrancando yerba con la mano. Un día una loca que apreciaba a distancia a la Tétrica Mofeta se le acercó y en medio de un gran yerbazal que tenía que arrancar le comunicó la siguiente noticia: «El hombre acaba de llegar a la Luna». La Tétrica no dijo nada, se limitó a mirar a las locas desharrapadas que seguían arrancando yerba con la mano y después sus ojos se detuvieron junto a la inmensa alambrada eléctrica. Inmediatamente prosiguió su trabajo. Pero esa noche hubo luna llena. Todos los forzados pudieron ver a la Tétrica Mofeta en el centro de la explanada del campo de trabajo. Allí, sobre una piedra, como poseída por una extraña ceremonia ritual, la Tétrica se desgarraba la ropa, se mesaba el cabello, se arañaba la cara. Luego, desnuda y sangrando, le hablaba a la Luna.

—¡Dime que no es cierto! ¡Dime que no es cierto! —le gritaba desesperado y suplicante al inmenso satélite bajo el cual saltaba.

Con un aro y dos cadenas ara Arenas entre las hienas, horadando los eriales en aras de más aromas y orando a Ares por más oro porque todo su tesoro (incluyendo los aretes que usaba en sus areítos) los heredó un buga moro luego de hacerle maromas en el área de un urinario de Roma. Mas no es Ares sino Hera quien con ira oye sus lloros. Y Arenas, arañando lomas, con su aro y sus cadenas, en el infierno carena teniendo por toda era (¡ella que era la que era!) un gran orinal de harina oreado con sus orinas.

(Para Reinaldo Arenas)

Antes de emprender un largo viaje

Gabriel volvía a Holguín a visitar a su madre, como hacía casi todos los años. Siempre al llegar a la casa en el barrio, nada alegre, de Vista Alegre, la madre estaba barriendo la calle. La madre barría de una forma tan leve que apenas si la escoba rozaba la tierra y mucho menos se llevaba la basura.

Sentado en un banco de la terminal de trenes, Reinaldo volvió a releer el párrafo que acababa de escribir y con el que comenzaba otro capítulo de su novela. Enseguida agregó: «En realidad la madre no barría la basura, sino todo su pasado y su presente. La madre intentaba barrer todo lo que había sufrido y sufría, un hombre que la había abandonado, un único hijo que le había salido maricón y por lo mismo había ido a dar a la cárcel. Porque su hijo no la podía engañar; aunque ella misma aparentase que era engañada, lo sabía todo. Su condición de madre le informaba incesantemente de quién era y qué hacía su hijo. La madre barría la soledad, la insatisfacción, las humillaciones. Y lo hacía así, de una manera leve, constante e inútil porque ella sabía que barrer tantas penas era imposible porque esas penas eran su propia vida».

Gabriel dejó de escribir y pensó que aquella escritura tampoco iba a remediar el sufrimiento de su madre. Por el contrario, de leer aquel manuscrito se pondría aún más triste. Durante la noche que pasó en Holguín tuvo mucho cuidado de que la madre no descubriese la novela y la había metido en un falso forro de su mochila. Como todas las cosas auténticas que había hecho en su vida, también esa novela tenía que ocultársela a la madre.

En realidad aquella novela de la que casi nunca se desprendía era como una maldición que lo perseguía ya por más de veinte años. Él sabía los riesgos que corría si la policía volvía a descubrirle el manuscrito. Por eso cada vez que tenía que incorporarse al «trabajo voluntario», lugar donde evidentemente no podía ir con aquel texto, Reinaldo metía todos los papeles en un enorme saco de cemento y se iba de casa en casa, buscando un amigo a quien confiarle su tesoro. Eva Felipe, una vieja amiga de Gabriel, le guardó la novela durante todo un verano hasta que comenzó a leerla. Alarmada, fue a ver a Reinaldo con el manuscrito, es decir con el saco de cemento a cuestas. Mi marido es primer teniente, le explicó a la Tétrica Mofeta, si descubre estos papeles me llevaría presa... Tedevoro se comprometió a guardar «aquellos papeles», pero cuando se descubrió a él mismo en la novela pintado como una de las locas más feas y desesperadas del globo, visitó a Reinaldo y le dijo: Acabo de hacerte un gran favor, he quemado tu novela en vez de entregarla a la policía, como era mi deber. La Tétrica Mofeta puso a Tedevoro en el número uno de su larga lista de enemigos, y al instante comenzó de nuevo a escribir *El color del verano,* cuyo manuscrito volvió a desaparecer cuando Tatica le robó las patas de rana en el puente del Patricio Lumumba. Reinaldo reescribió la novela. Fue por esa época cuando se produjo la resurrección de Aurélico Cortés, a quien Reinaldo había canonizado en su novela como santa Marica, por ser la única loca en el mundo muerta en estado de virginidad y por lo tanto de gracia. Al enterarse Cortés de su canonización y de que además ya había hecho numerosos milagros, sin sacudirse el polvo de la tumba corrió hasta donde vivía la Tétrica Mofeta, se apoderó del manuscrito fatídico y lo destruyó al instante. Reinaldo volvió a escribir la novela y la metió en unas bolsas de nailon negro que se había robado mientras sembraba posturas de café en el Cordón de La Habana, y escondió la novela debajo de las tejas de la casa de su tía Orfelina, donde entonces él vivía. Unos meses después, la Tétrica Mofeta y Coco Salas eran arrestadas al ser cogidas *in fraganti* con dos peloteros profesionales y gigantescos en medio de unos matorrales del Palacio de los Deportes (la Tétrica fue condenada, Coco, como era informante del G-2, fue absuelta). En la cárcel de El Morro, habiéndose enterado de que, según las Divinas Parcas, su novela había sido entregada por su tía Orfelina a la policía, Reinaldo comenzó a escribirla de nuevo. Pero la obra, una vez sacada de la prisión, fue a parar otra vez a manos de la policía política. Al cumplir su sentencia, Gabriel volvió a su cuarto, pero su tía, que le había cambiado el llavín a la puerta, le dijo que no apareciese jamás por aquella casa. La Tétrica Mofeta deambuló por las calles pensando cómo podría intentar recuperar su novela, pues en realidad ahora no estaba segura de la veracidad de lo que habían comunicado las Divinas Parcas (es más, estaba casi convencida de que la novela seguía escondida bajo las tejas de la casa de Orfelina). Una noche, mientras las Hermanas Brontë vigilaban, Reinaldo trepó al techo de la casa, levantó las tejas y comprobó que el manuscrito de la novela había desaparecido. ¿Quién era el autor de aquella faena militante y patriótica? ¿Coco Salas? ¿El teniente que atendía a la Tétrica Mofeta? ¿Su tía Orfelina, como le habían informado las Divinas Parcas? ¿Las mismísimas Divinas Parcas? ¿Tedevoro? ¿La Ogresa, o sea Ramón Sernada? Lo cierto es que alguien se había apoderado de aquel manuscrito y lo guardaba como una pieza terrible para meter en la cárcel a la Tétrica en el momento oportuno. Eran tantos los informantes siniestros, los maricones envidiosos... Mientras Reinaldo deambulaba y simulaba rehabilitarse cortando yerba hasta el parque Lenin, donde Coco se paseaba del brazo de Celia Sánchez, volvió a comenzar *El color del verano*. Gabriel se «rehabilitó» rápidamente, se casó en un minuto, tuvo un hijo en unos cinco minutos, sepultó su vida matrimonial en unos tres minutos y escribió (o meditó) un libro sobre la tragedia de un pájaro casado y su pasión por un adolescente, tarea que le tomó unas doce horas. Todo eso lo hacía representando y padeciendo una vida doble, o triple, y trabajando sin cesar en la sexta versión de su novela, que ahora, mientras esperaba el tren, releía y aumentaba con goce furtivo. Tocar aquellas páginas era tocar una autenticidad que el mundo le negaba. Pero ¿qué sentido tenía todo aquello?, se preguntó de pronto desconsolado Reinaldo sin dejar de acariciar las páginas amarillentas. ¿Quién iba a leer aquel texto? ¿Dónde lo iba a publicar? ¿Hasta cuándo podría cargar con aquellos papeles sin ser descubierto? Y al contemplar las malangas y la botella de manteca junto a su novela, que ahora había vuelto a meter en la mochila, volvió a pensar en su madre; la vio barriendo incesante y desolada la calle y se puso a cavilar sobre si no era más importante la posible felicidad de aquella mujer que el destino o la misma existencia de aquellas hojas garrapateadas temerosamente. Había que optar entre la novela que era su propia vida y la felicidad de los demás. Había que escoger entre su propia, querida, prohibida vida, y la vida de los seres queridos. En el mundo en que vivía (y tal vez en cualquier mundo) no había espacio para que él pudiese ser feliz sin hacer desdichadas a las personas que él más amaba. El precio que tenía que pagar por ser él mismo era tan caro que tal vez lo mejor era renunciar definitivamente a ser él mismo y ofrecerse a los demás tal como ellos querían verlo. Lo mejor sería olvidarse de aquel manuscrito que lo perseguía y que a la vez se le escapaba constantemente, olvidarse también de perseguir a los hombres por los cuales también vivía y se esfumaban incesantemente. Olvidarse de toda su vida y comenzar una nueva vida. Así, tan cursi y tan imposible como sonaba: una nueva vida. Sí, dedicarse a su esposa y a su hijo (que ahora tendría que resucitar), a su madre. De todos modos, con esa renuncia, qué perdía. ¿Acaso viviendo la vida que vivía había encontrado la felicidad? ¿No era demasiado alto el precio que tenía que pagar por un minuto furtivo y casi siempre inalcanzable de placer? Renuncia, renuncia. Escoge entre la botella de manteca y ese manuscrito. Tira ahora mismo el manuscrito y quédate con la botella de manteca. Mira a tu madre, ella es esa botella verde de manteca que te contempla compungida (desde el fondo de la mochila) por todas las penas que le has causado. Y fue tan profunda la tristeza que la Tétrica Mofeta sintió al ver a su madre convertida en una botella de manteca de puerco que su rostro adquirió una expresión aún más tétrica, tan tétrica que las personas que estaban sentadas a su lado se fueron alejando como si efectivamente una vieja mofeta comenzase a expedir su insoportable pestilencia... Gabriel sería un gran macho, un padre de familia, un hijo amantísimo. ¿Acaso otros no lo habían logrado? El mismo Nicolaiv Dorrt, ex loca de atar, ¿no caminaba ahora con ademanes varoniles, hablaba con voz engolada y hasta tenía tres hijos? ¡Niña!, le interrumpió de repente la otra pájara que llevaba siempre en el alma, acuérdate de que a Nicolaiv Dorrt tuvieron que ingresarlo en la sala de emergencia del hospital Calixto García por meterse un bombillo en el culo... Pero conmigo no será así, se prometió la Tétrica Mofeta, ya convertida en un nuevo Gabriel. Este viaje a Holguín ha sido una revelación. Le había revelado la inutilidad de su vida vacía, peligrosa y desesperada alejado de la paz del hogar. ¡Paz! Eso era lo que necesitaba y nunca había tenido. Si todo tenía un precio, y en su caso el precio era renunciar a la mariconería, él iba a renunciar.

En ese momento pasó frente a Gabriel un recluta a quien el uniforme le caía tan bien como un manto real. El recluta se sentó en el mismo banco donde estaba Gabriel, quien súbitamente convertido en la Tétrica Mofeta le preguntó al joven la hora mientras miraba para sus imponentes entrepiernas. El joven contempló a la Tétrica Mofeta de arriba abajo y respondió de la manera siguiente:

—Este reloj no le da la hora a los maricones. Es sólo para hombres.

Y sin más, el militar se fue a sentar en otro banco; junto a un hombre.

¡Un hombre! ¡Un hombre! Eso es lo que la Tétrica Mofeta tenía que ser. La humillación que acababa de sufrir se lo confirmaba. Es más, estaba seguro de que eso había pasado para estimularlo a él, la Tétrica, a recuperar su hombría. Dios mismo había mandado a aquel recluta para convencer a la Tétrica de que tenía que cambiar definitivamente de vida. Sí, no quedaba otra alternativa. Optaba por la botella de manteca. La Tétrica descruzó las piernas, que formaban un enredillo, abrió los muslos, puso los codos sobre el respaldo del banco. Hecho todo un hombre, Gabriel se dispuso a esperar la llegada del tren.

Los despechados

Junto al mar, a un costado del gran palacio de Fifo, donde ya había comenzado la fiesta, se conglomeraron todas las personas que se sentían humilladas y desde luego ofendidas por no haber sido invitadas a la recepción. Entre esas personalidades que Fifo había puesto en la lista negra se encontraban, entre otras muchas que tal vez se mencionen más adelante, la Diaconisa Marina y su marido el pope de la Iglesia ortodoxa rusa, el embajador de Polonia, la reina del carnaval de Río de Janeiro, el jefe del Partido Comunista de Italia, Sakuntala la Mala, Clara Mortera y su esposo Teodoro Tapón, el presidente de la Real Academia Española, quien no pudiendo soportar tal afrenta se suicidó rompiéndose la cabeza contra la gran puerta del palacio fifal (cualquier otra versión al respecto es falsa), el padre Ángel Gastaluz con su hisopo de plata, Corazón Aquino, la Tiki Tiki, el obispo Oh Condon, Oliente Churre y su madre agónica instalada ya en su casa de campaña, la Supersatánica, las once mujeres del dictador de Libia, el sin par Gorialdo, el promotor del plebiscito contra Pinochet, quien enfurecido se paseaba por las rocas costeras sin poderse explicar aquel desplante, máxime cuando dentro del palacio se hallaba como invitado de honor el mismo Pinochet. Difícil de explicar esta exclusión, como tantas otras que quizá se enumeren más adelante. De todos modos, el heterogéneo grupo de los despechados, que formaba prácticamente un ejército (al que se le acababan de unir el general Noriega, prófugo de la prisión de Sing Sing, y el rey de Rumania), decidió permanecer, contra viento y marea, junto al palacio de Fifo en espera de la anhelada invitación.

Viaje en tren

—¡Pájara!, ¿qué haces en estos lares?

Frente al varonil Gabriel estaba parada la Reina de las Arañas. Llevaba una camisa teñida con violeta genciana en la cual además se veían paisajes exóticos pintados por la misma Clara Mortera, un pantalón hecho con saco de harina robado a una vecina y pintado de rojo y unos enormes zuecos fabricados por Mahoma la astuta; sobre aquella indumentaria la loca se había enganchado numerosas chapas metálicas hechas con tapas de cerveza y pedazos de latas recogidas en los basureros. Los cuatro pelos que le quedaban en la cabeza exhibían un color amarillo violento que a veces transformaban a la loca en el pájaro de fuego.

El pájaro de fuego, digo, la Reina de las Arañas, tiró al suelo dos maletas de cartón, un baúl, unos bultos que pretendían ser maletines, varias jabas y una mochila, y con grandes aspavientos se abalanzó sobre Gabriel, quien ante la presencia casi lumínica de aquel pájaro se convirtió al instante en la Tétrica Mofeta. Ambas locas se abrazaron y luego de grandes escarceos recíprocos se sentaron.

—¿Qué es de tu vida, mujer? —le preguntó la Tétrica a la Reina de las Arañas.

—Aquí me ves, en los ajetreos de un viaje. Me marcho definitivamente. Yo, al igual que Madame Bovary y Coco Salas, no soporto la campiña. No soy una loca rural. Mira mis regios atuendos.

El pájaro se puso de pie y encaramándose sobre su equipaje dio varios giros que él consideraba «únicos».

—Estás divina —mintió la Tétrica Mofeta.

—Y tú no te quedas atrás, aunque no tienes puestos los grandes trapos que usas en La Habana.

—Vengo de casa de mi madre...

Mientras los pájaros continúan con sus falsos arrumacos, déjenme decirles a ustedes, millares o millones de pajaritas que me leéis (y si no me leen apúrense a hacerlo, que el tiempo apremia), que la Reina de las Arañas, al igual que la Tétrica Mofeta, era oriunda de Holguín, o mejor dicho de los arrabales de Holguín, y que también, como la Tétrica, tenía tres nombres, o mejor dicho, casi cuatro. Su nombre verdadero era Hiram Prats, su nombre literario y social era Delfín Proust (a este nombre, en caso de emergencia, le agregaba un segundo apellido que era Stalisnasky) y su nombre de guerra era desde luego el de la Reina de las Arañas. De esa manera el pájaro protegía sus diversas identidades de acuerdo con el círculo en que se desenvolviera. De manera que ni el mismo Coco Salas, que como todas las locas más fuertes de la Tierra era también de Holguín, había logrado meter a aquella loca en la cárcel, pues legalmente la misma no existía. Con el segundo apellido se hacía pasar por extranjera y también le servía para espantar a los policías prosoviéticos. Además era cierto que Hiram, o Delfín, o la Reina de las Arañas o como diablos quieran llamarla, había estado en la ex madre patria, incluso se comentaba que chapurreaba el ruso y que en esa lengua muerta rendía largos informes a la KGB.

La verdad es que, siendo muy niño, aquella ninfa campesina había sido becada por Fifo en la entonces URSS para que aprendiese el ruso en la Universidad de Lomonosov, con el académico Popov. Sí, mi amiga, a Lomonosov fue a parar la loca holguinera cuando era todavía una benjamina inconstante, pero muy pronto, en la entonces supersagrada madre patria, la loca dio señales de su superpajarería. Un día casi todo Moscú se estremeció ante el espectáculo sin par otorgado por esta loca rural. Como becado cubano, Hiram había tenido el honor de ser invitado al teatro Bolshoi para que viera *El lago de los cisnes*. Aún no se sabe de qué artimañas se valió la loca para calentar a un militar ruso de alta graduación que estaba sentado a su lado; quizás el pobre ruso pensó que se trataba de una mujer. El caso es que, en un entreacto, Hiram cargó con el rotundo militar, que era un campesino de Georgia con un bulto gigantesco, para los cortinajes del teatro. Y tras aquellos gruesos cortinajes, la loca empezó a mamar. Retumbó la orquesta, en la escena apareció Maya Plisezcaya bailando el cisne blanco; las cortinas siguieron corriéndose. Al final se descorrieron completamente y todo el público pudo ver a un costado del gran escenario a Hiram Prats mamando enardecidamente el falo del militar georgiano mientras la Plisezcaya batía sus brazos descoyuntados y todo el cuerpo de baile irrumpía en el escenario. Tan imbuidos estaban el militar y la loca en su éxtasis que no se habían percatado de que la cortina se había descorrido y de que estaban ahora en un escenario y ante más de diez mil personas, entre ellas Nikika Kruchov y su esposa, Anastasia Mikoyana. Unas manos de hierro sacaron a toda velocidad a los insolentes. El militar fue fusilado al instante. El pájaro cubano fue deportado para que fuese ejecutado por Fifo. En el barco ruso, que se demoró más de seis meses para llegar a Cuba, la loca cambió de nombre, de voz, de manera de caminar, falsificó setenta documentos oficiales, se arrancó las pestañas, que nunca más le volvieron a salir, y con su nueva cara de majá asustado llegó a Cuba convertida en Delfín Proust Stalisnasky. La versión que ella misma dio al mundo y que la KGB y Fifo acogieron con beneplácito era que Hiram Prats, lleno de arrepentimiento y vergüenza revolucionarios, se había tirado al Mar Negro. La misma Reina de las Arañas contaba, con lágrimas en sus ojos de serpiente, cómo había visto a la loca tirarse al agua mientras entonaba «La internacional»... Con el nombre de Delfín Proust, la loca asistía a las tertulias de Olga Andreu, donde reinaba Virgilio Piñera. Como Reina de las Arañas era conocida por casi todo el mundo en Coppelia, desde Mayra la Caballa hasta la Triplefea. Traquimañera, astuta, horrorosa, siempre dando saltos y moviendo pies y manos al mismo tiempo, no sólo recordaba a una araña sino que cuando era ensartada giraba de tal modo y hacía tales contorsiones que se convertía en una auténtica tarántula. Como si eso fuera poco, el hecho de haber sido descubierta mamándosela tras una tela a un alto militar soviético era prueba de que el pájaro, la terrible araña, tejía unas redes capaces de enredar en ellas hasta un mismo héroe de la gran ex madre patria, Dios mío, y nada menos que de la provincia de Stalin. Stalinista era el pájaro, ya lo veremos más adelante... Por otra parte, y eso es entre tú y yo, mi amiga, la loca era también chivata, además de chismosa, enredadora, bretera, maligna y tejedora de chanchullos. Sus hilos no se sabía a dónde podían llegar. Cuídese de ese pájaro, comadre. Si lo ves, haz la señal de la cruz y huye.

Pero, qué va, la Tétrica Mofeta, boba ella, no huyó de la Reina de las Arañas. Al contrario, juntas subieron al tren y la Tétrica la ayudó con el equipaje. Dentro del tren, las pájaras, con empujones y batir de alas, se abrieron paso entre la multitud agobiante. Encontraron finalmente un asiento vacío y allí, entre un gran reguero de plumas, se instalaron. Miraron entonces a su alrededor luego de intentar abrir la ventanilla, que desde luego no se abrió.

—¡Qué espectáculo tan deprimente! —comentó la Reina de las Arañas.

Y en verdad, la terrible pájara tenía razón. Aquellos vagones del siglo XIX iban atestados de un público completamente deforme. Familias numerosas en las que todos sus miembros poseían unos vientres aparentemente gigantescos pues llevaban escondidas una vaca descuartizada que así metían de contrabando en La Habana, mujeres con tetas descomunales porque en el pecho se habían atado varias bolsas llenas de arroz; un hombre llevaba un enorme sombrero pues dentro del mismo transportaba una gallina viva para su bisabuela que agonizaba y necesitaba del caldo de aquel ave ya extinta en la isla. Pero otros hombres, más que sombreros, parecían llevar sobre la cabeza cúpulas bizantinas. Dentro de esas cúpulas viajaban cerdos, guanajos, cabras, ovejas y otros animales robados en las granjas del pueblo, animales que, como llevaban las bocas atadas, sólo podían dejar escapar lastimeros gemidos que el contrabandista, abriendo la boca, hacía creer que eran emitidos por él mismo. Pero eran los niños, tal vez porque sus padres confiaban en la inmunidad de sus años, los que cargaban los pesos más ingratos. Y ya no eran niños, sino bolas gigantescas en las cuales sólo se destacaban sus ojos, forrados como iban de litros de leche, sacos de frijoles, cartuchos de pan viejo, latas de galleta, bolsas de azúcar, rollos de hilo... Ay, aquellas criaturas eran tiendas mixtas ambulantes a quienes sus madres hacían rodar por el tren hasta instalarlos en algún rincón. Y por encima de todo flotaba una peste ineludible a peo, a bollo sucio, a sudor colectivo, a orines de gata, a perro muerto, a chivo en celo, a culo gigantesco, a cojón de verraco, a tumor recién reventado, a patas que nunca habían visto el agua y a otras emanaciones inclasificables.

Al observar las artimañas de que se valían los viajeros para trasladar la comida con el fin de que la policía fifal no los descubriese, en un viaje que podía ser además infinito, Reinaldo recordó con terror que él llevaba en su mochila unas libras de malanga y una botella de manteca. Dios mío, toda su vida tratando de no ser arrestado por su novela y quizás iba a dar a la cárcel por una botella de manteca.

—Y tú, ¿qué llevas ahí?, ¿la Loma de la Cruz de Holguín? —le preguntó la Tétrica a la Araña.

—No, querida, aquí sólo viajan mis divinos atuendos. Los trajes que siglos atrás compré en la Unión Soviética. No transporto nada ilegal, y mucho menos comida. Apenas si como. ¿No ves mi espléndida figura?

La Tétrica miró a Hiram Prats y sólo vio a una loca horrorosa de cabeza calva y brazos nudosos y en constante movimiento.

—Estás maravillosa —dijo.

—Niña, en los carnavales voy a acabar.

—Dicen que son los últimos, que Fifo no quiere más carnavales.

—Pues con más razón hay que acabar. Óyeme, y esto te lo digo a ti sólo: estoy invitado a la fiesta que dará Fifo en su palacio subterráneo, antes de que empiece el carnaval.

—¡Jesús!, pero ahí sólo van oficiales del Ministerio del Interior...

—Sí, y por eso tú también estás invitada. Además ahí va todo cuanto vale y brilla en el globo. ¿No sabías que Fifo también es loca?

—¡Niña, qué palabras se te han escapado del cerco de tus dientes postizos! ¿Y cómo lo sabes?

—Igual que lo sabes tú. Además, Coco Salas me dijo que él mismo le había hecho la paja y me comisionó para que le buscase hombres a Fifo...

—¡Ave María Purísima! Yo no he dicho ni pío. Además se comenta que Coco Salas no es un pájaro, sino una mujer, y que por lo mismo los bugarrones la quieren matar. Ha engañado a medio mundo. Yo de eso no estoy seguro. Pero sí puedo decirte que es tremendo hijo de puta. ¿Tú no sabías que fui a la cárcel por culpa de esa loca de argolla?

—... Y este tren parece que no va a salir nunca —comentó a manera de respuesta la Reina de las Arañas, a quien el sudor comenzaba a chorrearle por toda la cara. Era un sudor amarillo, verde, rojo, que al mezclarse con el sudor que salía de su camisa violeta adquirió un tono indescriptible—. Se me caen los colores —comentó trágicamente la Araña.

—Resignémonos —dijo la Tétrica Mofeta.

—Resignémonos —dijo la Reina de las Arañas.

Y ambas locas, anonadadas por tanto calor, tanta fealdad y tanta peste, se arrellanaron en sus molestísimos asientos e intentaron dormir a pesar de la algarabía humana y bestial. Ay, querida, pero en ese momento, y ya el tren bramaba en son de fuga, una especie de luz irrumpió en el vagón. Era como un pez dorado en un mar poblado sólo por tiburones deformes, era un cometa radiante en un cielo pleno de estrellas culipandas. Era, en fin, carajo, el espléndido recluta a quien la Tétrica le había preguntado la hora y que le dio una patada moral. Ay, era un dios inaccesible. Hasta los cerdos y demás animales, mientras se asfixiaban dentro de sus sombreros, atisbaron por entre las rendijas de los yareyes. Dios mío, y el macharrán, sin mirar a sitio alguno, como si caminara por el mismísimo pasillo que da al trono, siguió avanzando, localizó finalmente un asiento libre, tiró a un lado su jolongo verde oliva y se despatarró, extendiéndose en el asiento cuan largo e imponente era. Demás está decirte, vieja loca, que también la Tétrica y la Reina de las Arañas observaron al joven sin par, pero la Tétrica, que sabía que el recluta era inaccesible, se hizo la indiferente.

—¿Viste al dios que nos ha hecho la gracia de viajar con nosotros? —comentó la Araña.

—Claro que lo vi —respondió la Tétrica—. ¿Acaso soy ciega? Pero no es mi tipo —y dándose un aire de importancia miró indiferente hacia la ventanilla, tras la cual desfilaba un montón de casas chatas y apuntaladas.

—No me vengas con eso a mí —le dijo la Araña—. Si estás que no puedes ni hablar. Desde aquí siento tu corazoncito latir a trompicones. Creo que hasta te va a dar un infarto.

—Pájaro, lo que tú sientes es el traqueteo del tren. Yo me he pasado los mejores hombres de La Habana y de Oriente, sin contar el resto de las provincias.

—Lo dudo, pero de todos modos eso es pasado. A mí lo que me interesa es el presente. Y el presente es ese recluta gigantesco con las patas abiertas a sólo unos metros de mi alcance.

—Te lo regalo.

—Gracias, pero como no es tuyo tengo que conseguirlo. En cuanto apaguen las luces me lanzo. Tú cuídame los bultos.

—Ya en los trenes no se apagan las luces. Desde que se dio aquel escándalo terrible cuando descubrieron en un viaje Matanzas-La Habana a Miguel Barniz entollada por tres negros mientras Karilda Olivar Lúbrico se masturbaba con una sombrilla abierta, por orden de Fifo todos los trenes se quedan por la noche iluminados o al menos semiiluminados.

—Que se queden como se queden, pero a ese recluta me lo paso yo. Creo que ya hasta me miró.

—Sí, es verdad —dijo entonces la Tétrica Mofeta con el fin de embarcar a la loca. Pues ella bien sabía que el recluta no quería saber nada de maricones.

El tren trotaba ya desde hacía varias horas y la Reina de las Arañas no le quitaba los ojos de encima al recluta, quien, por otra parte, en cuanto echó a andar aquel terrible armatoste, se quedó dormido y empezó a roncar.

—Finge, finge que ronca —le dijo la Reina de las Arañas a la Tétrica Mofeta—. Lo hace para que lo trasteen y a la vez no tener ningún cargo de conciencia ni responsabilidad moral: todo pasó mientras dormía. A miles de hombres se las he mamado así, en pleno tren, guagua, avión o barco. Ellos simulan que roncan y mientras roncan se vienen.

A media noche la iluminación se hizo más débil, quedando encendido un bombillo central —con el fin de ahorrar combustible—. La orden de Fifo no se cumplía cabalmente. A la luz de aquel bombillo las dimensiones del recluta se hicieron más imponentes. En la penumbra su cuerpo se relajó aún más, sus piernas se abrieron: la gloria culminaba en aquellos muslos en forma de promontorio verde.

—No puedo más. Voy al ataque —dijo la Reina de las Arañas.

—Ataca, ataca. Yo cuido tus pertenencias —estimuló por lo bajo la Tétrica y malvada Mofeta.

De un salto Hiram cayó junto al gigantesco recluta, que seguía roncando.

Un muslo de la loca se acercó a un muslo del joven militar. La Reina de las Arañas dejó su pequeño muslo junto al muslo imponente. Después comenzó a rozar el muslón con su muslito. El dueño de aquellos imponentes muslos seguía roncando con las piernas abiertas. Hiram, conminado por aquellas piernas abiertas, mientras sus ojos parpadeaban velozmente dejó caer una mano sobre el muslo imponente. La Tétrica, rodeada de bultos y de pestes, observaba en la semipenumbra. La mano de Hiram atrevidamente se había colocado ya sobre la portañuela del recluta, que seguía roncando. ¡Oh, Dios!, ¿y si fuera cierto que ella, la Tétrica, era ya una loca de desecho, una vieja carenga, un maricón de asilo, y aquel reclutón imponente la había despreciado no porque no le gustaran los pájaros, sino porque no le gustaba un pájaro viejo y decrépito...? Ay, había que morir: la Reina de las Arañas le abría la portañuela al gran reclutón e introducía la mano donde se encontraba el inestimable tesoro. Dios mío, Dios mío, la Tétrica Mofeta veía ahora cómo Hiram, maniobrando habilidosísima, le desabotonaba completamente el pantalón al militar; le descorría el cinto, le bajaba ya los calzones y, sin más, comenzaba a mamar. Y a todas éstas el militar seguía roncando. Y a todas éstas, la Tétrica tenía que cuidarle los bultos a la Araña. Pero qué loca más atrevida, la Hiram; arrodillada ante el recluta le engullía el gigantesco miembro y hasta los dos testículos al mismo tiempo. La Reina de las Arañas, con la boca plena, dirigió una mirada triunfal hacia la Tétrica, que agonizaba de envidia. Enardecido ante aquel triunfo, Hiram depositó sus dos manos sobre los muslos del recluta y comenzó a apretarlos mientras su boca seguía devorando las divinas proporciones, lanzando mordiscos, salivazos y maullidos lúbricos. Ante aquel trajín, el recluta dejó de roncar, abrió los ojos; ay, despertó (pues en verdad dormía) y se vio con los pantalones en los tobillos mientras un pájaro de mil colores le mamaba sudoroso la morronga.

—¡Qué estás haciendo, maricón! —retumbó tan alta la voz del recluta que todos, incluyendo los animales que gemían, hicieron silencio.

Al instante el recluta, subiéndose los pantalones, tomó a Hiram por el cuello y comenzó a estrangularlo. Pero la loca en trance de muerte recuperó su condición de araña e impulsada por las manos y los pies comenzó a girar y así, como sale un tornillo de una tuerca, sacó su cuello de entre las gigantescas manos del enfurecido militar. Ante todos los pasajeros, que contemplaban paralizados la escena, la Reina de las Arañas llegó de un salto hasta donde estaba la Tétrica Mofeta, que sonreía; tomó todo su equipaje y echó a correr por el vagón, desparramando frijoles y todo tipo de granos y liberando con su estampida y sus impedimentos a numerosos animales domésticos, que ahora corrían también detrás de la loca buscando sin duda la salida. Más atrás venía el gigantesco y enfurecido reclutón y la Tétrica Mofeta, que no quería perderse el fin de aquella odisea... Nunca, querida, en la historia nacional e internacional de los escándalos ferroviarios se volverá a escribir una página semejante: portando sus maletas de cartón, un baúl, cinco maletines, varias jabas y una mochila, la loca corría por todo el tren destrozando piernas y provocando aullidos y gritos de «mátenla». Así, sin soltar ninguna de sus pertenencias, como un cometa *Halley* pero con un rabo mucho más largo, el pájaro fue cruzando vagones, llevándole siempre un vagón de ventaja a sus perseguidores. Pero el tren no era por desgracia infinito y finalmente la loca tuvo que detenerse en el último vagón. En pocos segundos, el airado reclutón, la Tétrica, numerosas personas que se sentían agraviadas y un sinnúmero de animales le dieron alcance.

—¡Maricón, hijo de puta! —comenzó a gritar el reclutón mientras golpeaba a la pobre loca—. ¡Esto no se puede quedar así! ¡Me has mamado la pinga a mí, a mí, que estoy en proceso! ¡Oíste bien, en proceso!

—¿En proceso de qué? —indagó Hiram mientras intentaba protegerse con su copioso equipaje.

—En proceso de ser analizado para entrar en la Juventud Comunista. Eso que has hecho puede ir contra mi expediente. Puedes desgraciarme mi carrera. ¿Sabes lo que debería hacer yo ahora mismo? Debería matarte. Lo que has hecho no tiene nombre, no tiene perdón de Dios. Sí, matarte es lo que debo hacer... —gritó enfurecido el delicioso reclutón bajo la mirada aprobatoria y moral de la Tétrica Mofeta—. Pero no —reflexionó rápidamente el joven militar y miró con desprecio a la loca, que se había tirado al piso—. No voy a mancharme las manos con un maricón. Eso también podría ir para mi expediente y perjudicar el proceso. No te voy a matar, pero tampoco voy a seguir viajando en un tren donde hay un maricón depravado. Eso también podría perjudicar mi proceso. Así que, oye, maricón, si no quieres que te retuerza el cuello, tírate ahora mismo del tren.

Hiram comprendió que se trataba de una orden ineludible, de no tirarse de aquel tren en marcha moriría a manos del gigante enfurecido. Con ojos desesperados miró hacia la Tétrica Mofeta, que la contemplaba, y le dijo:

—Tengo que tirarme. Por favor, lánzame todo el equipaje. —Y sin mayores trámites, la loca abrió la última puerta del tren y lanzóse al vacío. Tras ella se fugaron casi todos los animales que iban en el largo vehículo—. Tírame todas las cosas, todos los bultos, todos los paquetes, que no se quede nada —le gritaba la Araña a la Tétrica mientras rodaba por el suelo.

La Tétrica comenzó a tirarle las maletas, los maletines, las jabas...

—Todo, todo —gritaba Hiram—, tira todo lo que tengas ahí.

Y la Tétrica lanzó todos los bultos que tenía a su alrededor.

Hiram era ya un punto remoto que quedaba abandonado entre los raíles. Sin poder contener la risa, la Tétrica Mofeta volvió a su asiento. El recluta roncaba otra vez a pierna suelta y con las piernas abiertas. Esta historia tengo que escribirla, se dijo Reinaldo, y fue a buscar el grueso manuscrito de su novela siempre en proceso. Pero su mochila no aparecía. Fue entonces cuando comprendió que junto con las pertenencias de Hiram había lanzado también su mochila con las malangas, la botella de manteca y el manuscrito de la novela.

—¡Ay de mí! —gritó sin poderse contener—, ¡ahora tendré que escribir por séptima vez la historia de mi novela!

La historia

Ésta es la historia de una isla dominada por un tirano absoluto llamado Fifo. El tirano llevaba en el poder cuarenta años y, desde luego, ejercía un control total sobre todos los habitantes de la isla. La gente se moría de hambre pero tenían que elogiar incesantemente la abundancia en que vivían gracias a las técnicas productivas introducidas por el tirano. La gente no podía salir de la isla ni podía hacer el más leve comentario contra el tirano, pero tenían que pasarse día y noche entonando himnos a la libertad maravillosa y al porvenir luminoso que les había concedido el tirano. En aquella isla todo el mundo vivía por lo menos una doble vida: públicamente no dejaban ni un instante de alabar al tirano, secretamente lo aborrecían y ansiaban desesperadamente que reventase. Pero el tirano tenía un inmenso ejército y un sistema de espionaje único, de manera que destruirlo parecía imposible. El sueño de toda aquella gente ya no era que la isla fuera libre, sino poder escaparse de aquella isla que era una prisión perfecta. Pero ¿cómo escaparse de una prisión perfecta? Por aire era imposible: sólo el tirano tenía aviones y helicópteros, hasta los globos estaban bajo su control. La fuga por tierra estaba descartada puesto que se vivía en una isla. Quedaba sólo el mar, y en verdad al principio muchos escaparon en un bote, en una goma, en dos palos flotantes y hasta en una inmensa palangana. Pero el tirano triplicó el servicio de guardacostas, llenó la isla de lanchas superrápidas, minó el mar con bombas hipersensibles, hasta que fue casi imposible escaparse por mar. Pero tanta era la desesperación que la gente determinó que había que escaparse con la isla completa. Una vez que la isla cambiase de lugar, encallaría cerca de algún continente, de alguna tierra firme y libre. Entonces decidieron tácitamente roer la plataforma insular de la isla hasta separarla de su base, y una vez con la isla a la deriva confiar su suerte a las olas y al viento... Claro, el desprendimiento de la isla de su plataforma insular no era cosa fácil; la plataforma, precisamente por su condición de plataforma, era una roca durísima. Había que escarbar debajo del agua a profundidades considerables y como todos los instrumentos de trabajo estaban bajo control del tirano, la gente sólo podía escarbar con los dientes. Así, con incesantes y clandestinas zambullidas todo el pueblo comenzó a roer la plataforma insular de la isla de Cuba, desarrollando con el tiempo potentes pulmones que le permitían estar bajo el agua hasta casi una hora y adquiriendo dientes prominentes, como era el caso de Aurélico Cortés y de Tomasito la Goyesca. Desde luego, aquel incesante roer la plataforma hacía que la isla se viese sometida a temblores de tierra, géiseres, terremotos, fallas, hundimientos y hasta volcanes rojizos que se producían cuando algunos o miles de los roedores reventaban y morían convertidos en una inmensa explosión púrpura y candente. Todos aquellos cambios geológicos llamaron la atención del tirano y pronto sus más fieles agentes nacionales e internacionales descubrieron «la terrible traición»: «Viles ciudadanos roedores», rezaba el informe, «pretendían robarse la isla y entregarla a alguna potencia imperial». La palabra «roedor», ya de por sí despectiva, se convirtió en la peor ofensa que podía propinarse a un ser humano. De más está decir que al que se le calificaba de roedor se le intentaba eliminar al instante. Pero los roedores seguían royendo incesantemente la plataforma insular a tal punto que ya la isla, cuando el oleaje era muy fuerte, se bamboleaba. El dictador contrató a miles de buzos y expertos cazadores submarinos para que aniquilaran a los roedores, pero no lo lograron. Es más, a veces la misma tropa antirroedora se ponía a roer. Ay, a veces un general, un comandante, un ministro y hasta un obispo de la Iglesia católica de Fifo se sumergían con sus atuendos oficiales y comenzaban a roer. No, el dictador no podía confiar ya ni en sus propias tropas. Además, ningún soldado, por muy fiel que fuese, podía mantenerse veinticuatro horas bajo el agua aniquilando roedores. Había que hacerse de un cuerpo represivo integrado por miembros para quienes el mar fuese su elemento natural. Luego de muchas meditaciones oficiales, la ministra de la Pesca y de la Caza, Rolandina Rodríguez, elevó una propuesta razonable. El material marino represivo, dijo, lo tenemos en abundancia en nuestras costas, sólo tenemos que adiestrarlo. ¿Acaso no es el Caribe la zona más infestada de tiburones del mundo? Entonces, utilicemos a los tiburones contra los roedores. Debemos crear una tropa de infatigables tiburones que devoren a todos los roedores... Al tirano aquella idea le pareció tan genial que inmediatamente mandó matar a la ministra de la Pesca y de la Caza y se apropió de la idea, pues desde luego no podía concebir que a nadie, fuera de él mismo, se le ocurriese algo tan brillante. Ayudado por casi todos los científicos del mundo y por los gobiernos de casi todos los países, el tirano creó un vivero monumental donde se amaestraba a los tiburones. Las clases consistían en no alimentar a los tiburones y, cuando el hambre era insufrible, le mostraban un roedor que el tiburón devoraba al instante. Para estos efectos el tirano construyó una isla en miniatura y la pobló de roedores voluntarios, bien alimentados además, que eran rápidamente engullidos por los tiburones. Así, en pocos meses se creó un inmenso ejército de tiburones antirroedores que después de las notas del himno nacional y de un largo discurso del tirano fueron echados al mar. El tirano había tenido la cautela de nombrar un jefe para todos aquellos tiburones. Se trataba del tiburón más potente y sanguinario que podía controlar y orientar a los demás tiburones. Era el Tiburón Sangriento. En verdad un ejemplar único, atlético, musculoso, brillante, provisto de catorce hileras de dientes irreprochables y de un sexo prominente que usaba de manera sádica, pues a veces mientras devoraba a sus víctimas eyaculaba dentro de ellas. El mismo tirano en persona alimentaba a aquella bestia reluciente y hasta cierto punto —hay que confesarlo todo— bella. Desde su lancha reprimerísima o desde su helicóptero, le lanzaba los roedores más apetecibles. Entonces el Tiburón Sangriento daba ágiles piruetas sobre el mar; saltaba sobre las olas, se hundía y volvía a emerger boca arriba, sus filas de dientes centelleantes, su sexo imponente. El tirano se estremecía de gozo ante esa visión. Al fin había encontrado un gran aliado, un excelente jefe, un buen soldado que por otra parte no hablaba (cosa maravillosa) y que le ayudaría a aniquilar a todos los roedores. Para estar en contacto directo con el tiburón, el tirano se había hecho construir un inmenso palacio subterráneo que desembocaba en el mar. Allí había construido un acuario con un inmenso cristal detrás del cual el tirano pasaba largas horas contemplando arrobado las maniobras de Tiburón Sangriento, quien a veces traía en sus fauces un roedor y detrás del gran cristal lo ultimaba, lo violaba, lo descuartizaba y lo engullía mientras él, el tirano, saltaba entusiasmado. Pero lo insólito era que a pesar de aquel terrible y disciplinado ejército y de la fiel voracidad de Tiburón Sangriento, la gente seguía royendo la plataforma insular.

Bar, ber, bir, bor, bur...

Burlesca y aburguesada en un bar de Varna, la avernal Barniz, cual avara batávara, hiperbórea e híbrida, abordó barbada a un burdo borbón berebere, absorbiéndole al imberbe —por arte de birlibirloca— burbujas verdes de su bárbara vara.

(Para Miguel Barniz)

Virgilio Piñera lee sus poemas efímeros

Era noche de gala en casa de Olga Andreu. Iba a leer Virgilio Piñera. Además, del «cogollito» compuesto, entre otros, por la Arrufada, la Estornino, la Tétrica Mofeta (en su papel de Reinaldo), Mahoma la astuta, la Miguel Barniz, la Paula Amanda alias Luisa Fernanda, Olga Andreu había invitado a todas las locas que según ella eran de confianza y adoraban a Virgilio Piñera. La sala del pequeño apartamento estaba atiborrada de pájaros de todas las edades, desde la Harolda Gratmatges, ciega y con noventa y ocho años, hasta la Mayoya, una loca analfabeta y de cuerpo realmente escultural que según rumores del mismo Virgilio conservaba aún su virginidad pues quería entregársela nada menos que a Tiburón Sangriento, del cual estaba enamorada. Sentados en el suelo se apiñaban unos contra otros en medio de un calor asfixiante. Allí estaban también las Hermanas Brontë, las Tres Parcas, la Óscar, la Glu-Glú, Tomasito la Goyesca, la Ogresa, la Horrible Marmota, la Atribulada Entre Los Tréboles y casi un centenar de locas más. El alboroto que armaban todos aquellos pájaros era pantagruélico. Sakuntala la Mala vaticinaba que un nuevo cometa más gigantesco que el *Halley* se avecinaba con todo tipo de horrores; la Mayoya, que no podía dejar de exhibirse, bailaba al son de sus propias palmetas, ensayando un meneo especial que pensaba estrenar en el próximo carnaval; la Arrufada viboreaba con la Estornino. La Reina de las Arañas le contaba a Reinaldo cómo había arribado a La Habana luego de quince días de aventuras y todo tipo de peripecias sobre trenes cañeros, rastras, camiones y mulos. Según la Hiram, había sido poseído por más de dos mil hombres en esa trayectoria alucinante y afirmaba que en Matanzas se había subido a la parte de atrás de un camión descapotado donde viajaba un negro prófugo y desnudo, pues no quería que lo reconociesen por su uniforme de presidiario. La Reina de las Arañas confesaba haber atravesado toda la provincia de Matanzas mientras le mamaba el miembro al negro. Como una ráfaga, decía, pasaba aquel camión dejando perplejos a miles de campesinos y a toda la población matancera (incluyendo a la Vieja Duquesa de Valero), quienes no podían concebir, aunque lo estaban mirando, que aquello pasase ante sus atónitos ojos. Fue un viaje único, concluyó Delfín Proust. Entonces la Tétrica Mofeta le preguntó qué había sido del equipaje. ¡Todo desapareció!, exclamó Delfín alzando y batiendo sus brazos arañando, tal vez sin querer, la gigantesca cara de Mahoma, que lanzó un chillido y le fue arriba a la loca para matarla. Una inmensa algarabía, aún más poderosa que la que ya reinaba, estremeció todo el recinto. La Mayoya, las Tres Parcas, la Quetapando y otras locas al parecer amigas de Hiram querían detener a Mahoma, pero la Tétrica Mofeta le gritaba al oído a la loca pre-asesina: «Mátala, mátala», con la esperanza de que muerta la Araña no pudiera entregar el manuscrito de *El color del verano* a Fifo, pues estaba segura de que Hiram no lo había perdido en el camino. De manera que Mahoma, de pie y lanzando unos altos maullidos, levantó a la loca con sus dos enormes manazas para estrellarla contra una de las paredes del apartamento de Olga Andreu. Pero en ese momento la misma Olga Andreu anunció que Virgilio Piñera iba a comenzar su lectura de poemas efímeros.

El silencio fue absoluto. Mahoma depositó a la loca casi moribunda en el piso y todos se dispusieron a escuchar al poeta, quien desde hacía horas estaba encerrado en el cuarto de Olga Andreu esperando a que llegaran todos los invitados para hacer su aparición. Descalzo y vestido sólo con una enorme guayabera blanca que le llegaba hasta los tobillos, Virgilio hizo su entrada.

—¡Maestro! ¡Maestro! ¡Bienvenido! —gritaron casi al unísono los pájaros.

—Traigan el infiernillo —dijo Virgilio a modo de saludo.

Olga Andreu, Mahoma y la Tétrica Mofeta fueron a la cocina, regresando con un anafe lleno de carbón vegetal. Se colocó el hornillo portátil junto a la pequeña mesa tras la cual estaba sentado el poeta. Olga Andreu roció con alcohol los carbones y una llama azulada salió del anafe. En ese mismo instante, Virgilio comenzó su lectura. Leyó un poema magistral que había escrito la noche anterior. Era un poema perfecto que abarcaba el dolor íntimo de cada ser humano y el dolor de la humanidad entera. Mientras el poeta leía, un manto mágico, una suerte de encantamiento, un hechizo único cayó sobre todas aquellas figuras aterrorizadas y grotescas. Los rostros se volvieron apacibles, los ojos se llenaron de lágrimas dulces, los cuerpos adquirieron una serenidad, un reposo que desde hacía muchos años el terror les impedía disfrutar. Todos fueron envueltos por el éxtasis de la belleza. Hasta la Triplefea, la loca más horrible del mundo, adquirió un encanto indefinible pero evidente que contrastaba con sus antiguas facciones espeluznantes. Olga Andreu había apagado las luces de la sala (dejando a Virgilio iluminado sólo por el infiernillo) y ahora, mientras ella avanzaba para sentarse en el piso, era una hermosa y esbelta adolescente. Todos estaban hechizados. La poesía los había devuelto a otra región, una región que ya casi no existía en ningún sitio y menos allí, en aquella isla condenada y a la merced de las locuras de Fifo. El caso es que mientras el poeta leía, ellos, ya ajenos al horror, seguían internándose en parajes mágicos, donde sonaba una música, donde se escuchaba un insólito canto, donde el tiempo, detenido en su implacable horror, configuraba parajes habitables, senderos que se perdían entre neblinas promisorias, himnos furiosamente vitales, cerros azules y campos de girasoles... Ay, pero terminó Virgilio la lectura de aquel poema y antes de que irrumpieran los aplausos, antes de que terminara el hechizo, lo lanzó a las llamas del infiernillo.

Un grito de terror salió de las bocas de todos los que escuchaban.

—¡Maestro!, ¿qué haces? —gritó Sakuntala la Mala tirando de su peluca, en tanto que Antón Arrufada metía sus manos en las llamas tratando de rescatar el poema.

Pero Mahoma y la Tétrica Mofeta, a un ademán de Virgilio, detuvieron a la loca y le dieron hasta un par de bofetadas. Virgilio tomó entonces la palabra.

—Sí, lloren, griten, pataleen, tírense de los pelos o de las pelucas. Pero, óiganlo bien, estos poemas son los originales, no hay copias. Y esta noche, a medida que los vaya leyendo, los iré quemando.

—¡Maestro, por Dios, piense en nosotros! ¡No nos prive de esa belleza! —exclamó la Triplefea.

Al instante varios gritos de aprobación apoyaron a la Triple, que ahora lucía más horrible que nunca. Pero Virgilio, sin prestar atención a aquellas voces de protesta, siguió hablando.

—Todos estos poemas serán quemados. Pero antes les daré a ustedes la oportunidad de que los disfruten y a mí la oportunidad de leerlos. Uno escribe para los demás. Eso es indiscutible. Y toda escritura es una venganza. Yo no puedo ser una excepción. Escribo mi venganza y tengo que leerla, si no la leyera sería como si no hubiese existido. Pero inmediatamente después tengo que quemar lo leído. No puedo dejar pruebas de mi venganza, pues entonces una venganza mayor, la venganza de Fifo, caería sobre mí y me aniquilaría. Confórmense con la suerte de escuchar estos poemas una sola vez como yo me conformo con la mía, aún más terrible, de tener que escribirlos, leerlos una sola vez y después quemarlos.

Al instante el poeta se colocó sus gruesos espejuelos, agarró otro pliego de papel y comenzó la lectura de otro poema magistral. De inmediato se produjo la transformación en el público. Esta vez la sala se llenó de ángeles, de esbeltas ninfas, de adolescentes con caras y cuerpos de semidioses hechizados todos ante la música de un dios. Al terminar la lectura, Virgilio, alzando el poema, se dirigió al público con voz cortante.

—Fíjense en que no hay copias, éste es el original. Una vez que lo lance a las llamas desaparecerá para siempre.

Y sin más, el poeta lanzó aquella obra maestra al infiernillo.

Un aullido de dolor retumbó en toda la casa. Tomasito la Goyesca se retorcía en el suelo de dolor, la Glu-Glú gemía cavernosamente, la Arrufada lloraba a lágrima viva. Coco Salas se quitó los espejuelos, Paula Amanda ahogó un grito dentro de una toalla de cocina que pensaba robarle a Olga Andreu. Sí, hasta las locas que después delatarían a Virgilio no podían contener su emoción.

Pero el poeta ya comenzaba a leer su tercer gran poema de la noche. Éste era un poema que recorría, entre tambores y todo tipo de himnos, la isla. Todos los oyentes fueron hojas, frutas, flores, agua viva y fresca que corría por entre los pedregales y las sabanas; lagunas, árbol estibado de pájaros, deseos furiosamente satisfechos, clamor y venganza. De pronto, todos fueron héroes; de pronto, todos fueron gigantes; de pronto, todos fueron niños. De pronto, todos estaban bajo una fronda verde escuchando una dulce melodía. Retumbó sobre las hojas del árbol un aguacero. Escucharon la música de la lluvia cayendo sobre las hojas. Se internaron en nubes muy bajas, salieron a una explanada donde miles de personas trabajaban bajo un sol infernal y después de esa visión volvieron al árbol primigenio y allí, embellecidos e inocentes, se quedaron dormidos pensando que esa visión era sólo una pesadilla que hacía aún más bella la realidad a la que los había transportado el poeta.

—Otro poema efímero que es pasto del fuego —retumbó la voz del poeta al terminar la lectura, lanzando las hojas a las llamas.

Esta vez los gritos de pena de toda la audiencia fueron alaridos de espanto. A tal grado se elevaron las protestas compungidas que Olga Andreu encendió las luces y suplicó que contuvieran el dolor pues el Comité de Defensa de la cuadra podría escucharlos y en ese caso, ante la posibilidad de un registro, Virgilio tendría que quemar sus poemas antes de leerlos.

—Los que no puedan contenerse que se tapen la boca con una mordaza —recomendó Virgilio, aterrorizado ante la posibilidad de que llegase el CDR–. A ver, que levanten la mano los que quieran la mordaza.

Todos, incluyendo a la Tétrica Mofeta, a Mahoma, a Sakuntala la Mala y hasta la misma Olga Andreu, levantaron la mano. La anfitriona había decidido sacrificar una de las pocas sábanas que le quedaban, y entre ella, la Tétrica, Mahoma y la Araña comenzaron a ponerle los bozales a toda la concurrencia. Luego que ellos mismos se hubieron amordazado, Virgilio prosiguió su lectura.

Ahora veían a miles de indios masacrados —algunos quemados vivos— y a otros miles que volvían armados de piedras y palos y se enfrentaban a sus perseguidores. Vieron a millones de negros esclavizados y a miles de negros cimarrones acosados por los perros, pero a veces en vez de ser devorados por la jauría eran ellos quienes la devoraban. Vieron a miles de guajiros machete en alto avanzar contra un ejército opresor que los fulminaba por centenares de un solo cañonazo, pero los sobrevivientes seguían avanzando. Y vieron ahora a millones de personas, de todas las razas, esclavizadas y estrictamente vigiladas, pero que de alguna forma se las arreglaban para burlar la vigilancia y lanzarse al mar para roer la plataforma insular de la isla. Y se vieron ellos mismos bajo el mar, royendo desesperados mientras ejércitos de tiburones, capitaneados por un gran tiburón, se abalanzaban para devorarlos. Vieron, en fin, el país y el contrapaís. Porque cada país, como todas las cosas de este mundo, tiene su contrario: y lo contrario a un país es su contrapaís, las fuerzas oscuras que tratan de que sólo perdure la superficialidad y el horror, y de que todo lo noble, hermoso, valiente, vital (el verdadero país) desaparezca. El contrapaís (de alguna forma lo revelaba el poema) es la ramplonería monopolítica y rígida; el país es lo diverso, luminoso, misterioso y festivo. Y esta revelación, más las imágenes de todo lo bello que habían contemplado, los invistió de una identidad y de una fe. Y comprendieron que no estaban solos, pues por encima de tanto horror —incluyendo el que ellos mismos exhalaban— una tradición hecha de belleza y de rebeldía, un país, los amparaba.

Cuando Virgilio quemó el poema, a pesar de los bozales se oyeron pujidos, quejidos, balidos, sonidos sordos y desesperados hechos quizá con la boca del estómago. Algunos, no pudiendo publicar verbalmente su espanto ante la pérdida de aquella belleza, se azotaban, otros daban cabezazos contra la pared, muchos se arañaban la cara, algunos se sacaban un ojo o se imponían todo tipo de penas. Miguel Barniz, por ejemplo, se arrancó todo el cabello y se golpeó tan fuertemente el rostro que desde entonces se convirtió en una loca papuja y calva.

—Ya pueden apagar el infiernillo —dijo Virgilio terminando la lectura. Había leído ochenta poemas magistrales.

Todos se quitaron las mordazas, y al comprender claramente que aquella obra que habían escuchado era irrecuperable, que se iba entre las cenizas del infiernillo del que tiraban la Tétrica y Mahoma, no pudieron evitar un aullido unánime.

—¡Ese grito sí tiene que haber sido escuchado por el Comité de Defensa! —dijo Olga Andreu aterrorizada—. Son las cinco de la mañana.

—¡Sáquenme de aquí como sea! —clamó Virgilio—. Pueden pensar que estamos conspirando.

Al momento numerosos pájaros se dispusieron a trasladar al maestro hacia su apartamento. Como el poeta iba descalzo, y esto podía ser considerado por las tropas de Fifo una extravagancia o un escándalo público, lo rodearon. Así, casi en andas, sin que se le vieran los pies, Virgilio fue conducido hasta su apartamento de dos piezas en El Vedado.

Una vez en su pequeño apartamento, Virgilio, sin poder conciliar el sueño, tocado por la furia de la creación, comenzó a trabajar en una nueva colección de poemas magistrales que serían quemados la semana próxima en casa de Olga Andreu.

En busca de El Bosco

Dios mío, pero aun cuando le pudiera robar los lienzos y los óleos a Saúl Martínez, ¿cómo iba a poder pintar aquel cuadro apocalíptico si nunca había visto un gran cuadro? Y sobre todo, si nunca había visto *El jardín de las delicias*, de El Bosco, y sólo tenía una remota idea a través de pésimas reproducciones que ni siquiera eran suyas. ¡Tenía que llegar al Museo del Prado! Contemplar las obras maestras. Ver el *Guernica;* ver, sobre todo, el gran tríptico de El Bosco —el gran apocalipsis que le serviría de modelo para pintar las calamidades que padecía y todo lo que la rodeaba—. No había otra solución. Había que visitar el Museo del Prado. Y con ese propósito, Clara Mortera se hizo también roedora.

Algunas interrogaciones inquietantes

Antes de proseguir con esta historia quiero aclarar que nunca he podido dilucidar las causas por las cuales Fifo no admitió en sus festejos palaciegos a una notable concurrencia, vistosa, impresionante y a veces hasta fiel a su persona. Me imagino que intrigas personales, envidias, chanchullos, artimañas maquiavélicas, celos profesionales y estrategias políticas, además de poderosos informes que yo no manejo, habrán influido en este desplante. Desplante que, entre otras cosas, produjo la escritura de una carta abierta y desesperada, redactada sobre una roca y lanzada, luego de ser atada a una piedra, a la gran puerta del castillo. Imposible explicarme por ejemplo por qué Oliente Churre y la Jibaroinglesa no fueron invitados, y sí la Mayoya y la Tétrica Mofeta entre otras locas notorias. ¿Por qué se le había extendido una invitación a Karilda Olivar Lúbrico y no otra a la duquesa de Alba y a Clara Mortera? ¿Por qué se le había enviado una invitación al presidente del partido neonazi de Francia y sin embargo al rey de Marruecos no se le había permitido aterrizar? ¿Por qué estaba allí el director de la casa editora Alfaguara y se le había vetado la entrada al jefe de la editorial Siglo XXI? Más insólito era constatar que en el palacio se había admitido al hijo del sha de Persia y no a las once mujeres del dictador de Libia. ¿Por qué, por ejemplo, se le había dado entrada a Jane Fonda, y una yegua fina de raza escocesa enviada directamente por la reina de Inglaterra había sido rechazada? Difícil también es poder descifrar por qué se agasajaba a la cazadora de arañas venenosas del Nepal en tanto que a la primera pescadora de langostas de la Bahía de Nipeno no se le había permitido acercarse al castillo. O por qué se le había negado la entrada a la promotora mundial para que las mujeres pudieran ser sacerdotisas católicas y sin embargo se le había extendido una invitación a la jefa para la conservación y adiestramiento de las ballenas lesbianas del norte de Groenlandia. ¿Y qué me dice usted sobre el caso de que se le rindieran honores al jefe de la horca de Irán en tanto que el verdugo de Albania había sido ignorado? ¿Qué

147

hacía allí Coco Salas ocupando la silla del presidente de la Real Academia Española? ¿Por qué se había invitado al presidente del Partido Comunista francés y no al gran bugarrón de toda la Mongolia Exterior? ¿Qué pintaba allí el jefe de las guerrillas de las islas Galápagos cuando se había dejado fuera al cazador de perros jíbaros de Puerto Rico? ¿Qué hacía allí el jefe de la policía secreta de Corea del Norte cuando a la Chelo, una supermatahari (entre otras cosas), se le había declinado la autoinvitación que ella misma se había enviado?

Es probable que hubiese habido alguna confusión en el momento de seleccionar a los invitados.

Por ejemplo, alrededor de una mesa repleta de exquisitos manjares y de sirvientes aún más exquisitos, departían amistosamente banqueros suizos, terroristas catalanes, vagabundos neoyorquinos, cosmonautas soviéticos, altezas griegas, prostitutas de la calle de la Ballesta de Madrid, monjes tibetanos, mafiosos internacionales, estrellas de Hollywood, la Madre Teresa, el presidente vitalicio de Ulan Bator, Mayra la Caballa, el presidente de la Academia Sueca, Bokassa, el sin par Gorialdo, la Llave del Golfo, la Triplefea, el jefe del Pen Club de Corea del Sur, el inventor de la bomba de neutrones, tres asesinos iraquíes, la secretaria del Movimiento Mundial de la Paz, el creador del sida, el secretario general de las Naciones Unidas, la madre superiora del convento de las monjas clarisas de Manila, el gran verdugo del Senegal, Nena Sarragoitía, cinco Premios Cervantes, el gran rabino de Miami Beach, el académico Popov, la Papayi Taloka, el general en jefe del ejército rojo de la China, la dueña del gran burdel de Kyoto, el presidente de Afganistán, varios agricultores del sur de los Estados Unidos, un obrero de Bali, un líder sindical de Finlandia, Günter Grasoso, la primerísima bailarina de Nueva Zembra, numerosos atletas olímpicos, la hija de la viuda de Mao, el último bugarrón de Riga, la directora del National Endowment for Democracy, un profesor en lenguas indígenas de Suramérica, la promotora por el Movimiento Nudista Mundial, el obispo de Tucumán, el gran bugarrón de Bagdad, un francotirador de Yemen del Sur, el jefe del partido de extrema izquierda de las islas Marianas, la nieta de la hija de Stalin, el negro más alto de Zaire, el rey de Arabia Saudita, el primer travesti de Sydney, dos Premios Nobel de Química y otro de Literatura, el inventor de los campos de concentración controlados por rayos láser, a quien también ya se le había otorgado su Premio Nobel... Pero, en fin, no está en mi pobre cabecita la posibilidad de explicar estas anomalías (aunque tal vez no lo sean); bastante tengo ya con tener que contar las cosas tal como las vi.

Bar, ber, bir, bor, bur, ver, vir...

¡Ah, Virgen!, el virgo de Virgilio birlado. ¿En qué barbacana, en qué barbacoa, en qué bergantín varado en Birmania, en qué burdo burdel de Burdeos, en que barandal infernal en que un barbudo de Borneo en sin igual albur le dijo abur? ¡No!, ni bergantín ni bergante ni verga albergaron sin embargo tal virgo. Una mañana, en simple verbena abierta, un San Bernardo burlado abordado por el bardo desesperado lo birló con su bermejo berbiquí a cambio de unas berenjenas.

(Para Virgilio Piñera)

En el gigantesco urinario

En el gigantesco urinario seguían entrando hombres. Sacaban sus imponentes instrumentos y orinaban de forma imponente. Tedevoro observaba esas maniobras: esa manera varonil y avasalladora, ese ademán de desafío con que irrumpían en la mansión y se desabotonaban la portañuela. Dios mío, aquella manera indiferente y a la vez concentrada con que se extraían el miembro y miraban hacia el techo o hacia las paredes atiborradas de dibujos y literatura eróticos. Denuncias de pájaras tapadas cuyos nombres se ponían en el mural en el que aparecían nombres muy ligados al poder y por lo tanto a la persona de Fifo. Algunas locas atrevidísimas y suicidas habían puesto en aquel mural público las horas en que frecuentaban la heladería Coppelia y el rincón del parque donde podían ser localizadas; otras publicaban sus cualidades narrativas y sus diversas especialidades para incorporar los falos más profundamente dormidos. Por su parte, los bugarrones divulgaban también el mérito de su mercancía: grosor, tamaño en pulgadas y, desde luego, precio de cada pulgada.

Pero todo eso no era más que pura verborrea o literatura de urinario, pensó Tedevoro: ni esas locas se atreven a pasar por el sitio donde se anuncian, ni esos bugarrones existen. Divina, santa Marica, dime, ¿es cierto, como algunos publican, que el bugarrón es una raza extinguida, algo que desapareció con el avance de la civilización? ¿No existen pues ya hombres sobre la Tierra dispuestos a templarse una loca juvenil, etérea y elástica como yo misma? Tedevoro, sin recibir respuesta de la santa, volvió a mirar al ejército de meadores, quienes, muy serios, seguían ensimismados en su acción de mear. Pero ella, la devoratriz, sabía que secretamente ellos sabían que estaban en un sitio especial donde sólo había hombres mostrando pingas y que esto de alguna manera los comprometía y los abugarronaba o los amariconaba. Y mirando aquella divina colección de surtidores de todos los colores, y la seriedad, al parecer cómplice, que se dibujaba en los rostros de sus dueños, Tedevoro compuso uno de sus más profundos pensamientos del día: «Todo hombre al entrar en un baño donde hay sólo hombres orinando participa, quiéralo o no, de la mariconería estelar». Sí, lezamiana se había vuelto la infeliz y deforme loca, influida por la Tétrica Mofeta, amiga del poeta, quien a veces en voz baja le recitaba para molestarla algunos trozos de *Muerte de Narciso*... Pero no era Narciso quien iba a morir ahora, sino el mismo Tedevoro, si no resolvía, si no encontraba un macharrán en medio de tantos macharranes. Ay, si alguno de aquellos mulatos inminentes, de aquellos negros rotundos no le hacía una señal cómplice... ¿Cómo era posible que aquella loca desesperada pudiera sobrellevar tantos años de abstinencia? ¿Cómo era posible que nunca hubiese sido ensartada si precisamente sólo vivía para el ensartamiento? ¿Cómo era posible que ningún hombre, aunque fuese por equivocación, la hubiese poseído si toda su vida no había sido más que un correr detrás de los hombres? ¿Qué maldición pesaba sobre su culo ya seco? ¿Qué rayo avernal había condenado su lengua a babear en el vacío? Y sin embargo, a pesar de sus incesantes fracasos, la loca no se daba por derrotada. Por el contrario, cada hombre que veía y no podía conquistar era como un acicate que la conminaba violentamente a seguir buscando. Tal era su desesperación que en numerosas ocasiones se había lanzado, ya sin poder más, a la bragueta de algún gigantón que la infeliz pensaba que se había puesto para su cartón. ¿Y qué había recibido a cambio de su osadía? El golpe, la ofensa descomunal, la prisión y a veces la misma muerte. Sí, como lo oyes, querida, la muerte. Porque a esa loca la habían matado varias veces, pero su fuego rectal era tan poderoso que aun después de muerta la obligaba a incorporarse, salir de la tumba o del mar, y lanzarse en persecución de un hombre. Tedevoro no podía aspirar siquiera al consuelo de una paz definitiva y póstuma. Para este guerrero no había reposo. Famosa es la anécdota, compilada por Agustín Pu y la doctora Lapique, según la cual Tedevoro, cuando iba a ser enterrado (¿por quinta, o novena vez?), rompió el féretro y se le lanzó a la bragueta de un negro sepulturero descomunal. Verdad que, a decir de todo el mundo, incluyendo a Pu, el negro hacía revivir a un muerto... Pero ahora, mi querida Paquita, digo Tedevoro, estás vivita y coleando en uno de los urinarios más fastuosos del mundo, rodeada de hampones magníficos, de piel tostada, que mean con estruendo de diluvio antes de partir hacia la conga. Ninguno de estos falos oscila ni siquiera un milímetro hacia ti. Contempla y muere. Pero la loca prefirió mirar y no morirse. Sus ojos enrojecidos atisbaron todo el recinto. Comenzó por el extremo donde se alzaba la potente puerta colonial hecha con dos piezas de cedro. Haciendo un lento giro de noventa grados fue repasando todo el salón. Inspeccionó uno a uno los cuerpos de aquellos hombres, sus rostros de piedra, y desde luego sus miembros, hasta que su mirada en retroceso cayó sobre uno de sus garfios o garfas (manitas las llamaba la inocente) y vio, oh, horror, que en una de sus manos, llamémoslas así, llevaba el tomo 27.º de las *Obras completas* de Lenin. Ay, ese maldito tomo que Nicolás Guillotina (su íntima), a quien ella le bailaba desnuda en el cristal de su buró el *Sóngoro cosongo*, le había regalado con el fin de protegerlo. Lleva siempre este libro contigo, Tedevoro, te salvará de toda sospecha de herejía; sería como si en Irlanda caminaras Biblia en mano, como si en Teherán te pasearas con el Corán o como si en Miami llevaras siempre bajo el brazo una novela de Corín Tellado. Y la loca, por respeto a su protectora, ésa y no otra era la realidad, cargaba ahora día y noche aquel grueso tomo de tapas rojas... Ahora comprendía por qué los hombres huían de él. ¿Qué hombre iba a aceptar los parpadeos, guiños o cualquier tipo de insinuación de un pájaro que llevara en sus manos el tomo 26.º (¡vaya!, ¿pero no dijiste que era el 27.º?) de las *Obras completas* de Vladimir Ilich Lenin? Aquel libro, aquel nombre, era casi el símbolo supremo del Partido Comunista y por lo tanto de Fifo y por lo tanto de su implacable ejército, que perseguía y condenaba toda «desviación» sexual. Quien portase tal obra, y la exhibiese así, tan descaradamente, no podía ser más que un comisario político, es decir alguien ante el cual había que ocultar toda manifestación vital y por lo tanto pingal. Dios mío, pero ¿dónde iba a meter a estas alturas la pobre loca aquel libro fatídico? Tirarlo en un urinario público hubiese sido considerado como una traición que se pagaba con la muerte. ¿Tragárselo? Imposible. Además de ser muy voluminoso se había comprobado que quien masticase aunque fuese el borde de una de aquellas páginas perdía no sólo la razón, sino también la vida. A toda velocidad, Tedevoro contrajo su vientre y ocultó el libro debajo de la camisa y del pantalón, y convertida ahora en una loca cuadrada (el volumen ocupaba casi todo su cuerpo) prosiguió más confiada sus labores fleteriles.

Efectivamente, en pocos minutos, Tedevoro comprobó que aquella obra mortífera era un pájaro de mal agüero. En cuanto la ocultó, un regio marinero de la Flota Pesquera del Golfo se plantó junto a él, abrió sus piernas despampanantes, abrió su bragueta inflada y un hermoso lestrigón marino, rosado y conminatorio, salió al aire. Pero el joven marino (¿el mismo que mató a la Cernuda?) no solamente, para su mayor comodidad, sacó su falo rosado, sino también los dos testículos rosadísimos. «Cantidades enormes de rosado», recitó para sí mismo Tedevoro a Lezama, mientras contemplaba aquellas divinas dimensiones que eran dos mameyes de Santo Domingo de entre los cuales salía, fruta máxima, un pulido y descomunal plátano manzano. Y la fruta máxima comenzó a soltar un chorro de orine que marchaba hacia el horizonte. Ay, era tal la fuerza de aquel joven marino (tal vez acababa de saltar del barco luego de meses de abstinencia) que el orine no caía en los meandros del urinario, sino en la pared garrapateada con símbolos fálicos. ¡Quién fuera uno de esos dibujos obscenos!, suspiró Tedevoro mientras miraba aquella manguera que los regaba. Al terminar, el joven, anchos hombros, pelo al cepillo, cara rubicunda, nalgas y piernas viriles casi reventando dentro del pantalón ceñido, se quedó allí, junto a la devoratriz, se sacudió su imponente badajo rosado y miró de reojo, sin perder su compostura marina, y por lo tanto de otro mundo, a Tedevoro. Haré repicar esas campanas únicas, se dijo Tedevoro mirando los redondos testículos y el dulce falo que, en vez de guarecerse dentro del uniforme marino, seguía en el aire con tan airoso desparpajo que parecía ser acariciado por el oleaje. Y, como las mismas olas, el dulce miembro se infló, se elevó y casi se bamboleó ante los atónitos ojos de la devoratriz. No había que perder tiempo, la experiencia le había indicado, los golpes le habían enseñado (la misma Guillotina se lo había recalcado) que ante un fenómeno de esa naturaleza, tan poco común como la aparición del cometa *Halley,* no se podía desperdiciar ni un segundo. Tedevoro estiró una mano y acarició aquel campanario regio y a su contacto el gran badajo se elevó de tal modo que retumbó sobre el pecho del joven marino emitiendo un repique celestial. ¡Al fin, luego de mil (o tal vez dos mil) años, la loca había encontrado al dios anhelado! Ahora sólo restaba postrarse ante él. Tedevoro sacó el tomo 28.º (¡vaya!, ¿pero no habías dicho que era el 27.º?) de las *Obras completas* de Lenin y se arrodilló sobre él como si fuera un cojín. De esa manera su boca quedaba a la altura de los divinos cojones. Tedevoro abrió su boca descomunal, sacó su lengua de fuego y la encaminó hacia donde aguardaba erguida la masa vital.

En ese instante, una voz de mezzo-soprano, tan potente que paralizó a todos los que orinaban, retumbó en el gigantesco urinario. Todos los urinantes, incluyendo al joven marino, se volvieron y contemplaron con asombro a una esquelética dama ya de edad madura completamente ataviada al estilo francés de mediados del siglo XIX quien, colocada en el centro del urinario, cantaba. Era María de las Mercedes de Santa Cruz, condesa de Merlín, quien ciento cincuenta años después, conminada por la nostalgia y la furia, regresaba a su casa habanera por segunda vez con el fin específico de cantar de nuevo allí la ópera *Norma* compuesta por Bellini en 1831.

Una inspección

Fifo salió de su enorme palacio subterráneo protegido por su escolta personal —unos hombres gigantescos capaces de someter con un sobamiento de sus testículos hasta al mismo Satanás— y se dirigió al helicóptero presidencial situado en el techo del palacio; techo que era una enorme pista de aterrizaje que trescientos enanos pulían incesantemente. Seguido por varios ministros, la Dama del Velo (personaje que viajaba de incógnito, de quien sólo se sabía que era una figura prominente del mundo árabe), un grupo de asesores técnicos, dos médicos, la escolta, el piloto y el copiloto, el jefe supremo entró en el helicóptero.

—Vamos a dar un viaje por toda la isla —le ordenó al piloto, y al momento el helicóptero despegó.

Armado de un catalejo, gemelos, un enorme telescopio, varios espejuelos de aumento y otros artefactos para alargar la vista, Fifo se arrellanó en su asiento presidencial y prendiendo un tabaco le ordenó al piloto que volara despacio sobre la isla pues quería inspeccionarlo todo antes de la fiesta.

—Primero que nada —dijo—, localízame a Tiburón Sangriento, quiero ver cómo anda.

El gigantesco helicóptero descendió casi hasta la superficie del mar, donde se encontraba el gran tiburón inspeccionando y estimulando el furor de los demás tiburones, a la vez que vigilaba atentamente. Cuando Fifo vio a Tiburón Sangriento su cara mofletuda se llenó de ternura, meloso se acarició su larga y erizada barba blanca. Por su parte, Tiburón Sangriento, al ver el helicóptero presidencial, emergió sobre el mar, e hizo fantásticas piruetas mostrando la elasticidad, vigor y virilidad de todo su cuerpo.

—Tírenle un pedazo de carne humana —le ordenó Fifo al primer ministro—. Hay que estimular su apetito.

Como era su costumbre, y su deber, en estos viajes el primer ministro cargaba siempre con un saco de carne humana para tirársela a

154

Tiburón Sangriento como regalo de Fifo, quien a veces, él mismo, luego de colocarse unos guantes de goma, la lanzaba al pez. El primer ministro, ante esta orden, quedó petrificado. Fifo no le había anunciado el viaje, y todo se hizo tan de repente, como casi todos sus caprichos, que el primer ministro no tuvo tiempo de mandar matar a algún enano doméstico o a algún prisionero y echarlo en el saco.

—¿Qué pasa? —gritó Fifo—. ¿Dónde está el saco?

—Comandante, con la precipitación del viaje lo he dejado en el palacio.

—¡Cómo! —bramó Fifo rojo de furia mientras Tiburón Sangriento seguía dando saltos con la boca abierta en espera de la apetitosa dádiva—. ¡Eso es el colmo de la indisciplina! ¡Debería mandarte fusilar ahora mismo por alta traición!

—Perdón, comandante —gimió el primer ministro—. He estado tan ocupado con los preparativos del carnaval y los festejos de palacio..., ha sido un *lapsus mental* que no se repetirá.

—Bien, te perdono la vida por esta vez —concedió Fifo—. Córtate sólo un brazo y tíraselo.

A una señal de Fifo, los dos médicos le amputaron un brazo al primer ministro, quien con la única mano que le quedaba lanzó su miembro cercenado dentro de la boca de Tiburón Sangriento. El inmenso pez, agradecido, se elevó a la misma altura del helicóptero y se zambulló en el mar salpicando la nave.

—El brazo de un primer ministro debe de ser un bocado exquisito —comentó Fifo, ahora de buen humor, mientras el helicóptero tomaba altura, y dirigiéndose al piloto ordenó—: Pasa por encima de Guanabo, quiero saber cuántos maricones se están bañando hoy en la playa. Es un día laboral y todo el mundo debe estar trabajando.

Algunas personas se bañaban entre las piedras. Esto enfureció a Fifo nuevamente y con su microonda le ordenó al ministro del Interior que recogiese a todo el que se estuviese bañando en la costa.

—Es inmoral que la gente se bañe sin el velo —comentó la Dama del Velo—. Y hacerlo así, semidesnudos y a la vista de todos, es pecado mortal. Qué Alá nos proteja...

Pero Fifo no le prestó atención a la Dama del Velo y siguió atisbando desde el helicóptero.

—¿Para qué son esos huecos que han hecho en la costa? —le preguntó al primer ministro, que gemía en voz baja mientras se desangraba.

—Éstas son las trincheras que usted mandó construir la semana pasada, comandante.

—¡Derrúmbelas y hagan donde está cada una de ellas un pozo de petróleo! Estoy seguro de que ahí hay petróleo, casi lo huelo.

—Pero, comandante —se atrevió a comentar uno de los técnicos—, ya hemos comprobado hace diez años que ahí no hay petróleo.

—¡Cómo! —volvió a rugir Fifo—. ¡Diez años! ¿Es que la naturaleza no puede haber cambiado en diez años? Y si no ha cambiado, ¿es que nosotros no somos más poderosos que la naturaleza? ¿Es que ya no creen en el materialismo dialéctico? ¡Petróleo! ¡Petróleo! Estoy seguro de que ahí hay un río de petróleo. Sí, sí, lo huelo. Y tú, traidor, lo que quieres es que sigamos siempre en el subdesarrollo y que no podamos combatir al enemigo por falta de combustible. Y más ahora, que el zar de Rusia no nos lo suministra.

—El petróleo es fundamental para la vida de una nación —aseguró la Dama del Velo.

—¡Claro que es fundamental! —bramó Fifo—. Y este hijo de puta no quiere que tengamos petróleo. —Y dirigiéndose a la escolta ordenó, señalando para el técnico—: ¡Fusílenlo al momento!

—Lo tenemos que pasar a cuchillo —respondió el jefe de la escolta—. Un fusilamiento dentro de un helicóptero en pleno vuelo es muy peligroso para los que viajan en él.

—Bien, si no queda más remedio, pásenlo a cuchillo —concedió Fifo.

Al momento los escoltas, con las bayonetas de sus rifles, calaron el cuerpo del técnico y lo lanzaron al mar para alegría de Tiburón Sangriento, que nadaba a toda velocidad bajo el helicóptero presidencial.

Fifo, ya más calmado, se dirigió al piloto:

—Ve a ver si me puedes localizar por ahí a la Tétrica Mofeta, quiero comprobar con mi catalejo qué está haciendo. Piensa que he tomado en serio eso de la «rehabilitación», pero a mí no me engaña nadie. Si la he dejado con vida es para ver cómo termina esta historia, pero al final la elimino. Que no se haga ilusiones.

—Comandante, la Tétrica Mofeta no está hoy en Guanabo.

—Bueno, sigue. Un maricón más o menos no tiene importancia. Ya tenemos bastantes.

Volaban ahora sobre la provincia de Matanzas, exactamente por encima de su montaña más prominente.

—¿Qué cosa es ese bulto tan grande? —exclamó Fifo.

—Comandante, es el Pan de Matanzas.

—¡Qué pan ni qué carajo! El pan es un prejuicio burgués y cristiano. Derrúmbenme ese monte de pan y siémbrenlo de malanga.

—Comandante —dijo el ministro de Agricultura, que viajaba en el

156

helicóptero—. No es fácil derribar esa montaña. Además, la malanga no se da en las tierras calcáreas.

—¿Qué sabes tú de malangas y de tierras? —exclamó Fifo hecho una bola de furia—. ¡Malanga! ¡Malanga! ¡Ahí quiero malanga! ¿Así que quieres privarme de la malanga y privar a nuestro pueblo de lo que le prometí hace más de cuarenta años y aún no he cumplido? Ahora veo la causa: no tenemos malanga porque has saboteado los planes. Eres un canalla, agente de la CIA, hijo de puta. ¡Acuchíllenlo! —le ordenó a la escolta, que al instante cumplió con profesionalidad la orden—. En cuanto terminen los festejos de los carnavales esa montaña va abajo —aseguró Fifo, y dirigiéndose al piloto dijo—: Llévame ahora a la Ciénaga de Zapata, quiero ver cómo están mis cocodrilos.

A toda velocidad llegaron a la ciénaga. Fifo comenzó a contar los cocodrilos.

—Desde la última vez que estuve aquí hasta hoy se han muerto veintisiete cocodrilos y once cocodrilas —calculó Fifo—. Evidentemente este clima malsano de la ciénaga no les conviene a mis cocodrilitos. ¡Trasladen a todos los cocodrilos de la ciénaga para la bahía de Matanzas! Allí podrán respirar aire puro.

Al momento el primer ministro moribundo contactó por la radio al ejército de Matanzas, a las Milicias de Tropas Territoriales y a la Marina de Guerra Provincial. En menos de media hora, más de un millón de cocodrilos invadieron la bahía de Matanzas.

Satisfecho ante esta rápida maniobra, Fifo mandó que continuara el viaje.

—¿Qué cosa son esas matas? —preguntó, volando sobre el Valle de Yumurí.

—Es un palmar —respondió el piloto.

—Túmbenlo al momento y siémbrenme ahí frijoles gandul. El frijol gandul tiene una gran cantidad de hierro —comentó con la Dama del Velo, que era su invitada de honor.

—El hierro es también importantísimo —dijo la Dama del Velo mirando cómo enormes buldozer echaban por tierra todas las palmas del hermoso valle.

Pasaban ahora por la provincia de Las Villas, precisamente por encima de la represa que abastecía de agua a la ciudad de Santa Clara.

—¿Qué cosa es eso? —preguntó Fifo.

—Es la presa monumental Camilo Cienfuegos que usted me mandó construir y que yo, superando todas las metas, levanté en menos de un año —respondió orgulloso el técnico hidráulico.

—¡Pues derrúmbala y construye ahí una pista de guerra! ¡El enemigo es más importante que el agua!

—Pero, comandante —se atrevió a responder el técnico—, esa presa es la más importante de todo el país, costó millones de dólares y la desaparición de El Salto de Hanabanilla; abastece no sólo a Santa Clara sino a todos los campos y al mismo plan agropecuario Niña Bonita que usted fundó...

—¡Ah!, ¿pero qué tipo de técnicos tengo yo? —preguntó Fifo en voz alta—. Ni uno de ellos es absolutamente revolucionario. Así que estamos en guerra y tú piensas en el agua en vez de pensar en el enemigo. Esa represa jamás debió construirse en ese sitio, precisamente en el centro del país, en nuestro propio corazón geográfico; sin duda el punto que primero atacará el enemigo. Ahora lo veo todo muy claro, clarísimo, construiste esa represa ahí para que el enemigo pudiera invadirnos.

—¡No, no! La construí ahí porque por ahí pasa el río...

—¡Qué río ni qué carajo! ¿También quieres reírte de mí? Aquí el único que ríe (y me río de ti y de tu río) soy yo. Ordena que derrumben esa represa.

El famosísimo técnico hidráulico, con lágrimas en los ojos, dio la orden de que volaran la represa.

—Ahora, acuchíllenlo —le dijo Fifo a la escolta.

El técnico, mientras era pasado a cuchillo, vio cómo la inmensa represa, su gran obra, era dinamitada e inundaba la ciudad de Santa Clara. Su cuerpo, lanzado con violencia fuera del helicóptero, se confundió con aquellas aguas.

—El agua no es necesaria —comentó la Dama del Velo—, pero sin petróleo no se puede vivir.

—¿Y qué cosa es eso que parece una serpiente? —preguntó Fifo mirando por la ventanilla.

—Es el río Máximo, comandante —dijo uno de los miembros de la escolta que era de la provincia de Camagüey.

—¿El río Máximo? ¡Qué es eso! ¡Qué palabras son ésas! ¡Qué falta de respeto es ésa! ¡Aquí el único Máximo soy yo! ¿Cómo puedes decir que hay un río que es el máximo cuando yo soy el máximo y soy un manantial al que vienen a beber todos los pueblos? ¡Y nada puede ser más máximo que yo, porque después de la palabra máximo no existe nada más grande! ¡Así que, hijo de mala madre, me has ofendido y te has burlado de mí! ¡Quieres darle la maximidad a un río, a un minúsculo arroyo, y convertirme a mí en una mierda, minimizarme! ¿Y un hombre con esas ideas, un traidor de ese calibre es miembro de mi escolta? ¡Increíble! ¡Ejecútenlo al instante! ¡Ah!, y en cuanto a ese río «máximo», sáquenlo y construyan sobre él una carretera.

El cuerpo del escolta apuñalado cayó sobre la carretera recién hecha.

Viajaban ahora sobre las casi infinitas sabanas de Camagüey.

—¿Por qué no han sembrado nada en esas tierras? ¿Por qué ese desperdicio? ¡Contesten!

—Comandante —respondió un técnico especializado en ganadería—, ésas son las sabanas. Ahí no se da ningún fruto. Es un terreno para pastos. Por eso lo hemos sembrado, por orientación de usted mismo, de pangola.

—Nada de pangola. Ahí pueden darse perfectamente las manzanas de California.

—El clima no es apropiado, comandante —se atrevió a asegurar el técnico en pastos.

—¿Así que nuestro clima no es propio para que se den las manzanas de California, pero el de California sí? Está muy claro lo que ustedes están planteando: que el imperialismo es más poderoso que nosotros. Ellos pueden sembrar manzanas de California en cualquier sitio, nosotros ni una manzanita ni para remedio. Es criminal eso que ustedes han hecho sembrando todas estas tierras de pangola, cuando Cuba podría ser la primera exportadora del mundo de manzanas de California. Hasta a la misma California le podríamos vender nuestras manzanas de California. Pero, claro, con agentes imperialistas como ustedes ocupando puestos claves jamás vamos a salir del subdesarrollo ni del monocultivo. ¡Ejecútenme a los dos al mismo tiempo!

Dos cuerpos acribillados cayeron sobre un campo marchito sembrado de manzanas de California.

—El imperialismo americano es el Gran Satán —afirmó la Dama del Velo—. ¡Claro que usted puede sembrar ahí manzanas de California!

Fifo, en lugar de contestarle a la invitada, permanecía ahora ensimismado mirando por la ventanilla. A veces hacía uso del catalejo; otras, de los más grandes espejuelos; otras, del telescopio; otras, se llevaba a los ojos unos sofisticados gemelos.

—¿Qué significa esa cantidad de hombres desnudos? —preguntó a toda la audiencia.

—Comandante —respondió zalamero el ministro de Educación—, ése es el campo de concentración para homosexuales que usted mismo diseñó y que yo al momento construí. Ahí tenemos encerrados a quinientos mil maricones.

—¿Cómo? ¿Qué has dicho? ¿Campo de concentración? ¿Qué pensará nuestra invitada de honor aquí presente? Que somos unos salvajes fascistas, que yo soy el mismo Hitler y que tengo campos de concentración. ¿Así que en este país donde todo no es más que libertad tenemos campos de concentración?

—Comandante, usted mismo me mandó construirlos.

La Dama del Velo miraba extasiada por la ventanilla.

—Es un campo de rehabilitación para criminales —le explicó Fifo.

—La rehabilitación es muy necesaria —comentó la Dama del Velo.

—Claro que sí —respondió Fifo, y dirigiéndose al ministro—: La rehabilitación, ¿oíste? Pero nunca, jamás, los campos de concentración. Nosotros lo que hacemos es educar o reeducar, jamás concentramos a nadie a la fuerza. Esos jóvenes están ahí voluntariamente porque quieren reeducarse —continuó Fifo mientras con un catalejo se cercioraba de que las cercas electrificadas del campo de concentración no tuvieran ningún hueco—. Si para ti eso es un campo de concentración, quiere decir que tú mismo no estás rehabilitado convenientemente. ¡Escoltas! ¡Tírenlo por la ventanilla! Que caiga en el campo de reeducación a ver si se reeduca lo más rápidamente posible.

—¿Lo pasamos primero a cuchillo?

—Desde esta altura no es necesario —respondió Fifo y prendió uno de sus tabacos gigantescos.

Ese día todos los que estaban en el campo de concentración celebraron una fiesta: el ministro de Educación, el temible Gallego Fernández, que había diseñado aquel campo, insólitamente había caído allí haciéndose pedazos.

—Oye —dijo Fifo, dirigiéndose al jefe de la escolta, mientras el ministro se hacía papilla—, ¿cómo es eso de que me preguntes que si había que acuchillar al ministro de Educación? Que quede bien claro que lo lanzamos al campo de reeducación para que se reeducara. ¿O es que tú piensas que reeducar a una persona y matarla es la misma cosa?

Y antes de que el jefe de la escolta pudiera defenderse, Fifo ordenó a los demás escoltas que lo maniataran, lo acuchillaran y lo lanzaran desde la ventanilla del helicóptero.

—En un hombre tan bruto —comentó Fifo lanzando una bocanada de humo— no se puede confiar. Puede ser un enemigo. No me explico cómo es que no me había dado cuenta y lo tenía como jefe de la escolta. Qué horror.

Al instante nombró de entre los escoltas a un nuevo jefe.

El helicóptero abandonó aquellos páramos y entró en la antigua provincia de Oriente, por lo que Fifo, interesado, luego de algunas palabras de cortesía para la Dama del Velo, comenzó a atisbar desde la ventanilla.

—¿Qué significan esa cantidad de cajones? —preguntó cuando sobrevolaban una ciudad.

—Es la ciudad de Holguín, comandante. Tiene tres millones de habitantes y es la capital de la provincia de su nombre —respondió el copiloto que era holguinero y sentía orgullo de serlo.

—Pues está muy mal situada esa ciudad —observó Fifo—. En esa inmensa llanura debería haber un criadero de ranas toro. Trasládenme a toda la población, derrúmbenme esos cajones y constrúyanme ahí inmediatamente una gigantesca laguna y llénenmela de ranas toro.

—Comandante —comentó el copiloto, que quería entrañablemente a su ciudad y a toda costa quería salvarla—, es muy difícil hacer en esa llanura una laguna, pero más adelante están las ciudades de Bayamo y de Santiago de Cuba, rodeadas de montañas y con ríos caudalosos. Allí se podrían hacer grandes criaderos de ranas toros.

—Claro —contestó sarcásticamente Fifo—. Y destruir dos monumentos nacionales y dos reliquias históricas. Nada menos que Bayamo, la cuna de la independencia, y Santiago de Cuba, la cuna de la Revolución, de mi Revolución. ¡Ah, canalla! ¡Canalla contrarrevolucionario! ¡Holguín siempre ha sido un pueblo de mierda y sólo ha dado mierdas como tú! Y tú quieres sacrificar dos ciudades heroicas a cambio de esa basura. ¡Ejecútenlo al momento!

—¿Puedo pedir un último deseo? —clamó desesperado el copiloto.

—¡Habla!

—Quiero que mi cadáver sea lanzado sobre la ciudad de Holguín.

—Concedido —dijo Fifo.

Pero cuando el cuerpo acuchillado del copiloto llegó a tierra, en lugar de la ciudad de Holguín lo que había allí era una gran laguna poblada de ranas toro. Sobre esa laguna y causando una airada protesta entre las ranas cayó el cadáver.

El helicóptero cruzaba ahora sobre un río caudaloso.

—¿Qué es eso? —preguntó molesto y desconfiado Fifo.

—Comandante, ése es el río Cauto, el más caudaloso del país —se atrevió a responder uno de los pocos ministros que aún quedaba con vida, pensando que una respuesta tan elemental no podía comprometerlo.

Ay, pero el comandante miró enfurecido aquellas aguas, miró aún más enfurecido al ministro y habló de esta forma:

—¡Cauto! ¿Así que en este país donde todo debe estar muy claro, donde nadie debe temer nada, tenemos un río «cauto», es decir un río que teme, un río cauteloso y por lo tanto un río que no cree totalmente en la verdad revolucionaria? Por ahí seguramente que salen las tropas de roedores para acabar con la isla. Claro, y como es un río de agua dulce, Tiburón Sangriento no puede internarse en él, y los traidores se guarecen en él y el río, muy «cauto», los protege cautelosamente. ¡Séquenmelo al instante! ¡Y tú —se dirigió al ministro dándole unas bofetadas— debiste haber sido más «cauto» y no hacerle una propaganda semejante a un río traidor, y mucho menos delante de una invitada extranjera! ¿Acaso los secretos de guerra y la cautela y el caudal de un enemigo deben divulgarse ante un extranjero? ¿Es que aquí nadie conoce las reglas de seguridad nacional ni las reglas del protocolo internacional? Bueno, a ti ya no te hace falta conocer esas reglas porque vas de cabeza para el río Cauto y junto con él desaparecerás.

A un gesto de Fifo el ministro fue liquidado y lanzado sobre el río, cayendo sobre su lecho ya completamente disecado.

—¡Comandante, comandante! ¡Estamos llegando a la cuna de la Revolución! —exclamaron los últimos dos ministros que quedaban con vida (incluyendo al primer ministro moribundo), sabiendo que Fifo siempre se alegraba cuando llegaba a la ciudad en la cual había proclamado su triunfo.

El piloto circunvaló la ciudad para el disfrute de Fifo, quien acostumbraba a mostrársela con entusiasmo a los invitados extranjeros. Pero, esta vez, Fifo observaba pensativo la ciudad de Santiago de Cuba.

—Es como un gran anfiteatro —dijo la Dama del Velo.

—¡Eso, eso! ¡Un anfiteatro! ¡Ésa era la palabra que estaba buscando en mi mente y no la encontraba! —gritó Fifo—. ¡Un anfiteatro! Todas esas montañas, de menor a mayor altura, rodeando la ciudad, forman efectivamente un anfiteatro. El pueblo sobra, lo que falta es el anfiteatro. Imagínese —dijo jubiloso dirigiéndose a la Dama del Velo— qué actos políticos más grandiosos podrían darse en un anfiteatro con tal acústica teniendo como fondo esas montañas. Qué eco. Ahí ya podría hablar ocho o diez horas y mi voz se pasaría un año retumbando... Efectivamente, un anfiteatro es lo que hay que hacer. Tumben la ciudad y que empiecen las construcciones.

—Pero, comandante, se trata de la cuna de la Revolución, de la ciudad heroica —dijeron casi al mismo tiempo los dos ministros.

—¡Ejecútenlos por diversionistas! ¡Aquí la cuna, el niño, la Revolución y el héroe soy yo!

Cuando los dos últimos ministros eran lanzados sobre el anfiteatro, Fifo miró para el gran escenario y con nostalgia ordenó:

—En el centro del anfiteatro constrúyanme una estatua gigantesca de *Ubre Blanca,* la vaca que más he amado en mi vida.

Por unos instantes, Fifo se olvidó de todo lo que le rodeaba y se concentró en la imagen de la vaca muerta que había amado hasta el punto de haber llenado toda la isla con estatuas de aquel noble animal que tanto placer le ofreciese. Todos los demás, incluyendo al piloto, se sumieron también en lejanos pensamientos con el fin de imitar a Fifo en todos sus gestos, como era costumbre hacerlo. Esto provocó que por muy poco el helicóptero no se estrellara contra una gigantesca mole de piedra que se perdía entre las nubes.

—¡Cojones!, ¿qué cosa es eso? —exclamó Fifo saliendo de sus meditaciones.

—Es el Yunque de Baracoa, comandante —dijo el nuevo jefe de la escolta—. Casi nos estrellamos contra él.

—¿Así que he estado a punto de morir hecho trizas contra esa roca y tú, el jefe de la escolta, el que debe vigilar por mi vida, ni cuenta se había dado? ¿De esa manera me cuidas? Tu deber es velar día y noche por mi vida. ¡Ejecución ejemplar! —sentenció, haciéndole una señal al resto de la escolta.

Inmediatamente los pocos hombres de la escolta que aún quedaban con vida acuchillaron a su jefe.

—Tírenlo contra el Yunque de Baracoa —ordenó Fifo—. Y regresemos a La Habana. Tengo que hacer millones de cosas antes de que empiece el carnaval. ¡Ah!, y en cuanto al yunque, destrúyanlo. Es un símbolo oscurantista y medieval, o qué sé yo. El caso es que no tiene que ver nada con nuestra sociedad. Derrúmbenlo y levanten ahí una hoz y un martillo gigantescos.

Al momento Fifo se quedó dormido, pero al pasar sobre el inmenso lago donde antes se levantaba la ciudad de Holguín, el potente croar de las ranas toro que llegaba al cielo lo despertó.

—¿Qué coño es eso? ¿Es que ya llegaron los americanos?

—Comandante —le respondió uno de los pocos técnicos sobrevivientes—, es el criadero de ranas toro que usted mandó construir.

—¡Ranas toro! ¡Ranas toro! ¡Estás loco! ¿A quién se le ocurrió una idea tan descabellada? —Y como nadie se atrevía a decir ni media palabra, Fifo se fue enfureciendo aún más—. ¡Así que han destruido una ciudad populosa y trabajadora para criar ranas toro! ¿Quién fue el hijo de puta que hizo tal cosa? ¿De dónde vino la idea?

Nadie respondía. Fifo ordenó a la escolta que torturaran a los técnicos hasta que hablaran. Por fin uno de los tres técnicos que quedaban dijo que la idea había venido del mismo Fifo. Fifo se puso negro de furia. ¿Así que creían que él era un loco capaz de tal imbecilidad? Y el técnico fue al instante condenado a muerte y lanzado sobre la gran laguna. Los otros dos técnicos que no quisieron hablar perecieron a causa de las torturas y sus cuerpos cayeron sobre Ciego de Ávila. Varios miembros de la escolta comenzaron a ser interrogados y torturados por otros miembros. Así se les fue dando muerte y sus cuerpos fueron cayendo en las distintas provincias. Cuando llegaron a La Habana sólo viajaban en el helicóptero, además de Fifo, dos miembros de la escolta, la Dama del Velo y el piloto.

—Fusílenme al piloto —le dijo Fifo a la exigua escolta, luego que la Dama del Velo se retiró a sus habitaciones—, por su negligencia estuvimos a punto de matarnos todos en el Yunque de Baracoa.

La escolta fusiló al momento al piloto y saludó marcialmente a Fifo. Pero, al instante, Fifo llamó a su ejército especial acuartelado, y a más de quinientos de sus enanos fieles, y les ordenó que fusilaran a los dos sobrevivientes de su antigua escolta.

—Saben demasiado —fue su comentario—. En cuanto a la Dama del Velo —les dijo ahora a los enanos—, mátenmela de una puñalada en el bollo en pleno carnaval. Que todo parezca un crimen pasional. No quiero conflictos políticos con el mundo árabe.

Los zapaticos de rosa, el anillo mágico y las patas de rana de noventa millas

Qué feliz iba Tomasito la Goyesca con sus plataformas rosadas. Eran unos ejemplares únicos hechos con auténtica piel de cocodrilo rojo. Sí, rojo, porque todos los cocodrilos, luego de haber sido trasladados por orden de Fifo a la bahía de Matanzas, se pusieron rojos de furia y así se quedaron... Oh, pero qué feliz iba la loca con las plataformas punzó. Pensar que se había pasado más de diez años escribiéndole a una tía política que tenía en Miami, rogándole sin éxito que le enviara unas plataformas como aquéllas, cuya imagen guardaba con devoción en una revista extranjera que compró en bolsa negra. Y de pronto, en una de las tertulias de Virgilio, conoce a Mahoma. Allí estaba la loca descomunal con unas plataformas igualitas a las que ella contemplaba arrobada día y noche en la revista. Y al preguntarle a Mahoma cómo había recibido aquel tesoro, la inmensa loca le dice que ella misma las fabricaba y que las vendía por trescientos pesos. Tomasito la Goyesca quedó privado: trescientos pesos era su sueldo de tres meses de trabajo. La Goyesca le pidió a Mahoma una rebaja, pero la implacable loca le dijo que ni hablar, que tenía una lista infinita de clientes esperando por sus plataformas, que se pusiera al final de la lista y mientras tanto fuera reuniendo los trescientos pesos. Y apúrate, querida, porque en cuanto Fifo se entere de mi negocio me lo quita y a lo mejor hasta me manda matar a plataformazos. Y la pobre loca, siguiendo los consejos de Mahoma la astuta (además de su horario en el consolidado de la goma), trabajó diez horas extra todos los días durante tres meses junto con Olga Andreu, recogiendo colillas de cigarro en las paradas de las guaguas y vendiéndolas luego al por mayor en la Plaza de la Catedral. Finalmente, con los trescientos pesos subió a la barbacoa donde vivía Mahoma. Allí estaba la loca rodeada de gigantescos zuecos a medio terminar. Jesús, qué primores. Algunas de aquellas plataformas medían casi medio metro de alto. Con unas plataformas así, se dijo Tomasito la Goyesca, seré la loca más esbelta del mundo. Estos zapatos son simples muestras para los bugarrones ladrones, como son todos, le confesó Mahoma, la verdadera mercancía la tengo escondida. Y sin más, la loca abrió un gigantesco *closet* que nadie pudiera imaginar que existiera, pues estaba empotrado en la pared y cubierto con un inmenso retrato al óleo del mismo Mahoma firmado por Clara Mortera. Y, en efecto, ante la vista de Tomasito la Goyesca aparecieron las plataformas más deslumbrantes del mundo, hechas con maderas preciosas que había extraído del hueco de Clara y cubiertas con una lona que Mahoma pintaba con tal esmero que nadie podía pensar que no era auténtica piel de cocodrilo. Aunque para casos especiales, como era el presente, la loca tenía auténtica piel de cocodrilo, pues estos animales los cazaba la Vieja Duquesa de Valero y el marido de Karilda Olivar Lúbrico haciendo uso de su sable bien afilado. La loca, dentro de la autenticidad, eligió las plataformas más llamativas, las más rojas. Ésas son las que te convienen, le dijo Mahoma, el problema es llamar la atención, y además están hechas con cocodrilo de verdad. Tomasito la Goyesca pagó los trescientos pesos y bajó tan precipitadamente de la barbacoa que se fue de cabeza por las escaleras. Niña, le gritó Mahoma, tienes que aprender a andar con esas plataformas, si no los golpes te enseñarán. Pero la loca, incorporándose, salió disparada a la calle, emitiendo un taconeo tan sonoro que asustó hasta a las Tres Parcas, quienes iban raudas para su consulta especial con Lagunas, la Pitonisa Clandestina. Aunque hacía tres meses que no comía, aquellas plataformas rojizas invistieron a Tomasito la Goyesca de una energía incontrolable. Ahora no seré más Tomasito la Goyesca, se dijo, sino una reina; con esta estatura el malvado apodo que me puso la Tétrica Mofeta ya no tiene sentido. Pero sí, seguía teniéndolo; ahora Tomasito la Goyesca, en lugar de ser uno de los monstruos enanos de Goya, era una de las figuras en zancos del gran pintor. Pero, ajena a esta fatalidad, la loca taconeaba toda La Habana. Cuando ya, como Héctor en la *Ilíada*, le había dado tres vueltas a la ciudad, en unos de los recodos del Malecón escuchó un silbido. Ay, un piropo para ella, la ex goyesca, había sido lanzado por un negro tan descomunal y bien provisto que evidentemente tenía que ser uno de los integrantes del equipo nacional del salto con garrocha, equipo que el mismo Fifo seleccionaba y tenía bajo su cuidado personal. La loca detuvo en seco su taconeo; el silbido volvió a repetirse. Esta vez el negro gigantesco le hizo señas para que se acercara. Se entabló un diálogo que se hacía cada vez más íntimo. Mientras hablaba, el dios de ébano, como quien no quiere la cosa, como con fingido disimulo, se rascaba rápidamente los testículos. La loca emitía un corto taconeo, reculaba y volvía a detenerse cada vez más cerca del dulce etíope. ¿Por qué no damos una vuelta por el Malecón?, le dijo éste envolviéndola en una mirada tan lujuriosa que la Goyesca creyó allí mismo desmayarse. Así llegaron al castillo de La Chorrera, una fortaleza colonial convertida por orden de Fifo en cagadero público. La loca miró al negro imponente, que ya se perdía dentro de la negrura del edificio, y emitió unos cortos y nerviosos taconeos dubitativos. Pero el gigantesco macharrán, desde lo oscuro, la llamó con estas aladas palabras: «Entra que te voy a dar pinga hasta que te salga por la boca». Dios mío, quién podía resistirse ante tan exquisita invitación. Como un bólido la loca se precipitó en la negrura del castillo de La Fuerza. Sintió que la tomaban por la cintura inexistente, que el amante gigantesco la transportaba por los aires; sintió la respiración abrasante de aquel cuerpo que ahora la iba a ensartar. El negro la elevó aún más, la lanzó al aire y en pleno aire se apoderó de las plataformas de la loca, que casi levitaba. Cuando cayó al suelo vio a un negro gigantesco frente a ella con las regias plataformas en sus manos que le dijo estas aladas palabras: «Maricón, piérdete de aquí ahora mismo si no quieres que te reviente esa cabeza deforme con estas plataformas». Y como la loca hiciera un gesto de protesta, el negro le propinó tal plataformazo en la cabeza que la Goyesca comprendió al fin que estaba a punto de perder la vida a manos de un asesino profesional. El pájaro salió por fuerza, tembloroso y descalzo, del castillo de La Fuerza, y descalzo siguió corriendo por toda la ciudad, hasta llegar a su cuchitril, otra barbacoa hecha por la Tétrica Mofeta con las maderas del hueco de Clara.

De bruces sobre el puente de madera de la playa Patricio Lumumba, la Tétrica Mofeta terminó de escribir esta aventura o desventura de Tomasito la Goyesca y sonrió complacida, no sólo porque estaba satisfecha con la historia que acababa de escribir, sino porque estaba segura de que esa trágica historia, absolutamente verídica, jamás le ocurriría a ella. Allá las locas incautas que iban para la oscuridad con cualquier delincuente sin verle la pinta, a ella no le habían llevado ni un alfiler, por algo era amiga de Mahoma la astuta, y desconfiaba de todo el mundo, sobre todo de los hombres. Ahí estaba ella, la Tétrica, junto al mar, con sus relucientes patas de rana bajo el manuscrito de su novela. Cuántos negros principescos, cuántos adolescentes regios, cuántos hombres rotundos no se le habían acercado para pedirle prestadas las patas de rana. Ah, pero la loca sabia siempre se negaba a prestárselas. Si vienen que sea por mi belleza, jamás por mis patas de rana, se decía. Por lo demás, aquellas flamantes patas de rana de factura francesa era el único tesoro material que poseía la Tétrica. Más de diez años se pasó soñando con aquellas patas de rana. Finalmente, una profesora francesa (invitada por Fifo a la Universidad de La Habana), quien sólo sentía un verdadero orgasmo cuando hacía el amor con una loca, se prendó de la Tétrica y en uno de sus viajes a París le trajo el tesoro. Cierto que la Tétrica tuvo que hacer de tripas corazón y hacer el amor con la profesora, incluso la preñó, verdad que gracias al fenómeno del superensartaje (que consiste en templarse a alguien mientras uno es templado). A los nueve meses la francesa parió un niño completamente blanco por un lado y por el otro negro.

Aterrorizada, abandonó a su hijo y a su esposo, el capitán Miguel Figueroa, que se la templaba también gracias al fenómeno del superensartaje, y se refugió por el resto de sus días en una cueva de los Pirineos... Sí, todo eso era cierto, pero la Tétrica Mofeta tenía ahora dos patas de rana con las cuales se resarcía de la traición cometida a su sexo al templarse, una vez más (o una vez menos), a una mujer. Calzando aquellas flamantes patas negras, la loca se sumergía en las aguas del Patricio Lumumba, de La Concha, del Cubanaleco o de todo Guanabo y más hábil que un pez maniobraba en el fondo marino. Así se deslizaba por entre las piernas de los hombres, quienes sumergidos hasta los hombros o hasta el cuello conversaban con sus esposas e hijos en el mar. Mientras aquella conversación familiar seguía su curso convencional (la viruela roja, la viruela verde, la viruela negra), el divino macharrán, gracias a los hábiles toqueteos submarinos de la Tétrica Mofeta, comenzaba a erotizarse. Entonces la loca sólo tenía que bajarle la trusa y mamar mientras allá arriba proseguía la noble conversación doméstica (la bomba atómica, la bomba H, la bomba de neutrones). El bañista eyaculaba emitiendo un suspiro y a veces hasta un ay rotundo de supremo goce que sorprendía a sus interlocutores, mientras la loca, siempre por debajo del agua, se dirigía hacia otra presa apetecible... ¿Qué te ha pasado?, preguntaba la novia o la esposa cuando uno de aquellos hombres regios dejaba escapar su ay de gozo. Nada, respondía el divino recién mamado, creí que había pisado un erizo o un aguamala. Y la divina loca, con sus flamantes patas, continuaba causando estragos familiares y acuáticos. Ya una bandada de peces de colores a quienes les gustaba el sabor del semen (seguro que eran pargos exóticos) la seguía de cerca, sabiendo que junto a las entrepiernas que se detuviese aquella loca brotaría el licor celestial. Pero hay que decir, en honor a la verdad, que, a veces, la Tétrica Mofeta dejaba la mamalancia, se zambullía recto cerca de la costa y roía furiosamente la plataforma insular. Lo cierto es que a pesar de aquel mar único que le deparaba hombres estupendos, la Tétrica Mofeta también quería abandonar el país. Por eso roía la plataforma insular, aunque ella también soñaba y hasta planificaba hacer uso de sus patas de rana para remontarse por lo menos hasta Cayo Hueso.

Sí, abandonaría la isla pero con sus queridas patas de rana y con su novela *El color del verano* ya terminada. Precisamente, pensando en la novela tomó otra vez la pluma que le había sustraído en una recepción a Carlitos Olivares, la loca más fuerte de Cuba, y siguió escribiendo.

¡Al fin Coco Salas había realizado su sueño! Tenía un cinturón de cuero de dos cuartas de ancho y con dos hebillas de enganche que eran dos gigantescas argollas lumínicas. Era en verdad un cinturón único que la misma Halisia Jalonzo le había traído al regreso de una de sus giras por Europa. La loca se trincó el anchísimo cinturón y se contempló en el espejo que estaba frente a su cama, en un cuarto del hotel Monserrate. Satisfechísimo, hizo sonar sus argollas y paseándose por toda la habitación empezó a trinar. En efecto, el cambio que el cinturón había producido en el pájaro era notable. Coco Salas era ese tipo de loca que siendo completamente flaca y huesuda era a la vez barrigona. En medio de aquella tabla de planchar brotaba una prominencia que la semejaba a un majá que se hubiese tragado un cordero. Esa barriga sin justificación en aquel saco de huesos acentuaba aún más su espeluznante fealdad de manera que el nombre de Coco le encajaba perfectamente. A decir verdad, era lo único que le había encajado durante toda su vida... Pero ahora aquel regio cinturón borraba la prominencia o por lo menos la aplastaba. La loca seguía siendo un majá, una serpiente erguida y calva, una culebra holguinera (como la había calificado Delfín Proust), pero anillada, sin ninguna protuberancia que la desfigurase. Además, aquel cinturón investía a la loca de un doble orgullo; no sólo la favorecía físicamente, sino también moralmente. Se trataba de un regalo de Halisia Jalonzo, la primera bailarina del mundo (así lo decían los periódicos de la isla) y la íntima de Fifo. Oh, qué golpe tan terrible le proporcionaría a amigas y enemigas (para el caso era lo mismo en la vida de un pájaro) cuando se presentase en público con aquel cinturón. Y entre los hombres, quién se le iba a resistir; cómo no llamar la atención con aquellas argollas lumínicas. Lo compré frente a la catedral de Segovia, le dijo Halisia; aquí, entre tú y yo, creo que tiene poderes mágicos, pues el mismo día que lo compré se murió la Pasionaria. Póntelo, mi querido Coquito, que vas a acabar...

Y esa misma noche, Coco Salas se atrincó el cinturón y casi sin poder respirar salió rumbo al Coney Island. Al hacer su entrada en el

Coney Island de Marianao, hasta la misma Pornopop, la loca más sofisticada del mundo, tuvo que detener un momento sus aventuras fleteriles y contemplar aquel cinto; hasta los Chicos de la Flor, que estaban allí para ser mirados, no para mirar, miraron. Hiram, la Reina de las Arañas, que subida a una tarima seleccionaba a los jóvenes más hermosos que iban a participar en la fiesta mayimbal de Fifo, detuvo por un momento sus tanteos, catamientos y discursos para contemplar a la loca lumínica. Y ella, la Coco Salas, regia cruzó ante la fila de los imponentes adolescentes seleccionados por Delfín, se internó en la muchedumbre, donde la misma Tedevoro, que buscaba infatigablemente a un hombre, detuvo por un instante su alucinado flete para contemplar aquella loca enfundada en aquel cinturón sin paralelo. Hasta los bugarrones de Arroyo Arenas le hicieron una señal cómplice. El sin par Gorialdo se sobó los testículos cuando la loca pasó junto a él. Pero Coco Salas siguió caminando erguida (verdad que el cinturón no le permitía inclinarse) por entre la multitud, que lo contemplaba hechizada. La Vieja Duquesa de Valero, la Reina, la Maléfica y la Supersatánica detuvieron su torrente de intrigas y chanchullos y quedáronse casi petrificadas ante el paso marcial de la Coco con su cinturón único. ¡Jesús!, y cuando la Mayoya, que no pudo contenerse, le preguntó a Coco que de dónde había sacado aquel cinto, y éste le respondió que era un regalo de Halisia, mil locas, incluyendo a la Reina de las Arañas y a la Vieja Duquesa de Valero, se inclinaron reverentes ante el pájaro agraciado por la bruja. Pero el pájaro agraciado por la bruja danzarina continuó su desfile por todo el Coney Island sin detenerse ante ningún elogio, guiño, silbido y hasta ostensibles ademanes eróticos hechos por batosos contundentes. Al parecer en todo el Coney Island no había nadie digno de templarse una loca que ostentase aquel cinto regio. Mi grandeza no admite que me enrede con nadie que no esté a la altura de mi cinturón, se dijo Coco sin poder inflarse, puesto que el cinturón no se lo permitía. Y así siguió marchando por entre aquellas criaturas inferiores, envueltas en telas rústicas y cintos plásticos. Sólo a media noche, en uno de los lugares más retirados del parque, la loca descubrió a un dios digno de sus argollas lumínicas. Pero el dios, precisamente por ser dios, no la miró. La loca, atrincándose aún más el cinturón y luego de sacarle más brillo a las hebillas, que ahora relampagueaban, le dio varias vueltas al dios, que permanecía impasible, mirando hacia lo alto, donde la rueda luminosa de la estrella giratoria seguía dando vueltas. Ah, eso sí que no, se dijo la loca, yo, la protegida de Halisia Jalonzo, con un cinturón único, a mí no se me puede ignorar. Y lumínica, abordó al dios. Se trataba de un delincuente único y sofisticado. Era un niño de unos dieciséis años con cuerpo, rostro y cabellos que hubiesen hecho reventar de envidia al mismo Antinoo. Nadie en el multitudinario mundo de la pajarería le conocía a aquel niño delicioso relación alguna con un pájaro. A tal punto llegó la fama de su castidad bugarronil que ya era famoso por el apodo del Ángel Azul de Marianao. Pero la loca con aquel cinturón era una diosa, no tenía por qué dejarse intimidar por un ángel. Sin mayores preámbulos se plantó junto al ángel y lo abordó, niña, con estas aladas palabras: «Si quieres puedes seguirme, voy a internarme en el pinar». Era el mandato de una reina coronada por un cinturón centelleante. Sin mirar hacia atrás Coco Salas echó a andar con pasos reposados, entrando en el pinar. Se detuvo junto a un árbol y se volvió. A la luz de las potentes argollas del cinto vio al Ángel de Marianao que se acercaba. Fueron pocas las palabras que hubo que cruzar. Los dioses son parcos, se dijo la loca. Y rápidamente le desabotonó la camisa al dios (pues ya lo había endiosado), le desabrochó su cinto plástico, comprado con el cupón H-190, y sin más sopesó los atributos celestiales. Coco quiso agacharse ante las divinas proporciones y besarlas, pero el regio cinto no se lo permitió. Y quitarse el cinto era como pedirle a Isabel II que se quitara su corona. La loca, desesperada, prisionera de su cinturón, siguió palpando el divino prepucio del ángel que crecía por momentos. Vírate que quiero metértela, le dijo el ángel a la loca, que brillaba dentro del pinar como un cocuyo descomunal. Y la loca se viró y el ángel comenzó a abrazarla por detrás. Qué rica estás, mima, dijo el ángel, y la loca sintió que se derretía. Déjame metértela, le dijo el ángel mientras le desabrochaba el regio cinturón y le intentaba bajar los pantalones. No, dijo entonces la loca haciendo un esfuerzo supremo, no me quites el cinturón. Con él puesto es imposible hacerte algo, le dijo el ángel apuntalándola con su celestial miembro. Además, agregó, el brillo de esa hebilla nos puede delatar. Y la loca, ante razones tan contundentes, dejó que el ángel le desabotonara el cinturón regio y le bajara los pantalones. Ponte a cuatro patas, le suplicó el ángel con voz ronca, y la reina no pudo negarse a una petición tan sublime. Así, a cuatro patas, bajo el pinar se dispuso a esperar la bendición angélica. Entonces, sobre sus nalgas desnudas que aguardaban temblorosas retumbó un fustazo descomunal. ¡Qué pasa!, gritó la loca, y vio al ángel con su enorme cinturón cogido por un extremo lanzándole golpes mortales. Con la correa tomada por uno de sus cantos, el joven le propinaba terribles hebillazos al pájaro. La loca intentó escapar a toda velocidad, pero como tenía los pantalones bajados lo único que podía hacer era caminar a cuatro patas. Así, desesperada, fue avanzando lentamente hasta el Coney Island mientras una descomunal argolla lumínica se cernía sobre sus nalgas al rojo vivo. El ángel, es decir, Tatica el de la Lisa, siguió golpeando cada vez más furiosamente a la loca, hasta que ésta pudo entrar a cuatro patas al Coney Island. Entonces el bello niño se colocó el cinturón lumínico y se marchó. La loca, encorvada y sangrante, otra vez provista de un enorme vientre, se agarró semimoribunda al cercado dentro del cual la estrella giratoria seguía dando vueltas.

Reinaldo le puso punto final a la historia del cinturón de Coco Salas y satisfecho se volvió a reclinar en el manuscrito colocado sobre las patas de rana. La Tétrica Mofeta lanzó una mirada rápida al puente de madera donde tomaba el sol, escribía, reposaba y fleteaba reconociendo a más de cien locas. Allí estaban las Tres Parcas tejiendo infatigables pulóveres, calzoncillos y trusas con los cuales intentaban seducir a los bañistas. Más allá Miguel Barniz exhibía su cuerpo deforme y César Lapa, la mulata de fuego, hacía gestos grotescos que ella consideraba divinos. Formando el eterno grupo de siempre, la Duquesa, la Sanjuro, la Reina, la Triplefea y la Supersatánica hablaban de la última película de Carita Montiel que acababan de ver. Infelices, pensó la Tétrica Mofeta, para estas pobres locas esa peliculita de los años setenta es la última, ni siquiera saben que ya la Montiel se murió de vieja con más de cien años. En una esquina del puente la Vieja Duquesa de Valero departía con Teodoro Tapón, Clara Mortera, la Superchelo y Carlitos Olivares, la loca más fuerte de Cuba, título que llevaba siempre bajo sus alas. En otro ángulo, apartada del mundo, la Ogresa exhibía sus costras y tumefacciones al sol. ¡Dios mío! Y por allá venían Tomasito la Goyesca, las Hermanas Brontë, Mahoma la astuta, la Brielísima y la Singadísima, unidas por el ombligo. Ante tan terrible espectáculo, la Tétrica Mofeta, que quería seguir meditando sobre su novela y no estaba para chachareos, escondió su rostro entre los brazos y se dispuso a descansar, siempre apoyada sobre el manuscrito de su novela y sus queridas patas de rana. El terrible sol de verano la adormeció. Cuando despertó, un ángel estaba posado ante sus ojos. Era un niño único, de proporciones armoniosas y rotundas, de pelo amarillo y crespo y de ojos dulces y nostálgicos con una toalla en los hombros. Era, querida, Tatica el de la Lisa, el Ángel Azul de Marianao. Tan bello era aquel adolescente que al mirarlo nadie podía concebir, ni siquiera aquellas pocas personas que lo conocían perfectamente, que se tratase de un vulgar ratero. De ahí el mito angélico y por lo tanto casto que lo protegía. El Niño Azul miró a la loca de una manera tan tierna que ésta no pudo hacer menos que sentarse sobre el puente y saludarlo. Cómo te va, le dijo la Tétrica Mofeta tratando de controlar su nerviosismo ante aquella maravilla junto a ella posada. Un poco aburrido, respondió el Príncipe Azul, aquí el único muchacho interesante eres tú, qué piensas, los demás sólo chacharean. ¡Jesús! El Niño de Oro le había dicho a la Tétrica, esa viga jorobada, muchacho. Y la Tétrica se lo creyó, sí, ella era un muchacho, un joven que subía corriendo la Loma de la Cruz, como lo había hecho hacía más de treinta años. Pero Gabriel, desde el pasado, acudió en ayuda de la Tétrica y la hizo verse tal como era ahora, una loca vieja y despatarrada sobre el puente del Patricio Lumumba, mirando ensimismada el promisorio bulto que se delineaba sin remisión en la trusa casi transparente de un delincuente común. Ay, pero el delincuente común se había acercado más a la Tétrica Mofeta y mientras estiraba sus hermosas piernas rozando las piernas de la Tétrica su voz se hizo más íntima. Nadie sabe lo solo que estoy, dijo el delincuente transformado en ángel; aquí es difícil encontrar a alguien con quien hablar. Todos lo que quieren es que uno los escuche. Yo quisiera tener un amigo de verdad, alguien que no sólo quisiera acostarse contigo... ¡No le hagas caso!, le gritaba Reinaldo a la Tétrica Mofeta desde algún sitio interior de la propia Tétrica Mofeta. ¡Sigue trabajando en tu novela, idiota!... Pero he aquí que el ángel perverso, con una mirada cada vez más angelical, le pregunta a la Tétrica Mofeta si se puede quedar allí, junto a ella. ¡No!, gritó Gabriel desde Holguín. Dile que de eso nada, le susurró Reinaldo desde dentro a la Tétrica. Claro que puedes quedarte aquí, respondió la Tétrica Mofeta. Éste es un lugar público. Gracias, responde el ángel y sin más se tira boca arriba cuan largo y rotundo es frente a la Tétrica. Helo ahí, oro y miel, voluntad de vivir manifestándose, borbotando ante tus ojos exorbitados. Se ha dormido. Ha cerrado sus ojos y se ha quedado dormido seguro de que tú vigilas su sueño y le cuidas su blanca y hermosa toalla. Sus enormes pestañas se han cerrado como las alas de un pájaro fantástico. Y la loca vigila el sueño del Niño de Oro y desde luego le cuida la toalla y lo protege de las miradas y maniobras cada vez más gansteriles del sin par Gorialdo y de los afamados bugarrones de Arroyo Naranjo, quienes en varias ocasiones pasaron peligrosamente cerca de la toalla. Ah, pero ahí está la loca vigilante cuidándole sueño, propiedad y vida al Niño de Añil, ese ángel que tan inocentemente se había confiado a ella, la monstruosa Tétrica. La realidad desmentía lo que ella misma había escrito sobre él. Qué iba a ser malo aquel dulce adolescente, buenísimo, eso era; era un pobre muchacho incomprendido, una joya en un basurero, quizás un gran poeta perdido en aquel lodazal. El ángel durmió más de una hora bajo la mirada atenta de la loca. Cuando se despertó, ya la Tétrica Mofeta tenía pensado invitarlo a su cuarto, allí, cerca de la playa: hablarían como amigos verdaderos, nada de tirársele al rabo. Ella y el Niño de Oro atravesarían juntos la inmundicia, los dos lucharían contra el mundo. Ella defendería al Niño de Oro de los terribles delincuentes que querrían violarlo, de las locas que querrían devorarlo; nadie le haría daño a aquel ángel. Ella lo cuidaría. Tal vez, por qué no, en un gesto de hermano le besaría a veces los testículos. Sí, pero nada más, nada más, y seguiría acunándolo. O tal vez, cuando el niño se mostrase muy majadero, ella le besaría el miembro. Sí, pero nada más, nada más. O tal vez, cuando el niño no pudiera más con el sufrimiento del mundo, ella se acostaría junto a él, lo besaría de una manera delicadísima y se dejaría poseer por el Niño de Oro para probarle que no estaba solo en el mundo. Sí, sí, pero nada más. En otras ocasiones, complaciendo las peticiones incesantes del Niño de Oro, ella recularía a toda velocidad y sería traspasada por el niño y así, formando una sola armonía, ensartados permanecerían durante años. Sí, sí, pero nada más... En estas meditaciones amorosas viajaba la Tétrica Mofeta, cuando el Niño de Oro, incorporándose a una velocidad realmente inaudita, se puso las patas de rana de la Tétrica Mofeta y se lanzó al agua desapareciendo como por arte de magia. La Tétrica Mofeta, sin poder concebir que el Niño de Oro a quien acababa de acunar le hiciera tal cosa, miraba para el mar esperando ver al joven emerger de un salto y regresar a su lado. Pero lo cierto es que Tatica, nadando por debajo del agua, se alejaba con las patas de rana a toda velocidad. Cuando la Tétrica Mofeta volvió en sí, se vio sola sobre el puente del Patricio Lumumba junto al único recuerdo que le había dejado el Niño de Oro, una toalla vieja y cagada. La Tétrica miró a su alrededor y vio a todas las locas conocidas —sus enemigas naturales— haciendo comentarios sarcásticos: algunas se retorcían sobre el puente sin poder contener su alegría. Todas se burlaban de la loca burlada. Ya que no se podían salvar las patas de rana, por lo menos había que salvar la moral. Así, la Tétrica, incorporándose sobre el puente se dirigió a Tatica como si éste estuviera nadando, cerca de ella, allí mismo, debajo del puente, y dijo: Estoy cansado, te espero en mi cuarto, te llevo la toalla para que no te la roben los delincuentes que nos rodean... Y con paso airoso, convertida en una gran dama, con la toalla cagada en la mano como si fuera un cetro, la loca echó a andar por entre todo el loquerío abandonando la playa. Pero, ¡oh, Dios mío!, cuando ya dejaba el Patricio Lumumba se dio cuenta de que había olvidado el manuscrito de su novela sobre el puente. Reinaldo voló hasta la playa. Allí estaban todas las demás locas riéndose a carcajadas, pero del manuscrito, ni señales. Imposible interrogar a aquellas brujas, eso sería humillarse. Además, si hubiesen cogido la novela era lógico pensar que no se la iban a entregar. Gabriel, desesperado, miró para las aguas debajo del puente esperando ver flotar el manuscrito, pues de haberse caído aún no habría tenido tiempo de hundirse completamente. Pero ni el menor trazo del manuscrito se veía sobre el mar, por lo que la Tétrica Mofeta llegó a la conclusión injusta de que el siniestro Tatica, por intrínseca malignidad, había cargado también con la novela, sólo para hacerle daño... Pero no podía desmoralizarse ante aquel conglomerado de locas que desde el puente constataban su desasosiego y batían palmas y plumas. Hasta la Óscar batía frenéticamente sus inmensas alas de murciélago. Así, haciendo de tripas corazón, la loca fue hasta el borde del puente y dirigiéndose a Tatica, como si el Niño de Oro estuviese allí mismo, nadando bajo los pilotes del puente le dijo: ¡Ah!, y gracias por acordarte de botarme, como te había ordenado, los papeles que estaba escribiendo. En ellos contaba la vida de todos mis amigos y eso los hubiese perjudicado mucho. Gracias, querido, por tu nobleza... Y con porte aún más regio, la loca abandonó el puente de madera de la playa.

Pero al llegar al pequeño cuarto de criado que le tenía alquilado a su tía Orfelina (la Diablesa), Reinaldo no pudo contenerse más, y soltando un alarido comenzó a golpear la pared del cuarto con su propia cabeza. Tan fuertes eran aquellos golpes que su tía Orfelina (la Diablesa), pensando que su sobrino estaba celebrando una orgía más, llamó inmediatamente al número especial que Fifo le había dado y que caía bajo la categoría de «informantes de primera clase».

Finalmente, Reinaldo se serenó, se sentó ante la vieja máquina de escribir que tenía atornillada sobre una mesita para que no se la robaran y comenzó a escribir otra vez la historia de su novela.

La historia

Ésta es la historia de una isla atrapada en una tradición siniestra, víctima de todas las calamidades políticas, de todos los chantajes, de todos los sobornos, de todos los discursos grandilocuentes, de las falsas promesas y del hambre sin tregua. Ésta es la historia de una isla sometida al desgaste de la estafa, al estruendo de la fanfarria, de la violencia y del crimen durante quinientos años. Ésta es la historia de un pueblo que vivió siempre para las grandes ilusiones y padeció siempre los más siniestros desengaños. Un pueblo que tuvo que aprender a mentir para sobrevivir, un pueblo que tuvo que aprender a humillarse y a traicionarse y a traicionar para sobrevivir. Ésta es la historia de un pueblo que de día entona un himno de alabanza hacia el tirano y de noche rumia una oración de furia y muerte contra el mismo. Un pueblo que de día se inclina y araña la tierra, sembrando malanga, pangola, ortigas, manzanas de California, café gandul y todo lo que se le ocurra al tirano y de noche roe la tierra bajo el mar tratando de socavar la isla donde sólo manda el tirano. Ésta es la historia de una isla que nunca tuvo paz, que fue descubierta por un grupo de delincuentes, de aventureros, de ex presidiarios y de asesinos, que fue colonizada por un grupo de delincuentes y asesinos, y que fue gobernada por un grupo de delincuentes y asesinos y que finalmente (a causa de tantos delincuentes y asesinos) pasó a manos de Fifo, el delincuente supremo, el súmmum de nuestra más grandiosa tradición asesina. Ésta es la historia de una isla que siempre dejó truncas las aspiraciones nobles, que devoró siempre a sus hijos más nobles, que terminó siempre pisoteando las conquistas más nobles. Ésta es la historia de una isla convertida primero en inmensa plantación colonial, luego en prostíbulo mundial y ahora en unánime prisión perfecta. Una isla donde mientras los gobiernos hablan de prosperidad depositan todo el tesoro que se han robado en el extranjero, una isla donde el pueblo mientras danza se cae a puñaladas. Ésta es la historia de una isla a la que su descubridor, mientras la declaraba la tierra más hermosa del mundo, maquinaba los medios de acabar con ella. Ésta es la historia de una isla donde sólo han triunfado los mediocres más serviles. Una isla sometida a un verano infinito, a una tiranía infinita y a la estampida unánime de sus habitantes, quienes mientras aplauden las maravillas de la isla sólo piensan en cómo poder abandonarla. Ésta es la historia de una isla que mientras aparentemente se cubre con los oropeles de la retórica oficial, por dentro se desgarra y confía en la explosión final.

Bra, bre, bri, bro, bru...

Hombro con hombro, hombre y alondra, en el asombro y en la penumbra. Hambre de hembras de la Alhambra que la atolondran urde la alondra; de umbríos hombres de las tundras de Coimbra al hombre. Y en la urdimbre de ese estambre, el hombre en jaula de alambre, la alondra amando a Casandra, los dos en frágil balandra, confunden sus timbres, se acalambran, y hunden.

(Para Virginia Woolf)

Una carta

Nueva York, 20 de mayo de 1996

Mi querido Reinaldo:

Aquí tienes mi séptima carta neoyorquina. Como no he tenido, o no he recibido, respuestas tuyas vuelvo a rebuznar. No me fue fácil llegar hasta aquí. Estoy semi-ilegal, como mucha gente. Ya te he dicho que Nueva York es una fábrica gigantesca, llena de cajones altísimos de donde sale y entra mucha gente. Te diré que en los meses que llevo aquí he visto a las locas más fuertes de la Tierra, cuya enumeración me resulta imposible suministrarte. Aquí está hasta la Oliente Churre. No pienses que se quedó allá; la loca vino y dejó un doble a cargo de su madre agónica. Por aquí anda escribiendo unos poemas tan malos que ya es famosa en Miami, de cuyo nombre no quisiera acordarme. Aquí cada loca cubana se considera una reina nada más que por el hecho de estar viva y muchas se han hecho pintoras, como la Carlota María Luisa y la Brielísima y la Singadísima (quienes también escaparon y dejaron allá sus dobles como muchos otros pájaros). Precisamente ayer, mientras caminaba por el Parque Central me tropecé con la Brielísima y la Singadísima; las dos, unidas por el ombligo, fleteaban entre los matorrales, pero la Brielísima llevaba siempre la cabeza muy alta, caminaba muy tiesa y se daba unos enormes golpes contra las ramas de modo que la calva ya le sangraba, pero no bajaba la cabeza. Al parecer esa loca selvática no ha comprendido aún que Nueva York es una selva.

Claro que aquí también me he preocupado de tu obra y he tratado de difundirla, mi hermano querido, pero, como tú sabes, en los Estados Unidos no hay intelectuales, ni artistas, ni políticos. Hay sólo negociantes a corto plazo, incluyendo al mismo presidente de la República que, por ley, tiene que ser retrasado mental. Aquí la memoria ha sido sustituida por un sentimiento descomunal de rapacidad. Hasta el mismo Fifo podría comprar si quisiera este país, pero no tiene dinero, aunque tal vez los bancos norteamericanos estén dispuestos a darle un crédito si paga buenos intereses. Tal vez ya anden en esos arreglos o en algo por el estilo. De todos modos la supuesta «inteligencia» norteamericana, que desde luego no existe, se autotitula «progresista», «izquierdista», etc., y para seguir siendo «liberales» (ésa es la palabreja) se oponen a todo lo que pretende llevar a cabo el Gobierno, que por otra parte no lleva a cabo nada.

Las playas aquí son frías y sucias y los hombres no existen. Los negros son aquí los más bellos del mundo, pero como todo lo bueno hay que conformarse con mirarlos de lejos. Por otra parte, no olvides que con la plaga hemos vuelto otra vez al medievo. Dime, ¿debemos seguir «adelante»? Dime, ¿qué significa esa palabra?... Las locas se han agrupado aquí en gremios de locas y se singan entre ellas. Algunas se hacen la ilusión de que han sido singadas por un hombre. Pero yo no me hago esa ilusión. Aquí soy una sombra, allá por lo menos era un hecho real, aunque doloroso. ¿A quién carajo le va a importar mi dolor cuando lo que interesa aquí es el espectáculo ligero y sin complicaciones? Y sin embargo, es éste, mi amigo, el único lugar del mundo donde se puede sobrevivir; lo digo de corazón, porque lo digo sin ningún tipo de ilusión.

De todos modos, algunos pájaros se han querido dar a la vida bohemia, como el caso de la Miguel Correderas. Con sus aventuras se podría escribir un libro. La pobre loca, siempre detrás de un hombre inexistente. En una playa se encontró con un *leather*, un pájaro sádico vestido de cuero negro, quien esposó a la loca, le empezó a dar latigazos y la obligó por horas a que le lamiera las botas. Luego de casi matarla a golpes la obligó a que se la singara. Todo eso en una playa pública. Después de templarse al pájaro americano, la Correderas tuvo que pagarle. En otra ocasión, desesperada, la Correderas corría por el Village (una zona donde los pájaros se visten de violeta y se pasan la vida haciendo ejercicios en unos gimnasios para que les crezcan las tetas), desde una ventana, dice la Correderas, que un hombre la llamó. Infelice. Era fin de año y la loca pensó que lo iba a despedir bien acompañada. El supuesto hombre metió a la loca en una jaula que tenía en la sala y allí la tuvo encerrada ocho días, mientras le ponía enemas de vodka en el culo y la injuriaba incesantemente... Con la Correderas, la Julieta Blanca y otras locas de atar he recorrido la zona pornográfica de la Calle 42. Allí se pueden ver unos tipos estupendos. Tienen su precio, o mejor sus precios. Por diez pesos se la mamas, por quince te la maman a ti, y por veinte hacen de pasivos. Todo eso te lo dicen con la frialdad de quien lee un contrato.

Muchos de entre nosotros han muerto de la plaga que no cesa. Nosotros somos los sobrevivientes de una sobrevida que hay que pagar al precio de nuestras vidas; vidas que además estamos siempre a punto de perder. Sólo un imposible azar nos puede deparar el privilegio de la permanencia, permanencia que a toda costa, y tú lo sabes bien, sería una traición a la vida, pues todo pájaro que viva más de cincuenta años debería morirse de vergüenza.

Sin embargo, aunque ya yo arribo a la sazón a «los cincuenta» (cómo nos reíamos hace años de esa expresión, remota entonces para nosotros) y, desde luego, me cogió la plaga, no me doy por vencido, sino que me di a la búsqueda de una mata de ceiba. Sí, eso es lo único que una curandera muy famosa en Queens, la Lola Prida, me dijo que podía salvarme. Tenía que llegar hasta una mata de ceiba, darle tres vueltas con un bilongo en el bolsillo, darle también tres suaves puñaladas, besar su tronco, tirar el bilongo y sin mirar hacia atrás echar a correr. No vayas a pensar que es fácil encontrar una mata de ceiba en Nueva York, ni que yo estuviera en el África Ecuatorial o en el Parque de la Fraternidad. Todo el invierno me lo pasé soñando con la mata de ceiba. Por fin me enteré de que en el zoológico del Bronx había una. Allá me fui, bajo la nieve, con la Salermo y la Julieta Blanca. Era un árbol enorme cubierto por una bóveda de vidrio y rodeado de hierros altísimos. Estaba, desde luego, en un invernadero, con su nombre en latín y todo como si fuese una cosa de otro mundo, y no me era fácil llegar a su tronco. Pero salté la cerca, le di las puñaladas al árbol, lo besé y tiré el bilongo. En ese momento apareció un guardia de seguridad (las otras locas echaron a correr), me obligó a recoger el bilongo y me levantó un acta y ahora tengo que ir a un juicio por haber violado un árbol o por obstrucción de tráfico o algo por el estilo. La Ñica me dijo que con ese expediente no seré nunca ciudadano norteamericano, pero tampoco he pensado serlo.

Consulté otra vez a la Prida y me dijo que si no podía tirar el bilongo en la ceiba que lo dejara detrás del altar de una iglesia. Me fui a la iglesia más regia de Nueva York, la de San Patricio. Allí contemplé una escena que te voy a contar para que si esta carta llega a tus manos la interpoles en tu novela.

Antes de entrar en la iglesia vi a un negro gigantesco y desnudo que caminaba bajo y sobre la nieve por la Quinta Avenida. Yo, ajeno a todo lo que no fuera mi bilongo, entré en la iglesia olvidándome del negro. Pero el negro entró también en la iglesia, donde se estaba celebrando una misa solemne con órgano y todo. La iglesia estaba repleta. El negro avanzó por el pasillo central, agarró un inmenso candelabro que estaba cerca del altar y de un solo golpe mató al obispo que oficiaba la misa, también agredió a otros religiosos que intentaron calmarlo y creo que también mató a un sacristán. En ese momento la policía llegó y lo mató a tiros.

Al otro día, en los periódicos, leí que el negro era cubano, que había venido por el Mariel en un bote en 1980 y que estaba loco.

Pero yo me di cuenta, inmediatamente que lo vi en la iglesia, de que aquel negro desnudo era Cristo, por eso en medio de la confusión le lancé mi bilongo sobre su cuerpo acribillado y salí corriendo... Ahora no sé qué será de mí, pero tampoco eso debe preocuparte demasiado. Imagínate el frío que pasaría ese negro desnudo antes de entrar en la iglesia. Por cierto, que ahora hace un calor insoportable. Parece que el término medio no existe en ningún sitio.

Los norteamericanos caminan muy rápido y si no circulas te tumban de un empujón. Parece que tuvieran asuntos muy importantes que resolver; realmente trabajan como bestias. Pero todo su apuro consiste en llegar a su casa, quitarse los zapatos y sentarse a ver la televisión, que es horrible.

Acuérdate, no vengas. O terminarás entrando en una iglesia y matando a un obispo. Y eso si tienes suerte.

Te besa día y noche,

Gabriel

P.D. Ayer fui a la biblioteca pública de la 42. *El espejo mágico* no lo tienen. Pero seguiré indagando.

Baños medicinales

El agua lo cura todo, dice la Ogresa. Y se lanza desde el puente del Patricio Lumumba al mar. El agua, al contacto de aquel cuerpo deforme y enfermo (cuyo verdadero nombre es Ramón Sernada), empieza a borbotar, humea y hasta lanza pequeñas llamaradas. Un fuerte olor a azufre emerge de aquella porción de mar donde se ha sumergido el pájaro. Los peces que se acercan mueren contaminados. Gracias a esa suerte de inmunidad (él, que tiene el sida) que impide que hasta Tiburón Sangriento la devore, la loca puede salir a mar abierto y flotar en la línea del horizonte. El agua lo cura todo, repite esperanzada la Ogresa, recordando las palabras de Clara Mortera. Agua, mucha agua, ésos fueron sin duda también los consejos o las prescripciones que le dieron las Tres Parcas a la Ogresa cuando ésta las consultó en su cuarto del solar colindante con el hueco de Clara en La Habana Vieja. Pero hasta las terribles Moiras se negaron a examinar de cerca el cuerpo enfermo. La Parca Mayor lo pinchó desde lejos con un tridente y la Parquilla recogió en un cucharón de un metro de largo los humores que exhaló aquel cuerpo. Las Tres Parcas, provistas de unos inmensos anteojos, sombreros plásticos, delantales de aluminio y guantes de nailon, examinaron aquellos humores, se miraron desconcertadas y aterrorizadas lanzaron el cucharón lleno de humor en el hueco de Clara (matando al instante a un miembro del Partido que cargaba con tres cálices) y luego, mirando a la Ogresa, decretaron: El agua lo cura todo, tírate al mar... Y desde entonces la Ogresa se daba baños de mar. Pero sus tumores, sus inmensas ñáñaras y pústulas seguían apoderándose de todo su cuerpo. La vida había sido demasiado cruel con ella, pensaba la Ogresa. En su juventud no había hecho más que lo que hace todo pájaro, perseguir a los hombres; pero la inmensa mayoría de las locas hacía lo mismo y todas parecían gozar de buena salud, o al menos no reventaban ante los ojos de los demás como reventaba la Ogresa. Sí, lo que el destino había cometido con ella era una injusticia. Hasta el apodo con que la habían bautizado las demás locas era un apodo injusto. Y en esto tenía razón: Ramón Sernada no era mala persona. El título de la Ogresa se le había adjudicado por su deformidad, y también —hay que confesarlo todo— por los malos humores que colmaban al pájaro y que afectaban también a su carácter. Pero ¿cómo no iba a tener mal carácter con tantas calamidades que le habían caído encima? Así, aquella loquita que era en un principio un pájaro pequeño y de pelo largo y lacio se fue convirtiendo en un ser abultado, amarillo, calvo y de ojos rojizos. Los demás eran ensartados diariamente por los delincuentes, ex presidiarios y chulos portadores todos del virus fatal y nada al parecer les pasaba, ¡ay!, pero la Ogresa con sólo tocar la punta de un falo por encima del pantalón se llenaba de erupciones. Las otras mamaban cualquier miembro que se les pusiera ante la boca, pero a la Ogresa, nada más de sacar la lengua a un metro de distancia de un miembro masculino, la cara se le ponía completamente negra. Las otras locas entraban en los urinarios y allí mismo eran ensartadas varias veces, ¡ay!, pero a la noble Ogresa, nada más que de pararse en la puerta de un urinario, le entraban unos cólicos terribles, se le inflamaban las piernas y su barriga crecía hasta volverse algo descomunal. Desde muy jovencita había adquirido casi todas las enfermedades contagiosas, desde la viruela negra hasta el sarampión, desde la tosferina hasta la hepatitis. Pero por encima de todas aquellas calamidades, adquiridas, según ella, por sólo haber mirado a algún pepillo del vecindario, Ramón Sernada había determinado que antes de seguir siendo nada era preferible la muerte. Y ella, por ser loca, sólo podía ser al ser ensartada. Maquillada por todos los pinceles de Clara Mortera, se lanzó a la calle, dispuesta a perecer pero antes vivir aunque fuera una noche de placer. Pero no tuvo la Ogresa ni siquiera una noche de placer. El primer hombre con el que se encontró, un marinero que se veía rozagante, en cuanto la ensartó le trasmitió al pájaro todas las enfermedades contagiosas que posee el mundo. Así, repentinamente, el marinero se vio poseyendo no a una loquita pintada por Clara Mortera sino a una bola de pus. El marinero, enfurecido, sacó su miembro del culo de Ramón Sernada y éste (el culo) lanzó una estampida sulfurosa. Desde entonces la vida de la loca había sido un calvario incesante, un correr de un curandero a otro curandero y todo clandestinamente, pues si Fifo se enteraba la metía en un campo de concentración. Pero después de visitar a las Tres Parcas y de oír los consejos de Clara Mortera, la loca flotaba sobre el mar con la esperanza remota de que las olas barriesen con todas sus enfermedades. El agua lo cura todo, dice en voz alta la Ogresa flotando boca arriba. Ni Clara Mortera ni las Tres Parcas pueden haberse equivocado, piensa. Todo el mundo las consultaba. Hasta la Marquesa de Macondo; hasta el mismo Santo Padre se comentaba que pensaba regresar a Cuba para consultar, a causa de unas hemorroides crónicas, a estas expertas doctoras... Me curaré, me curaré, dijo la loca llena de fe explayando su inmensa hinchazón sobre el mar. En esa sensación casi de éxtasis místico estaba cuando algo violento, emergiendo como un proyectil desde el fondo del mar, la traspasó haciéndola mil pedazos. El autor de esta hazaña era Tatica, quien lejos de la costa había emergido con las patas de rana de la Tétrica Mofeta. El Niño de Oro siguió huyendo y no paró hasta llegar a las playas de Santa Fe.

Junto a la costa, sentada en una piedra estaba la Glu-Glú, quien cansada de no encontrar nada en el Patricio Lumumba, se había trasladado a toda velocidad sobre las alas de Óscar hasta Santa Fe. La Glu-Glú vio emerger al Ángel Azul y tomando una pose que ella consideraba escultural le hizo una señal. El ángel, quitándose las patas de rana, se encaminó hacia la loca; en su rostro había aún una sonrisa de satisfacción al recordar que había despedazado a la Ogresa. Por cierto, que la explosión de la Ogresa, al desparramar sobre el mar todos sus humores, dispersó por el mundo entero la más terrible epidemia —el sida— que ha conocido la humanidad. Pero la única persona que no aparece en la lista de víctimas de este mal es precisamente Ramón Sernada. Evidentemente, ni después de muerta la pobre Ogresa llegó a ser algo.

Cabra, cobra, cobre, cubre, cobro...

Esta cabrona cabra que veis, cubrida, pobre y sin ubres, es una cobra que vive para el cobre. El cabrero la cubre y ella cobra y se abre
porque es cabrera y no le importa que el mundo se escalabre. Ella, aun
en quiebra, quiere salir triunfante con sus cobros sin perturbarla que
el cabrón siga adelante. Sus ínfulas la justifican diciendo que es In-
fante.

(Para la Jibaroinglesa, cuyo verdadero nombre es Hilarión Cabrisas)

Comienza la fiesta

El inmenso portón blindado del gran salón de las ceremonias se alzó y detrás de él apareció Fifo completamente vestido de verde: gigantescas botas verdes, chaquetón verde, babuchas verdes, corbata verde y gorro verde. Cerca de él, pero vestido de rojo, estaba su hermano Raúl, y, a cierta distancia, todos los ministros y la nueva escolta personal, formada por mil hombres rotundos dentro de su uniforme color follaje. A una señal de Fifo comenzaron a entrar en el salón los invitados a aquella fiesta con la que se celebraban sus supuestos cincuenta años de poder absoluto y que culminaría con un carnaval.

Por la gran puerta desfilaron saludando reverentes, entre otras miles de personalidades, los embajadores de todos los países comunistas, ex comunistas, capitalistas y neutrales, el nuncio apostólico, monseñor Sachi, quien le dijo a Fifo que era muy posible que el Santo Padre a última hora hiciese su llegada, la Marquesa de Macondo, quien no se conformó con estrechar la mano del dictador sino que también le estrechó los testículos, la Dama del Velo, la princesa Dinorah de Inglaterra, que venía completamente desnuda con su gran cortejo y seguida por una nube de fotógrafos a quienes se les negó la entrada; los reyes de Castilla, los reyes de Suiza, el verdugo de Camboya, el primer ministro de la India con la momia de su madre por él mismo asesinada, el emperador de Bélgica, la Madre Teresa, el jefe del cártel de Medellín, el sátrapa de Verania, los más importantes miembros del exilio cubano, quienes eran, al parecer, agentes de Fifo, los presidentes de todas las repúblicas y dictaduras latinoamericanas con sus respectivas esposas y sus respectivos maridos que fungían como primeros ministros, la Papayi Taloka, famoso travestido japonés quien por ochenta años le hizo la paja al emperador Hiro-Hito, el primer ministro de Ceilán, el gran terrorista de la Mongolia Exterior seguido por 1326 jefes terroristas de diversas organizaciones, Raysa Gorbachov del brazo de la primera dama norteamericana, quien le dijo a Fifo que el presidente de los Estados Unidos se disculpaba ya que no podía venir pues se encontraba haciendo el amor con su conejo. Fifo hizo un gesto de comprensión y, burlando las leyes del protocolo por él mismo impuestas, abrazó a la primera dama norteamericana y a la señora Gorbachov. Pero el desfile de invitados continuaba: reyes africanos, dictadores árabes, ex presidentes exiliados, príncipes noruegos, millonarios dueños de islas completas y a veces de todo un país, Deng Xiroping en una camilla, un cineasta esquimal, el gran bugarrón de Turquía, la última Miss Universo, un eunuco de Madagascar, el líder obrero de África del Sur, quinientas monjas de clausura, el portero de la prisión de Sing Sing, todos los miembros de la Academia Sueca, que pensaban otorgarle a Fifo el Premio Nobel de la Paz, seis vacas argentinas, un cebú canadiense, unos cinco mil monos en sus respectivas jaulas, el presidente de la OEA, Fray Bettino, el administrador del necrocomio de Londres, el inventor del sida, la presidenta de la Confederación Mundial de Mujeres, setecientos afamados escritores, un experto en armas bacteriológicas, el campeón mundial de clavado, Yasser Arafat con veinticinco rotundos panameños, el jefe del Partido Comunista de Francia, la emperatriz de Yugoslavia, el director del zoológico del Bronx, la Venus Eléctrica, el jefe de Amnistía Internacional, las momias de Ceucesco y su esposa Elena empujadas por Vanessa Redgrave, la reina de Vietnam del brazo del inventor de la bomba H, actores, senadores, tres mil putas diplomadas, bailarines, los directores de los periódicos más importantes del mundo, un centenar de indios totomoios y miles de hombres y mujeres de imponentes aposturas físicas que exhibían los más insólitos atuendos o que venían absolutamente desnudos... Después desfilaron los invitados nacionales, entre otros, Halisia Jalonzo del brazo de Coco Salas, Alfredo Güevaavara del brazo de la Pereyrra, el verdugo de La Cabaña, la Manetta, la Paula Amanda (alias Luisa Fernanda), la Mayoya, la Tétrica Mofeta, H. Puntilla, Nicolás Guillotina, la Reina de las Arañas con su flamante troupé de adolescentes únicos entre los cuales descollaba la Llave del Golfo, que jugaría un papel fundamental en las fiestas, Silbo Rodríguez, Dulce María Leynaz, la Inmunda Desnoes, la Barniz, la Maléfica, la Supersatánica, la Antichelo, la Superchelo y miles de locas más precedidas por imponentes bugarrones nacionales y otras destacadas personalidades del mundo político, agrícola, marino y literario de la isla.

Ante la heterogeneidad de los invitados hay que tener en cuenta —y esto podría ser una respuesta al capítulo «Algunas interrogaciones inquietantes» que escribiré más adelante— que Fifo había invitado no sólo a sus aliados, sino a personas sospechosas y hasta *non gratas* y enemigas, a quienes quería restregarles en la cara su triunfo mundial. Enfundado en su uniforme verde y protegido por sus escoltas regios, Fifo, triunfal, dio la orden de que comenzara la fiesta. Entonces, la orquesta de las Fuerzas Armadas tocó el himno de Fifo, que todos escucharon de pie con una mano en alto y la otra en el corazón, tal como habían orientado los dirigentes enanos. Luego de esta solemne ceremonia, la orquesta tocó música de todos los países del mundo para quedar bien con todos los invitados, quienes además de una fabulosa cena y de exquisitos licores que ni los mismos reyes podían ya saborear, disfrutarían, según rezaba la tarjeta de invitación, de insólitos y edificantes espectáculos. Así, entre los numerosos eventos se citaba un superensartamiento, una canonización y dos descanonizaciones, una crucipinguificación, un autodegollamiento, quinientas estrangulaciones que realizarían quinientos enanos expertos, veintisiete resurrecciones de personalidades famosas, un *striptease* que realizaría el jefe de la horca de Teherán, un duelo a la ruleta rusa entre el gobernador de Boston y Tomasito la Goyesca, *Giselle* bailado por Halisia Jalonzo, una Gran Conferencia Onírico-teológico-político-filosófico-satírica, en la que se disertaría sobre Dios, el diablo, la locura, los sueños, el paraíso, el infierno, el arte florentino, la máquina de vapor, las categorías de las locas y de los bugarrones, entre otros tópicos fascinantes. En esta conferencia participarían, entre otros muchos, Delfín Proust, el obispo de Canterburry, Lezama Lima, la Maléfica, André Breton, Salman Rishidie, la Tétrica Mofeta, la reina de Holanda, la Antichelo, la Supersatánica y varios Premios Nobel. El programa debía continuar con la segunda retractación de H. Puntilla, la presentación oficial de Tiburón Sangriento, una excursión al Jardín de las Computadoras y un paseo por La Habana Vieja en compañía de Alejo Sholejov... El programa era fascinante. En medio del estampido de la orquesta se veía a Fifo, cada vez más inflamado y verde, cuidando personalmente del buen desarrollo de todos los actos que tendrían lugar durante la grandiosa fiesta. Sólo la Marquesa de Macondo se atrevía a interrumpirlo; sin poder contenerse caía de rodillas ante el gran mandatario y le besaba fugazmente los testículos. Muchos, incluyendo a Arturo Lumski, temieron que aquel desacato le costara la vida a la Marquesa, pero Fifo, sonriente, la apartaba de un manotazo y proseguía con sus labores de superanfitrión.

La loca de los candados

Cuando la Glu-Glú vio emerger del mar al Ángel de Marianao, se dijo: Ese pez es para mí. Y dueña de sí misma le hizo una señal para que el pez de oro se le acercase. La Glu-Glú sabía que un delincuente, luego de realizar varios atracos, necesitaba mostrar su lado noble, sabía además (pues ella lo sabía casi todo) que si ese delincuente había atracado a varias locas, e incluso le había quitado la vida a la pobre Ogresa, necesitaba ahora de una loca con la cual expiar su resentimiento. Y esa loca era ella, la Glu-Glú. Por eso, sin mayores trámites, le dijo a Tatica que tenía un cuarto en Miramar y que lo invitaba a pasar un rato con ella y hasta a oír unos discos de los Beatles.

Tatica aceptó e inmediatamente su trusa se levantó dando señales muy promisorias. Es necesario aclarar que la Glu-Glú era una loca experta en levantar delincuentes y llevárselos a su cuarto. Y como sabía que todo pájaro estaba siempre expuesto a ser robado aun por su más fiel amante, la Glu-Glú se las había arreglado para que todas sus propiedades estuviesen atadas a tres, cuatro y hasta diez candados. Así, el refrigerador (un regalo de Fernández Mell) estaba empotrado en la pared tras una doble reja asegurada con tres candados marca Yale (regalo de Ramiro Valdés), el televisor (regalo de Joaquín Ordoqui en sus buenos tiempos) también estaba atado a un candado e incrustado en la pared tras un cristal a prueba de mandarriazos (regalo de Papito Serguera); las lámparas tífani (regalo de Raúl Roa) estaban encerradas en jaulas metálicas y cada jaula estaba protegida por siete candados. Hasta la taza del inodoro estaba cubierta por una jaula metálica y protegida por gruesos candados de seguridad, lo mismo que el tocadiscos. En cuanto a la cama y el sillón (frente a la cama astutamente colocado), estaban amarrados a una gruesa cadena que a la vez pendía acandada a una gruesa barra de hierro incrustada en la pared a la que la unían una infinidad de candados inflexibles. Todo eso parecía comunicarle cierta seguridad a la Glu-Glú. Pero después de conocer los atracos de que fueron víctimas Tomasito la Goyesca, la Coco Salas y miles de locas más, la Glu-Glú centuplicó los candados en todo el cuarto, puso una docena de candados en la puerta que daba a la escalera, otra docena en la puerta de los bajos de la escalera, más de dos docenas en la puerta del pasillo que a través de un jardín comunicaba con la puerta de la calle, la cual tenía unos cien candados, y todo ese pasillo, entre el jardín y la calle, lo fue llenando de rejas y a cada reja le puso por lo menos veinte candados... Ahora, con un llavero que pesaba más de dos arrobas y que la Glu-Glú cargaba día y noche en su mochila, la loca corría con Tatica a su lado rumbo a la segura guarida. Pero no era fácil trasladarse desde Santa Fe hasta su cuarto en la Puntilla. Nada de eso, mi amiga. Loca y Niño de Oro tomaron una ruta 91 que se ponchó: la loca, dándoselas entonces de regia, consiguió un taxi cuyo motor explotó quizá por el calor del verano tropical o por la calentura que cogía la loca al mirar la descomunal prominencia que seguía creciendo en la trusa de Tatica. Pidieron botella a un camión que venía lleno de trabajadoras voluntarias, pero al montarse la loca con aquel gigantesco mazo de llaves, el camión perdió el equilibrio, se desbambaleó y finalmente chocó contra un poste de teléfono, matando a seis trabajadoras eméritas. La loca y el pepillo echaron a caminar pero la loca sentía que sus fuerzas le flaqueaban, no podía caminar tantos kilómetros con aquella cantidad de llaves en la mochila. El Niño de Oro le propuso entonces a la loca seguir a nado por el mar. Él la remolcaría con las regias patas de rana que le había robado a la Tétrica. Así, la loca se puso en las espaldas la mochila con las mil llaves. Sí, mil eran las llaves que cargaba el pájaro.

—Mil no, querida, mil siete, que yo las conté una por una...

Bien, chica, mil siete... Bueno, se puso en las espaldas la mochila con las mil siete llaves y remolcada por el Niño de Oro, que navegaba a una velocidad fantástica, llegaron a la playa de la Puntilla. Qué viaje, querida, cabalgando el dulce y dorado sueño que luego le iba a ensartar. Debo confesar que hasta Tiburón Sangriento, que de lejos observaba aquellas maniobras, sintió cierta envidia, no sabemos si por el Niño de Oro o por la Glu-Glú, que aún tenía cierta juventud.

La loca y el Ángel de Marianao llegaron a su destino. Tatica exhibía una prominencia a la cual el acto de ponerle coto era inaplazable. Sí, como había escrito la Antón Arrufada hacía más de sesenta años, «todo parecía simular la esperanza». Aquel pepillo con aquella erección no pedía más que ser atendido, no parecía tener otro deseo que el de llegar a la cama y poseer a la Glu-Glú. Ay, pero aunque estaban frente al cuarto no era fácil entrar en él. La loca sacó el gigantesco llavero y comenzó a abrir y a cerrar candados. Así iban avanzando lentamente. La loca cada vez más desesperada, Tatica cada vez más erotizado. La loca, al mirar aquella divina proporción erguida, se equivocaba, no daba con la llave exacta, a veces se demoraba hasta media hora en abrir un candado. Por último, cuando hubo abierto y cerrado aquellos mil (perdón, mil siete) candados, habían pasado unos quince años. La Glu-Glú no era ya una loca joven sino una loca vieja, pelleja, calva y huesuda. Tatica, que realmente lo que quería era poseer (y no robar) a la Glu-Glú juvenil, al ver a aquel viejo frente a él que se volvía y lo invitaba a entrar en el cuerpo, reculó espantado saltando por encima de todas las rejas. La loca, al verse en el espejo empotrado de su cuarto, decidió quitarse la vida. Se suicidaría tragándose todas las llaves de su gigantesco llavero. Mientras se iba tragando las llaves pronunciaba una oración desesperada a santa Marica con el fin de que al llegar al infierno le consiguiera el sitio menos caliente. Pero santa Marica, que no quería ver a esa loca ni en pintura, y mucho menos en el otro mundo, donde ella habitaba regiamente, decidió hacer un milagro. A un movimiento de sus brazos-garfios, hizo que el tiempo retrocediera y súbitamente la loca, al volverse a contemplar en el espejo empotrado mientras se tragaba la llave número 328, se vio otra vez joven, por lo que corrió en busca de Tatica, que acababa de marcharse aún más erotizado. Pero, Dios mío, ¿cómo salir de aquella jaula si gran parte de las llaves estaban en su estómago? La loca, con las llaves en la barriga, saltó también todas las rejas. Pero ya el Niño de Oro de Marianao había sido levantado por un mayimbe que vivía en la casa de enfrente y que resultó ser nada menos que Leopoldo Ávila, el cazalocas número uno de toda la isla. Cuando la loca desesperada llegó a la calle, el teniente Ávila, tomando al Niño de Oro por su miembro cada vez más prominente, lo introducía en su regia mansión mayimbal. La Glu-Glú soltó un grito de furia y escupió todas las llaves que aún tenía en el estómago, desparramándolas sobre la calle.

Mientras una lluvia de llaves caía sobre el asfalto, se escuchaban ya en la mansión mayimbal los alaridos de goce del teniente y los resoplidos de satisfacción de Tatica.

Comprometiéndose a conseguirle una cocuyera con su cornucopia, cuatro cortacutículas, un cao y un querequeté de Cacocún, conjuntamente con quinientas camisas caqui reculó descocado Coco cubriendo de caca la cavia del caco.

(Para Coco Salas)

Nuevos pensamientos de Pascal
o Pensamientos desde el infierno

Si quieres que tu hijo no sea un desdichado, mátalo al nacer.

Si no quieres cargar con las desdichas de tu hijo, mátate. Tú eres el culpable.

Evita por todos los medios morirte con el cargo de conciencia de no haber matado nunca a un hombre: no entrarás en el reino de los cielos ni en ninguno.

El sufrimiento envilece a los hombres, el placer los corrompe. La miseria los convierte en delincuentes; el dinero, en asesinos.

Un hombre puede perdonarle a otro casi todo, menos su grandeza.

El gran honor a que debe aspirar un héroe es a que su pueblo lo deteste. Finalmente lo logra.

El cobarde no admite que lo defiendan, el miserable no lo perdona.

La sociedad no condena a un hombre por sus defectos, sino por sus virtudes.

Los hombres no se deben comprar, sino alquilar.

Nunca pidas que te amen, pide que te complazcan. Eso es lo más difícil y lo único que vale la pena.

Amar a los hombres es mucho más fácil que complacerlos, de ahí que cada día haya más profetas y menos chulos.

Los amigos son más peligrosos que los enemigos pues los tenemos más cerca.

Cuando veas las barbas de tu vecino arder, échale más fuego.

No hay mal que por mal no venga.

Recuerda siempre que tu mejor amigo puede ser el mejor delator.

Los únicos grandes encuentros públicos se producen (o se producían) en los urinarios públicos.

Nunca han existido ángeles de la guarda, sino ángeles de la guardia.

Los ojos no son el espejo del alma, sino del hígado.

El alma muere primero que el cuerpo.

Y dijo: «Voy a ser bueno» y sintió mucho miedo.

Una persona que ame demasiado la vida no puede vivir mucho tiempo.

Habla bien de tu enemigo para que puedas hacerle todo el daño posible.

Haz mal y no mires a quién porque de todos modos estás haciendo un bien.

¿Por qué afanarse en probar la existencia de Dios si él nunca lo ha hecho?

A un enemigo no se le combate con sus mismas armas, sino con otras peores.

Un hombre machista tiene un concepto tan elevado de la masculinidad que su mayor placer sería que otro hombre le diera por el culo. De esas inhibiciones surgen las leyes represivas, el comunismo, la moral cristiana y las costumbres burguesas.

Los verdaderos intelectuales son demasiado inteligentes para creer, demasiado inteligentes para dudar y lo suficientemente sabios para negar. Por eso la gran inteligencia no va al poder sino a la cárcel.

A estas alturas ser de derecha o ser de izquierda no es más que una estrategia.

La única manera de ser libre es estar solo, pero eso no basta, hay que ser solo.

Sólo las grandes catástrofes nos hacen sentir acompañados. La hermandad de los hombres descansa en el desastre.

Todos los días aprendemos algo nuevo, pero nunca lo ponemos en práctica.

El hombre sólo vive para alimentar su vanidad, por eso es tan fácil de utilizar, sobre todo por los poderosos y los astutos.

El hombre moderno no es ni siquiera fiel a una sola infamia; necesita colaborar con varias para traicionarlas a todas.

Lo primero que debe vigilar un dictador es a su verdugo.

Un concierto es un pretexto para que las viejas tuberculosas se reúnan a toser.

Nada irrita tanto como la libertad: los que la tienen no la soportan y los que no la tienen se matan por ella.

Un buen dictador exalta la libertad mientras la destruye, pero los demócratas la destruyen sin exaltarla.

Sólo los esclavos conocen el valor de la libertad, por eso cuando la tienen imponen el cepo.

Sólo existe una fuerza, la de la desesperación.

Atención, cuando vayáis a insultar a cualquier hombre debéis comenzar siempre de esta forma: «Es el ser más envilecido de la Tierra después de Gabriel García Markoff».

Cervantes era el único español que no caminaba a cuatro patas; se afirma que era manco.

Nada es perdurable, ni siquiera la fatalidad, por eso no podemos encariñarnos con ninguna costumbre familiar.

La esencia del hombre es siniestra. Desde luego hay excepciones: los hombres buenos son imprescindibles para que el mal pueda manifestarse en toda su plenitud. Ser siniestro contra lo siniestro estaría, hasta cierto punto, justificado. El bien es pues un instrumento imprescindible para que el mal logre su plenitud.

Dios es la prueba más irrebatible de la existencia y poder del diablo.

Dios por lo tanto vino al mundo para ayudar al diablo.

La luz vino para cegarnos o para hacernos ver que somos ciegos.

El bien es un instrumento del mal para que éste pueda destacarse. *Ergo*, Dios es la creación más perfecta del diablo.

Todos los grandes criminales son —y deben ser— devotos fanáticos.

Lo único que nunca nos abandona es la insatisfacción.

Toda persona es malvada, pero algunas no lo quieren admitir. Eso se debe a que existen dos tipos de malvados, el consciente y el inconsciente.

El infierno no son los demás (como dijo una rana resentida) sino nosotros mismos.

Por cada minuto de placer verdadero nos aguardan por lo menos veinte años de espanto. De modo que una persona que dure ochenta años ha vivido cuatro minutos.

Obviamente no somos de este planeta, por eso después de muertos queremos ir al cielo. Precisamente para impedir ese intento, una vez fallecidos somos enterrados o quemados. Todo cementerio es una prisión póstuma.

La eternidad sólo pertenece al que desprecia la vida.

Lo único que reivindica al hombre es el suicidio, de ahí que toda gran obra sea una aspiración suicida.

El sexo es una fuente de amargura: la vida y la muerte son dos virus que se transmiten por contacto sexual.

El superensartaje

Olga Figuerova había viajado a Cuba con el propósito de que todos los maricones se la templaran. Aunque era una mujer bellísima no le gustaban los hombres, tampoco las mujeres, sino los maricones bien afeminados. Y al enterarse de que Cuba está llena de ellos a tal punto que son expulsados por millones y al instante se vuelven a reproducir, la Figuerova empacó; amparada en su apellido de origen ruso consiguió un permiso de entrada otorgado por el mismo Fifo, y a las pocas semanas llegaba a Cuba, y comprobando que, en efecto, la isla era una pajarera gigantesca, se dijo: *He llegado finalmente al paraíso.* Y se encaminó hacia su meta. Lo primero que hizo fue casarse con un pájaro. El pájaro aceptó a cambio de un cortacutículas que le había prometido a Coco Salas con el fin de que éste le consiguiese una entrada para el ballet. Olga le pidió al esposo-pájaro que le llenase la casa de pájaros, prometiéndole que ella repartiría cortaúñas, cortacutículas por miles, pinturas de labios, polvos, calzoncillos transparentes y hasta radios portátiles. Así, el pájaro empezó a buscar pájaros para que se templaran a su esposa, labor que realizó con gran eficacia, pues él no podía cumplimentar el fuego erótico de su consorte —imaginad el sacrificio de la pobre loca: tener que templarse a una mujer día y noche—. En esos lances andaba, buscando pájaros a diestro y siniestro, cuando dio con la Tétrica Mofeta.

No podemos explicarnos cuáles fueron las razones para que Olga Figuerova se prendase de la Tétrica Mofeta. El caso es que así fue, y a tal extremo que botó al esposo pájaro de su casa y se trajo a vivir a ella a la Tétrica Mofeta. Ésta, luego de más de un mes de incesantes acosos, accedió a poseer a Olga a cambio de unas patas de rana. La Figuerova voló a Francia y regresó con las patas de rana más regias del mercado mundial. Ahora me tienes que poseer, le dijo en español perfecto a la Tétrica Mofeta, desde que te conocí no he hecho el amor con nadie, espero sólo por ti... Esta noche será, prometió la Tétrica.

La Tétrica Mofeta sabía que para ella era muy difícil erotizarse con una mujer (los que duden que lean *Otra vez el mar*), por eso, esa noche contrató a un negro gigantesco que trabajaba como estibador en el muelle y que era marido a la sazón de Daniel Sakuntala. La Tétrica metió al negro en un escaparate y cuando intentaba con las luces apagadas poseer a Olga, salió el negro del escaparate y comenzó a poseer a la Tétrica, quien inmediatamente se erotizó y penetró a Olga. Entonces el negro, aún más excitado al ver ante él y el pájaro a una mujer de verdad que suspiraba estentóreamente, se erotizó todavía más. Su miembro adquirió proporciones temibles a tal punto que casi traspasó por completo a la Tétrica Mofeta y eyaculó dentro de los testículos del pájaro, quien al sentir aquel goce supremo eyaculó dentro de Olga, la cual quedó preñada al mismo tiempo por la Tétrica Mofeta y por el negro. Este fenómeno, practicado en la isla por casi todos los matrimonios respetables, es lo que se conoce con el nombre de superensartaje. A veces una sola mujer recibe la obra de cinco y hasta de quince hombres, quienes, con excepción del último, son también poseídos por otros hombres de falos cada vez más largos. El superensartaje ha dado lugar a una mezcla de razas insólitas en una sola criatura. El caso de Olga Figuerova, que tuvo un hijo con una parte negra y otra blanca, es un caso de superensartaje simple. Pero ¿qué me dicen ustedes del caso de Clara Mortera, que tuvo un hijo con un ojo azul y otro verde, con una oreja perteneciente a la raza malaya y la otra a la de los indios ranqueles, con un pelo lacio, crespo y rizado a la vez y con mechones blancos, rubios y retintos?; la piel de esta criatura (Nasser se llama) es trigueña, blanca, cobriza, transparente, roja, amarilla, tersa, fina, gruesa y velluda a la vez. Sin duda, aquel niño fue el producto de uno de los ensartajes más descomunales practicados en la historia erótica de nuestro país. Clara Mortera fue poseída entre otros por su esposo, quien era poseído por un chino, quien era poseído por un indio, quien era poseído por un malayo, quien era poseído por un alemán, quien era poseído por un sueco, quien era poseído por un español, quien era poseído por un esquimal, quien era poseído por un árabe, quien era poseído por un mulato, quien era poseído por un negro, quien era poseído por un irlandés monumental. Clara recibió al mismo tiempo, a través del conducto de su esposo, toda aquella variedad de espermas genitales y concibió uno de los ejemplares más curiosos con que cuenta nuestra historia genética.

Ese mismo tipo de superensartaje, o algo superior, era lo que quería practicar y exhibir Fifo aquella noche ante sus regios invitados. No solamente le fascinaban las mezclas de razas por sus inquietudes genéticas, sino porque además quería mostrar al mundo y por lo tanto a todos los invitados allí presentes que su isla era la cuna del superensartaje y por lo tanto la patria indiscutible del hombre nuevo, ese que necesita de la participación colectiva para nacer. Un verdadero hijo de la humanidad. Con ese fin patriótico ya había compuesto una canción titulada «La era está pariendo un corazón».

En cuanto a Olga Figuerova, al verse con un hijo mitad blanco y mitad negro, sin conocer las causas de ese fenómeno —«fenómeno» que fue aprovechado por la Tétrica para repudiarla— lo entregó a la tutela de un fiscal y desesperada se clausuró el bollo y se convirtió en un regio yudoca que se dedica a enamorar locas y cuando ya las tiene en el cuarto las obliga a que la templen o de lo contrario las estrangula. La otra versión —¡y no me interrumpas!—, la de que Olga se refugió en una cueva de los Pirineos, es absolutamente falsa.

La Gran Parca, la Parca, la Parquita y la Parquilla

La Parca, la Parquita y la Parquilla se disponían a dar su paseo vespertino. En la tarde tenían como tarea tejer el destino de la Tétrica Mofeta, por lo que llevaban una enorme cantidad de hilo de diferentes colores e iban provistas de unas gigantescas agujetas. Hiram, la Reina de las Arañas, las conducía por entre la muchedumbre para evitar que las Parcas, ensimismadas en su tejido, chocaran con algún transeúnte o se rompieran sus venerables cabezas contra algún muro. Por otra parte, alguien tenía siempre que escoltar a las Parcas en esos paseos vespertinos, pues, de lo contrario, turbas de amas de casa, deseosas de apoderarse de aquellas madejas de hilo para tejerles pulóveres a sus diferentes maridos, atacaban a las Parcas y las desvalijaban. Ya sabes, querida, que en nuestra prodigiosa isla hasta el hilo está racionado y que solamente las Parcas, por ser quienes eran, podían hacer uso de aquellas flamantes madejas, previo carné especial que el mismo Fifo les había otorgado y con el cual se presentaban mensualmente en el departamento central del MINCIN o Ministerio de Comercio Interior.

Las Parcas, siempre conducidas por Delfín Proust o Hiram o la Reina de las Arañas, pues además de todas las calamidades exteriores estaban medio ciegas, tejían y destejían incesantemente, sin ponerse de acuerdo sobre el destino de la Tétrica Mofeta. Cloto quería para la Tétrica todas las calamidades, Láquesis decía que la Tétrica Mofeta debía sufrir mucho pero que por lo menos debían darle la oportunidad de que, antes de fulminarla, terminase la novela, y Átropo, aún más piadosa, quería extender el plazo de vida de la Tétrica hasta la publicación de su obra con un largo prólogo explicativo escrito por la Vieja Duquesa de Valero. Y aquí las cosas se complicaban aún más porque entonces no solamente había que alargar la vida de la Tétrica Mofeta, sino también la de la Vieja Duquesa de Valero ya centenaria... Las Parcas, siempre tejiendo y destejiendo, se enredaban en una discusión que parecía infinita. También el nombre que se le adjudicaría definitivamente a la Tétrica era problemático. Cloto era partidaria de que la bautizaran para siempre como la Tétrica Mofeta, «y basta», añadía haciendo unos nerviosos pespuntes; Láquesis decía que el nombre que había que ponerle a la Tétrica era el de Reinaldo, con el cual firmaba sus escritos. Pero Átropo, esgrimiendo una agujeta, argüía que el verdadero nombre de la Tétrica Mofeta era el que le puso su madre: Gabriel, y con ese nombre debía morirse.

Mientras la discusión se hacía cada vez más acalorada, la Reina de las Arañas explayaba sus brazos en todas las direcciones, daba pequeños saltos, hacía giros de ciento ochenta grados, reculaba y observaba sonriente a las tres viejas Parcas y volvía a tomarles la delantera, siempre explayando los brazos, manía de la cual no podía liberarse ni un instante y que a las Parcas les servía para que les abriese el camino. Así, con la vía libre, las tenebrosas Moiras seguían tejiendo y destejiendo el destino de la Tétrica Mofeta.

—Todas las calamidades —gritaba Cloto—, eso es lo que se merece.

—Yo creo que con un setenta por ciento está bien —interrumpía Láquesis y mostraba lo que acababa de tejer.

—No hay que ser tan extremista con la pobre loca —opinaba Átropo mostrando su tejido y destejiendo la obra de Cloto, que a su vez tiraba de la madeja de Átropo y destruía todo su trabajo.

Y cuando Láquesis quería intervenir en la trifulca, las otras dos Parcas tiraban de su bolsa de hilo y también deshacían toda su labor.

Así iban discutiendo mientras tejían y destejían incesantemente sin ponerse de acuerdo. Al llegar a la esquina de Prado y San Rafael, Hiram abrió sus puertas con tal fuerza que una de sus manos golpeó la portañuela de un negro gigantesco que estaba parado en la esquina, esperando el cambio de luz. El descomunal negro, nada menos que el director provincial del Partido de Matanzas, miró enfurecido a aquellas cuatro locas y, aún más enfurecido por el atrevimiento cometido con su sacra persona en la parte precisamente más sacra de su cuerpo, les fue arriba hecho una furia negra. Delfín Proust, al ver avanzar aquella mole gigantesca, atinó a apartarse, pero las Tres Parcas, que seguían tejiendo ajenas a todo lo que no fuese el destino de la Tétrica Mofeta, recibieron una paliza tan descomunal que cayeron sobre el asfalto completamente averiadas y envueltas en sus madejas empapadas de sangre. El negro, satisfecho con aquella lección moral que todos los transeúntes, incluso el mismo Delfín, aplaudieron, siguió su camino. Entonces Hiram, la Reina de las Arañas, se acercó a las Parcas y con mil trabajos logró incorporarlas y ponerlas en marcha. Las Tres Parcas, enfurecidas por aquellos golpes, se habían puesto de acuerdo sobre el destino de la Tétrica Mofeta: sería, definitivamente, el más horrendo. De inmediato comenzaron a tejerlo. Delfín, o la Reina de las Arañas, satisfecho con aquella decisión que se había tomado gracias a él, siguió explayando sus brazos durante todo el paseo mientras se repetía jubiloso: *Ellas serán las Parcas, pero yo soy la Gran Parca.*

Una invitada en apuros

Luego de haber quemado a la Mayoya, el enorme grupo de los despechados permaneció a la orilla del mar, no lejos de la entrada del palacio de Fifo. De vez en cuando varios de aquellos despreciados se lanzaban rectos al mar, roían un poco la plataforma insular y volvían a emerger bronceados por las brisas marinas y los rayos del sol tropical-artificial.

Formando un gran promontorio junto al mar estaban todos (un rey, varios obispos, antiguas Miss Universo, paisajistas de fama internacional, actores galardonados, jefes de movimientos pacifistas, generales, personalidades conocidísimas y variadas y miles de putas también diplomadas y locas de argolla entre las que se destacaba la Oliente Churre) cuando vieron avanzar por la costa a Karilda Olivar Lúbrico, perseguida de cerca por su esposo, que la amenazaba con cortarle la cabeza con un sable; detrás, pero casi tocándole los talones a Karilda, corría también la Vieja Duquesa de Valero con unos inmensos gemelos que colgaban de su arrugado y desnudo cuello. Como si eso fuera poco, a las fugitivas las acompañaba un ejército de gatas que maullaban en forma realmente alarmante.

Ante aquel insólito espectáculo, que ya pasaba junto a ellos dejando una estela de espumas y pulverizando piedras, arenales y erizos, todos los despechados se incorporaron sobre las rocas.

—¿Cuál es la causa de este nuevo aspaviento, Señor? —le preguntó el obispo Oh Condon, levantando sus manos y su rosario al cielo.

Pues la causa, señora avispa, digo obispo, es la siguiente y al instante te la desenmaraño.

Desde hacía muchos años, Karilda Olivar Lúbrico, seguida por sus gatas y por la Vieja Duquesa de Valero, se dedicaba a recorrer todos los parques de la provincia de Matanzas, sacudiendo sus matas de coco en espera de que cayera un negro para que se la templara a ella y a toda su comitiva, incluyendo, desde luego, a las gatas. Cuando algún negro, aterrado ante aquella visión, se aferraba tercamente a las pencas que se bamboleaban, las dulces gatas de Karilda se trepaban a la mata de coco y entre arañazos, maullidos y dentelladas hacían descender a aquel pobre hombre, que era prácticamente devorado por sus perseguidoras.

Desde luego que esta huida de todos los negros matanceros hacia las matas de coco se produjo como consecuencia de las insinuaciones y exigencias cada día más apremiantes de las que eran víctima por parte de Karilda y de la Vieja Duquesa. Pero ni en los más altos penachos de aquellas plantas podían encontrar un lugar seguro; por mucho que se escondiesen, la Vieja Duquesa de Valero los detectaba con sus gemelos y a los negros no les quedaba más remedio que caer despatarrados del árbol y ensartar a aquellos seres que no les perdían pie ni salto.

Claro que este escándalo se hizo notorio. Por todo Matanzas no se veían más que matas de coco (sacudidas por Karilda y la Vieja Duquesa) despidiendo cocos y negros, que al momento tenían que volverse lúbricos. La noticia llegó finalmente al joven esposo de Karilda, hombre que, por estar completamente loco, amaba con locura a la poetisa senil y uterina y practicaba además la esgrima y el canto operático, portando siempre un inmenso sable del siglo XVII a un costado de su extraña indumentaria. El gran esgrimista y cantante corrió con su sable hacia el Parque Central de Matanzas. Allí vio a su esposa y a la Vieja Duquesa sacudiendo una mata de coco en espera de que cayera un negro celestial. El ofendido esposo, lanzando un alarido de guerra más típico de un samurai que de un barítono, se abalanzó sable en alto hacia el cocal. Todos los negros volvieron a refugiarse en las matas de coco. Pero a Karilda y a la Vieja Duquesa de Valero no les quedó más remedio que darse a la estampida acompañadas por las fieles gatas. Así, perseguidas por aquel hombre enfurecido y sanguinario, Karilda, la Vieja Duquesa y las gatas atravesaron todo Matanzas, cruzaron el litoral habanero y pasaron ante la comitiva de los despechados. Antes de llegar a la gran puerta fifal, Karilda comenzó a dar unos gritos tan descomunales que atravesando los inmensos salones del palacio llegaron a los oídos de Fifo. Karilda era además una de las invitadas oficiales.

—¡Abran la puerta y ciérrenla al momento! —fueron las órdenes de Fifo.

Se abrió la gran puerta y Karilda, como una centella, traspuso el umbral acompañada por la Vieja Duquesa y por todas las gatas. Junto con ellas volvieron a la recepción, luego de haber participado en la quema de la Mayoya, la Tétrica Mofeta, Mahoma, Hiram y la Supersatánica. Pero cuando el gran esgrimista y karateca (sí, también era karateca) se dispuso a trasponer el umbral, la puerta cayó como una guillotina frente a su nariz. El desesperado y celoso amante le cantó sus penas al grupo de los despechados y se incorporó al mismo, esperando que la gran puerta se abriera nuevamente para dar inicio oficial al gran carnaval.

—Entonces la mataré —dijo.

Y el obispo Oh Condon elevó otra vez las manos al cielo.

Muerte de Lezama

Reinaldo estaba en el balcón del apartamento de Aristóteles Pumariega, quien por todos los medios quería convencer a su esposa para que se hiciese lesbiana, pues el señor Pumariega sólo eyaculaba cuando veía a dos mujeres haciendo el amor. La esposa de Aristóteles, que tenía unos diecisiete años (Aristóteles era sesentón), se negaba rotundamente a practicar ese tipo de relación sexual. La discusión se prolongaba por horas. Gabriel, aburrido, miraba desde el balcón el tráfico detenido de la Rampa habanera. En ese momento llegó la Pornopop, la Única Loca Yeyé Que Queda en Cuba. Venía excitadísima, había sido invitada a la gran fiesta de Fifo para que tomara parte en la Gran Conferencia Onírico-teológico-político-filosófico-satírica donde debía recitar sus poemas pornopops. Al instante, y a modo de ensayo, aristofanesca ya que estaba en casa de Aristóteles, la Pornopop recitó varios de aquellos poemas geniales. Cuando hubo terminado su declamación se acercó a Reinaldo y colocándose a su lado en el balcón le dijo:

—¡Cómo se nos murió Joseíto!

—¿Qué Joseíto? —preguntó Gabriel.

—José Lezama Lima, querida. Lo acaban de enterrar esta mañana.

—Ah, sí, qué pena —dijo Reinaldo y sin más comentario volvió a mirar hacia la Rampa.

—¡Niña! ¡Imagínate que la parte onírica de la conferencia, «Sueños imposibles», estará a cargo de André Breton, resucitado para ese evento! —gritaba ahora la Pornopop.

Pero Gabriel seguía mirando para la Rampa.

Esa noche Reinaldo, olvidado de Gabriel y ya transformado en la Tétrica Mofeta, se fue con Hiram Prats al parque Lenin. Iban a robarse gran cantidad de flores de mariposa (la flor simbólica de la isla) para venderlas en bolsa negra; también iban a comprar queso crema y galleticas de soda para sus estómagos esquilmados. Al oscurecer, cargadas con inmensos mazos de flores blancas, se detuvieron en el puente de la represa del parque, construida por la misma Celia Sánchez. Allí la Tétrica Mofeta le comunicó a Delfín Proust la muerte de Lezama Lima y empezó a sollozar. Delfín trató de consolar a Reinaldo, pero el llanto de la Tétrica se hacía cada vez más estentóreo. Finalmente, soltando el gran manojo de flores, Gabriel empezó a aullar sobre la represa. Entonces la Reina de las Arañas comenzó a flagelar a la loca llorona con las largas flores. La loca saltaba en el puente de la represa dando enormes alaridos, la otra loca la flagelaba sin cesar. Todos los tallos y los blancos pétalos de las flores quedaron pegados al cuerpo ya amoratado de Reinaldo. Entonces Delfín corrió hasta el vasto campo de mariposas, arrasó con todas las flores y regresó a la represa, donde siguió flagelando, ahora con más violencia, el cuerpo y el rostro de la Tétrica Mofeta, que sangraba y gritaba: ¡Lezama! ¡Lezama! Finalmente, dejando escapar un enorme aullido, la loca, envuelta en sangre y pétalos de flores, se tiró de pie a las aguas de la represa. Luego de aquel acto de exorcismo y homenaje, la Tétrica Mofeta emergió fresca y empapada. Delfín la ayudó a salir de las aguas.

A un costado de la presa, más de veinticinco adolescentes habían contemplado el espectáculo. Ambas locas, olorosas a flor de mariposa, se acercaron a los deliciosos adolescentes de todos los colores. En menos de tres minutos se internaron con ellos en un tejar abandonado donde los muchachos, superexcitados por el olor de las flores y el llanto de la Tétrica Mofeta, se las fornicaron hasta la media noche.

Por la madrugada, fragantes, lívidas y etéreas, las dos locas abandonaron el parque Lenin. Cada una de ellas llevaba en la mano un largo tallo que culminaba en una mariposa rozagante. Raudas se encaminaron a pie hasta el Cementerio de Colón, en La Habana, y depositaron las flores sobre la tumba aún fresca de Lezama.

Che, chi, cho, chu, cha...

Mayombe, yombe mayombé. ¡Za! La salá. Aché y chachachá. Es mucha esa Miche, picha en pecho, leche en buche, chopo en chocha; palmera, palmiche y niche en su ancho nicho se enchucha. Lanchas pide, machos muchos: chinos cheos, cholos chulos, charros chatos, viejos chochos y muchachos como melcocha los chupa y en un chinchín los despacha. Y ya en el lecho, contrahecho, pero aún no satisfecho con lo hecho, ella, la estrella, ebria toma la botella, y en singular zafarrancho «¡Pancho!» aúlla, y el vidrio en forma de puya se pierde por todo lo ancho...

(Para E. Michelson)

Santa Marica

Aurélico Cortés (también conocido como Cornelius Cortés) había muerto a la edad de ochenta y dos años sin haber sido poseído nunca por un hombre. Y no es que no le gustaran los hombres, ya que se trataba de una de las locas más fuertes de la Tierra. Es que durante setenta años había vivido bajo la tutela de su madre y de su padre y había sido educado en el horror al pecado y la vergüenza de que el mundo supiera que él era maricón. Antes de tener un hijo pájaro, me suicido, dijo la madre (que vivió noventa y nueve años) cuando Cortés tenía sólo siete años, y la pobre loquita, que ya entonces sentía una atracción indescriptible hacia los hombres, comprendió que no podía ser ella la causante de la muerte (y nada menos que por suicidio) de su madre. ¡Un hijo pájaro, y me pego candela!, aseguró la madre cuando Cortés cumplía doce años. Y entonces sí que la loquita impúber comprendió definitivamente que jamás podría disfrutar de un acoplamiento con un hombre, lo único que por otra parte le daría sentido a su vida.

Cortés renunció hasta a mirar a los hombres de frente y a dirigirles la palabra. Se dedicó a los estudios y obtuvo el primer expediente en la Escuela Nacional de Entomatología. Vestida de blanco, como una monja, se dedicaba todo el día a extraer dientes podridos sin mirar jamás para las entrepiernas de sus clientes, algunos verdaderamente promisorios. Los domingos y otros días festivos realizaba peregrinaciones pías a la Cinemateca a ver *El acorazado Potemkin,* para alegría de su padre, que había sido uno de los fundadores del Partido Socialista Popular. Todos los meses le entregaba el dinero de su sueldo a la madre, que lo contaba metódicamente y le daba la cantidad exacta para que fuera a la Cinemateca a ver *El acorazado Potemkin. A* veces su padre le recomendaba a Cortés que viese también la película *Un hombre de verdad.* Pero Cortés se estremecía de emoción y pavor al escuchar ese título.

Habiendo leído que las especias y la sal podían actuar como afrodisíacos, su dieta era frugal y su comida carecía absolutamente de sabor. Cuando su madre y su padre murieron —Cortés tendría entonces unos setenta años— su figura era flaca y encorvada de tanto inclinarse ante las bocas abiertas de sus clientes, su cabeza era casi calva con sólo unas grenchas que le salían crispadas del centro del cráneo, y sus dientes, que él cuidaba con esmero, eran gigantescos y caballunos. Era ya tarde para comenzar una nueva vida. Cortés siguió practicando sus costumbres monacales. Además, ¿qué hombre iba a poseer a aquel ser tan horroroso? Por otra parte, su padre, y sobre todo su madre, seguían ejerciendo una enorme influencia en la conducta de Cortés. Lo más trágico era que a medida que envejecía su virginidad se le hacía cada vez más insoportable, pero el temor a pecar era más potente que todos sus anhelos fálicos.

La loca sublimó su mariconería ayudando a otras locas, poniéndoles dientes postizos sin cobrarles un centavo, dándoles la carne de su cuota por temor a la concupiscencia. Hasta repartía su sueldo entre las locas mendigas como la Delfín Proust y otras miles que hacían cola ante el Ministerio de Salud Pública el día en que Cortés cobraba su salario. Así, mientras pasaban los años (y la loca se convertía en una anciana cada vez más espeluznante), no cejaba de hacerles el bien a las otras locas. Pero, eso sí, con la condición de que ninguna loca se atreviese a decir que ella, la Cortés, era loca. Nunca la memoria de su madre podría ser mancillada. Ella moriría virgen y además sin que nadie pudiera decir que era loca. Jamás había siquiera mencionado el tema de la mariconería con algún pájaro. ¡Jesús!, cómo sufría aquella loca viendo a las demás locas ser locas abiertamente, moviendo sus alas en todas las direcciones, haciendo chistes sobre ellas mismas y sobre los hombres y hablando sin cesar sobre sus triunfos eróticos, que ellas exageraban. Tantas fueron sus penas que, aunque gozaba de perfecta salud, una noche murió sobre la tabla de planchar en la que, para mortificarse, dormía con la cabeza para abajo. Murió virgen (no como la hija de Bernarda Alba) y además con la satisfacción de que nadie podía probar categóricamente que era loca.

Pero cuando Cortés murió, sus locas amigas comprendieron que había muerto una santa y a toda velocidad, estimuladas por la Tétrica Mofeta (a quien Cortés le había hecho una dentadura postiza perfecta y gratuita), empezaron a «viabilizar» el proceso de su canonización como santa Marica. Un gigantesco comité pro-canonización de Aurélico Cortés fue creado por la Tétrica Mofeta. En ese comité trabajaban día y noche Tomasito la Goyesca, Antón Arrufada, Mahoma (la astuta), la Mayoya, la Reina, la Vieja Duquesa de Valero, la Triplefea,

Carlitos Olivares (la loca más fuerte de Cuba) y otras diez mil locas más que diariamente le enviaban cada una cien cartas al Papa pidiendo (a veces exigiendo, otras rogando) la canonización de Aurélico Cortés como santa Marica. Finalmente el viejo Papa, que sentía una extraordinaria atracción por los hombres (a tal punto que no permitió que las mujeres fueran sacerdotisas), tomó en serio la petición de beatificar a la loca cubana. En la Basílica de San Pedro, mientras contemplaba a un joven en *short* que le pedía su bendición, el Sumo Pontífice meditó: Una santa para los maricones es un buen golpe político en favor de la Iglesia católica. El mundo está lleno de maricones que se han alejado de la Iglesia por nuestra tradición discriminatoria. Con esta canonización todos esos maricones, es decir, la mitad de la población mundial, volverá al redil. Además, pobre loca, cómo debe de haber sufrido sin haber recibido nunca obra de varón. Sí, decididamente la canonizo.

La canonización, proclamada en Roma, tuvo lugar a la semana siguiente en la catedral de La Habana en una ceremonia que difícilmente podrá ser superada dentro del enorme historial de la liturgia católica. Allí estaba, en el centro del altar, el cadáver momificado de la extinta que iba a ser canonizada. Frente al cadáver dos mil cardenales se inclinaron mientras monseñor Carlos Manuel de Céspedes pronunciaba la gran homilía y el discurso central y apologético de la canonizada. Luego monseñor Sachi, en nombre del Sumo Pontífice, le hizo también su panegírico. Por último, y tomando por sorpresa hasta al mismo Fifo, irrumpió en la nave religiosa el Santo Padre, quien a última hora decidió que no podía desperdiciar aquella oportunidad para exhibirse ante las cámaras de televisión del mundo, que seguían con todo lujo de detalles la ceremonia. El Papa confirmó, autorizó y pronunció la encíclica especial a través de la cual se canonizaba a Aurélico Cortés con el nombre de santa Marica. Más de un millón de locas que llenaban la nave religiosa y se apiñaban en la plaza de la catedral cayeron de rodillas ante las palabras del Santo Padre, y al unísono se entonó un *Te Deum laudamus*.

La canonización había sido un triunfo. Hasta el mismo Fifo, que al principio recelaba de todo aquello, pues como loca tapada odiaba a muerte a todos los maricones, comprendió que la visita del Papa a la isla era un triunfo propagandístico para su Gobierno. De todos modos, pensó mientras se arrodillaba, con santa Marica o sin ella, aquí los maricones no van a tener paz. Estoy cansado de que singuen hasta con mis escoltas privados, con esos hombres que yo he reservado para mí y que después, por alta traición, tengo que matarlos.

La inmensa comitiva, encabezada por la canonizada dentro de un féretro regio y por el Papa en su jaula de cristal o papamóvil, atravesó todas las calles de La Habana y desembocó en el Cementerio de Colón, donde se depositaron los restos mortales de santa Marica. La enorme tumba, con los sellos y escudos papales, culminaba en una gigantesca estatua blanca que representaba a la santa en forma de loca joven y sonriente con unas alas más grandes que las de Óscar Horcayés. Todas las locas tocaron la imagen, se persignaron y seguras de que ya tenían una patrona que las protegía se lanzaron al flete llenas de optimismo y fe... Santa Marica haría milagros, santa Marica les conseguiría hombres rotundos, santa Marica las liberaría de todo delincuente taimado, de toda enfermedad contagiosa.

En efecto, a los pocos días ya eran famosos los milagros de santa Marica. Le había salvado la vida a la Tétrica Mofeta, que había sido cogida *in fraganti* en una caseta, ensartada por un salvavidas. La Tétrica, perseguida por una tropa de soldados, se lanzó al mar en medio de una balacera, su muerte era inminente; pero en ese momento santa Marica desató una tormenta y un aguacero tan fuerte cayó sobre la playa de La Concha que la loca se hizo invisible y nadando con la ropa en la cabeza llegó a su cuarto del barrio de Miramar... Otro éxito sonado fue el de la lluvia de tickets para poder entrar en los restaurantes El Conejito, el Cochinito y todos los más importantes de La Habana que santa Marica dejó caer sobre el Coney Island de la playa de Marianao con el fin de salvarle la vida a Tedevoro, y aunque Tedevoro pereció, la misma santa Marica más tarde lo ayudó a resucitar. ¿Y que me dices, querida, del milagro que hizo con la Ñica, una loca inválida y centenaria que de pronto echó a correr, se tiró al mar y no paró hasta llegar a Cayo Hueso burlando la persecución de un ejército de más de un millón de tiburones? Sí, evidentemente, en pocos días santa Marica, la loca milagrosa, fue la comidilla de todos los pájaros.

¡Ay!, pero no se puede quedar bien con todo el mundo y mucho menos con el mundo pajaril: rápidamente millares de pájaros, capitaneados por Miguel Barniz, comenzaron a poner en tela de juicio la virginidad de santa Marica. ¿Un pájaro muerto virgen a los ochenta y dos años? ¿A quién se le ocurre tal patraña? ¿En qué cabecita loca cabe tal desmesura?... Comenzaron pues los comentarios, las protestas, los dimes y diretes, el pugilato. Hasta al mismo Fifo le llegó el rumor de que santa Marica no era tal santa, sino un maricón de bayú que había templado con sus escoltas preferidos. Enfurecido, Fifo autorizó a un grupo de locas oficiales para que viajaran a Roma para pedirle al Papa la descanonización formal de santa Marica. A toda velocidad, en un avión del mismo Fifo, partieron hacia el Vaticano la Paula Amanda (alias Luisa Fernanda), la Barniz, la Glu-Glú, la César Lapa, la María Félix, la Coco Salas, la Nicolás Guillotina, la Maléfica y un centenar más de locas oficiales quienes le expusieron al Santo Padre las dudas sobre la virginidad de santa Marica y el deseo expreso de Fifo de que la loca fuera descanonizada. El Santo Padre, contemplando el largo pliego que le mandaba Fifo junto con un millón de dólares para limosnas, meditó: Un maricón convertido en santo no le conviene a la Iglesia, pues aunque todo el mundo es maricón, la inmensa mayoría lo niega, por lo tanto negarán a santa Marica y la Iglesia no recibirá limosnas a nombre de esta santa. Además, los tiempos se han vuelto cada vez más reaccionarios, pronto pienso poner en práctica otra vez la Inquisición y, qué maravilla, la hoguera. Los maricones irán a la hoguera. ¿Cómo pues voy a tener un santo maricón? Sí, decididamente hay que descanonizar a santa Marica. Y elevándose sobre uno de los balcones de la basílica para contemplar un desfile de deliciosos monaguillos polacos que venían a pedirle la bendición, el Santo Padre pronunció estas santas palabras: Miren, chicos, yo estoy de acuerdo con joder al maricón y descanonizarlo, pero primero hay que probar si realmente no era virgen. Es un reglamento de la Iglesia. Hay que desenterrar el cadáver y si no es virgen, ahí mismo lo descanonizo. Vamos para allá, que esto hay que resolverlo inmediatamente.

El enérgico Santo Padre llegó otra vez a la isla, y otra vez la inmensa multitud, siguiendo al papamóvil, desembocó en el Cementerio de Colón. Junto a la tumba de santa Marica estaban de nuevo todas las locas del país y muchas extranjeras, además de Fifo y de toda la plana mayor. El momento era de indescriptible tensión. El Santo Padre ordenó que se sacara la momia de Aurélico Cortés de la tumba. El cadáver fue depositado junto a sus pies. Entonces el Sumo Pontífice, elevando su cetro, le habló a la multitud de esta manera: Amados hermanos, la única forma de probar si santa Marica murió virgen o no es inspeccionando su trasero. La prueba se hará con este sagrado báculo, si el mismo entra en el ano del extinto sin ningún contratiempo eso será prueba evidente de que no era virgen. E inmediatamente el Santo Padre arremetió con su cetro el ano de la difunta. Pero aquel ano que nunca había gozado de ningún tipo de penetración se mantuvo cerrado. Entonces el Santo Padre, que de todos modos quería probar que Aurélico Cortés no era virgen, empujó con todas sus fuerzas el cetro en el ano de la loca. Y fue tanto el placer que aquella gruesa vara al traspasarle el ano le proporcionó a la loca muerta que al instante resucitó. En efecto, la loca era virgen y volvía a la vida al ser por primera vez penetrada. Con el báculo papal clavado hasta la mitad de su trasero, Aurélico Cortés contempló aquella multitud arrobada que se tiraba de rodillas ante ella, vio al Santo Padre dándole la bendición (y tratando de robarse el *show)*, escuchó los gritos de millones de locas que sin poderse contener le daban vivas a santa Marica, y finalmente, consultando a un pájaro cercano, se enteró de todo lo que había pasado. Así que ella, la que durante ochenta y dos años había ocultado su mariconería, había sido canonizada como santa Marica. Así que todos sus años de abstinencia habían sido inútiles y después de muerta su «debilidad» había sido publicada en el mundo. Esto es el colmo, se dijo. Y roja de furia, a pesar de que llevaba varias semanas en la tumba, el resucitado se sacó el cetro del ano y comenzó a golpear con él al Papa y a todos sus altos dignatarios. Mientras repartía golpes a diestro y siniestro, la loca se enteró de que no solamente la noticia de su canonización había recorrido el mundo, sino que hasta existía una novela, escrita por la Tétrica Mofeta, donde se describían todos los pormenores de este evento. Sin soltar el cetro del Papa, que sangrando gritaba: ¡Excomunión! ¡Excomunión!, santa Marica salió disparada hacia el cuarto de la Tétrica Mofeta, le dio cuatro baculazos y ante los ojos exorbitados del escritor se apoderó del manuscrito de la novela *El color del verano* y con sus inmensos dientes lo redujo a polvo.

Aurélico Cortés, avergonzado ante aquel escándalo que lo proclamaba maricón ante el mundo, abandonó la ciudad y se internó en la región montañosa de la antigua provincia de Oriente, exactamente en Mayarí Arriba. Allí, disfrazado de campesino, se incorporó a un plan forestal, y apoyada en el cetro papal se dedicó a recoger semillas de pino día y noche con la esperanza de que con el tiempo se olvidaran de su canonización. Pero la fama de santa Marica, en lugar de extinguirse, se hizo cada día más grande. Si santa Marica fue capaz de resucitarse a sí misma, comentaba todo el pueblo, ¿qué milagros no podrá hacer con los demás?... En medio de los pinares más intrincados y remotos, Aurélico Cortés, siempre disfrazado de campesino, se tropezaba casi todos los días con un nuevo altar erigido en homenaje a santa Marica. Cortés arremetía con furia contra el altar haciéndolo añicos con el cetro papal, y exclamaba que era una vergüenza que en un país socialista la gente creyera en esas supercherías. Pero quisiéralo o no, santa Marica siguió haciendo milagros, pues la fe está por encima de la realidad, y el número de sus devotos era cada vez mayor.

En cuanto a la Tétrica Mofeta, ante la destrucción de su manuscrito, comenzó disciplinadamente a reescribir la historia.

La historia

Ésta es la historia de una isla donde había nacido un hombre muy grande. El hombre era tan grande que no cabía en la isla porque hacía sentir muy pequeños al resto de los habitantes de la isla. De manera que el dictador de la isla mandó al hombre grande a una isla más pequeña donde solía enviar a todos los hombres que no fueran de estatura espiritual pequeña. Allí el hombre grande, mientras picaba piedras en una cantera, comenzó a hablar de la grandeza de su isla y de la grandeza de los que habitaban aquella isla. El hombre hablaba con una voz única, noble, grande, tan grande que desde la pequeña isla llegaba hasta los hombres de la isla grande; de manera que los habitantes de aquella isla no podían soportar aquella voz tan grande que ellos no tenían. Entonces el dictador de la isla deportó al hombre grande bien lejos, más allá del océano, donde su voz no pudiera llegar hasta la isla. Pero el hombre siguió hablando incesantemente y pronunciaba unos discursos tan bellos y fulgurantes que lo hacían cada vez más grande, tan grande que hasta los que habían sido deportados de la isla por ser grandes o por aspirar a la grandeza sintieron envidia de aquel hombre grande. Así el hombre grande no sólo era atacado por el dictador de la isla y la inmensa mayoría de sus habitantes, sino también por los enemigos del dictador que vivían fuera de la isla y que querían liberar la isla, pero no podían soportar la presencia de un hombre tan grande que seguramente impediría que ellos después se convirtiesen en dictadores. En el destierro, el hombre grande fue el blanco de millones de intrigas, ofensas y calumnias de todo tipo. Lo tildaron de cobarde, de capitán araña, de depravado, de elitista, de borracho, de drogadicto y hasta de amigo del dictador de la isla. Y el dictador de la isla se hacía eco de aquellas calumnias y las multiplicaba. Otras veces era el dictador quien inventaba y difundía todo tipo de ofensas contra el hombre grande, ofensas que eran acogidas con beneplácito hasta por los enemigos del dictador, que no podían soportar la existencia de aquel hombre tan grande. Pero el hombre, a pesar de

217

toda aquella guerra contra su persona, seguía creciendo, se hacía cada vez más grande y proseguía en su lucha contra el dictador. Y a medida que crecía comprendía, cada vez con mayor claridad, que toda aquella grandeza no tenía ningún sentido si no iba a morir a su amada isla, donde, por otra parte, su grandeza no tenía lugar. Así, mientras era injuriado por todos los que querían mantener la isla en la tiranía absoluta y por los que querían liberarla, el hombre grande partió clandestinamente rumbo a la isla. En cuanto llegó, todos los ejércitos, tanto los amigos como los enemigos, se confabularon contra él y lo mataron. Entonces el hombre grande se disolvió en la isla alimentando aquellas tierras. Cuando ya fue sólo polvo y nadie ni siquiera podía identificar dónde había caído o dónde estaba su tumba, los nativos de la isla, tanto los amigos como los enemigos, se sintieron orgullosos de haber tenido un hombre tan grande. E inmediatamente comenzaron a erigirle estatuas. Tantas son ya las estatuas que no hay un rincón en toda la isla que no ostente el rostro pensativo del hombre grande.

Cha, che, chi, cho, chu...

Tras las rejas y torres de El Morro, agarrado a la barra de un charro, y hecho una bola de churre, se achicharra y achurra el engorroso cherri, hasta que, rompiendo la pared con sus garras y tarros, echa a correr por entre los guijarros perseguido por carros y perros, hasta refugiarse en un cerro.

(A Oliente Churre, cuyo verdadero nombre es el obispo Toca)

Las cuatro grandes clasificaciones de los bugarrones

Cuando la aparente Chelo, disfrazada de Delfín Proust (o al revés), terminó a riesgo de su vida su clasificación de las locas, la Superchelo, cuya función era precisamente opacar a la Chelo, avanzó saltando sobre las balsas que se retiraban y cayó exorbitada sobre la mesa donde se acaba de desarrollar la Conferencia Onírico-teológico-político-filosófico-satírica y luego de lanzarle una mirada fulminante a la supuesta Chelo (que ya también pensaba irse para París y seguir trabajando para la policía francesa y la cubana), habló de esta forma, dirigiéndose a un público que no la escuchaba puesto que seguía a Fifo rumbo al Jardín de las Computadoras:

—Esa mulata rumbera y anciana, nacida en el Camagüey durante la época de Agramonte y mantenida en París por una momia, ha olvidado la gran clasificación mundial de los bugarrones. Ya se sabe que sin bugarrón no hay loca y viceversa. De manera que si no exponemos aquí, ante este gran jurado, la clasificación de los bugarrones, aprobada ya por el Consejo de Seguridad de la ONU, la disertación sobre el tema de la pajarería quedaría incompleta... Distinguidísima concurrencia, deténgase y escuche: los bugarrones se dividen en cuatro grandes categorías, a saber.

Y mientras los invitados partían en estampida, la Superchelo siguió hablando.

—*Primera categoría:* EL BUGARRÓN DE OCASIÓN O BUGARRÓN DORMIDO. Se trata de un tipo de bugarrón que por lo general hace vida normal sin intentar singarse a un maricón, pero que de vez en cuando, obedeciendo a no se sabe qué impulsos secretos, a qué misteriosos e incontenibles arrebatos, necesita templarse a un pájaro. El bugarrón de ocasión puede amar a las mujeres y tener una gran prole; pero un día en un baño, en un túnel o en algún matorral, un pájaro lo sonsaca, y él, que en otras ocasiones se ha ofendido y hasta le ha propinado una bofetada a la loca, en ese instante, sin embargo, se erotiza (se le despierta el bugarrón) y ensarta al pájaro. Luego, cerrándose la bragueta, recupera su hombría y majestad y se retira al seno de su familia o continúa haciendo la guardia de milicia frente a su centro laboral. Como ejemplo de bugarrón de ocasión puede citarse a cualquier hombre.

El salón se llenaba cada vez más de agua, las balsas navegaban rápidamente, pero la loca siguió hablando:

—*Segunda gran categoría:* EL BUGARRÓN ACOMPLEJADO. Este tipo de bugarrón carga con una extraña culpa por desear el culo de otro hombre y en su rostro se refleja su gran pena. Ha tratado por todos los medios posibles de renunciar a la bugarronería y en la práctica es buen padre de familia. Ay, pero a veces, cuando uno de sus hijos pequeños se le sienta en las piernas, el sufrido bugarrón se excita. Entonces quisiera suicidarse, pero en lugar de ponerse una soga al cuello, se lanza a la calle y le pone un aro de carne a su falo. Luego de templarse a cualquier pájaro recupera su hombría perdida y regresa a su hogar lleno de resentimientos y complejos de culpa, pero aún excitado por el goce que le proporcionó el haber entollado a un hombre. Como ejemplo de bugarrón acomplejado tenemos a Ramón Stivenson y a casi todos los boxeadores, karatecas y yudocas. De la antigüedad podemos citar a Cristo, que amaba a todos los hombres.

El inmenso salón de las conferencias se había quedado vacío, las aguas subían de nivel, mas la loca seguía con su disertación.

—*Tercera gran categoría:* EL BUGARRÓN NATO. El bugarrón nato es ese tipo de macharrán a quien no le interesan las mujeres, sino los maricones y hacia ellos apunta con sus divinas proporciones fálicas. El bugarrón nato puede templarse hasta treinta locas en un día: puede además estar casado con un pájaro, lo cual no le impide templarse a todas las locas del solar y si es posible a cualquier hombre. A veces entabla grandes guerras con otro bugarrón nato en nombre de cualquier pájaro pretendido. Puede llevar en la cara alguna cicatriz como escudo o sello de sus batallas bugarroniles. Es guaposo, varonil, usa grandes batáholas y cada cinco minutos se palpa los testículos o el miembro de manera casi inconsciente y aun cuando esté hablando con otro bugarrón nato. Como ejemplo de bugarrón nato podemos citar al sin par Gorialdo de Inmedible Lanza o a Maltheatus. De la Antigüedad podemos escoger al rey Assurbanipal y a Alejandro de Macedonia.

Las aguas seguían subiendo de nivel. Por el pasillo aledaño se veían cruzar a nado a miles de enanos con sus navajas en la boca rumbo al Jardín de las Computadoras. Pero la Superchelo prosiguió con su conferencia.

—*Cuarta y última categoría:* EL SUPERBUGARRÓN. Este raro ejemplar ya en extinción, o tal vez ya extinguido, es un hombre al que sólo le interesa templarse a otro hombre, es decir, a otro superbugarrón como él. Jamás el superbugarrón se templará a un maricón, ni lo pienses, querida; su sueño, su meta, es metérsela a un hombre de verdad, si es posible a un alto militar, a un actor famoso, a un deportista superolímpico o a un miembro del Comité Central del Partido Comunista. Si no puede hacer eso, se templa a un caballo y hasta a un cocodrilo, pero jamás a un pájaro. El superbugarrón es ese hombre que quisiera templarse a su propio suegro o a sus cuñados en vez de a su mujer. Templarse a un maricón sería una traición, templarse a una mujer es para él un acto banal y poco respetable. Como ya dije, el superbugarrón es un ejemplar en extinción, a diferencia de los demás ejemplares, que se multiplican diariamente. Ay, uno de los últimos, quizás el último superbugarrón, era el presidente de la Real Academia Española, quien acaba de fallecer ante las puertas de este palacio. Ante una pérdida tan irreparable lloremos todos.

Y la Superchelo, a pesar del torbellino fluvial que la arrastraba, derramó unas enormes lágrimas que hicieron aún más pavorosa la inundación.

Una madre agónica

Oliente Churre acababa de subir penosamente las altísimas escaleras del solar donde en un minúsculo cuarto vivía Clara Mortera con su prole. Era uno de los invitados a la reunión que esa misma tarde, y con urgencia, Clara Mortera celebraría en su recinto. Pero como había ido acompañado por su madre agónica había sido rechazado con violencia y zalamería por la famosa pintora.

—No, querido. Tu madre no puede participar en esta reunión. Lo que tengo que decir es algo muy serio, y temo por su vida. Además, no quiero problemas con la presidenta del CDR. Nos veremos más tarde.

Y Oliente Churre tuvo que bajar las altísimas y anchas escaleras, cargando no sólo con su madre agónica, sino también con su casa de campaña plegable y con todos los andariveles y medicamentos que una penosa enfermedad acarrea.

En el parque Habana, no muy lejos de la casa de Clara, Oliente armó la tienda de campaña, armó una cama columbina y acostó en ella a su madre, quien al momento comenzó a quejarse en voz baja.

La loca se sentó a la puerta de la casa de campaña en espera de que su madre se durmiese para partir hacia el cuarto de Clara. De ningún modo podía faltar a aquella reunión.

La historia de Oliente Churre con su madre agónica siempre a cuestas es larga y desde luego siniestra.

La sintetizamos.

Siendo una loquita joven, aunque espeluznante, Oliente Churre vivía en una residencia colonial, propiedad de sus antepasados, en la ciudad de Trinidad. Su padre, al ver que tenía un hijo tan fuertemente mariquita que era el hazmerreír de toda Trinidad (para él el centro del mundo), abandonó el país en una lancha por el puerto de Casilda. Cuando penosamente, luego de cincunvalar la isla llena de tiburones, llegó a los Estados Unidos, lo primero que vio en el *Miami Herald* (que desde Cuba dirigía Fifo) fue una enorme foto de su hijo junto a un artículo donde Oliente Churre hablaba de los progresos de la Iglesia anglicana en Cuba. Aquella foto terrible se exhibía en casi todas las iglesias de Miami y hasta en las guaraperas y centros comerciales de menor cuantía. El padre de Oliente, no pudiendo soportar más aquel estigma (ya hasta había sido llamado por la Cubanísima para hacerle una entrevista radial acerca de su hijo), agarró un inmenso cuchillo de cocina y se apuñaló varias veces el pecho frente a la gran iglesia episcopal del sur de la Florida.

Oliente Churre se vistió entonces de negro de pies a cabeza y se convirtió en la figura central de la Iglesia anglicana de su ciudad. Ya Fifo le había hecho llegar la primera plana del *Miami Herald* con su foto, y esta foto, junto a la de la reina Isabel de Inglaterra en el momento de su investidura regia, colgaba en la gran pared del comedor colonial de la casa triniteña. Bajo esas fotos, Oliente, acompañado por las locas más fuertes de Trinidad, tomaba todos los días el té de las cinco de la tarde.

La madre de Oliente, ante el dolor de la fuga de su esposo, su violenta muerte y la algarabía que reinaba en aquella casa llena de pájaros vestidos de negro, cogió un cáncer.

La buena señora ingresó en el hospital público de Trinidad. Mientras era sometida a terribles quimioterapias, Oliente vendió casi todas las cosas que había en la casa. En realidad, él no esperaba que su madre saliese con vida del hospital. Pero a los dos meses la madre recibió el alta y regresó gravemente enferma a una casa vacía poblada sólo por un juego de té, una mesita, varias sillas y, desde luego, las fotos de la reina Isabel y de Oliente Churre. Ni siquiera la pobre señora podía tomar agua fría, pues hasta el refrigerador había sido vendido por su hijo. La sufrida señora iba todas las tardes a la iglesia católica y allí se confesaba al señor cura. Sus últimas palabras terminaban siempre con un llanto ahogado:

—Mi hijo me ha privado de agua fría, señor, en el momento en que expedía mi alma hacia lo ignoto.

Muchas fueron las protestas que provocó esta actitud tan despiadada de Oliente Churre, y hasta el cura lo llamó a capítulo. Oliente, de guantes negros, largo saco de faltriqueras negras sobre el que se dejaba caer una caperuza negra, prometió remediar de alguna forma aquel problema del agua fría. A las pocas semanas se apareció en la desamueblada mansión con una tinaja. Pero esta tinaja no mejoró en nada la salud de su madre, quien tuvo de nuevo que ingresar en el hospital. Ahora, según los médicos, la pobre señora no tenía escapatoria.

Mientras la madre agonizaba en el hospital, Oliente Churre, cuyo apodo era ya famosísimo debido a los perfumes ingleses que esparcía sobre sus ropones sucios y negros, se trasladó como seminarista a la sede de la Iglesia episcopal de La Habana. Allí conoció a un delincuente de alto calibre, que decía descender de la familia de doña Isabel de Bobadilla, quien convenció a Oliente para que vendiera la casa de su madre y se fueran juntos a Varadero. Al momento se realizó la venta ilegal y el despilfarro de casi todo el dinero.

A las pocas semanas, cuando la madre agónica regresó a su casa no había tal casa. Oliente seguía en Varadero con el descendiente de Isabel de Bobadilla y el gran retrato de la reina Isabel. Tan escandalosa y fastuosa era la vida que llevaba en Varadero que pronto, gracias a los buenos oficios de Coco Salas, la noticia llegó a Trinidad. La madre, mientras expiraba, reunió a todo el pueblo trinitario en la Torre de Iznaga. Trabajosamente se subió a la torre y desde allí le comunicó a la multitud la estafa de la que había sido víctima y calificó a su hijo de «endemoniado». Como prueba contundente la madre mostró una foto de su hijo. Eso bastó para convencer a toda la multitud de que se trataba del Gran Satán. Allí mismo se organizó una cruzada contra el renegado. Todos los trinitarios, garrote en alto, aun las locas que tomaban el té con Oliente, se trasladaron a pie hasta Varadero con el fin de reducir a la loca e imponerle sus responsabilidades de hijo. Esta contienda ha pasado a la eternidad bajo el título de *Una pelea cubana contra los demonios,* libro escrito por Fernando Ortiz... Mientras eran perseguidos, Oliente y el descendiente de la Bobadilla atravesaron toda la provincia de Matanzas y se echaron al mar sobre una frágil balandra con el propósito de llegar a la isla del Gran Caimán, propiedad de la corona británica. Todo el tesoro que les quedaba era una tinaja llena de agua potable y el retrato de Isabel II. Los perseguidores, desatando una verdadera cacería humana, les dieron alcance y los prófugos tuvieron que capitular. Empapados y hambrientos regresaron a la orilla, siempre empujados por sus intrépidos perseguidores y por una tropa de enfurecidos tiburones a quienes Oliente mantuvo a raya enseñándoles la foto de la reina Isabel... Junto a la costa, sobre una parihuela, aguardaba la madre agónica. Aquella figura cadavérica, calva y sufrida fue lo primero que vio el hijo al saltar a tierra. Y al instante comprendió que le era casi imposible separarse de ella, que aquella madre agónica (que nunca terminaba de expirar) era su condena y su agonía y que dondequiera que fuese tendría que llevarla y atenderla. Por otra parte, allí estaba la belicosa población trinitaria, las locas más justicieras y el ejército de Occidente con el fin de que Oliente Churre cumpliera con su responsabilidad de hijo.

De todos modos, aunque Oliente firmó todos los compromisos madriles y se le dio una casa de campaña, no podía quedarse en Trinidad, donde el pueblo le pedía la cabeza. Siempre con su madre agónica, partió para La Habana, deteniéndose cada dos millas para armar la tienda de campaña y atender a la pobre señora *in extremis*. En La Habana, la delegación provincial del Partido, que conocía perfectamente la escasez de vivienda en toda la isla, le otorgó a Oliente Churre un permiso especial para que armase su tienda de campaña donde mejor pudiese. Ya Oliente había instalado su tienda en casi todos los solares yermos, parques y tejados de La Habana. Podía irse al campo, donde el aire puro tal vez mitigaría la gravedad de su madre. Pero Oliente rechazó rotundamente esta posibilidad. En La Habana se había vuelto a integrar en la Iglesia episcopal y se dedicaba además a la captura del descendiente de la Bobadilla.

Ahora mismo, en espera de que se calmen los dolores de su madre para poder ir a casa de Clara, Oliente piensa con goce en la gran liturgia con música de órgano que tendrá lugar en la iglesia episcopal, donde él, con un inmenso sayón morado, portará uno de los palios santos.

Crucipinguificación

La fiesta en el gran palacio subterráneo de Fifo estaba llegando casi a su apoteosis. Ya había terminado la gran cena durante la cual habían tenido lugar la resurrección de Julián del Casal, de José María Heredia, de Gertrudis Gómez de Avellaneda, de José Lezama Lima y de otras personalidades; el método que utilizó Óscar Horcayés para resucitar a las glorias cubanas fue el mismo (y con la misma eficacia) que utilizara el Santo Padre para resucitar a Aurélico Cortés; trescientos bailarines internacionales habían bailado trescientas danzas típicas de sus respectivos países; quinientos roedores habían sido estrangulados por quinientos forzudos enanos, la Tétrica Mofeta había leído ya sus «Treinta truculentos trabalenguas» y la Pornopop (la Única Loca Yeyé Que Queda en Cuba), sin esperar tampoco el momento de la Gran Conferencia, había recitado sus geniales poemas pornopops; Halisia había bailado *Giselle* e infatigable prometía volver a bailar. Y ahora, en medio de exquisitas bebidas y de diligentes enanos, Fifo anunciaba que iba a comenzar la crucipinguificación, por lo que necesitaba un voluntario que quisiera ser crucipinguificado. Cientos de invitados levantaron la mano. Sabían que ser crucipinguificado era un goce supremo, implicaba morir taladrado por miles de falos relucientes, erectos y descomunales. Hombres, mujeres y pájaros saltaban enloquecidos queriendo ser seleccionados por Fifo. Entre el delirio de los voluntarios se destacaban los gritos de Mahoma la astuta, del rey de Siria, de Macumeco, de Lala la Lea, de la última Miss Universo, de Arturo Lumski y de monseñor Sachi, que, tratando de que Fifo reparase en su persona, hacía sonar una corneta que se había atado a su gigantesco rosario, del cual colgaba también una hoz y un martillo y una insignia nazi. Por último, Fifo, que en este evento era imparcial, anunció que el galardonado iba a ser Yasser Arafat. En medio de enormes gritos de desconsuelo, el líder del Movimiento por la Liberación de Panamá avanzó triunfal hasta la pared donde sería crucipinguificado; al momento fue despojado de todos sus atuendos y desnudo se le ató de espaldas al muro de las crucipinguificaciones. Se le pidió que abriera todo lo que pudiera las piernas y los brazos; entonces los tobillos y las muñecas quedaron prisioneros dentro de firmes argollas adosadas al muro. Inmediatamente doscientos enanos se acercaron al cuerpo del cautivo y provistos de una brocha y de una lata de pintura roja fueron marcando nalgas, piernas, tobillo, cuello, culo, triple papada, orejas... No hubo un solo lugar en aquel voluminoso cuerpo al que no llegara un ágil enano y brocha en mano lo llenase de puntos rojos. Terminada esta importante tarea, los enanos se retiraron y comenzó la ceremonia central de la crucipinguificación.

Por un extremo del salón avanzaron más de cien hombres pertenecientes a todas las razas conocidas; venían absolutamente desnudos y con sus miembros descomunales erectos. Un enorme suspiro retumbó en todo el palacio mientras aquellos magníficos efebos avanzaban erotizados hacia el señor Arafat. Un negro congolés, adelantándose a todos sus contrincantes, ensartó al líder por el ano, un inmenso mongol le traspasó con su falo una mano, un americano de Ohio le clavó su recio y rosado miembro en la cadera, un potente dominicano le introdujo su lanza erótica en un pie mientras un ruso le clavaba su miembro en una rodilla y un israelí le penetraba el cuello. Ante los suspiros de envidia de toda la concurrencia los fornidos jóvenes siguieron taladrando el cuerpo del cautivo, quien recibía aquellos palios de carne con fervor de cristiana de catacumba y a cada penetración exhalaba un aullido glorioso.

En verdad, la crucipinguificación marchaba a las mil maravillas. Ninguno de aquellos rotundos efebos había dejado de dar en el blanco. Cada vez que un falo penetraba en el deforme cuerpo del líder, Fifo aplaudía y la concurrencia exhalaba un jadeo descomunal. Ya estaba a punto de culminar la crucipinguificación, cuando uno de los más diligentes enanos trepó al cuerpo de Fifo y le musitó al oído la siguiente noticia: la condesa de Merlín acababa de llegar de París y estaba cantando una ópera en el gran urinario público de la ciudad.

—¡Me cago en Dios! —gritó Fifo con un tono tan enfurecido que Arafat dejó de gemir y hasta los prominentes falos de los mancebos perdieron su compostura—. Se supone que alguien tenía que esperar a la condesa en el puerto y matarla de un cañonazo, como nos había aconsejado la Chelo. Bueno, ahora ya es tarde. Tendremos que hacerle todos los honores. ¡Vayan corriendo a buscarla! ¡Denle cualquier disculpa y tráiganmela para el palacio! Y, ahora, ¡que prosiga la crucipinguificación!

Pero aunque los deliciosos efebos volvieron a erotizarse y continuaron taladrando al líder, esta interrupción le restó brillo al acto. De todos modos, se dijo Fifo, alentándose, cuando Halisia vuelva a bailar *Giselle* y Albert Jünger nos hable de las siete grandes categorías de la locura, todos olvidarán este mal rato.

La Jibaroinglesa

Se trataba de una loca de aspecto hórrido fruto de una extraña hibridez, mezcla de india, china, negra y española. Pero esa mezcolanza no había culminado en un producto terminado, en un chino aterciopelado, en un mulato batoso, en un jabao de labios sensuales, en un negro de monumentales dotes... Nada de eso, querida, aquella loca —por alguna parte la habrás visto, aunque eres bruta, pues ella se promueve más que una estrella de cine— tenía la configuración de un sapo asustado o de un pingüino de vientre prominente. Era, como todo ser mediocre, vanidoso y estaba poseído por un orgullo que a ciencia cierta ni él mismo sabía cuál era la causa, pues en él (o en ella, como prefieras) no había ni talento, ni gracia, ni belleza, sino (resumamos) todo lo contrario: su cuerpo era redondo y achatado en los polos y su cabeza era como una fruta cósmica abollada por el golpeteo de los aerolitos. Todo en él (recontrarresumamos) tenía la apariencia de un sijú condenado a mil años de insomnio.

Dada su cuádruple condición de nativo jibareño, estaba atado a su terruño, de donde todo el mundo, al ver aquel fenómeno, había salido huyendo (en el pueblo ahora sólo hay una hilandería abandonada propiedad de H.P. Lovecraft) y por lo mismo él (o ella) quería desprenderse de aquel origen que consideraba un estigma y hacerse un personaje mundano y cosmopolita. Por último, las melopeas que entonaba públicamente a favor de Fifo y los informes secretos contra Fifo que suministraba a la embajada china, más los contrainformes que mandaba sobre aquellos informes a la embajada de Chile, le permitieron establecerse en Londres, tal vez con la esperanza de que la niebla ocultase su repugnante presencia. Allí este escriba costumbrista en tono menor se casó con un mulato rumbero de gran peluca erizada que se disfrazaba de travesti durante la vida social y de este modo fungía como esposa del escritor. Desde luego este escritor, como todos los escritores cubanos de su generación, era extremadamente cobarde y como no había tenido el coraje de acompañar a Fifo en su campaña montañosa ya remota, vivía sólo para adorarlo. Ella (o él), como todos los escritores de su generación, lo imitaban y secretamente tenían fantasías eróticas con el gran jefe. Así, por ejemplo, H. Puntilla estaba fascinado porque una vez Fifo le había dado una bofetada. La Inmunda Desnoes decía haber quedado «traspasada» por el verbo revolucionario de Fifo, y la Jibaroinglesa recordaba con meloso encanto la forma de caminar de Fifo. Atraviesa de dos pasos todo un salón, comentaba arrobada mientras sus ojos miopes se inundaban de temblorosas lagañas.

Desde luego que Fifo estaba informado (como lo estaba de casi todo) de la descocada pasión de la Jibaroinglesa por su persona.

Por eso, luego de mantenerlo en el olvido por unos treinta años, permitió que aquel amasijo de razas inconclusas se enrolase en la comitiva oficial que el Gobierno de la Gran Bretaña enviaría a su palacio en conmemoración del cincuenta aniversario de su revolución triunfante y boyante. La comitiva la presidía, como ya lo dijimos (o no), la princesa Dinorah desnuda; detrás venían grandes damas de la corte, embajadores, ministros, marquesas, maquillistas, chulos, jefes de protocolo y todo lo que puede moverse alrededor de una puta en gloria. Aún más atrás y casi ciego, apoyándose en el brazo de su marido travestido, venía la Jibaroinglesa. Traía en su deteriorada memoria un chistecito con el cual pensaba hacer reír al comandante. Pero cuando él (o ella) y su fiel bastón iban a trasponer la puerta, la misma se cerró con violencia dejándola afuera junto (¿pero ya no lo dijimos?) con unos fotógrafos. En medio de la confusión y el estruendo, mientras era fatídicamente fotografiada, la Jibaroinglesa perdió los espejuelos. Ciega y desesperada, se quedó aferrada a su bastón travestido en espera de que la dejasen entrar. Pero eso nunca ocurrió. Cada vez que una comitiva retrasada era recibida, imponentes porteros alejaban a patadas a la Jibaroinglesa. Esas patadas tenía que dármelas el propio Fifo y no sus subalternos, se quejaba la Jibaroinglesa y agregaba: Aquí me quedaré toda la vida. A Fifo no le gusta la literatura de vodevil, le gritaba desde dentro la Paula Amanda, alias Luisa Fernanda, mintiendo, pues a Fifo en realidad no le gustaba ningún tipo de literatura, salvo la que él mismo hacía.

El dolor que sintió la Jibaroinglesa minó su cuerpo horripilante. Allí mismo le dieron varios infartos y cayó presa de una suerte de locura senil que le hacía decir todo tipo de disparates. Temiendo por su vida, el travestido la arrastró hasta el grupo de los despechados que esperaban a un costado del palacio a que se les reconociese como invitados oficiales. Pero considerándose superior a todos los despechados, no firmó ningún documento de protesta.

Sin duda fue su resentimiento, y no su patriotismo, lo que la indujo, una vez de regreso a Londres, a tomar partido en favor de la fuga de la Avellaneda y a publicar en *El País* un artículo titulado «¡Ave! ¡AVE! Avellaneda». Inmediatamente el artículo fue plagiado en Nueva York por Miguel Correderas, quien lo publicó con su firma en la revista *Noticias de Marte*.

La Llave del Golfo

Un día, caminando por las playas de Marianao, luego de haber elevado una sentida oración a los dioses inexistentes pero poderosos, la Tétrica Mofeta se tropezó con el adolescente más bello que hasta entonces había visto —y en verdad, muchos había visto—. Era un muchacho de cuerpo esbelto y elástico, de cabellos rizados y negrísimos, de piel morena y de ojos color de miel. La Tétrica Mofeta quedó tan impresionado ante aquel dios descalzo y sin camisa que no pudo pronunciar una palabra. Fue el dios quien se le acercó y le pidió un cigarro. ¡Un cigarro! ¡Un cigarro! La Tétrica Mofeta desesperada buscaba en sus bolsillos. No, no llevaba ningún cigarro encima, pero si el joven la acompañaba a su casa le podría dar una cajetilla completa. La Tétrica y el imponente adolescente descalzo echaron a andar por la playa. Mientras caminaban, la Tétrica Mofeta le dijo al joven que se llamaba Gabriel. El dios, como prueba de honestidad, luego de presentarse con su nombre y sus dos apellidos, le mostró a la Tétrica su carné de identidad. Lázaro González Carriles, se llamaba, y vivía en La Habana Vieja. Llegaron al cuarto de la Tétrica en casa de la tía Orfelina. Desde luego, la Tétrica, debido a la constante vigilancia del Comité de Defensa y de su tía Orfelina, no podía entrar por el frente de la casa con ningún hombre, mucho menos con aquel adolescente despampanante, descalzo y sin camisa. Fueron por detrás de la casa y la loca saltó el muro que comunicaba con el patio, instruyendo al dios para que saltara silenciosamente tras ella. El delicioso adolescente saltó detrás de la loca, pero cayó encima de una de las gatas de Orfelina. La gata dio un maullido descomunal. Orfelina, que lavaba frente a una batea en una esquina del patio, se volvió y al ver a aquel adolescente imponente y sin camisa enmudeció por unos instantes. Finalmente le gritó: ¿Qué hace usted en mi casa? El adolescente le respondió que iba a visitar a un señor llamado Gabriel que vivía allí. Aquí no vive ningún Gabriel, aquí vive la Tétrica Mofeta y no recibe visitas, respondió más enfurecida Orfelina pensando que su sobrino se iba a acostar con aquella joya, ay, en su propia, sagrada casa, que había conseguido luego de un millón de delaciones y que compartía con su marido enclenque y militante del Partido Comunista. El adolescente pidió disculpas y de un salto volvió a traspasar la tapia del patio. Pero la Tétrica Mofeta se precipitó también sobre el muro y le dio alcance a Lázaro. Deambularon por la playa por más de doce horas y por la madrugada, cuando ya la tía, su marido, su hijo Tony y las gatas dormían, saltaron silenciosamente el muro y subieron al cuarto de criado que ocupaba la Tétrica y por el cual tenía que pagarle a la tía una renta altísima y darle además todos los productos que le pertenecían por la libreta de racionamiento... La Tétrica le desabrochó el pantalón al formidable adolescente, quien además de su formidable belleza poseía, oh belleza suma, el falo más grande que durante toda su azarosa vida los dioses y su constante fletear le iban a permitir contemplar. Ya desprovisto del pantalón la loca volvió a contemplar aquella joya única y efímera. El adolescente era un lirio en calzoncillos con un tallo violáceo y magnífico. Cuando, antes de que amaneciera, Lázaro saltó el muro, la Tétrica estaba absolutamente transformada, transverberada (ésa es la palabra exacta). Una felicidad hasta entonces jamás conocida llenaba su piel, volvía sus cabellos sedosos y tupidos, le otorgaba un brillo insólito a sus ojos, inflaba sus arrugas y convertía su rostro en algo fino y terso. Al fin había encontrado el dios anhelado, la horma de su zapato, la Llave del Golfo, pues golfo era lo que ella tenía y sólo aquella monumental llave era capaz de ajustarse a tan gigantesca cerradura.

A la noche siguiente, cuando el bello adolescente se sentó ya desnudo en el destartalado y único sillón del cuarto de la Tétrica, ésta, arrodillada, le confesó con toda sinceridad que él, Lázaro, era el único hombre que la había satisfecho plenamente y que durante todo el día sólo había pensado en él y que decididamente lo amaba. Por primera vez, así le dijo, y era cierto, me he enamorado. Tú has colmado todas mis aspiraciones y mi capacidad sensual. Cuando estemos solos, desde luego, no te llamaré más Lázaro, sino la Llave del Golfo. Y mientras esto decía acariciaba arrobada aquella monumental llave que pronto abriría las puertas de su inmenso golfo. Luego, la Llave del Golfo, mientras la poseía, le confesó que nunca antes había hecho eso con nadie, ni siquiera con una mujer de verdad, dijo. Y esa confesión casi mató de alegría a la loca. Durante más de tres meses la Llave del Golfo saltó el muro y poseyó frenéticamente a la Tétrica, quien daba gracias a santa Marica porque su tía Orfelina no hubiese descubierto las visitas nocturnas del adolescente.

Una madrugada, después de haber sido poseída contundentemente

234

por la Llave del Golfo, que bajó sonriente las escaleras de su cuarto, la loca, arrobada, salió al balcón para ver cómo el fornido joven saltaba el muro luego de haber hecho el amor con ella durante más de tres horas. Pero la Tétrica Mofeta no vio al joven saltar el muro. Como es tan ágil, pensó, seguramente saltó antes de que yo saliese al balcón. A la noche siguiente, aún Lázaro no había terminado de bajar las escaleras cuando la loca, envuelta en su única sábana, salió al balcón con el fin de ver a su dios saltar el muro. Vio al maravilloso adolescente cerrar cuidadosamente la puerta de la escalera y avanzar por el patio. Ahora saltará, se dijo la loca aún más arrobada. Y ese salto es un salto que realiza en mi honor. Pero el adolescente, en vez de dirigirse al muro, atravesó el patio y se encaminó a la puerta del cuarto de Orfelina. La Llave del Golfo no tuvo que tocar la puerta. Orfelina la abrió antes, lo cual demostraba que todo estaba concertado de antemano. La loca, sin poderse contener, siempre envuelta en su única sábana, bajó las escaleras, caminó hasta el cuarto de Orfelina y atisbó desde una ventana. Su amado adolescente poseía frenéticamente a Orfelina, que gemía de gozo bajo la inmensa llave. La loca, muda de horror, subió a su cuarto. Con razón, se dijo, no había sido descubierto. La tía recibía también su recompensa. Durante todo el. día, la Tétrica estuvo meditando; por último llegó a la conclusión de que quería demasiado a aquel joven para renunciar a él por un problema de faldas. Si le gustan las mujeres, mejor, se dijo; eso demuestra que es un hombre de verdad y que yo soy, de todos modos y como él mismo me lo confesó, la primera loca que se pasa por la piedra. No obstante, me vengaré: le enviaré un anónimo a mi tío, que como miembro del Partido siempre está trabajando para que coja a su mujer templando y la eche de la casa por puta.

Ese mismo día la Tétrica redactó el anónimo y a través de la Maléfica, vestida de teniente, se lo hizo llegar a su tío Chucho, quien estaba en la oficina del regional del Partido. Por la noche la loca fue poseída con la misma pasión de siempre. En cuanto la Llave del Golfo bajaba las escaleras, la loca envuelta en su sábana, que había teñido de negro gracias a un tinte que le regaló Mahoma, salió al balcón. Esta vez el adolescente no se dirigió a la puerta del cuarto de Orfelina, sino que tocó en la puerta del comedor. La puerta se abrió al instante y la Tétrica pudo ver a su tío Chucho que invitaba a pasar a Lázaro. ¡Jesús!, pensó la loca, no debí haber enviado el anónimo; ahora seguramente mi tío, como miembro del Partido, me mata a la Llave del Golfo. Cómo he podido ser tan perversa. Y envuelta en su sábana negra la loca bajó corriendo las escaleras con tal velocidad que resbaló y se partió una rodilla y la frente. Pero sangrando siguió adelante. De ninguna manera iba a permitir que su tío Chucho, esa alimaña del Partido, matara a la Llave del Golfo. Cuando llegó a la puerta del comedor, la Tétrica quedó petrificada. Sobre la inmensa mesa, el bello adolescente poseía violenta y rítmicamente a Chucho, quien contenía sus gritos de placer metiéndose una servilleta en la boca. Así que nunca había hecho nada con otro maricón, se dijo la Tétrica irónicamente. Aquí mismo lo voy a esperar y le voy a pedir cuentas. La Tétrica esperó enfurecida a que la Llave del Golfo terminara de poseer a su tío. Pero cuando hubo acabado, en lugar de salir de la casa, entró en el cuarto de Tony, el primo de la Tétrica, famoso por las numerosas novias que tenía. Tony, a cuatro patas sobre la cama, estaba listo para la llegada del adolescente, quien al momento lo poseyó aún con más violencia que con la que había poseído a su padre. Tan descomunales eran los resoplidos del bello adolescente y de Tony que a la Tétrica Mofeta, con lágrimas en los ojos, no le quedó más remedio que subir a su cuarto y comenzar a masturbarse.

Mientras se masturbaba, la loca oyó un maullido descomunal. Envuelta en su sábana negra volvió a salir al balcón. En el centro del patio, el bello adolescente poseía ahora con furia a una de las gatas de su tía Orfelina, gata que aunque deseaba aquel don no pudo soportarlo y reventó. La Tétrica Mofeta, furiosa, entró en el cuarto sin poder terminar ya su masturbación. Pero al otro día amaneció más razonable. ¿Y si el bello adolescente hubiese caído en una trampa? A lo mejor, seguramente, había sido chantajeado por Orfelina y había tenido que templarse a toda la familia y a la gata para que ella, la Tétrica Mofeta, no fuera delatada a la policía. Sí, todos aquellos sacrificios los había hecho la Llave del Golfo para salvarme la vida. El pobre, qué manera de sacrificarse por mí. Y con esta ilusión la enamorada, y por lo tanto ciega loca, se encaminó trinando rumbo a la Playita de la Calle 16, lugar en el que se habían dado cita ese día toda la juventud, pues según las Parcas y la Pitonisa Clandestina, allí ese día no habría recogida de locas. Fue Tomasito la Goyesca quien, al ver a la Tétrica Mofeta trinar incesantemente, le preguntó cuál era la causa de su euforia.

—Dime, pájara, ¿quién te ensarta hasta los codos que luces tan harta y trinas de ese modo?

—Sí, habla, di quién es el dueño del falo que te proporciona tal placidez —saltó la Sanjuro el Camelias.

—Es un secreto —respondió enigmática la Tétrica—. Además, no tiene sentido que les diga el nombre, pues ustedes no lo conocen. Sólo ha tenido relaciones conmigo y apenas si conoce a mi propia familia.

—Ay, niña, dinos su nombre. De todos modos, si no lo conocemos, en nada podemos perjudicarte —razonó la Vieja Duquesa de Valero.

En voz baja y con gran timidez la Tétrica pronunció el nombre de Lázaro González Carriles.

Al oír aquel nombre todas las locas soltaron una carcajada estruendosa.

—¡Dios mío, pero si estás hablando de la Llave del Golfo! —dijo la Sanjuro el Camellas—. ¡El bugarrón más famoso y mejor provisto de toda La Habana! Niña, la primera vez que me la metió, de eso hará unos dos meses, creí ver las estrellas.

—Igual me pasó a mí —aseguró categóricamente la Reina de las Arañas—. Creo que se llevará la palma entre todos los macharranes que pienso llevar a la fiesta de Fifo.

—Ya yo le otorgué hace un año el Bugarronato de Arroyo Arenas —dijo la Reina—. Y no me arrepiento de haberlo hecho.

—No es mal palo —comentó con cierta indiferencia Mahoma—. Pero ya estoy cansada de que salte todas las noches a mi balcón.

—Yo me lo pasé y puedo asegurar que es el hombre mejor dotado de La Habana —aseguró Coco Salas quitándose los espejuelos. Y Coco, la loca más espeluznante del mundo, a quien nadie quería templársela, abrió un bolsito tejido con hilos de plata y sacó una foto donde aparecía la Llave del Golfo completamente desnudo y con su inmensa llave erguida—. Le hice este retrato hace sólo unas semanas, cuando estuvimos en Varadero —terminó diciendo Coco mientras hacía circular la fotografía.

—Hay que premiar a la loca que le puso ese apodo con el cual él se presenta —propuso la Tiki Tiki—, pues le viene como anillo al dedo. Imagínense que a mí, que lo que tengo es una bahía, me invadió completamente y hasta por unas horas calmó mis oleadas eróticas.

—¡Ay, qué les diré yo! —exclamó Hiram, la Reina de las Arañas, explayando sus brazos—, que anoche misma fui entollada por la Llave del Golfo en el monte Barreto.

Y la loca, mientras hacía girar manos y pies, dio un salto de goce sobre los pedregales y comenzó a describir con todo lujo de detalles las proporciones fálicas del divino joven.

—Yo les puedo asegurar —dijo Mayra la Caballa mientras Delfín seguía saltando— que si ese muchacho me promete poseerme aunque sea una vez al mes, soy capaz de renunciar a mi marido y a mis once hijos y seguirlo hasta el fin del mundo.

Allí mismo la Tétrica Mofeta se enteró de que su amante, a partir de la fecha en que ella lo había conocido (haría de eso unos tres meses), había poseído a casi todas las locas de La Habana y a casi todas las mujeres (incluyendo a la misma Clara Mortera, que ya lo había pintado) y que ocupaba además el puesto número uno entre todos los chulos de El Vedado y el Bugarronato de Arroyo Arenas, título que se disputaban los bugarrones más afamados del país. El bello adolescente se presentaba a todas las personas poseídas y a las que aspiraban a serlo (que eran casi todos los habitantes de la isla) con el flamante nombre de la Llave del Golfo con el que lo había bautizado la Tétrica Mofeta.

La Venus Eléctrica

Aunque casi todos los invitados que poblaban el inmenso palacio catacumbal eran indiscutiblemente personalidades originales —como el Seleco Macumeco o la Papayi Taloka, dignas de escribirse sobre cada una de ellas varios tomos fascinantes—, había uno cuya fama e importancia eran tan notorias que nos resulta imposible dejarlo pasar por delante de Fifo sin hacer sobre él algunas breves observaciones.

Se trata de la Venus Eléctrica.

La Venus Eléctrica era un pájaro italiano a quien la Academia de Ciencias de Oslo le había colocado en el trasero unos cables de alta tensión que la loca controlaba a su antojo gracias a un broche que llevaba entre sus tetas de silicón. Cuando alguien se templaba a la loca y ésta quería (o debía) asesinarlo, lo único que tenía que hacer era subir el voltaje de sus cables. Al instante, el singante moría electrocutado.

La Venus Eléctrica se especializaba en matar a grandes personalidades de la política mundial. Entre su impresionante *curriculum vitae* se consigna el asesinato del ayatollah Jomeini, el de Mao Psetung, el de León Trosvki, el de Bresniev, el del dictador de las islas Filipinas, el del mariscal Tito, el del Che Guevara, el de Aristóteles Onassis, el de Olaf Palmer, el de Martin Luther King, el de dos reyes egipcios, el de Golda Mayer (que como ya todo el mundo sabe era un hombre), el de John F. Kennedy y otros quince presidentes constitucionales y el de varios secretarios generales de la ONU... Radiante, la Venus Eléctrica saludó a Fifo (quien disimuladamente le dio unas palmadas cariñosas en el trasero) y se introdujo en el círculo de los jefes de Estado más prominentes.

El secreto de Coco Salas

Un pájaro regio vestido exclusivamente con hilos y encajes, y calzando unas gigantescas plataformas marca Mahoma, traspasó el gran umbral del teatro García Loca, declarado monumento nacional y trasladado al palacio de Fifo. Otro pájaro de impecable *smoking* hecho con bolsas de polietileno y calzando también las regias plataformas mahometanas traspuso el umbral del gran teatro nacional. Diez pájaros, cada uno con vestiduras regias y argollas pulidísimas, traspusieron con gran velocidad la puerta del teatro García Loca y con las narices muy estiradas entraron en el vestíbulo. Mil pájaros, ostentando las más llamativas indumentarias, diseñadas por la sin par Clara Mortera, entraron raudos en el teatro García Loca. Un acontecimiento extraordinario iba a tener lugar en el gran teatro situado en el mismo palacio fifal donde se desarrollaba la gran fiesta. Halisia bailaba.

—¿Cómo que bailaba, descarada? ¿Cómo vas a escribir ahí, loca comunista, que Halisia, con ochenta años en las costillas, aún bailaba? ¡Ya esto es el colmo! Hace tiempo que te veo trabajar y no te interrumpo porque lo que dices es más o menos cierto, aunque metes tus puyas y tus venenos. Pero venirme ahora con esas de que «Halisia bailaba», cuando la última vez que la vi andaba en una silla de ruedas y sólo daba unos pasitos con unas muletas... ¡Bailaba! Decirme eso a mí, Daniel Sakuntala la Mala (sí, la mala porque siempre digo la verdad); eso es el colmo, canalla...

Ay, Dios mío, ¿será posible que este maricón no me deje trabajar en paz? Qué destino tan terrible el mío: tener a este pájaro encima de mí día y noche supervisándome y pisándome cada letra. Porque la loca no me pierde letra ni pisada. Claro, como ella nunca ha podido escribir nada y yo soy una escritora regia, envidiosa me interrumpe, tratando de que yo me enfurezca y pierda inspiración, máxime si se sabe bien que de un momento a otro estiraré la pata... Pues óyeme bien, querida, no voy a perder nada porque estoy en mis cabales y, por otra parte, todo lo que digo es verdad. Sí, Halisia bailaba, y si me dejas proseguir podrás enterarte de por qué esa bruja de ochenta y un años (y no de ochenta) podía aún bailar. Calla por piedad, y escúchame.

Existe en esta ciudad un pájaro más horrible que todos los pájaros.

—¡Coco Salas!

Efectivamente, Coco Salas. Pues bien, ¿cuál es el misterio de ese pájaro? ¿De dónde saca para tanto que se destaca? ¿Cómo un pájaro tan feo puede conseguir tantas telas, joyas, féferes...?

—En verdad que eso siempre me ha llamado la atención. La cantidad de trapos en que se envuelve esa loca. Pero como dicen que es de la Seguridad del Estado...

Ay, niña, déjate de boberías. Aquí todo el mundo es de la Seguridad del Estado, hasta los presos políticos, y nadie se envuelve en esas sedas francesas, ni ostenta esas rosas de Bulgaria, ni esos cinturones lumínicos, como lo hace Coco Salas. Y todo eso viene, queridísima, de su íntima amistad con Halisia. Ahora bien, conociendo como conocemos todos quién es Halisia, piensa: ¿acaso esa bruja es amiga de alguien? ¿No ha destruido hasta a quienes se consideraban sus amigas más íntimas? ¿No ha acabado con todas las bailarinas de talento para ser ella siempre la estrella? Pues bien, una persona tan monstruosamente perversa, ¿qué sentido tiene que sea amiga de Coco Salas? ¿Cuál es pues el secreto de Coco Salas? Yo te lo voy a decir ahora mismo, loca bruta: Halisia baila gracias a Coco Salas.

—Me dejas pasmada; en vista de que no acabas de morirte del sida, ahora sí que hay que llevarte para el manicomio.

Escucha, burra, y calla de una vez. Escucha el secreto de Coco Salas, que solamente lo sé yo porque soy una gran observadora. Como tú sabes, desde muchos años atrás Halisia no hacía más que dar traspiés en el escenario, caerse de cabeza, romperse su enorme nariz contra la pared. Famosa por su ridiculez, es historia verídica que una vez bailó de espaldas al público y cuando fue a saludarlo cayó sobre el director de la orquesta matándolo. La gente iba ya al ballet sólo para contar las caídas de Halisia. Pero hace cinco años, en el Festival Internacional de Ballet que se celebra en el anfiteatro acuático del parque Lenin, Halisia, sobre la plataforma lacustre, sorprendió a todo el mundo dando un grandioso jeté y haciendo luego cuarenta y cuatro pirués. Todo el público del anfiteatro estalló en aplausos sin explicarse la causa de que aquella anciana súbitamente resucitara su antigua danza. Pero Coco Salas, que estaba en primera fila provisto de unos inmensos anteojos, vio cuál era el motivo por el que la octogenaria daba aquellos saltos. Un mosquito feroz, de esos que sólo produce la represa del parque Lenin, picaba a Halisia en sus muslos. La vieja, al recibir aquellos aguijonazos,

241

no podía contenerse y saltaba. El ballet fue un éxito y Halisia ganó la Pata de Plata Internacional. Al otro día se le apareció Coco Salas en su camerino con una caja de cartón.

¿Quién eres tú?, le preguntó Halisia cortante, observándolo con su enorme lupa. ¿Cómo te atreves a entrar en mi camerino privado? Esas cosas sólo le están permitidas a Fifo... Por toda respuesta Coco abrió una esquina de su caja de cartón y dejó escapar un mosquito. El mosquito fue directo hasta una pierna desnuda de Halisia, la picó y la bailarina dio un salto tan grande que llegó casi al techo del teatro. Te contrato inmediatamente, le dijo Halisia a Coco mientras se echaba alcohol boricado en la picadura. Prepara una buena provisión de mosquitos. Mañana bailo y no quiero desilusionar a mi público. Pierda cuidado, dijo Coco. Y esa misma noche se fue para el parque Lenin y se dedicó a cazar los mosquitos más feroces. Al otro día Halisia salió a escena radiante y comenzó a bailar el primer acto de *El lago de los cisnes*. Coco Salas, detrás de las cortinas, iba soltando sabiamente sus mosquitos. Alicia bailó un *Lago* como sólo lo había hecho hacía sesenta años. No hubo un crítico de ballet del mundo, todos invitados a ese evento, que no escribiera su elogio a Halisia Jalonzo. Siempre picada por los mosquitos, Halisia bailó en Roma, en Montecarlo, en Moscú, en Madrid (donde el mismo Coco Salas escribió un artículo titulado «El privilegio de ver bailar a Halisia Jalonzo»), en París, en Buenos Aires, en México, en Argel, en Nueva York y, en fin, en todo el globo. Coco, siempre con su caja de mosquitos, le devolvió la fama y por lo tanto la vida. Y ése es su gran secreto: Halisia Jalonzo existe gracias a Coco Salas. No es de extrañar, pues, que Coco vista tan regiamente y que goce de absoluta impunidad. Es el niño mimado de Halisia. ¿Me comprendes, bruta?

Y ahora Halisia, en el teatro situado en el gigantesco palacio catacumbal de Fifo, bailaba magistralmente el segundo acto de *Giselle*. Coco, conociendo que Fifo estaba en el teatro con todos sus regios invitados, triplicaba el número de los mosquitos liberados. El público contemplaba hechizado aquella danza. Hasta las vacas argentinas estaban ensimismadas. El verdugo de Irán se enjugó una lágrima. A María Tosca Almendros, que es mucho aspirar, se le empañaron los ojos. Fifo, muy cerca de la Llave del Golfo, se sentía doblemente emocionado, por la danza y por el éxito que la misma representaba para su fiesta. Quién se atrevería ahora a negar que él era un mecenas y que la primera bailarina del mundo era una de sus súbditas más fieles. Llegó el momento culminante. Halisia, acompañada por una orquesta monumental y en medio de un silencio de muerte por parte de todo el público, comenzó a dar sus cuarenta y cuatro fuetés. Coco Salas soltó entonces la mitad de sus mosquitos prisioneros y Halisia giró como un trompo. Pero de pronto, en medio de aquella danza única, se oyó un grito descomunal que retumbó en todo el teatro. Coco, pensando que Halisia había sido asesinada por un mosquito infestado, cerró su preciosa caja de cartón. Halisia cayó al suelo. Pero el grito descomunal volvió a retumbar en todo el teatro, por lo que nadie prestó atención a la caída de Halisia sino a aquel alarido que parecía partir del bosque oficial aledaño al teatro.

—¿¡Qué cojones pasa ahora!? ¡Me cago en Dios! —dijo Fifo poniéndose de pie en su palco presidencial.

Y seguido por toda la escolta, por la mayoría de los invitados, por la misma Halisia y por Coco Salas, Fifo salió al bosque oficial para averiguar cuáles eran las causas de aquellos gigantescos alaridos que habían interrumpido uno de los momentos más sublimes de su velada.

Eco

Cuando el seleco Macumeco sintió el eco de aquel golpe seco abriendo lo más profundo de su enteco recoveco exclamó: «¡Me desfleco!, pero qué dulce embeleco».

(Para Aristóteles Pumariega, alias Macumeco)

Las siete maravillas del socialismo cubano

PRIMERA MARAVILLA

El periódico Granma. Porque es el único periódico del mundo donde la realidad nada tiene que ver con los acontecimientos que éste anuncia. Es el periódico más optimista del mundo, entre los verbos más comunes que encabezan sus titulares se encuentran: «optimizar», «vencer», «derrotar», «arribar», «calorizar»... También es el periódico que cosecha más papas y azúcar en todo el globo, aunque estos productos nunca los vemos por ningún lado. Carece de obituario y cuando alguien es fusilado el periódico dice que murió en estado de gracia y dándole vivas al mismo director del periódico que lo mandó matar.

SEGUNDA MARAVILLA

Los zapatos plásticos. Son los únicos zapatos del mundo que no es necesario usar y el que los usa tiene que estar siempre corriendo o por lo menos saltando, lo cual desata una gran actividad. Al calentarse reducen los pies a dimensiones tan mínimas que todos pueden pasar por *geishas* que caminan, como es natural, dando brinquitos. No necesitan medias. Se puede caminar con ellos bajo el agua y nada les ocurre. Aunque por lo general suelen usarse encima de la cabeza.

TERCERA MARAVILLA

Las croquetas del cielo. Esta misteriosa croqueta no se sabe cómo se fabrica ni cuáles son sus ingredientes. Pero tiene una cualidad excepcional por todos conocida: se pega al cielo de la boca sin que sea posible despegarla.

CUARTA MARAVILLA

La guagua. Es el único vehículo del mundo que una vez que se entra en él no se puede salir ni parar en sitio alguno, aunque generalmente nunca pasa. Evita cualquier tipo de preocupaciones a sus usuarios, pues no tienen que preocuparse por su destino. Su categoría es mitológica y sus aventuras son realmente imprevisibles. Una vez dentro de ella puede ocurrir cualquier cosa, pues por muchas leyes que se han promulgado para controlar su interior, ninguna regulación puede poner brida a tal artefacto ni a lo que dentro de ella suceda.

QUINTA MARAVILLA

El noticiero ICAIC. Es el único noticiero cinematográfico del mundo durante el cual podemos cerrar los ojos, soñar, dormir y cuando despertemos resolverlo todo con un aplauso, seguros de que, aunque no hemos visto nada del noticiero, lo hemos visto todo.

SEXTA MARAVILLA

Las películas de la ex República Democrática Alemana. Estas películas poseen un mérito único: nunca hay que verlas.

SÉPTIMA MARAVILLA

Los helados Coppelia. Son los únicos helados del mundo para cuya venta se ha construido una catedral y alrededor de esta nave, desde luego abovedada, se conglomeran miles de fieles día y noche dispuestos a padecer todo tipo de persecución. Su consumidor común tiene que hacer tres tipos de cola antes de llegar al codiciado helado: la precola para el ticket; la cola, ya con el ticket, y la postcola, una vez que, ticket en mano, se ha logrado entrar en el área donde se sirven los helados. También para obtener este helado se han escrito varios manuales, entre ellos el famoso manual de Nikitin, *Instrucciones para colarse en la cola de Coppelia.* Es probable que cuando, finalmente, lleguemos al codiciado helado, el mismo se haya derretido o evaporado. Pero ¿quién puede quitarnos la dicha de haber pasado toda la noche como extraños caballeros templarios en vigilia incesante junto a una catedral donde oficia un dios congelado?

En la biblioteca

Cuando la Tétrica Mofeta entraba en la sala de lectura de la Biblioteca Nacional todo se transformaba; ella también. Allí, rodeado por los libros, un halo mágico envolvía a Reinaldo. Gabriel, casi completamente solo en la biblioteca, miraba para los estantes. De cada libro emanaba un fulgor exclusivo. Caminar hasta aquellos estantes, sacar al azar un libro... ¿Qué mundo nos descubriría? ¿Hacia qué lugar remoto nos transportaría? ¿Con qué ritmo nos llevaría hacia parajes, bellezas e ideas jamás soñados y sin embargo presentidos? Pero el momento más extraordinario era ese en que, la mano ya sobre el libro, aún no lo había abierto. En ese momento, la Tétrica Mofeta, Gabriel, Reinaldo, no tenía un libro en sus manos, sino todos los libros del mundo y por lo tanto todos los misterios posibles e imposibles. Entonces, una sensación de plenitud total envolvía a la Tétrica Mofeta, a Gabriel y a Reinaldo fundiéndolos en un solo ser. Así, radiante, aquel ser tomaba el libro y volviendo a la mesa comenzaba la lectura.

Aclaración de las Divinas Parcas

Queremos aclarar que si hemos condenado a Reinaldo Arenas (Perronales, 1943) a un destino siniestro, no se debe, como dice el escritor, a que nos sintiéramos enfurecidas por los golpes que nos propinara el negro a quien Delfín Proust Pupo (Guanajales, 1944) le tocó la portañuela. Todo eso, el toque de la bragueta, los golpes que recibimos, es cierto. Pero no influyó en nuestro veredicto. Lo que sí influyó es que Arenas (alias Gabriel, alias la Tétrica Mofeta) dudó de nuestras palabras y por lo tanto de nuestro poder. Estando el citado en el castillo de El Morro nos envió a su madre (lo que nos costó una requisa por parte de Fifo) para conocer el destino de su novela. Nosotros le informamos que había sido encontrada por su tía Orfelina, quien la entregó a la Seguridad del Estado. Pero él no lo creyó completamente. Si no, ¿por qué se encaramó en el techo de la casa de Orfelina con el fin de recuperar su novela al salir de la cárcel? Esa falta de confianza en nosotras, las Divinas Parcas, no se la perdonamos.

Firmado:
Cloto
Láquesis
Átropo

Un grito en la noche aunque parezca de día

Carlitos Olivares, la loca más fuerte de Cuba, había al fin logrado llevar a su casa a un imponente recluta que hacía la guardia en el castillo de La Fuerza. En realidad, desde hacía muchos meses, la Olivares rondaba desesperada aquel castillo. Se detenía ante sus muros, metía su cara negra y achinada por entre los barrotes y contemplaba extasiada al joven ejemplar masculino que, rifle al pecho (la culata del arma acariciándole dulcemente la bragueta), vigilaba con las piernas abiertas frente al edificio histórico, construido por Isabel de Bobadilla hacia 1530 para esperar a un esposo al que se tragaron las aguas del río Mississippi... La loca de atar, tal vez poseída por el espíritu de desesperación de la Bobadilla, contemplaba todos los días durante horas (las pasas incrustadas a las rejas) a aquel macharrán único. Muy triste es la historia de este pájaro, negro maricón y chino, ay, en un país donde hasta el mismo Fifo hacía alarde de sus antepasados gallegos y de su supuesto machismo intachable. Ay, niña, y como si eso fuera poco, aquella loca larga, de ojos saltones, de culo pintiparado, de boca descomunal cuyas babas se precipitaban como cataratas ante cualquier figura masculina, era nada menos que el hijo del embajador de Cuba en la Nipón Soviética.

—¡Jesús, loca! ¡Qué palabras se te han escapado del cerco de tus dientes postizos!...

Postizos, pero excelentes, querido, pues fueron diseñados por la mismísima santa Marica y están hechos con plata y marfil, no como los tuyos, que son de plástico y nada más de reírte o de abrir la boca salen disparados al exterior... Pero, en fin, déjame continuar.

La terrible negra, hija de papi mayimbe y de madre santera y bruja, no podía soltar ni una ligera plumita en su casa. Y sin embargo, ¿quién podía impedirle que una fuerza natural, la fuerza de la mariconería, instalada en aquel cuerpo oscuro, se manifestase de mil formas? Movimiento de manos, batir de orejas, batir de bembas, parpadear de ojos errátiles, contoneos de culo y miradas en blanco... Nada, nada podía impedir que la pájara, pájara de atar, se manifestase como tal y por lo mismo se le hubiese adjudicado el título de «la loca más fuerte de Cuba», a pesar de ser una loca mayimbática... Y la loca más fuerte de Cuba se había pasado todo el santo día detrás de las rejas del castillo de La Fuerza mirando desaforada al rotundo ejemplar militar, quien era, Dios mío, natural de Palma Soriano. Las babas de la loca rodaban por las rejas del castillo de La Fuerza e inundaban ya los fosos de la fortaleza, por lo que el delicioso recluta pensó que la marea había subido considerablemente.

Y la marea de baba siguió subiendo hasta llegar casi hasta la regia pasarela medieval desde donde el recluta escrutaba con las orejas paradas y cara de tragamundo a la loca, que al parecer lo espiaba. No se puede tener contactos con los que merodean el castillo militar donde descansaran los restos de José Antonio Portuondo, le había orientado el teniente jefe; pueden ser espías o agentes del imperialismo que traman cómo obtener secretos estratégicos que Portuondo se llevara a la tumba. Prohibidas terminantemente las fotografías, las entradas al castillo y las respuestas a cualquier pregunta que alguien le haga a la guardia de turno. Por otra parte, el teniente jefe le había ordenado que cualquier movimiento extraño alrededor del castillo fuese reportado a la comandancia y que además se investigase al merodeador en todo lo posible. Por eso el gran reclutón ton ton (ton ton porque sus botas retumbaban en la pasarela de madera de la fortaleza; ton ton, porque también él retumbaba como madera sólida) hacía la vista gorda y no arrestaba al pájaro negro, sino que lo observaba alerta pero con disimulo detrás de sus espejuelos oscuros, que le daban un aire aún más marcial y varonil, dispuesto, desde luego, a llevárselo en la golilla en cuanto sacara un lápiz o una cámara fotográfica. Pero el caso es que la loca no sacó nada y allí siguió babeando durante horas.

Cuando la baba llegaba a las botas del militar, éste, que ya había cumplido con su guardia, entregó su arma y salió al exterior. Allí, junto a la gran reja, seguía babeando el pájaro negro. Babeaba y temblaba. Al pasar el reclutón ton ton por su lado, el pájaro negro no pudo dejar de escapar un corto alarido de muerte; era una suerte de «ay» sordo que partía de las más profundas entrañas, del intestino delgado, del intestino grueso, del recto en llamas y del propio corazón. El recluta, al escuchar aquellos extraños sonidos culares, dedujo que el pájaro era un superespía equipado con un equipo supermoderno, por lo cual aminoró el paso. El pájaro, que seguía caminando detrás, soltó tal cantidad de baba que miles de amas de casa lo seguían con todo tipo de vasijas para suplir de ese modo la carencia de agua que padece toda

La Habana Vieja. Finalmente, Carlitos Olivares, la loca más fuerte de Cuba, se acercó al recluta y lo saludó respetuosamente, preguntándole la hora. El recluta, siempre alerta, saludó al supuesto espía y muy respetuoso le dijo que no tenía reloj pero que al dejar el castillo («la unidad», dijo) era la una de la tarde, por lo que no podía ser más que la una y cuarto. Es temprano, gimió la Olivares. Sí, contestó el reclutón ton ton, pero yo he estado de guardia desde las doce de la noche, en realidad lo que quiero es descansar. Te invito a mi casa para que descanses, mi madre te puede preparar un café, se atrevió a susurrar la Olivares. Ah, conque se trata de una familia de conspiradores que incluye hasta la misma madre, se dijo el recluta, y con fines policiales aceptó la invitación.

Al llegar la loca más fuerte de Cuba a su casa con aquel ejemplar único, se desató una fuerte competencia entre la madre, el hijo y sus dos hermanas. Las tres mujeres se debatían entre remilgos vanos, contoneos, risas, sonrisas, palabras melosas y hasta muestras rápidas de bollo ante el joven militar. La madre trajo el café y se lo sirvió diligente, restregándole en la cara sus enormes tetas. Las hijas le trajeron azúcar prieta cubana que el viejo embajador les enviaba desde Nueva Stalingrado. Al depositar los terrones de azúcar ambas hermanas pasaron sus lenguas por las orejas militares. Por lo que Carlitos, ya desesperado, invitó al joven a su cuarto para que viera sus libros. Lo primero que hizo el pájaro para ganarse la confianza política del militar fue enseñarle las *Obras completas* de Carlos Marx; luego, para ganarse su amistad, abrió una gaveta y le regaló su reloj Rolex, un par de medias de nailon, una cortina hecha con cajas de fósforos, una insignia de la Juventud Comunista, una imagen de la Virgen de Loreto, le dio su anillo, su bolsillo, en el cual tenía 120 pesos que pensaba gastar en el carnaval. Inmediatamente le dijo al joven recluta, quien aceptó impertérrito aquellos regalos, que tenía que guardar bien aquel dinero y corriendo fue hasta un gigantesco escaparate y sacó una billetera lujosísima hecha con la piel de uno de los cocodrilos de Fifo y también se la regaló al dios. El militar cogió la cartera sin decir ni una palabra y se la guardó en uno de sus grandes bolsillos militares. El bulto de aquella cartera en el bolsillo militar excitó más a la loca, que voló hacia el gran escaparate y regresó con un traje de gala, un kepis con borlas doradas y unos finos zapatos italianos. Arrodillada ante el dios le quitó sus rústicas botas y le hizo calzar aquellos finos tacos corte estilete. Ay, pero en ese momento, la loca arrodillada ante el reclutón ton ton ajustándole los zapatos italianos, irrumpió la madre en el cuarto con un caldero lleno de ajiaco oriental y detrás las hermanas con platos, cubiertos, mantel de hilo y una mesa portátil que armaron ante el recluta. El recluta se vio agasajado con su plato preferido otorgado por tres mujeres que no dejaban de contonearse a su alrededor. Pero la Olivares, que no podía dejarse opacar por sus hermanas, le regaló al reclutón ton ton la gran medalla Lenin que le había sido otorgada a su padre, el embajador, por sus sesenta años de trabajo para el Comité Central del Partido. También le regaló la novela *Muerte en Venecia*, de Thomas Mann, obra que había robado de la Biblioteca Nacional, robo que, denunciado por María Teresa Freyre de Andrade, le costó seis meses de trabajo forzado en el Plan Parque, y eso porque era el hijo del embajador en la Nipón Soviética, que si no a la loca la fusilan... Dios mío, pero el pájaro mayimbal seguía colmando de preseas al reclutón ton ton. Le puso al cuello una medalla de santa Marica (oro puro trabajado por Mahoma), le regaló dieciocho cortes de tela, el hule de la mesa de centro, una lámpara de pie, unas maracas, unas arecas, unas frutas de sebo (uvas, peras y manzanas), una capa de agua y un par de chancletas españolas. Todo eso le fue entregando el pájaro mientras su madre y sus hermanas se contoneaban moviendo tetas y culos. Y el reclutón ton ton aceptó todos aquellos regalos pensando que podían servir como prueba testimonial contra el espía y su familia.

Evidentemente, pensó entonces la loca, en la casa no voy a poderme pasar a este delicioso recluta; por lo que le propuso al joven dar un paseo por la ciudad y después llegar hasta el bosque de La Habana, donde podrían tomar un poco de fresco. La loca metió en un inmenso saco de yute todos los regalos y salió con el militar mientras madre y hermanas se contorsionaban frenéticamente.

La loca más fuerte de Cuba, arrastrando el inmenso saco de yute, y el reclutón ton ton cruzaron La Habana Vieja, atravesaron casi todo el Malecón (donde a la loca se le enredó el saco de yute en las ruedas de una carroza carnavalesca), llegaron a Coppelia e hicieron una cola de tres horas para tomarse un helado derretido. A pie (la loca sin soltar el enorme jolongo de yute) caminaron todo El Vedado. El recluta delante, la loca cargada atrás con la lengua fuera y soltando chorros de baba. Así cruzaron el puente del río Almendares y se introdujeron en el bosque de La Habana. Habían llegado a la zona residencial de las Alturas del Nuevo Vedado y aquel bosque era ahora un jardín oficial que rodeaba el inmenso castillo de Fifo. Si lo traspasaron se debió a que la loca más fuerte de Cuba era hija del embajador en la Nipón Soviética y el recluta era uno de los ñiños mimados de Ramiro Valdés.

—¡Niña, qué palabras se te han vuelto a escapar del cerco de tus dientes postizos!

Así es: de Ramiro Valdés, con rima y todo. ¿O qué te crees, que un reclutón ton ton de aquellas dimensiones iba a pasar desapercibido para la Ramiro Valdés? Síííí, Ramiro Valdés la llaman. Bueno, hecha la aclaración. El recluta seguía caminando por entre los árboles del bosque umbrío. La loca, detrás, arrastraba trabajosamente el inmenso jolongo con todos los regalos. La loca ya se sabía toda la historia de la familia campesina del recluta por él mismo relatada, se sabía el nombre de sus hermanas, de su madre, de sus abuelas. Cuando el recluta comenzó a hablarle de la familia de su bisabuela por parte de madre, la loca lo interrumpió preguntándole que si él tenía novia. El reclutón ton ton le dijo que era soltero y sin compromiso. La loca tiró el inmenso saco de yute al suelo y cayó de rodillas frente al gigantesco macharrán, postrándose junto a su portañuela. El recluta, pensando que no era él la persona indicada para matar a un espía que además aún no había confesado, rechazó al pájaro con altivez, pero sin violencia. La loca, siempre de rodillas, le confesó entonces al recluta que desde hacía más de un año lo espiaba día y noche desde las rejas del castillo de La Fuerza, que lo amaba, que no podía vivir sin él. Entonces el recluta, muy sereno (pensando en las grabadoras que seguramente estaban escondidas entre los árboles grabando todo aquel diálogo), le dijo que a él no le gustaban los hombres, que de ninguna manera, que si lo había acompañado a su casa y aceptado los regalos era por pura cortesía militar, pero que él detestaba las relaciones sexuales entre dos hombres, considerándolas como algo absolutamente inmoral. La loca entonces se bajó los pantalones y mostrándole su inmenso y negro culo se volvió al recluta y le dijo: Me singas o grito. El recluta, reculando ante aquel inmenso culo que se le abalanzaba, mintió y dijo: Mira, ya te he dicho que no he tenido nunca relaciones con nadie, pero el día que las tenga será con una mujer. La loca desesperada le dijo: Es que yo soy una mujer. El recluta entonces, sin perder su compostura, sacó una pistola que llevaba escondida casi entre la misma braugueta y apuntándole en la cabeza al pájaro le dijo: Si eres una mujer, enséñame ahora mismo el bollo... Sí, sí, ahora mismo te lo voy a enseñar, prometió la loca y se comenzó a palpar todo el cuerpo buscando un bollo súbito. Pero nada, sólo tenía pinga, huevos y un culo desesperado. Al borde de una alferecía la loca se metió todo su sexo entre las piernas, las cerró de manera que sólo quedara a la vista la pendejera y le enseñó al recluta lo que ella llamaba el bollo. Pero el recluta no cayó en la trampa; por el contrario, pensando que un espía internacional y maricón lo quería además timar, le dijo: Abre las piernas o te mato. La loca abrió obligatoriamente las piernas y el recluta contempló unos huevos secos y una pinga fláccida. ¡Un bollo! ¡Un bollo!, exigía el recluta ya sin poder contenerse. Sí, sí, aquí lo tengo, dijo la loca, palpándose debajo de los brazos, en la punta de los pies. Dios mío, con qué desesperación buscaba aquel pájaro un bollo. Por último se paró sobre el jolongo lleno de ricas preseas, levantó los brazos al cielo y elevó una oración muda a la piadosa santa Marica pidiéndole al instante que la dotase de un bollo. Y como se trataba de un caso de urgencia, santa Marica, desde las alturas, le lanzó al pájaro un bollo. Ay, pero como la santa estaba casi completamente ciega no atinó en el golpe y el bollo cayó sobre la frente de la loca, donde al instante se instaló. Qué es eso, dijo entonces el recluta mirando aquel bollo que le cubría toda la frente a la loca, además de maricón eres un monstruo. Y dándole la espalda, no sin antes recoger los regalos, echó a caminar por entre los árboles mayimbales. En realidad, no había cosa más horrible para aquel reclutón ton ton que un bollo. Ni bollo, ni culo; pinga es también lo que quiero. Y pensar que por razones políticas he perdido un día con un pájaro y tres putas, yo que pensaba mamar como un desesperado en los urinarios del carnaval... ¡Me singas o grito! ¡Me singas o grito!, clamaba persiguiéndolo de cerca Carlitos Olivares. Tan desesperada era la petición de la loca que el recluta se volvió y olvidándose de las grabadoras y mirando fijamente al pájaro le dijo: Nunca me han gustado los bollos y mucho menos en la frente de un maricón. En ese instante la loca se llevó las manos a la frente, y, ¡oh, horror!, sus dedos tropezaron con una pelambrera supurante, con un bollo. Sin poder más, la loca, doblemente burlada (por los hombres y por los dioses), se paró en medio del bosque y lanzó un grito tan descomunal que aún no ha sido igualado por pájaro alguno. Inmediatamente lo repitió superándolo.

Esos gritos fueron los que retumbaron en el teatro donde Halisia bailaba *Giselle*, e hicieron que Fifo y casi todos sus invitados se precipitasen hacia el exterior.

Súbitamente, pájaro y recluta se vieron rodeados por las tropas de Fifo, por el mismo Fifo y por numerosas personalidades.

—¡Ah!, pero si es Carlitos Olivares Baloyra, el hijo de mi amigo Carlos Olivares Manet y con un bollo en la frente... —dijo Fifo, observando el fenómeno como una de las cosas más naturales del mundo—. Ven, ven, ven para la fiesta, que precisamente por parecer algo raro puedes entretener a mis regios invitados. Ah, y en cuanto a tu acompañante —y Fifo miró al reclutón ton ton de arriba abajo—,

¡que también nos siga! ¡Vamos, entremos en el palacio y que continúe la fiesta!

Antes de entrar en el palacio la Tétrica Mofeta se desprendió de una inmensa bufanda egipcia, regalo de Margarita Camacho, y le cubrió la frente a la Carlitos Olivares.

—No fue María Teresa Freyre de Andrade la que te denunció a la policía por haber robado la *Muerte en Venecia*, sino yo —le confesó la Tétrica a la Olivares—. Es uno de mis libros preferidos e iba a leerlo casi todas las semanas a la biblioteca. Lo que hiciste no tiene perdón de Dios ni de santa Marica. Veo muy difícil que te quiten ese estigma de la frente. Serás por siempre una loca bolluna. Qué horror... Pero entremos, que después que enumere las siete maravillas del socialismo cubano (lo cual de seguro me costará más tarde la vida) y recite mis «Treinta truculentos trabalenguas», va a leer Lezama.

—Lezama —dijo Halisia con desprecio—. Nunca he entendido ni una palabra de lo que escribió ese viejo loco, aunque, a decir verdad, escribió sobre mí un texto sin pies ni cabeza que no había quién cojones descifrara y que el mismo Fifo prohibió. Pero si ha sido resucitado y va a hablar es porque Fifo lo ha autorizado. Así que entremos para escucharlo y aplaudirlo.

Halisia dio un gran salto pensando que trasponía la puerta del gran palacio, pero como estaba casi completamente ciega su cabeza retumbó contra el tronco de uno de los árboles del jardín y cayó patas arriba en medio de la audiencia.

—¡Dios mío! —gritó Coco Salas dando histéricos saltos—, yo creo que está muerta.

—¡Qué muerta ni muerta! —exclamó Fifo frente a la bailarina que permanecía rígida—. Bicho malo nunca muere, y mucho menos si es el mismo diablo. Tírenle un cubo de agua fría en la cabeza y verán cómo se levanta en un dos por tres.

—¡Nada de agua! —gritó Halisia incorporándose—, que el maquillaje que llevo tiene tres pulgadas de espesor y cuesta una fortuna. Me siento perfectamente.

Y la gran bailarina echó a andar dándoles cabezazos a todos los troncos de los árboles hasta que, finalmente, el fiel Coco la tomó por una mano y siguieron a la gran comitiva que entraba ya en el palacio catacumbal.

Ejo, ujo, ijo, ija...

Alejo, papujo y viejo, ¿por qué te alejas cada vez más lejos? Te vemos sólo como un reflejo. Hijo, deja esos pujos, renuncia al lujo, no te des más lija ni le saques lajas a La Habana Vieja con tu catalejo. Ven a comer lentejas y guataquear parejo soltando el pellejo sin ninguna queja.

(Para Alejo Sholejov)

Una delación

Ah, infelice. Así que la pobre Virgilio pensaba que al quemar sus poemas originales sin dejar copia de ellos iba a gozar de la impunidad fifal. Nada de eso, queridas. Mientras la Reina de Cárdenas (así la llamaba la Queta Pando) leía sus poemas geniales, dos de las locas más siniestras del globo, provistas de grabadoras estratégicamente colocadas en sus respectivos anos, registraban toda la lectura. Así, a la vez que aquellas locas de atar cumplían cabalmente su labor policial, disfrutaban por partida triple su misión. Esto es, disfrutaban del hecho de grabar el testimonio de un traidor, disfrutaban también de los poemas inmortales del susodicho traidor y disfrutaban a la vez del placer de llevar aquellas enormes grabadoras enterradas en el trasero. De modo que si algunos ayes soltaron aquellas viles no fue sólo por el goce de aquella lectura y la quema de los poemas, sino también por la forma en que las grabadoras se hundían en sus traseros al ejecutar algún movimiento en el piso donde yacían sentadas como dos extasiadas marmotas.

¿Quiénes eran aquellos horribles maricones de cuerpos elefantiásicos? ¿Quiénes eran aquellos traidores viles que habían logrado infiltrarse en el cogollito de Olga Andreu? Es hora pues de que digamos sus nombres. Eran la Paula Amanda (alias Luisa Fernanda) y la Miguel Barniz. Eran, y guárdense esos nombres en su memoria, dos de los más fieles confidentes de Fifo, a quien veneraban no sólo políticamente, sino también físicamente.

Pues bien, en cuanto la regia Piñera terminó su lectura magistral, los maricones informantes lo abrazaron, lo felicitaron llorando y partieron a toda velocidad cada una por rumbo distinto (pues se trataban de informantes supersecretos) hacia la puerta especial que comunicaba con el Jardín de las Computadoras, situado a un costado superior del palacio fifal. Ambos maricones, grabadora en mano, se encontraron frente a frente junto a la puerta oficial. Cada uno de los informantes enrojeció de furia al pensar que el otro podría entregar primero el informe. Al mismo tiempo que las dos locas golpeaban desesperadas la puerta oficial con una mano en la que sostenían la grabadora, con la otra se arañaban, intentaban sacarse los ojos, se tiraban de sus inmensas lenguas, se retorcían las orejas; todo eso mientras se impartían repetidas patadas en sus vastos vientres. En un momento dado, la furia de la Paula Amanda fue tan terrible que agarró a la Barniz por su larguísima cabellera y de un tirón la dejó calva, quedándose así el pájaro para el resto de sus días (cualquier otra versión sobre la calvicie de ese monstruo es falsa). Pero la Barniz, aullando de dolor por la pérdida de su cuero cabelludo, maniobró con tal furia su garfio libre que sin dejar de tocar a la puerta especial le arrancó a la Paula Amanda todo el mentón (desde entonces este maricón ostenta unas largas barbas blancas, dizque en homenaje a Fifo, pero en realidad lo que hace es cubrirse la terrible deformación causada por la Barniz). Las locas sangrantes seguían armando tal alboroto que por último la puerta especial se abrió y en ella apareció el mismo Fifo en persona rodeado por su escolta regia. Las dos locas se tiraron de rodillas ante Fifo y comenzaron a lamerle las botas a la vez que, alzando las manos, le entregaban las grabadoras mientras entre ellas se propinaban terribles patadas. Fifo ordenó a sus escoltas que las separaran e inmediatamente escuchó el contenido de ambas grabadoras. Magnánimo, postuló:

—Ambos informes son idénticos y me han sido suministrados al mismo tiempo, de modo que sólo uno de ellos se le entregará a las computadoras. Pero los nombres de ustedes dos quedarán en el registro secreto como si el informe hubiese sido elevado por ambos. En cuanto a la Gran Medalla Patria, no se preocupen que ambos la recibirán el día de la gran fiesta precarnaval en homenaje a mis cincuenta años en el poder. Esa misma noche —y aquí se dirigió a su regia escolta— quiero que me liquiden a Virgilio. Pero óiganlo bien: quiero un trabajo limpio y silencioso, nada de estruendo ni ametrallamientos, como han hecho ustedes en Miami contra mis enemigos. Aquí hay que ser más cautelosos porque tenemos menos aliados. Así pues, quiero que ese hijo de puta muera como de una muerte natural y discreta (un infarto, tal vez un suicidio) que pase inadvertida entre el barullo del carnaval, del cual yo seré su alma y centro. Y en cuanto a ustedes —y aquí se volvió a dirigir a las locas sangrantes y arrobadas—, marchaos y seguid trabajando en la sombra, como verdaderos héroes y hormiguitas.

Prólogo

¡Niña! Saca tus manitas contaminadas y olorosas a pinga de este libro sacro, que la autora, la loca regia, va ahora mismo a escribir su prólogo. Sí, querida, ahora, a estas alturas, a más de la mitad de la novela, al pájaro se le ha ocurrido que el libro necesita un prólogo, y sin más, como loca de atar, aquí mismo lo escribe y lo estampa. Así que huye, pájara, hasta que el prólogo esté terminado y puedas leerlo.

Me cago en la madre del maricón que dijo que yo había empleado cuarenta años en escribir este libro. No soy Cirilo Villaverde ni cosa por el estilo. Aunque es cierto que desde hace muchos años, estando en Cuba, concebí parte de la novela. Allá incluso escribí algunos capítulos. Pero habiendo sufrido persecución y prisión y encontrándome bajo estricta vigilancia y miseria, me fue imposible proseguir. Por otra parte, casi todos mis amigos y algunos de mis familiares más íntimos, además de muchos de mis incesantes amantes (como Norberto Fuentes, por ejemplo), eran policías. Yo escribía una página y al otro día la página desaparecía.

Algunos capítulos me los aprendí de memoria, como el titulado «El hueco de Clara»; también de memoria me aprendí los «Treinta truculentos trabalenguas» (que entonces no eran treinta) y allí en mi memoria se quedaron. Mientras tanto me dediqué a sobrevivir, como hace todo ex presidiario, habitando además en una isla que era una prisión. Pero nunca olvidé que, para que mi vida cobrase sentido —pues mi vida se desarrolla sobre todo en un plano literario—, yo tenía que escribir *El color del verano*, que es la cuarta novela de una pentagonía cubana, pues la última, *El asalto*, ya había sido escrita en la isla en un rapto de furia y la había expedido, con todos los riesgos que esto implica, al exterior, donde más tarde la descifraría pues el manuscrito era prácticamente ininteligible.

Una vez que llegué a Nueva York, me he visto involucrado en numerosas actividades políticas, pues nunca podré olvidar el infierno que dejé atrás (y que de alguna manera me acompaña); luego he tenido que participar en los miles de trajines que el vivir cotidiano impone en este país donde lo único que cuenta es el dinero. Si a eso añado la cantidad de manuscritos que había sacado de Cuba, los cuales tenía que poner en claro para su publicación, más las incesantes guerras que durante diez años he sostenido con los agentes solapados o evidentes del estalinismo cubano que residen holgadamente en los Estados Unidos, ya se podrá apreciar que mi tiempo no ha sido muy abundante.

En este país, como en todos los que he visitado o he residido, he conocido la humillación, la miseria y la hipocresía, pero también he tenido el privilegio de poder gritar. Tal vez ese grito no caiga en el vacío. La esperanza de la humanidad está precisamente en aquellos que más han sufrido. De ahí que la esperanza del próximo siglo obviamente descanse en todas las víctimas del comunismo; esas víctimas serán (o deberían ser) las encargadas de construir, gracias al aprendizaje del dolor, un mundo habitable.

Ahora en los Estados Unidos no hay intelectuales, sino chupatintas de tercera categoría que sólo piensan en el nivel de su cuenta bancaria. No se puede decir que sean progresistas o reaccionarios, son sencillamente idiotas y por lo mismo instrumentos de las fuerzas más siniestras. En cuanto a la literatura cubana, prácticamente no existe en forma ostensible ni dentro de Cuba ni en el exilio. Dentro de Cuba ha sido exterminada o acallada por la propaganda, el miedo, la necesidad de sobrevivir, el deseo de poder y las vanidades sociales. Fuera de Cuba por la incomunicación, el desarraigo, la soledad, el implacable materialismo y sobre todo por la envidia, ese microbio que siempre culmina en peste descomunal.

Cuando llegué a Miami en 1980, luego de constatar que allí había más de tres mil personas que se autotitulaban «poetisas», abandoné aterrorizado la ciudad. Los grandes escritores del exilio cubano (Lino Novás Calvo, Carlos Montenegro, Lydia Cabrera, Enrique Labrador Ruiz, Gastón Baquero, Levi Marrero, entre otros) ya se han muerto o se están muriendo en el ostracismo, el olvido y la miseria. Otros escritores de cierta relevancia, además de que casi no escriben, se consideran vacas sagradas.

Eliminemos el adjetivo y que todo quede en paz. Mi generación (la de los que ahora tienen, o deberían tener, entre cuarenta y cincuenta y cinco años), con excepción de mí mismo, no ha podido producir un autor notable. Y no es que no los hubiera, es que de una u otra forma han sido aniquilados. Yo estoy completamente solo, he vivido solo, he sufrido no solamente mi espanto, sino el espanto de todos los que ni siquiera han podido publicar su espanto. Y además, pronto pereceré.

Pero tampoco se puede pensar que antes del castrismo en Cuba la vida era una panacea; nada de eso, a la mayoría de los cubanos sólo les ha interesado la belleza para destruirla. Un hombre como José Lezama fue, tanto por su generación anterior como por la que después le siguió, atacado violentamente. En la época de Batista, Virgilio Piñera fue insultado por Raúl Roa, quien con desprecio lo llamó un «escritor del género epiceno»; después, durante el castrismo, Roa llegó a ministro y Piñera a la cárcel, muriendo además en condiciones muy turbias. La gran literatura cubana se ha concebido bajo el signo del desprecio, de la delación, del suicidio y del asesinato. A José Martí los exiliados cubanos le hicieron la vida tan imposible en Nueva York que éste tuvo que irse a pelear a Cuba para que lo mataran de una vez. Antes y ahora, la esencia de nuestro país ha sido sórdida. José Lezama Lima decía que nuestro país es un país «frustrado en lo esencial político»... El colorido local, la brisita del atardecer, el ritmo de las mulatas son envolturas epidérmicas tras las cuales se esconde y permanece lo siniestro, nuestra implacable tradición.

Por el momento, la culminación de lo siniestro es Fidel Castro (ese nuevo Calígula con fervor de monja asesina). Pero ¿quién es Fidel Castro? ¿Acaso un ser caído de otro planeta en nuestra desdichada isla? ¿Acaso un producto extranjero? Fidel Castro es la suma típica de nuestra peor tradición. Y, en nuestro caso, lo peor, es, al parecer, lo que se impone. Fidel Castro es, en cierta medida, nosotros mismos. Pronto tal vez en Cuba no haya un Fidel Castro, pero el germen del mal, la ramplonería, la envidia, la ambición, el abuso, las tropelías, la traición y la intriga seguirán latentes. En Miami no hay una dictadura porque la península no se ha podido separar del resto de los Estados Unidos.

Los cubanos no han logrado nunca independizarse, sino «pendizarse».

De ahí tal vez el hecho de que la palabra pendejo (cobarde) sea un epíteto que se use incesantemente entre nosotros. Como colonia española, nunca nos liberamos de los españoles: tuvieron que intervenir los norteamericanos y pasamos desde luego a ser colonia norteamericana; después, intentando liberarnos de una dictadura convencional y de corte colonial, pasamos a ser colonia soviética. Ahora que la Unión Soviética está al parecer en vías de extinción, no se sabe qué nuevo espanto nos aguarda, pero indudablemente lo que colectivamente nos merecemos es lo peor. Los mismos que se oponen a esta tesis son por lo general fieles exponentes de una vileza infinita... Siento una desolación sin término, una pena inalcanzable por todo ese mal y hasta una furiosa ternura ante mi pasado y mi presente.

Esa desolación y ese amor de alguna forma me han conminado a escribir esta pentagonía que además de ser la historia de mi furia y de mi amor es una metáfora de mi país. La pentagonía comienza con *Celestino antes del alba*, novela que cuenta las peripecias que padece un niño sensible en un medio brutal y primitivo, y la obra se desarrolla en lo que podríamos llamar la prehistoria política de nuestra isla; luego continúa con *El palacio de las blanquísimas mofetas*, novela que, centrada en la vida de un escritor adolescente, nos da la visión de una familia y de todo un pueblo durante la tiranía batistiana. Prosigue la pentagonía con *Otra vez el mar*, que cuenta la frustración de un hombre que luchó en favor de la revolución y luego, dentro de la misma revolución, comprende que ésta ha degenerado en una tiranía más implacable y perfecta que la que antes combatiera; la novela abarca el proceso revolucionario cubano desde 1958 hasta 1969, la estalinización del mismo y el fin de una esperanza creadora.

Luego sigue *El color del verano*, retrato grotesco y satírico (y por lo mismo real) de una tiranía envejecida y del tirano, cúspide de todo el horror; las luchas e intrigas que se desarrollan alrededor del tirano (amparado por la hipocresía, la cobardía, la frivolidad y el oportunismo de los poderosos), la manera de no tomar nada en serio para poder seguir sobreviviendo y el sexo como una tabla de salvación y escape inmediatos. De alguna forma esta obra pretende reflejar, sin zalamerías ni altisonantes principios, la vida entre picaresca y desgarrada de gran parte de la juventud cubana, sus deseos de ser jóvenes, de existir como tales. Predomina aquí la visión subterránea de un mundo homosexual que seguramente nunca aparecerá en ningún periódico del mundo y mucho menos en Cuba. Esta novela está intrínsecamente arraigada a una de las épocas más vitales de mi vida y de la mayoría de los que fuimos jóvenes durante las décadas del sesenta y del setenta. *El color del verano* es un mundo que, si no lo escribo, se perderá fragmentado en la memoria de los que lo conocieron. Dejo a la sagacidad de los críticos las posibilidades de descifrar la estructura de esta novela. Solamente quisiera apuntar que no se trata de una obra lineal, sino circular y por lo mismo ciclónica, con un vértice o centro que es el carnaval, hacia donde parten todas las flechas. De modo que, dado su carácter de circunferencia, la obra en realidad no empieza ni termina en un punto específico, y puede comenzar a leerse por cualquier parte hasta terminar la ronda. Sí, está usted, tal vez, ante la primera novela redonda hasta ahora conocida. Pero, por favor, no considere esto ni un mérito ni un defecto, es una necesidad intrínseca a la armazón de la obra.

La pentagonía culmina con *El asalto,* suerte de árida fábula sobre la casi absoluta deshumanización del hombre bajo un sistema implacable.

En todas estas novelas, el personaje central es un autor testigo que perece (en las primeras cuatro obras) y vuelve a renacer en las siguientes con diferente nombre pero con la misma airada rebeldía: cantar o contar el horror y la vida de la gente, incluyendo la suya. Permanece así, en medio de una época conmocionada y terrible (que en estas novelas abarca más de cien años), como tabla de salvación o de esperanza, la intransigencia del hombre creador, poeta, rebelde —ante todos los postulados represivos que intentan fulminarlo, incluyendo el espanto que él mismo pueda exhalar—. Aunque el poeta perezca, el testimonio de la escritura que deja es testimonio de su triunfo ante la represión, la violencia y el crimen. Triunfo que ennoblece y a la vez es patrimonio del género humano, que además, de una u otra forma (ahora lo vemos otra vez), proseguirá su guerra contra la barbarie muchas veces disfrazada de humanismo.

Escribir esta pentagonía, que aún no sé si terminaré, me ha tomado realmente muchos años, pero también le ha dado un sentido fundamental a mi vida que ya termina.

Fa, fi, fan, fin, fon, fun...

¡Al fin, Delfín!, a fin de finiquitar su fin, fungiendo como fonfont en fanfarria sin final, finge un sinfín de fines afines, y sin decidirse por fin, frenética y desenfrenada, enfangada y desenfadada, clama sin fundamento, entre un fondo de fandangos, por su desfondamiento.

(Para Delfín Proust)

La condesa de Merlín

María de las Mercedes de Santa Cruz Mopox Jaruco y Montalvo, condesa de Merlín, reunía todas las cualidades que hacían de ella una de las criaturas más afortunadas de la isla de Cuba en el siglo XIX. Su acaudalada familia tenía un enorme central azucarero y una gran dotación de esclavos.

Desde muy niña, con esa ternura que caracteriza a los infantes, María de las Mercedes de Santa Cruz Mopox Jaruco y Montalvo empezó a erotizar a todos los negros esclavos y a obligarlos a que la poseyeran en pleno cañaveral. *J'aime fort les jeux innocents avec ceux qui ne le sont pas.* Las actividades eróticas de la niña no sólo se hicieron escandalosas en toda la provincia de Matanzas, donde estaba el central, sino que también mermaron la producción de azúcar. Por todos aquellos cañaverales no se oían más que los gemidos de placer de la condesa niña y los gritos de mandinga, lucumí y carabalí de los negros erotizados que, guámpara en mano, se disputaban la posesión de aquel cuerpo infantil. No hubo un solo negro útil en toda la dotación que no poseyera a la condesa en medio de los grandes plantones acolchados por los güines y las hojas secas. Y ay de aquel que se negase a poseer a la voraz niña. La aristocrática infanta intrigaba contra él de tal modo y con tal astucia que los condes de Montalvo y Jaruco terminaban poniéndolo en el cepo y ahorcándolo.

Sí, la entrada de la condesa al cañaveral causaba grandes estragos. De modo que sus abuelos decidieron internar a la niña en el famoso convento de Santa Clara mientras los padres, avergonzados, huían a España con los rostros cubiertos por una redecilla de cristal de roca negra.

Una vez internada en el convento, la condesa erotizó a las pupilas, a las monjas y a la misma abadesa. Tal fue el descoque lúbrico que la joven desató entre aquellas mujeres del claustro que a cualquier hora del día y de la noche sólo se oían en el convento los alaridos más descomunales producto de insólitos acoplamientos. Pues la condesa, además de practicar el pecado sáfico con todas las monjas y el personal del convento, se las arreglaba para copular con los gañanes de los alrededores, con los animales de tiro, con aves de corral y con instrumentos contundentes, incluyendo cetros sagrados y una bala de cañón que una monja enloquecida escapada de un beaterio francés había introducido en el convento de Santa Clara. Todo esto estimuló los chillidos eróticos de la condesa y de su equipo, provocando escarceos de tal calibre que el obispo de La Habana, el señor de Espada, mandó un ejército a realizar una sagrada y secreta investigación y al frente de ese ejército se colocó él mismo en persona.

La condesa, que ya era una bellísima adolescente, corrompió al obispo y al ejército, que preñó a todas las monjas, quienes de inmediato convirtieron el convento en un orfelinato, pero fue denunciada por la madre superiora, quien no pudo soportar el presenciar, sin ser invitada, la gigantesca cópula sostenida por la condesa y el obispo en pleno baptisterio. La condesa, delatada por la despechada religiosa, llamada sor Inés, se fugó del convento luego de prender fuego no solamente al convento sino a todo el barrio de Jesús María (de Santa Clara), donde estaba ubicado el centro religioso. La condesa atravesó a pie la provincia de Las Villas y la de Matanzas siempre copulando con los campesinos y las bestezuelas del agro. Así, mientras se masturbaba con el bastón de un vagabundo que había violado junto a los mismos muros del castillo patriarcal en La Habana, entró en el recinto familiar gritando que había decidido regresar pues en verdad sólo sentía un placer total al ser poseída por su bisabuelo, noble y anciano señor en forma de ratón que, hay que confesarlo, fue sodomizado por un piececito de la condesa cuando ésta contaba sólo cinco años de edad. Toda la familia de la joven decidió que había que expatriarla, esto es, mandarla a casa de su madre, la condesa Leonora que, ya viuda, residía en Madrid, donde había montado un salón literario que era a la vez uno de los prostíbulos más afamados de Europa. Hasta el mismo Luis XVI había pasado varias noches de placer en aquel rincón lírico en compañía de Carlos III, para no hablar desde luego de toda la nobleza española y del pueblo llano en general, quienes también desfilaron por el prostíbulo, contrayendo todos una sífilis galopante que ha contaminado y degenerado a toda la población de la Península, de ahí que la mayoría de los españoles sean deformes, insolentes, mongólicos, enanos, pelirralos y culones, y, en fin, como tallados a mandarriazos. Nuestra noble familia Montalvo dejó allí huellas imborrables.

A su llegada a la corte de Madrid, la condesa, que contaba sólo dieciséis años y exhibía el esplendor de todos sus encantos, opacó a su madre, pasando a ser María de las Mercedes el foco de atracción de aquellas tertulias frecuentadas sobre todo por literatos, religiosos y altos militares. A veces, mientras alguien leía un soneto de Garcilaso, se le escapaba un tiro que fulminaba a un obispo o a un delfín de un reino lejano, pero la lectura proseguía impasible, pues todos sabían que al final de la velada artística la condesa desnuda interpretaría los pasajes más difíciles de la *Donna del lago*. Pero así como los negros del central azucarero de los condes fueron casi esquilmados por la fogosa condesa, toda la población española comenzó a sufrir los embates eróticos de la adolescente: los hombres se volvieron vagos, afeminados y endebles y las mujeres huyeron a la costa mediterránea y crearon otra jerigonza aún más horrible que el español y comenzaron a bailar la sardana, baile que no fue más que un pretexto para apoyarse unas contra otras y no caer muertas al suelo.

Las Montalvo, escasas de hombres y mujeres para todo tipo de servicio, comenzaron a conspirar para que los franceses invadieran la península. La noche en que Pepe Botella entró en Madrid, durmió desde luego en casa de las Montalvo. El fuego de la condesa impregnó a todo el ejército francés, que, tocado por esa llama, incendió a toda España. Pero hay también que reconocer que muchas de las masacres cometidas por el ejército se debieron también a las incesantes denuncias de Francisco de Goya y Lucientes, quien, pincel en mano, señalaba el nido donde se guarecían los miembros de las tropas nacionales. Cuando las matanzas provocadas por el mismo Goya eran estupendas, éste tomaba el pincel, se trasladaba al lugar de los hechos y pintaba algunos de los desastres de la guerra. En ese sentido *Los fusilamientos del Dos de Mayo* constituye una de sus obras más originales en todo el sentido de la palabra.

Pero volvamos, queridos maricones boquiabiertos, a las andanzas de nuestra criolla. Luego de desflorar a casi toda la milicia francesa, María de las Mercedes se volvió aún más seductora y en su rostro brillaban cada vez más aquellos rasgos de castidad que la hacían irresistible. Una noche, su madre, saliendo del lecho de Napoleón el Pequeño, llamó a su hija.

—Mercedes, el rey quiere casarte.

—¿El rey? Imposible. Es precisamente con el rey con quien quiero yo casarme.

—Mercedes, este hombre no te conviene. Mira.

Y sin mayores trámites, la vieja condesa de Montalvo corrió la manta que cubría a Pepe Botella y éste quedó completamente desnudo ante María de las Mercedes, quien se escandalizó al ver la insignificancia de su sexo.

—Con razón le llaman Napoleón «el Pequeño» —dijo desengañada—. Pues bien, acepto casarme con otro hombre con la condición, desde luego, de que me otorgue su consentimiento para que lo traicione. ¿Quién es él?

—El general Merlín, un conde frío y severo; sólo se acuesta con sus guardias de campo. Ya lo conocerás.

—Primero quiero conocer a sus guardias de campo. No quiero realizar un mal matrimonio.

—Hija, se ve que eres fruto de mis entrañas, sabía que ibas a hacer esa petición.

Al instante Leonora Montalvo (cuyo nombre de guerra era Teresa) dio unas palmadas al estilo andaluz y cien hombres fornidos y estupendos dentro de sus casacas y pantalones ajustados se presentaron en la habitación donde dormía el rey José.

—¡Me caso al instante! —exclamó la condesa mientras su madre apagaba los faroles, mecheros y candelabros.

Esa misma noche María de las Mercedes se casó con el general Merlín, de cuya tropa tuvo una hija a la que, en homenaje a su madre, llamó Leonor. A partir de ese instante, María de las Mercedes de Santa Cruz pasó a ser la condesa de Merlín.

A principios de 1812, los españoles se despertaron de su modorra sifilítica y al instante trataron de echarnos de un puntapié violando a mujeres, hombres y niños que estaban destinados a mí, mi querida Leonor. Teníamos que abandonar España. Yo, como esposa del general Merlín, formaba parte de la corte del rey José, quien no podía vivir lejos de mi esposo. En medio de una enorme polvareda, el retumbar de los cañones y el insoportable calor de aquel verano de 1812, atravesamos la península. A todas éstas, los españoles tiraban a matar y yo tenía que darle el pecho a mi otra hija, tu hermana Teresita, en medio de las miradas lujuriosas de soldados, clérigos y consejeros de Estado, a quienes en un momento tan crítico no podía satisfacer. En Aranjuez se murió mi madre y la enterramos en el polvo que producían nuestros caballos y coches mientras seguíamos avanzando. No se trataba de una caravana, era todo un pueblo cubierto de oprobio que huía a tierras extranjeras arrojado sin piedad por la fatalidad. Los soldados reventaban de sed, aunque yo a veces los consolaba dándoles el pecho. El viaje se prolongó durante tanto tiempo que en el trayecto quedé preñada y parí. Se trataba ahora de un niño, hijo de varios alabarderos bretones. Con mis dos hijos pequeños bajo el brazo seguía desfilando por entre el fuego. Las balas silbaban sobre mi cabeza. Yo pensaba morir y a veces tenía que contenerme para no lanzarme contra la metralla y de una vez perecer, pero existen en mí dos *yo* que luchan constantemente; uno débil y otro fuerte. Yo estimulo siempre al más fuerte, no porque sea el más fuerte sino porque es el más desgraciado, el que nada consigue... Así, llegamos luego de un año de peregrinación a Valencia la bella. En aquella ciudad tuve uno de los desengaños más grandes de mi vida. Mi fraile confesor, luego de violarme por detrás, se escapó con Casimira, mi criada, llevándose mis joyas. Jamás perdonaré tal tropelía, pues siempre he sido una mujer legal. Mientras mi marido acampaba con el rey y su escolta, yo me dediqué a trabajar las calles de Valencia, donde pululan las putas más hábiles de la Tierra. De todos modos, hice una pequeña fortuna y finalmente huí de Valencia bajo la custodia de veinticinco soldados (qué soldados) al mando del capitán Dupuis, del subteniente Diógenes y del sargento Albert, quienes llevaban todas sus armas en ristre. Llegamos a Zaragoza, donde la guerra estaba en pleno apogeo. Por doquiera retumbaba la balacera y los guerrilleros bombardeaban la ciudad. Había que huir de allí. Pero antes de marcharnos yo decidí visitar la tumba de los célebres amantes. Y más sosegada, en medio de incesantes bombardeos, siempre con mis dos hijos bajo el brazo, escapé hacia París. Estábamos en la primavera de 1814.

En cuanto llegué a París, mi belleza, mi talento literario, mi voz me hicieron famosa. Ni cubana, ni española, ni francesa (pero dominando todas esas culturas y espantos), tenía ese aire de mundanidad, de soltura y desdén que es sólo propiedad de alguien que no pertenece a este mundo y por lo tanto nada le importa demasiado. Con mi capital y un préstamo que me concedió personalmente el emperador, abrí un fastuoso salón en el número 40 de la Rue de Bondy. Mi salón era visitado por Rossini, la Persiani, Alfredo de Musset, la condesa de Villani, la Malibrán, Goya, George Sand, Balzac, el vizconde de Chateaubriand, Madame Récamier, fray Servando Teresa de Mier, Simón Bolívar, la emperatriz Josefina, Martínez de la Rosa, Chopin, Liszt y otras personalidades para las que yo cantaba. Fueron más de ciento cincuenta años de éxitos artísticos. Canté en el Teatro de la Ópera de París; canté, acompañada por Strauss, en los Campos Elíseos; canté con la Malibrán en el gran Palacio de la Señoría de Florencia, donde hasta las mismas estatuas de los dioses, conmovidas, se erotizaron ante mi figura; canté la *Norma* de Bellini en 1840 en la ciudad de La Habana, en el gran salón de mi palacio paterno, donde los faroles resaltaban mi figura y los negros otra vez volvían a estimularme con abrazos lúbricos... Cada vez que había un desastre colectivo, yo cantaba, exaltando aún más mi nobleza. Canté para los griegos luego del gran terremoto; canté para los polacos despúes de la insurreción; canté en beneficio de los habitantes de Lyon con motivo de los desastres causados por una inundación del río Rhône; en 1931 canté a favor de los martiniquenses a causa del gran temblor de tierra que asoló a la Martinica... *Partout où il y avait une grande infortune je travaillais à la soulager*... Cierto que a veces mi esposo, con el concurso de las tropas del emperador, desviaba un río causando una enorme inundación, provocaba un temblor de tierra, hacía saltar un puente o incendiaba toda una ciudad para que yo pudiese cantar en beneficio de las víctimas de la catástrofe. Los métodos podrían considerarse algo duros, pero el consuelo de mi voz mitigaba todas las calamidades padecidas por los sobrevivientes. Una tal expresión de arrobo se dibujaba en los rostros de los damnificados cuando yo cantaba los famosos duetos de *Semíramis* o algún pasaje de *Norma* que todos los desastres por nosotros mismos causados se justificaban ante aquel éxtasis.

Bella, con una voz aceptable, con fama literaria (aunque hay que confesar que casi todos sus libros se los escribió Próspero Merimée), con un marido rico, con un amante culto y potente a quien la condesa le entregaba una fortuna que no le pertenecía, con un ejército propio que maniobraba en su lecho, con doctores formidables que le hacían incesantes cirugías, es cierto que María de las Mercedes de Santa Cruz hacía siglo y medio que campeaba por los salones parisinos. Se le había otorgado la orden de Isabel la Católica, sin duda por todos los estragos que le había causado a España; había sido galardonada con la Gran Cruz de Honor de Francia, sin duda por haber introducido la sífilis en todos los palacios parisinos; se le había dado en este siglo el Premio Nobel de la Paz, sin duda por haber sido una de las promotoras de la Primera Guerra Mundial; se le había entregado también el Premio Nobel de Literatura precisamente por aquellas novelas que nunca había escrito. Ninguna nube parecía perturbar el brillante presente que disfrutaba la condesa, ni el luminoso porvenir que Estrella Casiopea (escapándose diez minutos de las redes de Inaca Eco) le había vaticinado en la Île de la Cité...

Ay, mi querida Leonor, pero he aquí que en 1959, mientras yo, junto al Leman, bailaba una cavatina ante más de cien turcos erotizados y con el sha de Irán al piano, estalla en mi país de origen una revolución comunista y, como un fogonazo, cae en París uno de los maricones más temibles de la Tierra. Sabrás, mi querida Leonor, que el nombre de ese maricón de raza negra y cuna pordiosera es Zebro Sardoya, aunque todos lo conocen por la Chelo. Hija, ese ser satánico, que tanto daño me ha hecho, nació en las planicies camagüeyanas en medio de verdes cañaverales. Desde muy joven su pasión fueron los negros cortadores de caña, pero como él no tenía ni siquiera un real de plata, que era el precio de cada negro, tanto haitiano como cubano o jamaiquino, el susodicho Zebro (ahora la Chelo) se dedicó a masturbarse con las cañas de azúcar. Ay, adorada hija, pena me da contártelo, *mais je dois toujours dire la verité:* tan fuerte era el fuego anal de esta criatura que las cañas de azúcar al entrar en su trasero se derretían convirtiéndose en dulce guarapo. Así asoló varias colonias cañeras. A veces una carreta completa era exprimida por la Chelo en menos de lo que el boyero le lanzaba un zurriagazo. A tal punto cundió la fama de este depravado que pronto el entonces rey del azúcar en la isla de Cuba, el señor Lobo, lo contrató para que hiciera de central en una de sus colonias más extensas. ¡Jesús, hija mía! De la Vieja Duquesa de Valero conservo una carta (una de tantas) en la que, con ese lujo de detalles que es típico en ella, me describe una molienda en un central del señor Lobo. La Chelo, ya te dije en el ínterin que se trataba de Zebro Sardoya, se colocaba a cuatro patas sobre una plataforma bajo la cual descargaban las carretas y los camiones estibados de cañas que obreros agilísimos le iban introduciendo en el ano. El rendimiento era enorme, en sólo una jornada la Chelo molía cincuenta caballerías cuadradas de caña. La fortuna del señor Lobo se hizo aún más gigantesca, compró más tierras y multiplicó los centrales, en los cuales el trapiche portátil era siempre la Chelo. El señor Lobo fue uno de los personajes más importantes durante la vida republicana y la Zebro se constituyó en su brazo (o mejor dicho, su ano) derecho. Pero cuando triunfó la revolución, lo primero que hicieron fue intervenirle en las propiedades mal habidas al señor Lobo, denunciado por la Jibaroinglesa en su periódico *Agitación*. También quisieron meter presa a la Chelo por corrupción agrícola, pero éste voló (pájaro siempre fue) y aquí cayó, ay, para desgracia de toda mi existencia, idolatrado ángel mío. Ahora que siga el narrador porque yo, al igual que escribió la princesa Clavijo, ya no puedo más. Ni siquiera el saber que un día fui la verdadera reina de Versalles me consuela. Ni siquiera el saber que una vez fueron míos los castillos de Dissais, de Chamblois y de Charenton, que una vez tuve calesa, cupé y berlina con ruedas de plata, que fue mío el chulo más refinado y más altamente tarifado de toda Francia, que bailé con Napoleón el día de su coronación, que fui pintada por Madame Paulinier (retrato que ganó el premio en la Gran Exposición de París en 1836), que fui violada por seis maquinistas en un tren rumbo a Baden-Baden, que se me han otorgado todo tipo de títulos, honores y medallas, que Eva Perón me pedía consejos políticos para el mejor funcionamiento de su prostíbulo nacional, que en un barco de vela pasé cuarenta y cinco noches inolvidables en compañía de Fanny Esler, nada, nada de eso, hija mía, me estimula ni me levanta los ánimos. *Je suis effrayée comme un oiseau dans la plaine pendant l'orage. Car je n'ai pas d'abri.* Abandono este baile que es la vida y todo lo que encierra de fútil, de brillante, de amable, de esperanzador, pero antes deseo expresaros mi agradecimiento por haberme escuchado y por vuestra carta del día 30. Y os dejo el relato de mi tragedia en las manos de mi rústico cronista. Adiós, querida mía...

Pues bien, volviendo a los desvaríos de esa vieja loca y ninfomaniaca, sigamos correctamente el hilo de su historia: sí, en 1959 llega a París Zebro Sardoya, un maricón terrible, enfatuado, voluntarioso e intrigante, con ansias de triunfar en la Capital Luz. Claro que, siendo que no tenía talento y que su única arma era el trasero moledor, se colocó como criada y se puso también a trabajar la calle. Mientras se la mamaba a los árabes, les robaba la cartera y luego les pagaba con cinco francos la mamada, sacando por lo general cincuenta francos limpios; mientras barría con la lengua el palacio de los Camacho y el castillo de la princesa Hasson, robaba las cortinas, y al estilo Scarlett O'Hara se hacía regios modelitos y se iba a Pigalle, siempre de negrita rumbera, a fletear a los diplomáticos japoneses y a los embajadores bosquimanos. Un domingo en que era fornicado bajo el Pont-Neuf a cambio de un pescado podrido, acertó a pasar por allí un viejo decrépito de origen malayo. Aunque parezca increíble el viejo (quizá porque ya estaba casi ciego) quedó prendado de la ex moledora de caña y la invitó a un trago en el café de Flora, el centro intelectual de París. El mico camagüeyano vio el cielo y todo lo demás abierto. El temible malayo, conocido en todo París como la Momia (entonces tendría unos noventa años), había hecho una fortuna durante la época de Hitler delatando a miles de judíos y recibiendo la piel de cada víctima, con la cual fabricaba lámparas de mesa que vendía al por mayor al señor Kurt van Heim. Aniquilado Hitler y terminada la Segunda Guerra Mundial, la Momia optó por la ciudadanía francesa y desde luego por un nombre absolutamente francés. En cuanto a Zebro, esa misma noche, en el café de Flora, fue bautizado por el malayo genocida, íntimo de Sartre, con el nombre de la Chelo.

La Chelo, exhibicionista sin límites, sentía una enorme pasión por el *bel canto* y, como mal literato, por la literatura. La Momia era dueña de una importante casa editora en París, por lo que la Chelo, con halagos, remilgos, humillaciones, gratificaciones y cócteles que costaban una fortuna, opacó a la condesa de Merlín en el campo de las letras;

a través de un sofisticado complot internacional se había hecho famosa y había obtenido varios premios. En cuanto al *bel canto*, tuvo como profesores a Mario del Mónaco, a Marcelo Quillévéré, a la Tebaldi, a María Callas y a Pavorotti, y aunque su voz seguía siendo la de un grillo y su cuerpo el de un hipopótamo al que le hubiese caído un rayo en la cabeza, provista de un complicado aparato mecánico que amplificaba sus registros cantó en el Teatro de la Ópera de París, en la Scala de Milán, en el Metropolitan Opera House de Nueva York. Hasta en la Chiesa di Dante resonaron sus gorgorringos. Como si eso fuera poco, la camagüeyana se puso un bollo plástico y costosísimo y con él sedujo a las damas más refinadas de la cultura y de la política francesa. Ese bollo tenía la particularidad de ser portátil y de fácil desconexión, por lo que, cuando había que seducir a un hombre que ocupaba un cargo prominente, la loca se desprendía del bollo y con mil sacrificios hacía uso de su miembro natural, que por ser negro no era pequeño. En otras ocasiones, desde luego (con el embajador de Yugoslavia, con el jefe de prensa del Vaticano, con el rey de África Ecuatorial), la loca hacía uso de su culo, que, como ya hemos dicho, tenía unas facultades incalculables. La China, la India y el mundo árabe fueron seducidos por su lengua. También a través de los judíos franceses controló la radio; mediante los musulmanes, la televisión, y como era íntima de Kadafy, a través del terror, se adueñó de la prensa. Pues ella, lo mismo que ante una mujer se volvía mujer para seducirla y ante un hombre se volvía hombre para templárselo, también, de acuerdo con las circunstancias, era musulmana, judía, cristiana, tibetana, pagana, espiritista, animista, brahmanista, budista, yoruba, chiíta o atea... Ay, niña, la loca era de ampanga. Cantante, locutora, escritora, benedictina, intrigante, lujuriosa y agente de cualquier potencia que le supiera exaltar su ego hipertrofiado. Todobollipoderosísima, en fin, llegó a dominar, siendo una pobre analfabeta, los cenáculos rosados de Francia y por ende el globo terráqueo.

Cada día la pobre condesa de Merlín se veía más opacada, olvidada, vilipendiada, borrada del mapa (hasta se corrió la voz de que había muerto del sida), reducida a cero por aquel maricón sin par que un día le hacía la corte al jefe de la CIA y al día siguiente le hacía la paja al embajador de Cuba en París. Fue entonces cuando la condesa de Merlín, con el fin de opacar a la Chelo, fabricó, con la ayuda de la biznieta de Mary Shelley, a dos locas regias y sabias, la Antichelo y la Superchelo, que gozaban también del don de la ubicuidad, por lo que podían estar al mismo tiempo en Singapur y en el palacio de Fifo o en un urinario de Tanzania. Pero la Chelo, precisamente por ser mediocre, era quien estaba ahora de moda y seguía triunfando. Al enterarse de las supuestas falsificaciones de la condesa, la demandó ante el Estado francés. Éste, como castigo, le confiscó a la condesa todos sus castillos, entregándoselos a la Chelo, quien además ya había envenenado a la Momia apoderándose de su gigantesca casa editora. ¡Jesús! El diablo, es decir, la diablesa —la Chelo—, reinaba de uno a otro extremo del Sena y del cieno, y la condesa, que no tenía agallas ni mucho menos potencia para contrarrestar aquel empuje mariconil, se dio por derrotada y en un solo día le cayeron encima sus (exactamente) doscientos diez años de edad. *Qui peut calculer combien d'amères douleurs, combien d'immense désolation peut supporter le coeur humain.* Y súbitamente una enorme nostalgia de su patria nativa, tan fuerte como su odio a su patria adoptiva, la fue poseyendo. ¡No!, se dijo, mirando su esquelética figura en el espejo. *¡Aquí no, qué va!* ¡Aquí no me van a enterrar! Capaz que hasta la misma Chelo despida mi duelo y hasta me cante desnuda una misa. Moriré lejos de ese maricón. Moriré en mi palacio, cantando en los muros de la mansión que me vio nacer. Sí, será mi canto del cisne, pero lo exhalaré en el lugar que me pertenece, rodeada de seres queridos o por lo menos cómplices. Y sin mayores trámites, la condesa vendió las pocas joyas que le quedaban, liquidó sus Picassos falsos, su retrato pintado por la Paulinier, su vieja casa de la antigua Rue de Bondy; se compró un barco de vela y una volanta que metió en el barco, se puso el mismo traje con el que había visitado su patria en 1840, y encomendándose a las olas y a los vientos, partió para La Habana con una pequeña orquesta que la acompañaría en su última velada. Ya le había enviado un telegrama a Fifo anunciándole su inminente llegada.

En pleno verano de 1999 arribó por segunda vez la condesa de Merlín a La Habana. Era tanto el revuelo y la confusión que reinaba en la ciudad con motivo de los festejos oficiales que todos pensaron que aquella vieja en traje decimonónico que llegaba en un barco de vela acompañada por una orquesta tenía que ser un personaje especial (una maga de Oriente, un regio travestido, tal vez la misma Chelo) invitado por Fifo para que participara en el desfile carnavalesco. De este modo la condesa cruzó en regia volanta acompañada por su corte de músicos versallescos por la ciudad de La Habana, llegando, entre ovaciones de negras chancleteras y locas de atar, a su residencia natal, la traspuso seguida por los músicos franceses y se encontró su antiguo palacio convertido en un gigantesco urinario. Ante tal espectáculo sólo le quedaban dos alternativas: morir allí mismo o cantar. Terca, optó por el canto, y como sabía que éste iba a ser su último concierto, de su garganta salieron las notas más altas y dulces que jamás había emitido. Su voz, que era ahora la de un ángel, retumbaba en el gigantesco urinario acompañada por la orquesta, que no dejó de estar a la altura de la cantante. Los hombres, pinga en mano, mientras orinaban, quedaron extasiados ante aquella dama, cuyo canto conmovió hasta las paredes y el techo de la vetusta mansión. Así, cuando la condesa, con uno de sus aristocráticos ademanes, pidió a la concurrencia meadora que la acompañara, todos aquellos regios hombres, sin dejar de orinar, hicieron de coro, produciéndose de este modo el acontecimiento musical más insólito dentro de toda la historia del *bel canto*. Mil hombres, mientras orinaban, coreaban a una vieja condesa de alta voz de cristal acompañada por una orquesta que sacaba arpegios únicos y producía melodías insospechadas. Ninguna *Norma* alcanzará jamás la altura y el rigor, el sentido armónico y el matiz dramático que María de las Mercedes de Santa Cruz le insufló a esa ópera en aquel gigantesco urinario. La magia inundaba todo el palacio; la condesa de Merlín volvía a triunfar.

Sólo un personaje abandonó enfurecido y espantado aquel urinario al perder la presa fálica que ya iba a llegar a sus labios. Se trataba de Tedevoro, quien hecho una bola roja, con el tomo 25.º de las *Obras completas* de Lenin, cruzó como un bólido frente a la condesa y salió, convertido en un aro de furia, a la calle zumbona.

Sueños imposibles

Yo soñaba con un gran castillo donde yo vivía con toda mi familia y en cada habitación personas queridas hacían cosas insignificantes y familiares.

Yo soñaba con un par de zapatos cómodos.

Yo soñaba con un cataclismo.

Yo soñaba con un negro dulce, varonil y gigantesco sólo para mí.

Yo soñaba con un campo de jazmines del Cabo.

Yo soñaba con un banco cerca del mar donde por las tardes iría a sentarme.

Yo soñaba con que la guagua que yo esperaba llegaba siempre a la hora precisa.

Yo soñaba con ser maestra.

Yo soñaba que tenía un cuerpo escultural o al menos aceptable y no estas tetas caídas y marchitas.

Yo soñaba con un globo enorme tirado por todos los totíes del Parque Central, y dentro del globo yo me iba lejos, muy lejos, lejísimos...

Yo soñaba con un marido fijo.

Yo soñaba con tener un hijo que no fuera maricón, sino carpintero o albañil fornido.

Yo soñaba con una máquina de escribir que tuviera la eñe.

Yo soñaba que no era calvo.

Yo soñaba que tenía una pesadilla y que vivía en un tugurio del hotel Monserrate y mientras todos me vigilaban yo también los vigilaba. Y cuando desperté vi que esa pesadilla era real y quise soñar que estaba soñando.

Yo soñaba con resmas de papeles blancos en los cuales yo podía escribir una novela.

Yo soñaba con una mata de almendras creciendo frente a mi casa.

Yo soñaba que un ángel desnudo venía a raptarme.

Yo soñaba que la sal ya no era por la libreta de racionamiento.

Yo soñaba que era joven y saludable y que frente a mi casa había un matorral donde reclutas erotizados deambulaban en mi espera.

Yo soñaba que abría la pila del fregadero y de ella salía agua.

Yo soñaba con una ciudad igual a la que perdí, pero libre.

Yo soñaba con avenidas y amplias alamedas.

Yo soñaba con un enorme bohío de techo de guano y corredor de zinc donde la lluvia retumbaba.

Yo soñaba con un ventilador chino.

Yo soñaba que Lezama y María Luisa estaban en un salón y me llamaban, y al yo acercarme, Lezama le decía a María Luisa: «Mira qué bien se ve».

Yo soñaba con unos dientes postizos cómodos.

Yo soñaba que alguien tocaba a la puerta, la abría y ante mí estaba un joven erotizado y sonriente.

Yo soñaba con una olla a presión.

Yo soñaba con un río de aguas verdes que me decía: «Ven, ven, aquí está el fin de tus deseos».

Yo soñaba que me iba muy lejos, muy lejos, y cuando llegaba al lejos-lejos aún podía seguir más lejos, lejísimos...

Yo soñaba que una plaga tan terrible como el sida no podía ser cierta y que el goce no implicaba una condena.

Yo soñaba con el olor del mar.

Yo soñaba que todo el horror del mundo era un sueño.

A la salida del castillo de El Morro

Cuando la Tétrica Mofeta, luego de cumplir dos años de cárcel, salió de la prisión del castillo de El Morro, se encontró, en una explanada junto al castillo, a su madre esperándolo con una expresión aún más adolorida en el rostro y con una jaba llena de gofio y una camisa nueva. La Tétrica Mofeta sintió una pena indescriptible al ver a su madre con aquella jaba desteñida y pesada.

Su madre, llorando, le dijo:

—Vine a buscarte para que te fueras conmigo para Holguín. Tarde o temprano tendrás que hacerlo y cuanto antes mejor. Ésa es la única salida que te queda.

Súbitamente la gran pena que sentía la Tétrica (y Reinaldo y Gabriel) se convirtió en furia; furia contra la vida, contra el castillo de El Morro, contra él mismo, la Tétrica, y contra su propia madre, por lo que, volviéndose hacia ella, le respondió:

—Mamá, después de haber vivido dos años en un castillo, no pienses que voy a meterme en un tugurio de Holguín. En cuanto tuve uso de razón, lo primero que quise hacer (y luego hice) fue irme de aquel pueblo, de aquella casa horrible, de ti misma, y ahora mis planes son irme del país. No quiero vivir mucho tiempo y lo poco que quiero vivir no lo quiero vivir en este país. Así que adiós.

La Tétrica Mofeta le dio la espalda a su madre y echó a caminar a toda prisa; cuando ya había avanzado más de un kilómetro se volvió y vio a la figura de su madre en la explanada con la jaba en la mano. Así te recordaré toda mi vida, se dijo la Tétrica conmovida y hasta pensó regresar para abrazarla, pero al momento echó a correr rumbo a La Habana del Este, donde unos negros gigantescos lanzaban una pelota al aire frente a una cancha improvisada.

Esa noche, la Tétrica Mofeta durmió a la intemperie sobre las rocas de La Habana del Este. Al otro día, muriéndose de hambre, se puso en contacto con las Hermanas Brontë y se guareció en el parque Lenin. El parque Lenin era una inmensa y ríspida extensión de terreno arenoso, convertida súbitamente en parque por un capricho de Celia Sánchez. Insólitamente, aquel desierto al sur de Calabazar, a una orden de Celia (apoyada por Fifo), se volvió un oasis con inmensos árboles, una represa que formaba un lago en el cual se había instalado un escenario flotante frente a un anfiteatro (donde cantaba día y noche Joan Manuel Serrat) y hasta numerosos kioskos donde se podían conseguir por la libre (cosa insólita en Cuba) desde un vaso de leche hasta un quesito crema y unas galletas de soda. El parque Lenin se convirtió en un lugar de peregrinación para todas las locas y para los reclutas deseosos de templarse un pájaro entre los tibisales, todo eso sin contar a los mayimbes que en sus Alfa Romeos iban a cenar al restaurante Las Ruinas, diseñado por el mismo Coco Salas bajo la égida de Celia. Allí acudían también turistas extranjeros y putas sofisticadas y vestidas de blanco que llevaban a los marineros griegos a la casa de té. En otras palabras, querida (por cierto, ¿ya fuiste al parque Lenin?), aquella explanada candente con lago y represas que había que abastecer de agua por tuberías y turbinas, privando así de este líquido a toda La Habana, se convirtió en el lugar más fresco de toda la isla.

Allí, pues, carenó la Tétrica Mofeta sabiendo que no le faltaría una cuneta donde dormir, árboles bajo los cuales pasearse y hasta un lago para bañarse, además de soldados para devorar y comida que las Hermanas Brontë le traían religiosamente a cambio de que la Tétrica escuchara entusiasmada sus últimas obras literarias. También simuló «rehabilitarse» y para probarlo arrancaba yerbas con las manos.

Desde luego que al cabo de varias semanas de vida leninaria, la Tétrica Mofeta, acompañada por las Hermanas Brontë, que precavidas marchaban a cincuenta metros de distancia, se presentó en su antigua casa, esto es, la casa de su tía Orfelina, pero la tía, nada más que de ver la figura del pájaro ex presidiario, a quien ella misma había denunciado por maricón y contrarrevolucionario, enrojeció de cólera civil y patriótica y amenazó a la Tétrica con llamar a la policía si volvía a aparecer por aquel barrio residencial. La diabólica tía, tapándose una cara con la mano en señal de vergüenza, cerró con la otra mano la puerta de su residencia en tanto que Chucho, su marido, mientras era ensartado por la Llave del Golfo, hacía varios disparos al aire con la pistola que el Partido le había autorizado a portar en casos de emergencia.

La Tétrica Mofeta, acompañada por las cada vez más alarmadas Hermanas Brontë, regresó de nuevo al parque Lenin. *Estos árboles parece que van a ser mi tumba,* se dijo al entrar de nuevo en el bosque de Celia Sánchez. Las Hermanas Brontë abrieron sus enormes jabas y sacando unos monumentales cartapacios comenzaron a leerle a la Tétrica novelas, cuentos, poemas, piezas teatrales, canciones, autobiografías y largos ensayos... *No, no solamente este bosque* es mi tumba, se dijo la Tétrica, mientras una de las Brontë leía un poema de más de mil páginas, *es sobre todo mi infierno, ese que nos aguarda antes y después de la muerte*. Pero la Tétrica tenía que escuchar aquellas infinitas melopeas, ya que las Brontë eran quienes la abastecían de quesitos crema, chocolates y galleticas de soda, entre otras vituallas. Además, proscrita y con el sello de postdelincuente, dónde iba a encontrar cobijo y pan. Ay, la loca se tiraba sobre la yerba leninista y escuchaba el bordoneo de aquellas infinitas lecturas. Una de las hermanas Brontë (Simón) trabajaba sin descanso en una novela llamada *La perlana* y aunque ya había arribado a la página 5237, ese número era absolutamente provisorio, pues en una sola noche el manuscrito podía engrosarse con más de doscientas páginas. Simón iba por toda la ciudad de La Habana con su inmensa novela bajo el brazo y cada vez que se tropezaba con un amigo o un conocido lo saludaba con esta pregunta: «¿Quieres que te lea un capítulo de *La perlana*?». Simón empezaba a leer y no tenía cuándo acabar, de manera que el interpelado se daba a la fuga. Con el tiempo la necesidad de la menor de las Brontë de leer algún capítulo de *La perlana* se hizo tan imperiosa que detenía a los desconocidos en plena vía o interrumpía a los pasajeros de la ruta 69 para leerle un capítulo de su novela. Tan horrible era aquel texto inédito que pronto se hizo famoso en toda la ciudad de La Habana y hasta en provincias. Bastaba que la más pequeña de las Brontë apareciese en un parque o en la cola de un cine o se montase a una guagua para que al instante se produjese una estampida multitudinaria. Ante la ingenua y desesperada pregunta de «¿Quieres que te lea un capítulo de *La perlana*?», se producían éxodos masivos, fugas clandestinas en bote o a nado, que eran perseguidas por Tiburón Sangriento, y hasta numerosos y desesperados suicidios. La pobre madre de las Brontë se había ahorcado una noche de luna llena en que un capítulo de *La perlana* retumbaba por toda la casa de madera; en cuanto al padre, después de haberse reventado los tímpanos, se fue a hacer carbón a la Ciénaga de Zapata. Pero ajenas a los desastres que ellas en general provocaban (no hay que responsabilizar sólo al pobre Simón), las Hermanas Brontë seguían escribiendo cada vez con más tenacidad. Y más ahora que, finalmente, tenían un verdadero lector, el lector cautivo, ese que como en las tabaquerías o en las antiguas cárceles tenía que escuchar obligatoriamente la voz del que leía el texto bostezante. No, no solamente era un capítulo de *La perlana* lo que la Tétrica tenía que oír diariamente, eran cientos de mamotretos infinitos. Así, Pedro (el mayor de las Brontë), que dirigía al grupo familiar, al llegar al parque Lenin asentaba su inmenso trasero sobre una piedra que desaparecía entre sus nalgas y con una voz que parecía brotar de un ánfora resentida anunciaba: «Voy a leer *El niño y el hipocampo*». Y se internaba en no se sabe qué siniestros laberintos líricos en los que un bello niño rosado (el mismo Pedro idealizado) era perseguido por un malvado hipocampo que nunca por desgracia le llegaba a dar muerte. Al terminar finalmente aquella lectura inconclusa, otra de las hermanas Brontë (Pablo) extraía un poema de sólo unos diez mil versos de rima pareada en homenaje a Casandra. *Casandra para siempre*, ése era el título de aquel poema aún no terminado. Y tal parecía que efectivamente, para siempre, la Tétrica Mofeta tenía que estar condenada a escuchar las voces desgarradas de Casandra, del hipocampo o los infinitos capítulos de *La perlana*. Ante aquellas catarsis, la Tétrica optó por la fuga. Siempre la fuga. Y comenzó a deambular discretamente por El Vedado, pues ya se sabe que Fifo no permite vagabundos en la ciudad, con excepción del Caballero de París y eso porque éste repartía unos papeles amarillentos que decían «Dios, Paz y Fidel»... ¡Ay, cuántas veces la pobre loca, para sobrevivir, tuvo que refugiarse bajo la capa del Caballero de París (que, entre paréntesis, se trataba de Alejo Carpentier) y succionarle el sexo para llevarse al estómago aunque fueran unas gotas de semen!

En esas tristes andanzas andaba la loca, tratando de sacarle unas gotas de semen al anciano y noble escritor que vagaba de incógnito, cuando una gata castrada, también amante de la leche masculina, se introdujo en el inmenso sayón del vagabundo. Gata y loca sostuvieron una breve pero enfurecida batalla. Era un intercambio violento de maullidos, aullidos, gritos, arañazos y patadas lo que sucedía entre las piernas del viejo escritor, que con aquellas dos fieras colgadas a sus testículos corría desesperado por toda la Rampa emitiendo maldiciones en francés. Finalmente, la Tétrica Mofeta, cuya furia era mayor que la de la gata, cogió al animal por el cuello y lo lanzó al aire. La gata, dando un aullido de muerte, cayó a los pies de Helia del Calvo, su ama, que la buscaba por toda la ciudad.

—Nadie ha tratado jamás así a ninguna de mis gaticas —le dijo Helia del Calvo a la Tétrica Mofeta.

—Señora, no una gata, sino una pantera estoy dispuesta a hacer pedazos si trata de robarme mi comida.

Y ante la mirada alucinada de Helia del Calvo, la Tétrica Mofeta tomó a la gata moribunda, la destripó con las manos y la devoró.

—Usted es la persona que necesito —le gritó Helia del Calvo a la Tétrica Mofeta—, si ha sido capaz de hacerle eso a esta gata tan furiosa que durante quince años me ha hecho la vida imposible, será también capaz de meter en cintura a todas mis gaticas y de buscarles pescado. Tengo veintisiete. Usted sabrá cómo arreglárselas. A cambio le doy casa y pescado.

De esta manera, la Tétrica Mofeta se vio viviendo en casa de Helia del Calvo, en la calle Jovellar, en Centro Habana. Helia era una vieja enloquecida que había sido la amante de Pichilingo, uno de los comandantes que invadió con Fifo la sierra Maestra, y como no murió en el combate fue luego aniquilado por el propio Fifo, que nunca ha admitido la competencia. La pena ante la terrible muerte de su amante (Fifo lo enterró vivo) sumergió a Helia en la locura y a ésta le dio por recoger todas las gatas del barrio y llevárselas para su casa; también le dio por recoger a todos los adolescentes del barrio y llevárselos para su cama, pero como éstos rechazaron gentilmente la invitación, Helia se entregó con devoción a sus gatas, quienes a falta de gatos querían fornicar con todo lo que encontrasen y giraban también enloquecidas por el piso. Para intentar detener sus apetencias sexuales, Helia castró a todas las gatas. ¡Ay!, pero de todos modos no podía detener el hambre de aquellos animales, lo cual le causaba enorme pesar. Secretamente, Helia adoraba a las gatas, pues ella misma era una gata. Felina, voraz, insatisfecha, egoísta, vengativa y diabólica, se había propuesto sobrevivir al mismo Fifo y tirarle en su tumba una gata muerta. Su odio, y desde luego sus gatas, la mantenían viva. La tiranía con que trataba a aquellos animales era terrible: no podían ni siquiera asomarse al balcón. Una vez, cuando Helia abrió la puerta del balcón, dos gatas se lanzaron al vacío, suicidándose. Desde entonces aquella casa, a una temperatura ambiental de 50 grados centígrados, se mantenía completamente cerrada e iluminada por potentes bombillos que duplicaban el calor.

Y a aquella casa habitada por veintisiete gatas y por una vieja loca y gatuna había ido a carenar la Tétrica Mofeta. Desde luego que en aquellas condiciones la Tétrica no podía ni siquiera pensar en escribir una cuartilla de su novela tantas veces perdida. El día entero tenía que pasarlo haciendo cola en las pescaderías para alimentar a los animalejos. Cuando llegaba, al borde de la tumba, a la casa, Helia lo esperaba sentada en el sillón frente a la cama en la cual estaban dispuestos los veintisiete puestos en los que comerían las gatas. La loca tenía entonces que ponerse a cocinar el pescado para todos aquellos animales, que pululaban por cualquier sitio de la casa haciéndole la vida imposible.

Cuando la Tétrica Mofeta abría una gaveta en busca de una toalla, saltaba una gata dando un terrible aullido; si abría el refrigerador para tomar agua fría, una gata, que allí se encontraba tomando un poco de fresco, le arañaba la cara; si se sentaba en una silla, aplastaba a una gata que de paso le ripiaba el único pantalón que tenía y le infestaba las hemorroides con sus uñas; cuando entraba en el baño, la bañera era un hervidero de gatas tortilleras que intentaban poseerse recíprocamente; si echaba a caminar, aquellas gatas le interrumpían el paso y boca arriba comenzaban a girar lúbricamente produciendo tales maullidos que la Tétrica tenía que agacharse y meterles un dedo en el bollo. Las gatas, satisfechas por un instante, lanzaban altísimos gemidos. ¡Qué les has hecho a mis gaticas!, bramaba entonces Helia desde su sillón frente a la cama. Nada, decía la Tétrica Mofeta, y seguía masturbando a otro grupo de gatas que se acercaban desesperadas. Por último, la loca, no pudiendo hacer toda aquella labor con los dedos, que estaban a punto de gastarse, se apoderó del cepillo de dientes que Helia del Calvo nunca usaba y se lo introducía en el bollo a las desesperadas gatas. El cepillo de dientes se convirtió en el objeto erótico por excelencia de aquellos animales, a tal punto que cuando la Tétrica Mofeta se cepillaba los dientes, una gata, de un salto, le arrebataba el cepillo y corría hasta donde estaba Helia del Calvo, entregándole el cepillo y abriendo las patas posteriores. Helia, como era un ser terrible, comprendió desde el primer momento el uso que la Tétrica le daba al cepillo y le dijo lo siguiente: Me alegra mucho que trates así a mis gaticas apaciguándolas. Desde ahora, mientras tú las masturbas, yo te leeré parte de mi autobiografía. Es un texto que nunca le he leído a nadie, pero tú eres para mí como un hijo. Ya sabes, Reinaldo, puedes hacer uso de esta casa y vivir en ella siempre; lo único que te prohíbo es que traigas aquí a algún hombre. Ni hombre ni mujer. Sólo yo y mis gaticas. Y sin más, Helia abrió una gruesa libreta y comenzó a leer pasajes de su vida.

Así transcurrían las veladas nocturnas de la Tétrica Mofeta. Luego de pasarse todo el día en la cola del pescado, por las noches se sentaba en la cama y mientras Helia del Calvo leía los recuerdos de su vida, la Tétrica, con el cepillo de dientes, masturbaba a todas las gatas. Una noche, luego de haber leído un largo capítulo sobre sus relaciones sexuales con Pichilingo, Helia, rodeada de gatas y de platos de pescado, con los pies sobre la cama, se quedó dormida en su sillón. La Tétrica Mofeta, que ya no podía más, salió a la calle en busca de un hombre. Por fortuna, en el mismo parque Maceo, a unas cuadras de la calle Jovellar, se hallaba un joven delincuente de enormes botas desamarradas y camisa abierta. Rápidamente, la Tétrica levantó al delicioso bugarrón y con la astucia que es típica de un pájaro lo introdujo en la casa de Helia del Calvo. Ya en la sala, el flamante delincuente aprovechó que la loca miraba para el cuarto de Helia para meterse entre sus botas abiertas varias figuras de yeso, un cenicero de plata y dos tazas de porcelana. Por algo el asere usaba aquellas botas tan descomunales. La loca, ajena a aquel robo, que además no le concernía, meditaba cómo meter al joven en su cuarto de criado, que estaba en la cocina. La tarea no era fácil, pues para llegar a la cocina tenían que pasar primero por el cuarto de Helia del Calvo, y como la bruja dormía sentada en el sillón y con los pies sobre la cama abandonada a las gatas, era imposible cruzar por encima de ella o por entre ella y la cama. Sólo había una posibilidad: cruzar por encima de la cama y ganar así la cocina. Pero antes, la Tétrica, que ya no podía contenerse, llevó sus manos hasta la bragueta del delincuente (que se metía ahora todo tipo de objetos en los bolsillos), la desabotonó y mamó silenciosa y frenéticamente durante unos tres minutos. Después se retiró de la bragueta, dejando el bocado final o entollamiento para cuando estuvieran en el cuartico de la cocina. Tenemos que hacer las cosas con mucha cautela, le dijo la loca, que temblaba de gozo al ver al delincuente; y tomándolo por una mano, mientras el joven se sujetaba los pantalones, comenzaron a caminar por encima de la cama de Helia del Calvo. Bugarrón y loca cogidos de la mano cruzaban aterrados y en silencio por encima de aquella cama como si atravesasen el paso de las Termópilas. La loca saltó cual bailarina ingrávida al otro lado de la cama. Unos pasos más y su amado estaría junto a ella. Pero he aquí que en esos momentos el dulce bugarriche, deseoso también de ensartar al pájaro y de robarse toda la vajilla de la cocina, perdió pie y pisó una de las malditas gatas (siempre una gata interfería la vida erótica del pájaro) que dormitaba junto a los pies de Helia. La gata dio su maullido; Helia, que hacía más de diez años que no dormía, se despertó enfurecida encontrándose con un delincuente de botas gigantescas (a quien se le acababan de rodar los pantalones hasta los tobillos) frente a su cama y atropellando una de sus queridas gaticas. La bruja lanzó un clamor agudo (sólo comparable al que lanzó José María cuando Helio Trigoura le rompió en la cara una botella de maltina) y al unísono todas las gatas se lanzaron sobre el joven bugarriche, quien, con los pantalones en los tobillos y dando tropezones, abandonó la casa rodando por las escaleras mientras todos los objetos robados se desparramaban en el piso.

La Tétrica Mofeta, que sabía lo que le esperaba, se tapó el rostro con una sábana empapada en orines de gata y cruzó como una centella por encima de la cama de Helia del Calvo, corriendo con todo su equipaje, incluido el cepillo de dientes con el cual masturbaba a las gatas, rumbo al parque Maceo. Una vez en el parque, temeroso de que la bruja hubiese mandado llamar a la policía, la loca, sin soltar el cepillo de dientes, que por otra parte no le pertenecía, buscó refugio bajo la inmensa estatua del Titán de bronce quien, machete en mano, cabalgaba un corcel de mármol. ¡Jesús!, ¡pero con qué espectáculo se tropezaron los atónitos ojos rurales del pájaro al llegar a la sombra del caballo titánico! Allí, a cuatro patas y desnudo, Hiram Prats reculaba desenfrenado hasta introducirse en su trasero la inmensa pinga de bronce del caballo de Maceo. En un momento dado, la loca reculó con tal vehemencia que no sólo la pinga broncínea sino también los cojones del caballo se hundieron en aquel gigantesco culo holguinero. La loca entonces soltó un alarido de satisfacción y eyaculó. Al mismo tiempo, desde la estatua de Maceo salió un chorro de semen que cayó sobre el rostro de la Tétrica Mofeta, quien pensó que el mismo Maceo se acababa de hacer una paja. Quién sabe si en mi honor, se dijo con orgullo la Tétrica Mofeta, que sentía una atracción irresistible por los negros.

—No te embulles, querida —le dijo Hiram, la Reina de las Arañas, sacando su culo del sexo de bronce del caballo—. Esa leche que te ha caído no es la del Titán, sino la de Rubén Valentín Díaz Marzo, el Aereopagita, un «disparador» empedernido, quien además te admira como escritora. Mientras yo me metía la pinga del caballo, el Aereopagita, desde arriba, me cuidaba a cambio de mirar. ¡Rubén, bájate de ese caballo que aquí está Reinaldo Arenas!

Otra vez el mar

Por aquella época (¿o fue antes o después?) la Tétrica Mofeta tuvo otras aventuras, pero ésas pertenecen a otra novela.

La conferencia de Lezama

Entre los numerosos acontecimientos que habían tenido lugar en el palacio de Fifo, sin duda uno de los que tuvo más lucimiento fue el duelo a la ruleta rusa sostenido entre Tomasito la Goyesca y el gobernador de Boston. Ambos se portaron como verdaderos héroes. Al final fue el gobernador de Boston el que se reventó la cabeza de un disparo, por lo que Tomasito la Goyesca recibió de manos del mismo Fifo la Orden Cincuenta Aniversario.

Se retiró el cadáver del gobernador de Boston al son del himno norteamericano. Varios enanos tocaron unas cornetas y Fifo subió otra vez al escenario para anunciar que el gran escritor José Lezama Lima, muerto en 1976 y resucitado ahora por la magia de las manos de Óscar R. Horcayés, iba a dar su última conferencia. Conferencia que debido a su extensión y a la categoría del personaje había sido separada de la Gran Conferencia Onírico-teológico-político-filosófico-satírica que tendría lugar más adelante en el gran salón de las conferencias internacionales.

Reinó en toda la sala un silencio expectante, como convenía a tan importante evento. Finalmente, Óscar, haciendo uso de sus alas gigantescas, descorrió las cortinas del teatro y por el escenario avanzó con lenta parsimonia el autor de *Paradiso*. Se sentó en la pequeña mesa que se había preparado para el caso, se bebió de un golpe la jarra de agua que un enano diligente le había servido, sacó unas cuartillas de su saco negro y saludando al público con un ademán de su cabeza, comenzó de la siguiente manera:

—Queridos amigos, antes de comenzar la conferencia quiero comunicarles que si he decidido abandonar por unas horas el reino de Proserpina, donde por ventura gozo de los agasajos tanto luciferinos como cristianos, además de la grata compañía de mi madre y de mi esposa, María Luisa Bautista, también como yo, asesinada por Fifo (sí, ya sé que esta denuncia me puede costar la vida, pero como no la tengo, me importa un bledo el perderla), se debe no a que no pudiera desobedecer el llamado de este dictadorzuelo de intrigas afelpadas ni a sus corifeos de alas membranosas y fines siniestros. No. He venido, primero, porque no quería perderme el acontecimiento de esta noche, donde sucederán cosas inimaginadas; segundo, porque quería conocer en persona a la señora Gertrudis Gómez de Avellaneda, a Juan Clemente Zena y a André Breton, resucitados, entre otras personalidades, para esta fiesta. Y tercero porque mi conferencia es digna de resucitar a un muerto. Ese muerto con ansias de ver a los amigos que aún no han descendido a la tenebrosa Moira soy yo... Ahora *vade retro* a todos los diablos oficiales que pululan en los butacones o se esconden en las ánforas falsamente japonesas, que empiezo mi lectura.

»Por mucho tiempo un enigma, tan misterioso como el oráculo de Delfos y el rostro de la Esfinge, y tan atractivo como una terma romana, me ha obsesionado durante los momentos más lúcidos de mi vida. Ese enigma, que sólo he podido dilucidar en la calma de la mansión de Hécate, se resume en la siguiente pregunta: ¿ACABABA DE EYACULAR O NO EL JOVEN *GIOVANETTO* FLORENTINO QUE HABÍA POSADO PARA EL *DAVID* DE MIGUEL ÁNGEL?

»Esa interrogante ha obsesionado tanto a académicos, estudiosos especializados o simples diletantes del *dolce stil novo*... Debemos repasar a los egipcios, cuyas eras imaginarias eran fálicas y por lo tanto germinativas. En Egipto, el dios de la creación aparece de lado y con faltriqueras: de otra forma su potente falo dominaría todo el fresco, que ya no sería "fresco" sino un caliente relieve. Luego tenemos que transitar por entre los griegos armoniosos, quienes rendían un culto tan desmesurado y justo a la verga triunfante que la divinizaron, creando así el dios Príapo, que aún rige nuestros destinos. Finalmente, utilizando como trampolín esos falos siempre cimbreantes, caeremos en el meollo del cristianismo, analizándolo sin beaterías de aldea, esto es, sin las mojigaterías del Concilio de Trento y las histerias de doña Isabel la Católica, a quien la falta de la fruta de Adán (todos sabemos que Fernando era impotente) le hizo cometer atroces desmanes contra todos los que adoraban el espolón penetrante cuyo néctar todo lo dulcifica. La pinga, señoras y señores, para decirlo con claridad jenofontina, o si se prefiere, meridiana, como habla González de la Solana.

»Porque, en definitiva, queridos amigos, ¿qué es el cristianismo y su símbolo máximo, Cristo, Nuestro Señor, sino la adoración secreta y por lo tanto sagrada de esa súmulas nunca infusa que es la Niké fálica? Nos conmueve Cristo porque tiene falo, y su cuerpo, por lo mismo humano, aparece en la cruz desnudo y cubierto con una provisoria toallita que, en vez de ocultar, señala al divino prepucio. El olor de esa toallita, regalo sin duda de la Magdalena, olor a fana y a cojón cristiano, tiene reminiscencias proustianas. El olor de la toalla tiene aquí la función que cumple la Magdalena (y de Magdalenas estamos hablando) en el joven Proust al devolverle todo su pasado singón para que a la sombra de su sabor y de su olor erigiese *A la recherche du temps perdu*... La corta toalla cristiana anunciadora de lo que está más abajo de la cintura nos devuelve no una novela, sino toda la gran cultura universal. Cuerpo esbelto y desnudo cruzado por un paño estricto. Esa imagen obsesionante que ha reinado en los balnearios, playas públicas y termas, películas de relajo y crucifijos es, quién lo duda, la suma de la tradición cristiana. Todo joven con una toalla cruzándole el vientre bajo la cual se guarecen la fruta y los globos adánicos es una réplica de Cristo. La *imago fálica*, dominadora de casi todas las civilizaciones pre y post helénicas, es también el dominador común de nuestra cultura. Un joven de treinta y tres años predica el amor ante los arrobados apóstoles con pasión de toalla cimbreante. Por eso, a no dudarlo, san Juan, en la última cena, sabiendo que el Señor iba a partir, no pudo más. Ante el resto de los discípulos cayó de bruces en las piernas del Maestro ingurgitándole bajo el mantel la serpiente divina. El Maestro, en tanto, pronunciaba un discurso venerable y santo. Doble explosión de vida a un solo compás. Por eso, devotos, nos inclinamos todos ante todo joven (y Cristo lo era) que candorosa e irresistiblemente oculta tras una pequeña toalla anudada sus rosados, broncíneos u oscuros cojones... ¡Hosana! ¡Hosana! La flecha divina estará siempre allí, a la altura de nuestros ojos conmovidos. Ahora sabemos que el nudo gordiano de nuestras vidas (esa tragedia compulsiva) puede cortarse con estirar los brazos y desenroscar esa toalla donde se guarece el dulce lestrigón divino y humano. No importa quién porte la toalla, él mismo participa de la armonía estelar. En la delectación de ese lestrigón, en los flechazos que él mismo prodiga, radica nuestra redención y nuestra paz. El traspasamiento por el dardo, he aquí lo que nos enardece y sana. Esa penetración puede ser una hipóstasis metafórica, pero siempre debe ser profunda. El goce de creerse o sentirse taladrado, traspasado o transverberado es una condición *intríngulis* al acto sagrado. La flecha, la espada, los palios, la vela, la espingarda son símbolos priápicos que en calidad de factótum erotizan piel y culo provocando la devoción y fe cristianas. Así la espada que traspasa el pecho de Nuestro Señor, como espada traspasante, *imago* del gran cimborio anhelado, provoca bajo aquella toalla un ligero temblor final. Ante la exaltación por la *imago* salta el tokonoma. Con agradecimiento recibimos las flechas últimas que provocan el éxtasis postrero.

»Entremos en la Scuola Grande di San Rocco (donde yo por culpa del canalla de Fifo nunca he podido entrar) y observemos con fruición de caracol nocturno y voracidad de margarita tibetana la tela del *San Sebastián* pintado por el Tintoretto. Como todo auténtico san Sebastián, el joven cuerpo de discóbolo aparece desnudo, cubriendo sus formidables entrepiernas con un perentorio lienzo. Pero mirad cómo se alza el lienzo mientras las flechas traspasan la carne del santo. Dos azares concurrentes hacen que el santo (esto es, su modelo), de encarnadura toscana y por lo tanto irresistible, a medida que recibe los flechazos se erotice. Primera maravilla, o golpe de dados sobre el tambor de Rimbaud: las flechas penetrantes (del latín *penis erectum)* producen en quien las recibe un dulce escozor voluptuoso semejante al que siente un ratón blanco al ser mordido por un osezno de las islas de la Terranova. Segundo golpe de timbales: no olvidemos que el garzón que posa de santo flechado era un bello *giovanetto* desnudo sometido a la mirada escrutadora de su maestro. El hecho de saberse seleccionado y pintado por el Tintoretto, gloria suma, ¿no justifican en aquel gayán desnudo el homenaje orgulloso de su gloriosa erección fálica? Seguro estoy de que el Tintoretto en varias ocasiones tuvo que interrumpir su labor pictórica, como lo hacían todos los maestros griegos y romanos, para conjurar de varios lengüetazos los saltos diplomáticos del promontorio capital. Aunque sin duda el *giovanetto* fue muchas veces pacificado por el pintor, puede verse en la obra terminada las reminiscencias de una torre de Pisa envuelta en trapos y partiendo de las entrepiernas del flechado. El realismo de la vida (ese goce supremo de la irrealidad) se impone como siempre hasta en los mismos instantes de la muerte. Sin razón se quejaba, pues, san Agustín de la tragedia (tentación) que padecían los pintores florentinos, cuyos modelos al ser mirados por los maestros eran picados por el ángel de la jiribilla: ninguno de aquellos dómines de la sapiencia le lanzó sin embargo al modelo (que podía ser un pescador del Arno) un tintero, un pincel, una cuba llena de colores. Por el contrario, prosiguieron gozosos sus oficios pictóricos a pesar de, o estimulados por, el levantamiento de las cañas santas. Así Andrea del Sarto pintó a su *San Giovanni Battista* desnudo de la cintura para arriba, pero cubierto desde el ombligo hasta las rodillas con toda suerte de cazuelas, mantas, rocas, cruces y hasta un gigantesco hurón que mientras posaba y cubría la ingle del garzón le succionaba el atributo vital. Esa oportunidad, no desperdiciada por el hurón, imantó al *San Giovanni* de Andrea del Sarto de un candor imperativo típico de un adolescente desnudo, quien, mientras se la maman, nos mira con sus grandes ojos malvados e inocentes, como suplicándonos y también conminándonos a que participemos del festín.

»Ese cuadro único, que ha causado espasmos a prominentes marqueses y al papa Pío XII, aún se puede admirar por fortuna en la galería del Palazzo Pitti de Florencia... ¿Y qué me dicen ustedes del *Baco adolescente* del Caravaggio? Este Baco, es decir, ese delicioso truhán florentino, tenía una verga tan inquieta que, aun siendo uno de los favoritos de la familia Vergamasco, su pirámide jamás halló reposo, ni siquiera a pesar de los buenos oficios de Caravaggio. Finalmente, lleno de ojeras y párpados caídos, muy abrigado de trapos que apenas le dejaban al aire una tetilla victoriosa, el adolescente hizo de Baco con una mesa y un enorme frutero ante sus piernas para que no pudiese levantarse, o al menos destacarse, la insólita Fata Morgana que abre todos los vasos comunicantes. Esas erecciones de los modelos, en una época en que no podía pintarse (como tampoco ahora) las cosas tal como son, no causó tragedias sanagustinianas, pero sí traumas entre los maestros florentinos, amantes, como todos los artistas, de la verdad.

»El problema sin embargo pareció resolverse bajo la dinastía sanguinaria y floreciente de los Medici, quienes, amantes del realismo más descarnado, ordenaron que todas las estatuas o cuadros debían pintarse o cincelarse al desnudo total y con el esplendor pujante de sus modelos. En la Plaza de la Señoría de Florencia se plantó un Neptuno descomunal de inmensa envergadura erótica donde lo órfico monumental se extiende desde los mismos repulgos del culo hasta los pendejos filigranados, de donde emerge el mazacote délfico cual timón que guía a toda la ciudad. Y no olvidemos que gracias a esos erguidos y desnudos mazacotes, que hacían gemir al mismo viento de los Apeninos, Florencia tuvo un Dante, un Giotto, un Leonardo, un Miguel Ángel y un Botticelli, entre otros maestros únicos a quienes las agujetas florentinas les abrieron el seso y el sieso haciendo germinar en ellos la genialidad.

»Terminadas las escaramuzas entre güelfos y gibelinos, las potentes familias que ocuparon el poder (los Pitti, Frescobaldi, Strozzi, Abbrizi y desde luego los Medici Ricard), independizándose de Roma, levantaron en todos los puentes del Arno estatuas de vigorosos y potentes dioses desnudos (que retaban y amedrentaban a los viejos Papas) con sus vitalidades enhiestas. El enemigo, ante aquellas manifestaciones de fuerza imantada, se daba por derrotado y caía de rodillas. De esta manera, en lugar de la *Venus de Urbino*, que con una mano se tapaba el sexo, o la *Venus* de Sandro Botticelli, que alargaba el peplo para cubrirse el bollo mostrando así una expresión muy triste en sus ojos, surgieron Moiseses de falos evidentes, Aquiles de protuberancias únicas, Apolos que desde una explanada dominaban a la ciudad con sus punzones despepitantes; guerreros de protuberancias retadoras, pescadores desnudos agachados sobre una piedra, quienes mientras sostenían con ojos cerrados un pez de oro dejaban ver bajo sus muslos el suculento tesoro de una güevada única.

»*Amore e Psiche,* esculpidos por el mismo Canova, enaltecieron la Villa Carlotta. Amor, con alas y carcaj, pero con una flecha erecta en sus piernas que apuntalaba a Psiquis. Leda, desnuda y con las patas en alto, copuló abiertamente con el cisne en los jardines florentinos y más tarde en el mismo Museo Nazionale. Adán desnudo en el momento en que era expulsado del paraíso, y que por lo tanto todavía ostentaba una enorme erección, también quedó petrificado en algún pórtico florentino.

»De este modo la ciudad se llenó sobre todo de hermosos garzones de mármol cuyos modelos deambulaban por las plazas y eran presas fáciles y gozosas de todos los cincelistas. Famoso en toda la historia de la escultura es *El niño de la espina* (cuyo primer modelo debe de tener ya veinticinco siglos), fámulo que mientras desnudo cruza una pierna para sacarse una espina del calcañar muestra, a los afortunados que aún tienen ojos para ver, su espina mayor reposando, pero alerta, sobre dos piedras mágicas... Dignos de toda contemplación, elogio y regodeo son los cojones del centauro de Botticelli, quien se puso a la moda y luego de copular con su centauro, que era un caballo de tiro de la familia Condotta, comenzó a pintar, como siempre lo había deseado, escenas de damitas entre adolescentes floridos de largas melenas ensortijadas quienes mientras saludaban a la dama se rascabuchaban y se contemplaban con ojos enternecidos. Véase, para lo antes predicho, la *Madonna del Magníficat,* pintada hacia el 1510. Pero la cosa desde luego no se detuvo en miradas lánguidas. El pórtico del Palacio de los Lasquenetes se pobló de Hermes fálicos y cacos agachados que contemplaban desesperados aquellas longuras, no sabiendo si agarrarlas para darse a la fuga o engullirlas de un solo bocado. Las fuentes se poblaron de Neptunos de imponentes vergas que eran circunvalados por semidioses chorreantes y graciosamente dotados. En fin, las plazas, los palacios, los pórticos, los arcos de triunfo, los bosques, los puentes y hasta las iglesias se poblaron de Patroclos imponentes, de Aquiles supererotizados, de atletas contraídos en un ademán penetrante, de dioses siempre en cueros y con la vara que todo lo consuela enhiesta. Un reluciente colmillo de jabato erótico emergía de aquellas estatuas monumentales. Hasta un Perseo de Cellini, lanza en ristre, nos esperaba y espera ante las mismas puertas del Bargello, y un Baco negro de deliciosa y gentil serpiente nos aguarda una vez que hayamos traspuesto el Ponte Vecchio, en tanto que erotizados Antinoos reclaman nuestros besos en galerías y museos. La Sala de los Quinientos del gran Palacio de la Señoría o Palacio Viejo, donde se reunía toda la nobleza, estaba (y aún está) circunvalada por hombres de piedra desnudos, algunos ostentando sus inaplazables apetencias eróticas; otros, sosteniendo atrevidos combates sexuales, como es el caso de Hércules y Diomedes; Hércules cargando a un Diomedes de patas abiertas, testículos y falos inflamados, Diomedes, aún más atrevido, se aferra a los grandes hermanos gemelos y al falo del dios, mientras un Alcibíades de nalgas apretadas y de magnífico pontón etrusco observa la escena.

»No ha de sorprendernos que en un mundo así, donde los jóvenes más bellos habían sido reproducidos al desnudo y en tamaño gigantesco por todos los sitios, se desatara una virulenta fiebre de *ninfomarmáticos* y *ninfomarmóreas*. Por las noches, y a veces en pleno día, hombres y mujeres se dedicaban a copular incesantemente con las estatuas. La misma Catalina de Medici fue varias veces excomulgada por el Papa por haber sido encontrada en numerosas ocasiones en la Plaza de la Señoría siendo penetrada por el tridente erótico de Neptuno. Cuéntase que el Dante en varias ocasiones fue descolgado por sus sirvientes de los senos prodigiosos de la Sabina de Giambologna. En cuanto a Lorenzo el Magnífico, queriendo ser poseído por el dios Apolo, reculó desnudo contra la estatua que se encontraba en el puente de la Victoria; este reculón le permitió introducirse el divino atributo que superenloqueció a Juana la Loca, pero, sacando a la estatua de su pedestal, ambos fueron a dar ensartados al fondo del Arno. Lorenzo el Magnífico pudo salvarse gracias a las hábiles diligencias de unos pescadores, pero la estatua de Apolo se quedó en el lecho del río, erotizándolo de tal modo que sus aguas inflamadas se desbordaron, inundando la ciudad y llegando hasta la tumba de Beatriz de Portinari. Pero el *eros* que despertaba a aquellos hombres desnudos con sus cantidades hechizadas no solamente impregnó a toda la población y al río, sino que también colmó de lujuria a las golondrinas. En bandadas llegaban estas aves a toda Florencia y, desesperadas, estas peregrinas (el poeta Zenea aquí presente podrá testificar el caso) se acurrucaban entre los gigantescos globos germinativos y picoteaban la flauta mágica. Tan grande fue la invasión de esos pájaros a toda Florencia que desde entonces a todo maricón se le llamó pájaro, y la señora Medici Ricard, que ya apenas si podía fornicar con las estatuas, pues las avecillas se lo impedían, promulgó un bando donde se condenaba a muerte a toda golondrina que se posase sobre aquellos efebos marmóreos. Desde entonces, las golondrinas, enloquecidas por no poder libar el fruto de

Adán, se elevan chillando hacia el cielo y luego se lanzan de cabeza contra el *campanile* del Giotto. Sí, prefieren la muerte, como tantos, a vivir desterrados del dardo de Eros. Este acontecimiento suicida es la causa por la cual la catedral del Duomo es visitada todas las primaveras por millones de turistas, quienes saben que allí no les faltará carne fresca en ninguno de los dos sentidos. La carne de golondrina es además un plato exquisito. Y otra vez me remito al gran vate, Zenea.

»Vemos así que el apogeo de la cultura (o *vita nuova)* florentina fue un apogeo auténtico, pues fue un apogeo fálico, un tributo al dios Príapo y un reconocimiento a los incorporadores de la serpiente del mundo exterior. La paz reinó en la Plaza de la Señoría y en toda la ciudad por más de doscientos años. Imagínense ustedes a un pueblo completo siendo poseído por los más bellos dioses o los más fornidos atletas. ¿Acaso iba a tener tiempo ni motivo para querellas vanas? Cuando una *madonna* o una campesina no era absolutamente colmada por su marido o su amante (o por ninguno de los dos), allí entre los troncos de un bosquecillo estaba un regio Apolo aguardándola con su reluciente majá de Santamaría siempre erguido. En cuanto al campesino, el sacerdote, el poeta o el príncipe melancólico, fácilmente podían disipar sus cuitas: bastaba con meterse en un matorral y templarse o ser templados por Hércules o levantarse la faltriquera y de un reculón entregarse a Perseo. El pueblo cantaba y reía gracias a la vara que todo lo mide y consuela. Sólo las golondrinas seguían suicidándose, al igual que los cangrejos y las tortugas que, desde luego, no podían escalar la Niké fálica. ¿Y con quién fornicaba o era fornicado ese pueblo sino era con (o por) el mismo pueblo? ¿Pues quiénes eran aquellos dioses paganos y cristianos sino *giovanetti* del *populo* que por mil liras se dejaban cincelar al natural? Podemos afirmar que el gran periodo florentino fue una época de indiscutible igualdad, pues se vivía bajo una estupenda democracia fálica.

»En medio de aquella debacle erótica, Miguel Ángel, que ya le había decorado al Papa la Capilla Sixtina con el nacimiento del hombre, fue contratado por su señoría para que esculpiese en Florencia la estatua de David en tamaño colosal. El artista se fue al Ponte Vecchio y allí contrató a un *giovanetto* de esbelto porte que bien podría fungir como el dios bíblico.

»Al llegar al estudio, Michelangelo le ordenó al *giovanetto* que se desnudara mientras él descubría una gran pieza de mármol traída desde las montañas de Siena. Cuando el maestro se volvió, ya con martillo y cincel en mano, vio que su modelo tenía algo de flamboyán en plena estación floreciente. Pero, acostumbrado a ver cuerpos espléndidos, prosiguió su labor. Sin embargo, a medida que el dómine, con fines sólo profesionales, contemplaba al garzón, éste iba dando muestras de una enorme longura fálica que crecía a cada cincelazo como si aquel ruido lo produjese una campana mágica. El gran escultor contempló aquella muestra imponente descubriendo que la parte comprendida entre el balano y el glande era en extremo dimesticable (y disculpadme este italianismo, pero de todos modos ahora estamos en Florencia) y que la longura que partía casi recta del glande hacia donde estaban las dos balas de cañón (balas pulidas y rosadas como fresas de un jardín rabelesiano) era en verdad considerable hasta para un escultor florentino. La longura priápica que reproducía a la perfección la leptosomia corporal de su dueño hizo que temblaran varias veces los párpados del dómine, quien a pesar de todo, como tenía que esculpir a un dios, prosiguió en su labor de cincel. Pero la serpiente pitón del florentino seguía desenroscándose. Era imposible dejar de contemplarla; también era imposible esculpirla, pues un real guerrero bíblico que además acababa de hacer justicia con su honda no era para que exhibiese aquel cirio prodigioso deseoso de descabezarse contra una gruta húmeda. En primer lugar, no podía cincelar la figura del *giovanetto* si éste no adquiría una postura más sosegada; en segundo lugar, habría que poseer una crueldad otomana para despedir al modelo con aquella gigantesca vara de Aarón en ristre y buscarse otro modelo menos inquieto. El maestro, recostándose contra el mármol virgen, contempló otra vez aquel faro alejandrino fuera de todo juicio valorativo. La inquieta belleza del rapaz era solamente comparable a la de un guerrero griego, lanza en alto, súbitamente perdida entre las filas de los dálmatas y sus crueles bullicios. El dómine, a distancia, cayó de rodillas. Entonces el instrumento penetrante del *giovanetto* comenzó a oscilar, levantándose y chocando contra su propio pecho, produciendo con cada golpe un repicar de campana gloriosa llamando al *Te Deum laudamus*. Con epicúreo cálculo pascaliano (aunque Pascal aún no daba señales de vida) avanzó hacia la deidad a la manera de los chinos o de los monjes tibetanos, esto es: contrito y a cuatro patas. Cuando llegó al inmenso arbolado, de la boca del maestro salía un torbellino bituminoso.

»Pero se mantuvo inmóvil bajo la sombra del *umbravit*, creadora de infinitas posibilidades. El *umbravit*, esto es, la presencia angélica y rotunda de aquel adolescente virgen, lo anegaba como una sombra invasora. *Umbravit:* pontón florentino que tapaba el sol no con un dedo sino con su rosáceo glande. Aquella sombra, como la aparición de un *pótens*, más la sombra circular y solar de los cojones adolescentes, cayó sobre el rostro de Michelangelo ensombreciéndolo y a la vez bañándolo con una luz celestial. Una relación prodigiosa se estableció tácitamente entre el *umbravit* y el *obradit,* es decir, entre aquella forma que delineaban el arco triunfal de los cojones y el falo erecto *(umbravit)* y las crepitaciones titánicas *(obradit)* que emanaban de la garganta y la lengua del maricón estelar. El mariconcito genial, ya convertido en un corderillo gimiente, se guareció a la sombra del dios fálico y al saltar hacia aquella rama monumental soltó cincel, martillo y una pluma. Esta pluma forma parte del ajiaco pitagórico celeste, pues en la mitología azteca el *umbravit* actúa por medio de una pluma blanca. Así, Quetzacoatl, mientras cuidaba el templo, fue agasajado por esa pluma que allá voló y tomándola con ademanes reales empezó a acariciarse el sexo y sus dos huevos de tucanes hasta culminar en una eyaculación prodigiosa que fue la causa de la gran laguna mexicana hoy convertida en estercolero de ciudad grande. Terminado el orgasmo olímpico, Quetzacoatl se colocó la pluma debajo de su gran serpiente, ahora en reposo. "Serpiente emplumada", ése fue el nombre del dios. Serpiente emplumada allá y acá. Allá, pluma juguetona y revoloteadora sobre la dulce cúpula del pingón florentino; acá, pluma reinante entre los huevos y la serpiente fálica del dios mexicano, quien gracias a esa pluma pasó a la eternidad del mito, y por el olor de la pluma que venía de Occidente predijo una gran guerra invasora y destructiva, intuyó la derrota y alentó el combate. Tales acontecimientos teológicos e históricos produjo el magnífico talón de Aquiles de todos los pájaros... En ese momento, el *giovanetto* avanzó con una mano en la cintura y, con la misma indiferencia con que en un cuadro de Velázquez se entrega la llave de una ciudad sobre un cojín rojo, el delicioso modelo depositó su falo sobre la lengua punzó y mullida de Miguel Ángel, quien ante el daemon priápico paladable se abombó como azotado interiormente por una tromba de Oceanía y de un golpe engulló la vara mágica con sus enormes bolas de billar. El maestro se introducía aquellos gigantescos huevos en la boca y luego reculaba y los mordisqueaba con el mismo método y velocidad con que una ardilla del Parque Central de Nueva York juega con una nuez antes de saltar con ella hacia su oscura garita. Precisamente eso fue lo que hizo el gran escultor; con la habilidad de un trapecista del gran teatro de Shanghai, saltó hasta la verga del mancebo florentino enhorquetándose en ella con sus dos flacas piernas. Entonces el que hacía de David tomó al maestro por la cintura, lo depositó en la punta culminante de su varonía y comenzó a traspasarlo con su serpiente, que cabeceaba y avanzaba con maestría de topo selvático, abriendo así los innumerables anillos de aquella gruta anal. Mientras el instrumento penetrante trabajaba con enloquecida artesanía, Miguel Ángel se mordía una mano y acariciaba con la otra los globos reproductores que golpeaban sus nalgas como furiosos badajos congregando a una unción única. Muchos años después, mientras expiraba gozoso, Miguel Ángel recordaría aquellas caricias por él propinadas a los formidables lóbulos germinativos, asociándolas con una lección de historia japonesa donde un emperador, luego de perder su última batalla, acaricia la pulida filigrana del cabo de su espada con la cual se hará el harakiri. Pero súbitamente el *giovanetto,* sin el menor aviso o grito de guerra, introdujo todo su caudal vital en el trasero del dómine, quien lanzando un bufido de gloria abrió los brazos y quedó sostenido sólo por el falo del joven, que avanzaba cada vez con más tesón *per la via angosta.* El dómine, como poseído por un viento titánico, comenzó a elevarse por los aires. De esa manera, mientras flotaba parecía ser cabalgado por un hipogrifo joven. Finalmente, el maestro, tal vez por el peso del hipogrifo taladrante, cayó al suelo, donde el *giovanetto* comenzó a sacarle y meterle su verga con una velocidad que superaba la de sus propios suspiros. De manera que aquella penetración adquirió matices supersónicos. Entonces, Miguel Ángel prorrumpió en unos alaridos descomunales que alarmaron (y congregaron en el estudio) a toda la población florentina, en tanto que los gladiadores proseguían con su sin igual pugilato. La trompa del imponente toscano atravesó con un golpe de gracia toda la caverna y aún no conforme con ese recorrido, mientras se aferraba al maestro por las posaderas, introdujo también sus dos gigantescas cebollas testiculares. Al sentir el maestro que no solamente el tronco conductor del *umbravit,* sino que también las semillas del árbol lo poseían, un dolor, que era un placer inexpresable, lo traspasó y quiso zafarse de aquel tallo descomunal y de sus dos regios bulbos; pero al igual que los perros callejeros que una vez acoplados no pueden separarse hasta que no termine la contienda, tampoco Miguel Ángel podía desprenderse en aquel momento de aquellos regios atributos viriles y, no pudiendo escapar a aquella potencia vital y traspasante, el maestro comenzó a morder con voracidad de tiburón caribeño las moles de mármol que aguardaban por sus mágicas manos, y con los dientes convertidos súbitamente en barrenillos atómicos (lo cual constituía un antecedente einsteniano) talló, con la velocidad de un tifón malayo, numerosas estatuas que hoy son gloria de la academia florentina, como la *Pietà de Palestrina,* entre otras obras maestras. Una nube de polvo salía de aquellas piedras marmóreas, en las cuales parecía que un castor quisiese hacer guaridas incesantes. Bajo aquella nube de polvo los dos gladiadores (el más joven completamente desnudo, el otro con su bata de trabajo arremangada y sudorosa) proseguían su batalla. El joven seguía creciendo dentro del maestro, el maestro continuaba mordiendo mármoles de Murano y de Siena y tallando piezas únicas. La colosal batalla podía observarse también, por todos los florentinos extasiados, como una película muda en las paredes del gran estudio, donde las inmensas sombras del *umbravit* y del *obradit* se proyectaban en danza sin igual, creando así un precedente cinematográfico que continuarían muchos años después los hermanos Lumière. Por último, el *giovanetto*, no pudiendo ya contenerse, estalló con potencia de fumarola (era ésta su primera venida) bañando con su licor de fuego todas las entrañas del dómine, quien al sentir aquella lava que le salía por la misma boca roció también con su viejo licor algunas estatuas semitalladas. Al coincidir ambos gladiadores en sus explosiones seminales, los dos emitieron al unísono un aullido desmesurado. Esa desmesura, a la manera de los terremotos armenianos, no sólo hizo que se desbordara otra vez el Arno, sino que desmoronó la torre de la iglesia de San Marcos de Venecia, inclinó peligrosamente la torre de Pisa y asoló toda Pompeya.

»El dulce *giovanetto* sacó su espada del cuerpo yacente y se quedó de pie, contemplando con orgullo al traspasado. El maestro, desde el suelo, miró al joven: las piernas abiertas, serenas y a la vez en actitud como de avanzada gloriosa, los muslos como columnas sólidas e inabatibles, el falo con su típica forma italiana de huso o de billarda campesina (abultado en su centro y puntiagudo en sus extremos), descansando sobre unos cojines satisfechos y recién descargados, las manos semi-agarrotadas, en las cuales aún se marcaban las venas exaltadas; el rostro viril y pleno con el cabello rizado pegado a la frente, las orejas aún alerta y los ojos poseídos por un mirar único. Todo en el joven exhalaba la serenidad armoniosa del que acaba de triunfar... ¡No te muevas!, le dijo entonces Miguel Ángel, contemplando al *giovanetto* bajo el arco triunfal de sus magníficos cojones. Y tomando martillo y cincel, en menos de lo que la reina Cleopatra aplastaba con su fusta de oro un mosquito del Nilo, reprodujo en tamaño colosal todas las formas únicas del joven florentino que lo acababa de poseer. Cuádruple aventura fue aquélla, fálica, anal, santa y gloriosa, ya que, al traspasar el *giovanetto* a Miguel Ángel, lo depositó en las puertas del paraíso y también de la gloria.

»Observad, pues, las reposadas y a la vez tensas facciones de la escultura; observad la circulación de la sangre bajo sus manos. Observad esos pies plantados con la seguridad de señor de las columnas, las piernas, los muslos, que se yerguen con la plenitud de un rey que acaba de atravesar vencedor el vórtice de una tormenta; observad esas nalgas de semidiós apretadas por la contracción rectal que impulsó su tómbola fálica, observad los pendejos fálicos aún húmedos por el sudor de las posaderas de Miguel Ángel. Observad todo el conjunto y en especial el dulce glande ya en actitud de reposo, y sobre todo observad los magníficos cojones vaciados de su inquietud seminal (el derecho un poco más caído que el izquierdo), observad las uñas, las orejas, el cabello revuelto, el músculo aún tenso del cuello, sus brazos con las huellas de quien acaba de ejecutar un poderoso ejercicio; observad la cintura aún contraída, las tetillas plenas, el cabello revuelto. Observad una vez más, después de eyacular, su dulce miembro recién recogido y triunfante, como avanzando dentro de su inmovilidad, y comprenderéis que el modelo que hizo de David, ese dios florentino y anónimo que vagabundeaba por el Ponte Vecchio, había tenido una eyaculación gloriosa dentro de su maestro momentos antes de que el genio (que suele visitarnos sólo en instantes excepcionales) lo transportase a la inmortalidad de la piedra.

Forme, firma, forma...
(Informes)

Esos informes, informes con que informas y firmas, por deformes, no sólo deforman lo que informan, sino que como informas para una entidad deforme, hasta la forma informe de tu informe se deforma, y te conforma y afirma aún más deforme que el mismo inconforme informante al que le informas.

(A Paula Amanda)

Una carta

Miami, 9 de mayo de 1998

Mi querido Reinaldo:

Seguramente no has recibido mis cartas anteriores enviadas desde París, desde Nueva York y desde la misma Cochinchina. A reserva de una carta más larga, te hago ésta para decirte que nunca he sentido una soledad tan cósmica, deshumanizada, inminente e implacable como la que siento en estas playas miamenses. Todo me es ajeno, plástico, monumental y desalmado. El misterio de un pequeño pinar, de un recodo en la arena, de una loma o lomita desde la cual se podía dominar un palmar, de una brisa, de una vereda polvorienta, de un aire natural, de un jazmín salvaje, de un fondo marino transparente, de un encuentro venturoso, de un alto cielo estrellado, de una calle con aceras y portales: todo, todo perdido. Yo este año armé un árbol de Navidad, lo engalané, pinté el apartamento, leí en voz alta algunos de mis textos para recordarte. Pero nada, toco y no me toco. No existo y sin embargo padezco mi existencia.

No pertenezco a este mundo y sé desde luego que aquel que añoro no existe. No vayas a pensar que este clima se parece ni por asomo al de La Habana. La ciudad es una olla candente. Digo ciudad, pero tampoco es una ciudad, sino una serie de caseríos chatos y dispersos; pueblo de vaqueros donde el automóvil sustituyó al caballo. Sí, muero de soledad, de amor me muero. Muero por todo lo que no tengo, por todo lo que quise y nunca alcancé. Por todo lo que alcancé y no sabía que tenía y perdí. Por todo lo que no supe disfrutar mientras lo tuve. Por todo lo que disfruté y ya no me pertenece, por todo lo que nunca haré. Dónde hallar sitio para poder extender mi espanto. Y como si eso fuera poco, también tengo que trabajar para poder seguir espantado. He lavado automóviles, he lavado pisos, he lavado platos en los hoteles. A veces por fortuna me robo una vajilla completa y la vendo en la Sagüesera con la ayuda de Pedro Ramona Lépera, un delincuente notorio por estos lares donde llegar a esa notoriedad es difícil por la competencia. Pero a otros les ha ido tal vez peor. A la Superchelo, por ejemplo, le dieron una puñalada y falleció al instante, bañada en aceite: si la ves por allá es su espíritu lo que ves. Aquí se habló de drogas, pero dicen las malas lenguas, que por desgracia casi siempre tienen razón, que fue un asesinato complotado por la Chelo. En cuanto a Miguel Correderas, debido a su cuerpo gigantesco y peludo, lo han confundido, dicen, con una osa y hasta han tratado de meterlo en un zoológico. Por suerte lo salvó el hecho de ser ya ciudadano norteamericano, nacionalidad que se ganó por haber estado preso más de un año acusado de homicidio perfecto. Ayer la vi, parecía un gallo desplumado, como dice o decía la canción. Me contó que pasa grandes vicisitudes económicas pues además de que sus padres llegaron de Cuba tiene un amante. Fue a una agencia de trabajo con el fin de que la colocaran como mamadora experta para cumplimentar solicitudes a domicilio hechas por los señores más respetables de la ciudad. Pues bien, a la Correderas, luego de llenar miles de planillas, la sometieron a una prueba testifical. Esto es, la pusieron a mamársela a un viejo ante un tribunal competente. Aunque te parezca increíble, la loca fue descalificada.

Fíjate si aquí son rigurosos en esa materia. Tú te imaginas, esa pobre loca que se ha pasado la vida entera mamando en los matorrales y que ahora la descalifiquen como mamadora profesional... Qué humillación. En fin, que nuestro calvario parece infinito... De todos modos, aquí se dice que la caída de Fifo es inminente —aunque nadie hace nada para que suceda—; ojalá sea así. Pero yo no quisiera llegar al año 2000, y si hasta ahora he aguantado (ya debes de saber que también tengo el sida) es por la esperanza remota de que tal vez algún día volvamos a encontrarnos y podamos ser una sola persona. Tal vez eso sólo ocurra después de la muerte. Pero no estoy seguro de la existencia del más allá. Es más, creo francamente que no hay nada. Ni más allá ni más acá. Me recuerdo allá (no en el más allá, sino en la isla) y también me dan deseos de dar gritos. Me veo aquí y ya estoy gritando. ¿Cómo poder seguir viviendo así, en ningún sitio, con un pedazo de mi alma allá y otro aquí, con la vida partida en dos o en mil pedazos? Cáscara de mí sólo soy. Ésa es mi tragedia. Te puede sonar cursi o increíble, pero es todavía algo peor: es sencillamente mi vida. Nunca esa cáscara podrá suplir el vacío de su condición de cáscara. Nunca podré juntarme conmigo mismo. Nunca más yo volveré a ser yo, o tú, que es lo mismo. Ni este mar, ni esta playa, ni este sol tienen nada que ver con aquel que fui: ninguna complicidad nos identifica, ninguno de estos lugares me reconoce, ni me reconocerá. Aunque pasen cien años seré siempre un forastero.

Ahora me voy a caminar mi espanto por la orilla del mar, al menos aquí no tan custodiado como allá. Después del regreso tal vez escriba algunas páginas, las últimas. Gloria y martirio. Es tarde. Todos duermen a mi alrededor. Velo.

Piensa en mí como una ausencia infinita pero siempre presente y recibe el más tierno e imborrable cariño de tu

Reinaldo

El Aereopagita

Rubén Valentín Díaz Marzo, el Aereopagita, tenía una pieza de dos habitaciones en el hotel Monserrate, uno de los tugurios más temibles de toda La Habana Vieja, donde se guarecían innumerables putas retiradas, maricones obesos como el mismo Mahoma, pitonisas clandestinas como Sakuntala la Mala, balletómanos enloquecidos y truculentos como Coco Salas, locas de incontrolable fuego rectal como Tedevoro, tortilleras de horca y cuchillo como la Beba Carriles, quien además tenía una esclava, marido, hijos y se las daba de leguleyesca y maga, pájaros danzarines muy partidos pero al parecer vírgenes como la Mayoya, pájaros de apaga y vámonos como la Supersatánica, bugarrones exquisitos que nunca se habían singado a ninguna loca sin antes retorcerle el cuello como los Chicos de la Flor, bugarrones gentiles, superdotados y supersolicitadísimos como la Llave del Golfo, triples agentes de la Seguridad del Estado, de la KGB y de la CIA, como Kilo Abierto Montamier (que se albergaban en aquel antro en sus visitas supuestamente clandestinas para pasar inadvertidos), traficantes en telas, frijoles negros, refrigeradores y obras de arte, como Ramón Sernada (alias la Ogresa), ex presidentas de comités de defensa de tetas descomunales que arrastraban por aquellas viejas escaleras de mármol, poetas frustrados, mujeres abandonadas y con tres hijos como Teresa Rabijo, chulos de largas pestañas y pingas inmedibles, traficantes de drogas, pianistas sin pianos, travestis que aún conservaban veintisiete pelucas como Alderete, ex queridas de ex capitanes y ex miembros del Partido, flamantes adolescentes bisexuales y putos como Pepe (hijo de la Carriles), judocas, santeros, karatecas, marineros... Toda esa ola humana vivía en aquel hotel produciendo una insólita y candente vibración y un gran escándalo.

Día y noche allí no se escuchaban más que patadas en las puertas, alaridos de putas acuchilladas, retumbar de tambores, bofetadas de tortilleras celosas, discursos políticos, vasos reventados contra el piso, exorcizaciones en lengua lucumí, *El lago de los cisnes* de Chopin, al son del cual bailaban Coco Salas y la Mayoya; una vieja loca que incesantemente llamaba a un tal Jesús que nunca respondía, los insólitos escándalos de una familia de pigmeos incestuosos: siete hermanos que incesantemente se fajaban entre ellos disputándose a su única hermana —cuando empezaba el pugilato familiar todo el mundo exclamaba: ¡Vaya!, ya empezó la tángana en casa de Blanca Nieve y los Siete Enanitos—. Pero era casi imposible discernir allí algún ruido específico. La mezcolanza de escándalos era tal que ningún alarido podía entresacarse de aquel infernal concierto. Negros gigantescos en *short* campeaban por los pasillos de aquel edificio de siete plantas armados no sólo de unos falos con los cuales abrían cualquier puerta, sino de unas patas de cabra que en un tris hacían saltar las bóvedas del Banco Nacional. Realmente en aquellos cuartos no había paz, pero menos paz había en los pasillos, donde un constante trasiego de putas, bugarrones, maricones, traficantes y escritores inéditos subía y bajaba las escaleras tocando a todas las puertas. No era sorprendente encontrarse en el descansillo de una escalera a un miembro de la Juventud Comunista poseído por un viejo borracho; también un espectáculo cotidiano era el que ofrecían varias hermanas chinas que incesantemente se estaban tirando de sus greñas... Marineros griegos, mulatos de Coco Solo, reclutas orientales, y locas de Lawton hacían cola frente a la puerta de la Tétrica Mofeta, quien, mientras era poseída (otra vez) por la Llave del Golfo, miraba por la claraboya de su ventana la comitiva que la aguardaba.

Como si eso fuera poco, centenares de vagabundos y ex prófugos de la justicia se guarecieron en el techo del hotel Monserrate, plantando allá arriba sus tiendas y haciendo hasta fuego para calentarse y cocinar, por lo cual, en varias ocasiones, el santo lugar había sido visitado por los bomberos, quienes aterrorizados al ver a aquella gente se daban a la fuga. Entre las personas que plantaron su tienda en la azotea del hotel Monserrate se encontraba también Oliente Churre con su madre agónica.

Naturalmente, el hotel Monserrate tenía sólo una puerta de entrada. Ante aquella puerta se aglomeraba una inmensa muchedumbre de carteristas, matones por placer, locas en son de flete, y vendedores de pantalones (pitusas) extranjeros, que supuestamente llevaban envueltos en un periódico donde sólo había unas tiras de trapo. El único pantalón era aquel que llevaban puesto y del cual decían tener una réplica en el periódico que escondían con taimado ademán de expertos cacos bajo la camisa de poliéster. Frente a la puerta del hotel había una parada de ómnibus ante la cual tenían que detenerse todas las guaguas que iban para La Habana Vieja, para Marianao, para El Vedado y para Guanabo. Eso hacía que frente a la puerta de aquel hotel, además de los personajes citados, se agolpase, como ante una de las puertas de Jerusalén, una inmensa multitud, con jabas, que empezaba a cagarse en la madre de Dios y del chofer cuando la guagua, cosa que casi siempre ocurría, sin detenerse cruzaba aullando dejando sólo el rastro de una bola de humo pestilente y contaminado.

Un día, exactamente a las tres de la tarde, sucedió en aquella parada un acontecimiento realmente extraño. Una guagua frenó frente al hotel Monserrate y allí mismo desapareció con todos sus pasajeros, quienes fueron desvalijados, descuartizados y vendidos como carne de res por toda La Habana Vieja. En cuanto a la guagua, sirvió para que Mahoma, Coco Salas, la Supersatánica y Mayra la Caballa (que también allí habitaba) la convirtieran súbitamente en aretes, peinetas, ollas, cuchillos de mesa y hasta chancletas de metal que producían en todo el edificio un superruido infernal. Los habitantes del hotel Monserrate vivieron días de terror. La policía de Fifo practicó un registro en todo el edificio y halló bajo la cama de Alderete una de las gomas del ómnibus descuartizado. Alderete, para no ser también descuartizado, se dio a la fuga cambiándose de peluca en cada esquina. Todos los habitantes del edificio fueron encausados por cómplices de un delito político, pues el hecho de querer conservar, o ayudar a conservar, una rueda de guagua implicaba —según el fiscal— que aquella gente quería escaparse por mar de la isla.

Fifo mandó poner una gigantesca reja de hierro en la única puerta del hotel Monserrate, quedando todos sus habitantes cautivos hasta que se celebrase el juicio, que por otra parte podría prolongarse durante años. Desde luego que ante tales delincuentes no había medida de seguridad que funcionase. En pocas horas, Blanca Nieve y los Siete Enanitos, ayudados por la Carriles, la Pitonisa Clandestina y la Mayoya cavaron un túnel que desembocaba en un refrigerador de siete puertas que poseía el bar situado en la planta baja. Por allí salían al exterior miles de delincuentes semicongelados. Otras artimañas fueron también utilizadas por putas y pájaros para fornicar en el exterior mientras la reja seguía intacta. Así, como un somero ejemplo, la esclava de Beba Carriles, una guajira de Pinar del Río, supuestamente virgen, se descolgaba metida en un enorme saco amarrado a una soga que pasaba por una roldana; la soga era manipulada por Pepe, el hijo de la Carriles. El novio de ocasión de la esclava, llamada la Gallega, se metía en el saco, se templaba a la novia y se daba a la fuga. En cuanto a la Gallega, volvía a ascender más aliviada mientras Pepe tiraba de la soga. La Gallega, que como siempre había desvalijado a su amante de turno, le entregaba a Pepe la fortuna adquirida: una fosforera de lata, una caja de cigarros, un pañuelo de hilo... Tal parecía, pues, que aquel edificio estaba condenado a una cuarentena infinita. Entonces sus habitantes comenzaron a lanzar a la calle Monserrate, donde estaba el hotel homónimo, todo tipo de artefactos e inmundicias, especialmente orinales llenos de meao, bolsas plásticas repletas de excrementos; también caían lluvias de ratas muertas, platos de loza, gigantescas plataformas hechas por Mahoma que causaban la muerte inmediata a quien golpearan, cotes ensangrentados, fetos llenos de humor. Una vez a una pobre anciana que esperaba pacíficamente desde hacía un año la ruta 98 le cayó en la cartera una mano ensangrentada que había lanzado desde la azotea un vagabundo narcosatánico luego de celebrar una ceremonia religiosa con trucidamiento humano en la cual participó Oliente Churre. Del último balcón donde vivía la Coco Salas se desprendió una vez un maniquí de plomo que hizo un inmenso hueco en la calle Monserrate, quitándole además la vida a varias milicianas de guardia. También, otro día, una gigantesca tortillera escultora y siniestra (a quien desde luego se le había otorgado las becas Guggenheim and Wilson Center), que esculpía mojones achatados, fue lanzada por su esposo (el señor Marsopo Antoni) desde el balcón, convirtiéndose al instante en lo que siempre había esculpido: una gigantesca plasta de mierda. La población errática de la azotea tiraba sus piojos y garrapatas a la calle y se dedicaba a cazar gorriones a pedradas (las piedras las subía Pepe con su roldana); estos vagabundos hambrientos no acertaban a matar a los gorriones pero sí atinaban a dar (tal vez por equivocación) en las cabezas de los estudiantes de una escuela secundaria básica situada frente al hotel Monserrate. Gracias a estas peripecias, numerosos estudiantes murieron descalabrados. Con motivo de estas masacres y tropelías otro grupo de policías entró en el edificio para practicar otra investigación. Pero esta vez los policías no volvieron a salir. Durante varios días, del edificio fueron lanzados pequeños paqueticos conteniendo carne molida que las amas de casa, en contienda tumultuaria, cogían al vuelo. Todo esto a pesar de una lluvia de agua podrida y ensangrentada que también caía sobre aquellas enfurecidas mujeres del hogar. En realidad, la policía secreta de Fifo ya pensaba suprimir la reja de la puerta de entrada del hotel y dejar que la gente se las arreglase como pudiera. Era más costosa la cuarentena que el riesgo que se corría al poner en libertad a todo aquel personal. El golpe de gracia para que la reja fuera suprimida lo dio sin embargo Coco Salas. Desde hacía meses, Coco, con un catalejo, observaba a un adolescente de la secundaria básica. Un día, Coco le tiró al adolescente una nota de invitación junto con un billete de veinte pesos, todo eso dentro de un periódico *Granma* en el cual iba una pequeña lámpara tífani que hacía de objeto propulsor. El bello adolescente cogió aquella nota en la cual Coco le desvelaba el secreto de la entrada del edificio por el refrigerador mediante el pago de veinte pesos al administrador del bar. El joven, que era hábil (se trataba de Davicito, una de las locas más siniestras del planeta, a quien sin embargo no se le salía ni una pluma), traspuso el refrigerador y el cuarto de Coco. Al instante dio muestras de una erección irreprimible y se quitó toda la ropa. Coco también se desvistió. Entonces Davicito empujó a Coco hacia el balcón del cuarto y cerró la puerta por dentro, dejando a la loca desnuda y prisionera en su propio balcón, que daba desde luego a la calle Monserrate (ay, se me olvidaba, también llamada, entre paréntesis, Avenida de Bélgica). Mientras Coco, desnudo en el balcón, le suplicaba a su David que le abriese, éste, tomando unas inmensas maletas y un bolso gigantesco del *closet* de Coco, los llenó con todas las pertenencias del pájaro, incluyendo unas zapatillas viejas de ballet, una caja llena de mosquitos y los últimos informes que aún Coco no había tenido tiempo de entregar a las computadoras de Fifo. Dándole una buena recompensa al administrador del bar (un mosquito mayor que una tortuga), el adolescente mariconil salió del edificio. Coco, desde el balcón, lo vio partir definitivamente con todas sus pertenencias a cuestas. El pájaro, desnudo y prisionero, comenzó a soltar unos gritos estentóreos. Durante más de una semana aquella horrible loca estuvo gritando y corriendo de uno a otro extremo de su balcón. Toda La Habana estaba superalarmada y nerviosa (se habló incluso de un toque de queda). No solamente los gritos de Coco interrumpían el sueño de Halisia y hasta el de Fifo, sino que su figura desnuda corriendo de un lado a otro del balcón en la calle más populosa de La Habana —a sólo una cuadra del Parque Central— constituía un escándalo visual además de sonoro que alejaba a turistas, a contraespías y a periodistas importantes. Unos doscientos enanos de las tropas secretas de Fifo quitaron la reja del edificio y retiraron al gnomo aullante del balcón.

Y a aquel edificio había ido a parar, como ya hemos visto, la Tétrica Mofeta, habitando una de las dos habitaciones de Rubén Valentín Díaz Marzo, el Aereopagita. Luego del pago real de mil pesos, la loca fue inscrita en la libreta de racionamiento de Valentín Díaz Marzo, el Aereopagita, y pasó a ser dueña y señora de una habitación en aquel flamante tugurio del cual la marquesa Cristina Guzmán se robase una loseta y donde lo visitaba entre otros innumerables personajes Delfín Proust, que le leía unos poemas excelentes...

—¿Cómo se las arregló la Tétrica Mofeta para conseguir mil pesos?

Muy fácil, mariquita que todo lo quieres saber. Ella, Rubén Valentín Díaz Marzo, Beba Carriles, el Negro Cuquejo (que se había instalado provisionalmente en el hotel Monserrate), Clara Mortera, Teodoro Tapón, Oliente Churre con su madre agónica y Mahoma (la astuta), entre otros, se presentaron en la residencia donde vivía Orfelina, la infernal tía de Gabriel. Inmediatamente Beba Carriles sacó un documento falsificado por un teniente que era su templante y uno de los maridos de su esclava, y se lo restregó en la cara a Orfelina. En ese documento se hacía constar que Reinaldo Arenas tenía todos sus derechos a habitar el cuarto de criado de la residencia ocupada por Orfelina y familia y del cual la Tétrica Mofeta había sido expedida violentamente al salir de la cárcel. La Carriles empujó a Orfelina y rompió el candado de la puerta del cuarto donde antaño había morado la Tétrica. En un dos por tres toda la comitiva regia se instaló en aquel cuarto de criados de Miramar. Orfelina, que ya tenía vendido el cuarto a su hijo Tony para que pudiera fornicar tranquilamente con los negros cocuyés (que eran sus preferidos), no sabía qué pensar. Por otra parte, la presidenta de CDR de la cuadra, que rápidamente había sido lesbianizada por la Carriles, aseguraba que el cuarto era de la Tétrica Mofeta...

—Practiquemos un inventario —dijo Clara Mortera— y veamos si todas las pertenencias de la víctima están en orden.

Al instante se hizo un registro y un conteo de todas las cosas que había en el cuarto y en el resto de la casa. Las Hermanas Brontë le mostraron a la Tétrica el resultado del inventario.

—Faltan mis patas de rana, la máquina de escribir, toda mi ropa, un cenicero, cuatro cajones de madera, una cocuyera con su cornucopia, un candado marca Globe y *El tambor de hojalata* de Günter Grass —dijo la Tétrica Mofeta.

—Chica, si era de Günter Grass no era tuyo —razonó Teodoro Tapón.

—De todos modos, de acuerdo con los porcuantos y portantos, usted, señora —se explayó la Carriles ante Orfelina—, debe subsanarle las pérdidas que le ha causado a su sobrino, buscarle todas sus pertenencias o pagarle el importe de las mismas y darle la llave de su cuarto, que, por ley, le pertenece.

Orfelina fingió desmayarse y cayó como muerta en el piso cerrando los ojos. Entonces Oliente Churre dijo unas palabras en latín que aterrorizaron tanto a Orfelina que abrió los ojos. Y al ver a aquel pájaro vestido de negro de pies a cabeza precedido de su madre agónica, Orfelina se desmayó.

Cuando la presidenta del CDR se hubo marchado del brazo de la

Carriles, Clara Mortera, Rubén Valentín Díaz Marzo, el Aereopagita, el Negro Cuquejo y las Hermanas Brontë, despertando a Orfelina, comenzaron a pactar con ella en tanto que la Tétrica Mofeta, que ya había levantado un pepillo del INDER (Instituto Nacional de Deportes y Recreación), fornicaba en el cuarto de criado... Reinaldo, le comunicaron a Orfelina, estaba de acuerdo en renunciar a su cuarto y a todas sus pertenencias con excepción de las patas de rana (que entre paréntesis ya le había robado Tatica), siempre y cuando Orfelina le consiguiera de inmediato dos mil pesos. La vieja puta se tiró al suelo dando aullidos. De dónde iba a sacar ella esa suma. Entonces, Reinaldo se queda definitivamente en su cuarto y usted irá a la cárcel, fueron las palabras de la Mortera apuntaladas por Rubén Valentín Díaz Marzo, el Aereopagita. Orfelina, viendo que no tenía escapatoria ante aquella comitiva amenazante (y ya llegaban en una ruta 132 la Vieja Duquesa de Valero, la Supersatánica, Sanjuro el No-Camelias, Blanca Nieve y los Siete Enanitos, la Glu-Glú y la Maléfica), pidió clemencia, pidió un día de tregua y prometió que en veinticuatro horas traería los dos mil pesos. Toda la troupé se instaló en el cuarto de la Tétrica, incluyendo al delicioso adolescente del INDER, que esa noche se templó al grupo completo, provocando unos enormes mugidos que hacían morir de envidia al esposo de Orfelina, condenado a fregar la loza.

Esa misma noche, mientras el deportista regio se templaba a la Tétrica y a todos sus aliados, Orfelina, dos de sus hijos y su obediente esposo recorrieron Miramar y desvalijaron todas las residencias abandonadas por sus dueños. Subastaron colchonetas, vajillas, estatuas, ventanas, puertas, espejos, tazas de inodoro y otros accesorios (dicen que hasta el mismo Fifo compró una bañadera de mármol, y un espejo monumental especial para orgías). Bueno, niña, al otro día estaba de regreso Orfelina con los dos mil pesos en una cartera (también hurtada) y con unas flamantes patas de rana. Al instante la comitiva redactó en una máquina Underwood, que también Orfelina había robado y que pasó a manos de Reinaldo, un documento en el cual se hacía constar que «el señor Rubén Valentín Díaz Marzo recibe la cantidad de dos mil pesos líquidos a cambio de entregarle con carácter permanente uno de sus cuartos a Gabriel Fuentes, alias Reinaldo Arenas, alias la Tétrica Mofeta. Y para que así conste», firmaron todos como testigos, incluyendo a la misma Orfelina y a la Madre Agónica. En cuanto a la Tétrica Mofeta y Rubén Valentín Díaz Marzo, el Aereopagita, firmaron en la parte concerniente a los «vistos buenos» y «aceptamos». Inmediatamente la comitiva, con las patas de rana, la Underwood y el dinero, que llevaba la Carriles en su seno, se marchó para el hotel Monserrate, donde habitaba gran parte de aquellas personas amigas o conocidas de la Tétrica desde hacía largo tiempo o desde hacía unas horas. Instalada la Tétrica, la Carriles le dio al Aereopagita mil pesos.

—Faltan mil —dijo el delincuente.

—No falta nada —le respondió la Carriles—. Lee bien el documento que tú firmaste. Aquí dice que yo debo recibir «dos mil pesos líquidos». Bien —dijo la Carriles—. Ahí tienes mil, el resto te lo doy ahora mismo. —Y fue a su cuarto volviendo con una palangana de agua sucia que le tiró en la cara al Aereopagita—. Mil pesos que te he entregado en papel. Y los otros mil en líquido. Cuenta y verás que todo está muy claro.

Rubén no pudo protestar pues él mismo había firmado el documento.

Esa noche casi todos los habitantes del hotel Monserrate se fueron a cenar al restaurante El Pekín invitados por la Carriles y por el Aereopagita. Mahoma pronunció el discurso de acogida a la Tétrica Mofeta «por haber venido a los predios únicos del hotel Monserrate». Al otro día el padre Gastaluz bendijo el cuarto de Gabriel.

Como ya hemos dicho, o a lo mejor no lo hemos dicho y por eso lo decimos ahora, Rubén Valentín Díaz Marzo, el Aereopagita, era un connotado delincuente común quien luego que sus padres se marcharon para USA les vendió el apartamento bajo el camuflaje de una permuta, yendo a parar a una pieza de dos cuartos en el hotel Monserrate. Rubén habitaba uno de aquellos cuartos y se dedicaba metódicamente a vender el otro. Ya se lo había vendido más de quince veces a la pobre gente que en Cuba no tiene dónde vivir y que conforma casi toda la población de la isla. El Aereopagita le cobraba mil, dos mil o tres mil pesos al comprador y luego lo echaba legalmente del cuarto. Pues en Cuba, querida, nadie puede comprar un cuarto ni una casa, ni prácticamente nada. Todo está en manos de Fifo, el grande. Así, Rubén Valentín Díaz Marzo, luego de estafar al comprador, lo ponía de patitas en la calle. Como era ilegal comprar un cuarto, y Fifo perseguía encarnizadamente este tipo de transacciones, al estafado sólo le quedaban dos alternativas, abandonar el recinto o entrar en la cárcel.

Al cabo de un mes de estar viviendo la Tétrica Mofeta en el cuarto, el Aereopagita tocó con mucha gentileza la puerta.

La Tétrica lo invitó a pasar y Rubén Valentín Díaz Marzo le hizo saber con mucha cortesía que debía abandonar lo más pronto posible aquel cuarto, pues él era el dueño legítimo del mismo.

—Tú —le comunicó en voz confidencial a la Tétrica Mofeta—, no tienes ninguna propiedad de este cuarto.

—¡Cómo que no tengo ninguna propiedad de este cuarto! —replicó la Tétrica Mofeta—. Yo sí tengo la propiedad.

—Enséñamela entonces —dijo el Aereopagita con extremada cortesanía.

—Ahora mismo —respondió la loca, y abriendo la gaveta de un aparador en la cocina, sacó un cuchillo afilado de más de medio metro de largo y se lo mostró al Aereopagita a la vez que con una voz muy delicada y suave le decía—: Querido, aquí está la propiedad de mi cuarto. La próxima vez que me la pidas puedes estar seguro de que te la daré y no podrás deshacerte de ella nunca más.

Había en los ojos de la Tétrica Mofeta una mirada tan fría y furiosa, una mirada de quien habiendo pasado por todos los infiernos está dispuesto a lo que sea, que ante el brillo de aquellos ojos y de aquel cuchillo Rubén Valentín Díaz Marzo, el Aereopagita, comprendió que había vendido su cuarto por última vez.

De inmediato, el Aereopagita pasó a ser un admirador incondicional de la Tétrica Mofeta. Y se hizo su confidente.

Ga, gle, gli, go, gu, gal...

En plena sinagoga, Gogo, el gago, alias la Glu-Glú, le engurguitó por la ingle ganglios y gonococos a un galgo de Galápagos.

(Para la Glu-Glú)

Disfraces prohibidos

El éxito de la exposición de pinturas de Clara Mortera fue tal que, aunque ella se negó a vender los cuadros del hueco, obtuvo numerosas regalías. Con aquel dinero, Clara se dedicó afanosamente a confeccionar una inmensa y extraordinaria colección de disfraces que exhibiría durante el carnaval en la Gran Competencia de Disfraces Prohibidos que esa noche, por ser un día especial, Fifo había autorizado. Claro que a lo mejor la competencia era realmente prohibida y en ese caso Clara podría ir a parar a la cárcel. Sus disfraces serían tan irreverentes, tan implacables, tan reales que tal vez no habría con ella clemencia ni tolerancia. Hasta el mismo Fifo sería caricaturizado. Pero, de todos modos, Clara sentía que no podía dejar de confeccionar aquellos disfraces. Esa labor era como el complemento, o la otra cara, de su gran exhibición pictórica. Así, Clara Mortera, segura de su triunfo, comenzó a confeccionar los más insólitos trajes y máscaras que ella misma ostentaría la noche del gran carnaval.

La historia del Aereopagita

La historia de Rubén Valentín Díaz Marzo, el Aereopagita, como todas las historias de los delincuentes, era una historia patética. De niño sus padres lo botaban de la casa para poder fornicar en paz, y la pequeña criatura, desde el portal, oía los gemidos de sus progenitores mientras se abofeteaban y se proferían insólitos insultos. Siendo un adolescente, mientras su madre copulaba con un vecino (en tanto que el padre hacía la guardia de milicias), Rubén fue violado en el portal por un vagabundo, luego por un negro, y después, ¡oh, horror!, por una bruja de tetas descomunales que por poco lo asfixia no solamente con aquellas tetas, sino también con el bollo, que se lo ponía en la cara y obligaba al pobre Rubencito a que lo lamiese. De joven, sus padres se largaron para los Estados Unidos dejándolo a él abandonado, pues por estar ya en edad militar no podía abandonar el país, ya que ese hecho constituía una violación de la justicia revolucionaria. Esa justicia metió al jovenzuelo en el servicio militar obligatorio, donde en menos de un mes fue pasado por toda la tropa, incluyendo al teniente del campamento y al jefe de la sección política. Aterrorizado y medio muerto, luego de sucesivas peripecias, Rubén se escapó de aquel cuartel, hizo la permuta que ya conocemos, mediante la cual, además de ser estafado (pues no recibió el dinero que tal cambio justificaba), carenó en el hotel Monserrate. Al instante, Mahoma, la Supersatánica, Coco Salas, Mayra la Caballa y todas las viejas putas del edifico obligaron a Rubén Valentín Díaz Marzo a que se los templara. Hasta una espía de Fifo que viajaba a Cuba con pasaporte diplomático y que exhibía un vientre descomunal conminó al joven a que la poseyera. Para colmo de la humillación, aquella mujer resultó ser un travesti oficial que firmaba con el nombre de Anastasia Flipovna. Era pues lógico que el joven desarrollara una incurable tara sexual. Le gustaba el amor pleno, el acto sexual, pero no podía hacerlo. Tenía que conformarse con ver a las parejas fornicar, y eso desde lejos, pues ya Fifo había dictado una ley fulminante contra los rascabuchadores.

Rubén Valentín Díaz Marzo se fue para los parques de La Habana. Se encaramaba a los más frondosos árboles y desde allá arriba atisbaba para los bancos donde los amantes se poseían desenfrenadamente. Entonces, Rubén, protegido por el follaje, se masturbaba. Sólo así, entre la sombra y los gajos de los árboles, lograba un orgasmo pleno. No había ya un árbol en toda la ciudad en el cual el Aereopagita no se hubiese trepado y masturbado. Sí, «el Aereopagita», pues tan famosas fueron sus masturbaciones aéreas a costa de cualquier tipo de amantes, hombres con mujeres, bugarrones con pájaros, perros pastores alemanes con enanos, vagabundos con sacerdotes policías, que Rubén Valentín Díaz Marzo adquirió ese merecido apodo que era más bien un título. Desde luego que nunca el Aereopagita sería capaz de poseer a algunos de aquellos cuerpos que bajo sus ojos se retorcían de placer. Él tenía que limitarse —así se lo imponía su tara— a ver y a estremecerse solitario entre las hojas. Estaba pues condenado a ser durante toda su vida el Aereopagita. ¡Jesús! ¡Santa Marica! ¿Puede haber algo más triste que un pobre hombre que sólo puede disfrutar del placer sexual mirando cómo los demás lo disfrutan?

Muy triste, señora mía, es la historia del Aereopagita. A veces tenía que pasarse largas horas encima de una rama, esperando a que la frígida pareja se calentase y por fin el novio le levantase el vestido a la novia y ella le agarrase el miembro. No importaba que la lluvia lo empapase, que a veces en su mismo árbol cayese un rayo o que el viento lo estremeciese con violencia, el Aereopagita seguía adherido a sus ramas con la terquedad de un lagarto... Mis lágrimas inundan estos papeles al contar la historia del Aeropagita luego de haberla escuchado de sus mismos labios ateridos, flor desesperada de la insatisfacción y de la soledad. Triste producto del horror y del envilecimiento contemporáneo. El pobre Aereopagita frotaba su sexo contra la rama de un abeto, de un ácana, de un haya, de un laurel, de una ceiba espinosa, de un pino tambaleante y eyaculaba entre suspiros y llantos ahogados mientras abajo los deliciosos amantes se poseían real y mutuamente. Dios mío, y si a esto agregamos los riesgos y percances que sus aventuras eróticas conllevaban, veréis que su vida era muy desdichada. A veces, el chorro incontenible de semen del Aereopagita caía desde las alturas sobre el rostro del amante, quien descubría entonces al rascabuchador. El indignado amante se armaba de piedras y palos y arremetía contra el Aereopagita, quien tenía que escaparse por los aires saltando de árbol en árbol a riesgo de partirse una pata y hasta el mismo pescuezo... Hay que decir, sin embargo, que en otras ocasiones el Aereopagita fue la causa de dichas ajenas. Así, una vez que una señorita se la mamaba inútilmente y durante horas a un soldado impotente, fue el Aereopagita quien resolvió el problema cuando su chorro de esperma cayó caliente en el rostro de la joven, quien desde luego creyó que se trataba del semen del soldado, y lo abrazó arrobada. Desde entonces la pareja se iba a sentar al mismo banco. El Aereopagita, generoso, bañaba con su licor el rostro de la novia. Pero eran más sus desventuras que sus glorias. En muchas ocasiones, en el momento en que eyaculaba perdía sus fuerzas, perdía también el equilibrio y el Aereopagita caía sobre los amantes erotizados, quienes enfurecidos le propinaban una doble golpiza, por el daño físico que les había causado en su caída y por lo del *coitus interruptus*.... Una vez, el Aereopagita provocó tal ruido entre las ramas que un teniente cuyo falo era engullido por Carlitos Olivares, la loca más fuerte de Cuba, lo descubrió, y pensando que se trataba de un espía que lo delataría al celosísimo de Raúl Kastro, sacó su pistola y, ante los gritos desesperados de la Olivares, quien creía que la iba a matar a ella, acribilló el follaje del árbol, donde Rubén se salvó milagrosamente. En cierta ocasión, mientras numerosos estudiantes practicaban una masturbación colectiva bajo un árbol del Parque Central, el Aereopagita cayó sobre ellos, dañándoles gravemente los sexos erectos a todos los jóvenes, quienes lo molieron a patadas. Una vez, en el parque Lenin, el Aereopagita se desprendió de un inmenso jagüey bajo el cual cien camilitos seguidores del Che Guevara formaban una hermosa cadena fálica. La caída rompió el enculamiento circular y los huesos del sufrido Aereopagita, quien a pesar de todo tuvo que salir a escape mientras era perseguido por una lluvia de piedras.

El gran sueño del Aereopagita era hacerse la paja desde lo alto del teatro García Loca mientras Halisia, desnuda en un camerino, era poseída por Azari Plizeski o por Jorge Esquivel.

Luego de hacerle mil promesas a Coco Salas (incluso se comprometió a conseguirle la Llave del Golfo con carácter exclusivo), logró introducirse en el techo del teatro, desde donde podría observar los camerinos de la Jalonzo. Esa noche, como casi siempre, Halisia, apoyada en unas muletas (pues se trataba de una función ordinaria), bailaba *Giselle*. En uno de los momentos más románticos de este ballet, cuando Giselle baila con el príncipe regio, la bailarina salió un instante del escenario, se metió una mano en el bollo, se sacó un cote ensangrentado y de inmediato, con un formidable e insólito jeté, volvió a los brazos del príncipe entre un trueno de aplausos. Ay, pero el desesperado Aereopagita, que esperaba algo más contundente, sufrió tal desengaño que se desprendió de la soga a la cual estaba sujeto y cayó en el escenario en el momento en que todo el cuerpo de baile, alrededor de los amantes, formaba una bellísima coreografía. Saltando del escenario, el Aereopagita trató de darse a la fuga, pero la implacable policía fifal, asesorada por los diligentes enanos, lo detuvo.

Y ahora el Aereopagita tenía un juicio pendiente por desacato, sabotaje y daños en las personas y sobre él pesaba una sentencia de once años de prisión y el pago de mil cuotas de cinco pesos. Y la Tétrica Mofeta, que era amiga y confesora del pobre Aereopagita, le había prometido interferir por él. Y esa misma tarde, la Tétrica tenía una cita con Blas Roka en el Palacio de Justicia. Sí, iría a hablar con Blas, a quien la Tétrica Mofeta le había mamado la pinga en un ascensor cuando iba a un juicio por corruptor de menores en la sala de lo criminal. Se arrodillaría ante el viejo militante del Comité Central del Partido Comunista, le volvería a besar los cojones, todo eso y mucho más haría la pobre Mofeta con tal de salvar de la prisión al sufrido Aereopagita. Una vez en la cárcel, ¿a qué árbol o a qué estatua iba a poder treparse para rascabuchear? Sí, ella, la Tétrica, estaba dispuesta a realizar los más tétricos sacrificios, hasta volverle a mamar la pinga a Blas Roka o al mismo Felipe Carnedehado, hasta templarse al mismo Wilfredo Güevaavara; todo, todo eso lo haría con tal de liberar de las garras de la ley al sufrido y solitario Aereopagita, su compañero, su doble... Ay, pero antes tengo que correr a casa de Clara Mortera, quien me ha convocado con urgencia de ultimátum a una reunión en su cuarto de la calle Muralla. ¡Dios mío!, ¿qué le pasará a esa puta? Y lo peor es que no puedo negarme a dejar de asistir, pues además de ser una mujer siniestra, es un genio, es también mi doble, y me ha hecho muchísimos favores. Iré. Después, a lo de Blas.

Ga, gue, gui, go, gu...

¡Ah, la Goyesca!, gaya, enjoyada, soltando yesca, sueña que engulle el yunque de Yeyo, le llora a Yiya para que le lleve su llave a Yayo, llama a Lastayo para que le talle el tallo de Téllez y llena de llamas bajo su sayo llega a las playas haciendo un guiño, clamando rallos gallardor gallos, dos mil caballos y un yeyé yoga; y, finalmente, descoyuntada sin ayuntarse se autodegüella sobre un escollo, soltando rayos, llamando a Goya y bailando el yoyo.

(Para Tomasito la Goyesca)

Tocata y fuga

Como una centella salió Tedevoro del gigantesco urinario. Tan enfurecido estaba por haber perdido el falo maravilloso que ya se iba a llevar a la boca que durante una hora se le nubló la vista.

Atrás quedaban todos los hombres del gigantesco urinario, meando y haciéndole de coro a la condesa en la ópera *Norma* mientras Tedevoro, momentáneamente ciega, se abría paso entre la muchedumbre golpeando a diestro y siniestro y esgrimiendo el tomo 29.° de las *Obras completas* de Lenin...

—¡Bueno! ¡Pero en qué quedamos! ¿Es el tomo 25.°, 26.°, 27.°, o 29.°? ¡Decídete, querida, pues no haces más que saltar de tomo en tomo!

Ay, chica, no jodas tanto con tu meticulosidad de academia, que lo mismo da que sea el tomo primero que el dos mil de las *Obras completas* de Lenin, pues de todos modos, nadie, con excepción de Tedevoro, va a meter sus narices en esa obra. Prosigo: Tedevoro se abría paso golpeando a diestro y siniestro y esgrimiendo el tomo 39.° de las *Obras completas* de Lenin prologadas por Juan Marinello. Era un enorme tomo rojo, como ya te he dicho, donde además de aparecer el temible nombre de Lenin, aparecía también el nombre de la editorial, La Academia de Ciencias de la URSS, todo lo cual era suficiente para que la muchedumbre, que se encaminaba al carnaval, sin necesidad de ser golpeada, le abriese aterrada paso al pájaro ciego, quien por último, dándose un golpetazo contra las paredes de la fortaleza militar El Castillo del Príncipe, recobró la vista. Esa enorme ex prisión, convertida ahora en cuartel, era un lugar peligrosísimo para Tedevoro. Bastaría con que cualquier teniente de guardia lo viese para que se la llevasen preso, encerrándola tal vez en una celda del mismo Castillo del Príncipe. *No es lo mismo un príncipe negro que un negro en el Príncipe,* se dijo la devoratriz. *Y yo que estoy negro por el sol que he cogido de tanto fletear, soy princesa negra aunque no pueda vivir en un castillo...* Y sin más la loca tomó en la Avenida de Rancho Boyeros una guagua repleta con la esperanza de proseguir su flete en el Parque Central y en el Paseo del Prado, donde ya el carnaval cobraba animación.

Al entrar en aquella ruta 67, que tenía más de cuarenta años de uso y julepe, a la loca la estremeció un perfume amado. Era ese exquisito perfume que exhalaban unos negros rotundos apelmazados en aquel horno, dispuestos también a participar en el carnaval. La loca, esgrimiendo su temible libro, se abrió paso y llegó al fondo de la guagua en el preciso instante en que alguien abandonaba un asiento trasero donde la loca cayó de un salto. Tedevoro estaba pues en el largo y último asiento de la guagua. A su lado izquierdo viajaban unos macharranes imponentes, mulatos de camisas abiertas y unos negros (ay, los negros deliciosos que en la llanura de mi ardiente patria...) que parecían haber sido tallados por el mismo Cárdenas; también de ese lado viajaba una mujer embarazada. Pero en el lado derecho, entre la ventanilla y el pájaro, viajaba un macharrán tan impresionante como los mismos negros. Era un hombre de la raza blanca, de rasgos campesinos y atléticos y de pelo poderoso y lacio, quien, en cuanto la loca se sentó a su lado, abrió sus magníficas piernas. Tedevoro miró fugazmente a aquel macharrán, que en ese instante abrió aún más sus gigantescas piernas, llevándose, oh, Jesús, como por azar, una de sus manazas a la portañuela. Tedevoro abrió entonces el inmenso tomo 25.º de las *Obras completas* de Lenin que siempre llevaba con él y comenzó a simular que leía mientras miraba de reojo al delicioso hombretón, que se sobaba los testículos. Como por descuido, Tedevoro dejó caer una de las solapas del libro en el muslo del varón único. El varón único no dijo ni pío. Por lo que Tedevoro, siempre al parecer ensimismada en las tesis leninistas, volvió a dejar caer el tomo rojo sobre uno de los muslos del delicioso viajero. El delicioso viajero, llevándose de nuevo la mano a las entrepiernas, se recogió el pantalón haciendo espacio para que su sexo se pudiese instalar holgadamente. Por debajo de la tela del pantalón, el macho le mostró a Tedevoro su gruesa macana. Una vez más el tomo 33.º de las *Obras completas* de Vladimir Ilich Lenin cayó con suavidad sobre los muslos del viajero erotizado. Esta vez la loca, con su manita protegida por el grueso tomo, tocó el divino falo del hombretón deportista. El falo dio un salto levantando el rojo tomo prologado por Juan Marinello. Tal fue la dicha que experimentó el pájaro al tocar aquella prominencia que para prolongarla, como hace el gato antes de lanzarse definitivamente a su presa, leyó un párrafo de aquel tomo 31.º de las *Obras completas* de Lenin. Se trataba de una complicada y tediosa diatriba contra Bakunin y los anarquistas. Terminada su lectura religiosa, la loca depositó sus ojos saltones sobre el mágico torpedo fálico. La loca volvió a levantar el tomo rojo y lo dejó caer aún más suavemente sobre las piernas del viajante. En efecto, allí estaba el magnífico lestrigón casi lanzando baba y fuego. En ese momento, la loca, precavida, miró a su alrededor y pudo comprobar que la mujer barrigona y los negros batosos que viajaban a su lado habían observado sus maniobras o parte de ellas. También un viejo que iba de pie parecía estar al tanto de aquel manoseo. De modo que la loca, al borde del desmayo, optó, prudente, por la lectura de Lenin, zambulléndose de nuevo en el tomo rojo. Ahora Lenin pedía la muerte de Bakunin y la de todos sus seguidores, incluyendo a Trotsky, Malenkov y a Rosa Luxemburgo. Al menos, eso creyó leer la loca en medio de su desesperación. El caso es que la loca no podía concentrarse en la lectura. ¿Cómo iba a poder concentrarse, chica, si a su lado un macharrán imponente, con las piernas abiertas, daba testimonios de su pinga erecta? Pero ahí estaban los negros, la mujer barrigona, el viejo, y todo el público, incluyendo sin duda al chofer, que también habría mirado desde el espejito retrovisor. Lo cierto es, querida, que allí todo el mundo estaba desesperado por ver, como quien no quiere la cosa, cómo la loca agarraba aquel pingón. Pero la loca, ante el peligro que corría, volvió a remitirse a la mortífera obra de Lenin y, sabiendo que a su lado viajaba un macharrán erotizado, su rostro adquiría por momentos rasgos que reflejaban una gran devoción. Así, en ese estado de éxtasis prosiguió con su aparente lectura. Cualquiera diría que el autor de *El imperialismo, fase superior del capitalismo* le trasmitía a Teodoro ramalazos místicos. Ay, pero he aquí que, en medio de aquella actitud contemplativa, el viajero erotizado estiró más una de sus piernas, tocando la pierna del pájaro, y con voz ronca le musitó: Tócame la pinga otra vez. No era sólo la súplica de un hombre enardecido, era un mandato divino, era una orden impartida por el mismo Lenin. *Tócamela otra vez*, dijo ahora Lenin. Evidentemente, razonó la devoratriz, el macho quiere ser tocado para venirse de una vez y en paz. Tenía que cumplir aquel mandato de los dioses. No hacerlo sería una herejía. Qué importaba la muchedumbre envidiosa que observaba. Además, con aquel inmenso y salvador tomo rojo, nada podrían ver; lo único que podrían era imaginar lo que estaba pasando debajo del tratado político. No, evidentemente, la loca no podía aguantar más. Con una mano dejó caer el tomo 47.º de las *Obras completas* de Vladimir sobre los muslos del macharrán y con la otra mano agarró la serpiente, que dio un coletazo haciendo que el libro de tapas rojas volara por los aires. De manera que todo el mundo vio a la loca agarrándole el miembro al delicioso macharrán. Entonces el delicioso macharrán, al verse con su pinga agarrada por la loca y verse también visto por toda la multitud, con el fin de salvar su moral y hasta su libertad se llenó de una ira simulada y por lo mismo al parecer sincera. Maricón, le dijo al pájaro en alta voz para que todos en la guagua lo oyeran, ¿cómo te atreves a tocarme la pinga? ¡Yo soy un hombre, cojones!... Y tomando el sacro libro prologado por Juan Marinello comenzó a golpear con él a la loca en la cabeza. La loca intentó protegerse de aquellos golpes leninistas, se refugió debajo del asiento de la guagua; pero el macharrán, aparentemente aún más enfurecido, se puso de pie y comenzó a propinarle patadas en la cabeza a la pobre loca, que ya sangraba. ¡Niña! El escándalo fue de apaga y vámonos; el ex buga se sujetaba a las barras de la guagua y desde allí, balanceándose y tomando impulso, le caía a patadas al pájaro infeliz acurrucado bajo el asiento. La mujer barrigona empezó a dar gritos y amenazó con abortar, los negros intercedieron a favor de Tedevoro e intentaron sujetar al macharrán, que seguía soltando patadas mientras gritaba: ¡Este maricón me ha tocado la pinga, eso no se lo puedo perdonar! Era la furia de una divinidad profanada la que así vociferaba y pateaba.

Tal parecía que aquel falo, minutos antes erecto y clamando por las caricias de Tedevoro, se hubiese convertido súbitamente en un cáliz de plata o en el rostro del mismísimo Moctezuma, a quien no se le podía mirar de frente. Basilisco que mata a quien lo mira era súbitamente aquel falo. Mientras tanto, un enorme revuelo estremeció a toda la guagua. La mujer barrigona seguía chillando. Los negros querían salvarle la vida a Tedevoro, otros hombres decían que el maricón merecía la muerte allí mismo.

Tedevoro, recuperando el libro de tapas rojas, se cubría la cabeza con el fin de protegerse de las incesantes patadas del hombre enfurecido, que seguía insultándolo mientras todos los pasajeros emitían en voz alta su opinión o su sentencia. A todas éstas, eran las cinco en punto de la tarde y la guagua atravesaba la Plaza de la Revolución. La mujer barrigona lanzó un aullido desesperado. En ese momento el chofer frenó y abrió todas las puertas del vehículo. Un policía avanzaba hacia Tedevoro pistola en mano. Pero al instante, Tedevoro, con el tomo 25.º de las *Obras completas* de Lenin en alto, se abrió paso y tomando rápidamente del piso una billetera que él pensaba que le pertenecía, echó a correr por toda la Plaza de la Revolución. De la guagua salió el policía con la pistola, el supuesto macharrán ofendido, varias putas rehabilitadas, un guardaparques y tres maricones despechados que querían también ultimar a Tedevoro y ganarse de paso el gallardete de obreros de avanzada. Tedevoro corría o más bien volaba por toda aquella plaza. Tal era su desesperación que en poco tiempo puso entre él y sus perseguidores una milla inglesa de distancia. Aumentando la velocidad, Tedevoro siguió corriendo hasta llegar a las puertas cerradas del jardín de la Unión Nacional de Escritores y Artistas de Cuba (UNEAC), pidiéndole a Nicolás Guillotina asilo político, como en otra ocasión habían hecho, aunque infructuosamente, Tomasito la Goyesca y Reinaldo Arenas. Tan altos y aterradores fueron los gritos del pájaro que Nicolás Guillotina, semejante a un inmenso perro bulldog, bajó las escaleras de mármol y le abrió la puerta a Tedevoro. Por otra parte, no podía negarse. Tedevoro, es decir, José Martínez Matus, era el único ser en toda la isla que se sabía de memoria el *Sóngoro cosongo* y del brazo de Nancy Mojón lo recitaba mientras bailaba sobre la mesa de cristal de Nicolás. Ya en las oficinas, Tedevoro le explicó al perro bulldog lo que le había ocurrido y depositó el libro de tapas rojas y su supuesta billetera sobre la mesa de cristal.

—¡Qué es eso! —preguntó Nicolás aterrorizado.

—No temas —dijo Tedevoro—. No es más que el tomo 27.º de las *Obras completas* de Lenin. ¿No te acuerdas de que tú mismo me lo regalaste? Está prologado por Juan Marinello.

—¡Al diablo Marinello y ese libraco! Lo que me aterra es esa cartera que tiene las iniciales del Partido Comunista.

—La cogí cuando me escapaba. Pensé que era mi billetera que se me había caído al suelo, pero ahora recuerdo que a quien se le cayó fue al hombre que me golpeaba.

—¡Idiota! —dijo Nicolás Guillotina abriendo la billetera—. Te le has tirado a la morronga de Juantormenta, el campeón mundial de carrera. Ése es el dueño de la cartera. No me explico cómo es que no te dio alcance. ¡Dios mío, creo que ya llegó a mis jardines!

Tedevoro, aterrado, se asomó por entre las persianas de la suntuosa oficina.

—Sí, ése es el hombre al que le cogí la pinga, pero no puede ser Juantormenta. Mira bien, es un macho blanco.

—Es negro y maricón —dijo Nicolás Guillotina—. ¿No sabías que se pinta blanco para salir a fletear sin que nadie lo reconozca? Como siempre, has caído en una trampa.

—¡Ay! —clamó Tedevoro cayendo ante Nicolás de rodillas, no sin antes poner bajo ellas el tomo 28.º de las *Obras completas* de Lenin—. ¡Protégeme! ¡Cúbreme con tu bandera! ¡Déjame aquí en calidad de exilada fálica! Si salgo a la calle, ese hijo de puta me cortará la cabeza nada más que para ganar más méritos. Ahora mismo te voy a recitar el *Sóngoro cosongo*.

—¡No puedo! ¡No puedo! —le decía Nicolás, paseándose desesperadamente de uno a otro extremo de su fastuosa oficina—. Tarde o temprano Juantormenta entrará aquí y te matará; además si te tiro una toalla me hundo. Mira lo que me pasó por intentar defender a José Mario, que por poco Carlos Franqui no me envía de agregado cultural a la Unión Soviética... No, chico. Nada puedo hacer por ti. Huye y trata de salvarte como puedas. Yo ni siquiera puedo quedarme contigo un minuto más. Tengo que salir, y volando. Hoy ese hijo de puta de Fifo celebra su fiesta y he sido invitado con carácter oficial para que presida la segunda retractación de H. Puntilla. La primera vez pude evadirme hospitalizándome, pero esta vez no tengo escapatoria porque he sido resucitado para ese evento y el mismo Fifo en persona me invita. Si quiero seguir siendo por toda la eternidad el presidente de la UNEAC, no sólo debo presidir la segunda retractación de H. Puntilla, sino que además debo hacer la presentación de ese hijo de puta. Ay, ahí está el limosine que me viene a buscar para conducirme a la fiesta y al Salón de las Retractaciones. Adiós, Tedevoro, y que Lenin y Sensemayá la culebra te ayuden. Después de todo, la culpa la tuvo una culebra o un culebrón. En fin, creo que lo mejor es que no salgas, pero tampoco puedes quedarte dentro del edificio. Súbete al tejado y quédate allá hasta que vuelva a pasar el cometa *Halley* y puedas agarrarte a su cola.

Nicolás Guillotina bajó con su parsimonioso andar de perro bulldog la gigantesca escalera de mármol, abrió la gran puerta del jardín, cerrándola inmediatamente mientras le lanzaba una mirada de desprecio a Juantormenta, y entró en el coche fúnebre que lo conduciría al palacio de Fifo.

Viaje a la Luna

Nadie, ni siquiera la Tétrica Mofeta, sabía cuál era el nombre de aquel presidiario; tampoco cuál era su condena, que parecía infinita; ni cuál su crimen, que, se comentaba, era monstruoso: estrangulamiento de la madre, esposa e hijos o algo por el estilo. Dos pasiones tenía aquel enloquecido criminal y esto era todo lo que de él se sabía. Una de ellas era su desesperado amor o atracción hacia la Luna; la otra, su manía incesante de querer llenar un enorme tanque con agua que traía desde el baño con un gotero.

Tan incontenible era la atracción que sentía el loco por la Luna que por las noches, cuando ésta salía, especialmente si era luna llena, él brincaba, emitía aullidos desgarrados, se tiraba de rodillas contemplando el astro y entre rugidos y golpes de pecho lo señalaba como si intentase a la vez abrazarlo. Luego le lanzaba besos y prorrumpía en una extraña jerigonza, ruego u oración hacia ella, la inmensa luna cuya luz se filtraba por entre los barrotes de la prisión del castillo de El Morro. Cuando la rueda gigantesca emergía del mar, haciendo una aparición que parecía cercana, el paroxismo del demente llegaba a su culminación. Se convulsionaba, comenzaba a botar espuma por la boca, cambiaba de color, era sacudido por infinitos y diferentes temblores; finalmente, bañado por aquella luz, caía como fulminado, emitiendo gemidos cariñosos hasta quedar inconsciente.

En varias ocasiones los demás presos y los guardias más crueles lo encerraron y amarraron en una oscura celda durante las noches de luna llena; pero tan terribles fueron los gemidos de aquel hombre que nadie podía dormir, por lo que tuvieron que trasladarlo otra vez a la galera colectiva. Lo más insólito era que estando el preso encerrado en su mínima y retirada celda, no podía saber cuándo había luna llena y, sin embargo, cuando la había sus gritos se hacían más desmesurados. En otra ocasión, los prisioneros, al salir la Luna, lo amarraron para que no pudiese verla, pero el loco se desató, mató a varios reclusos y salió al patio de la prisión, comenzando a dar gritos bajo la Luna gigantesca.

De modo que el criminal, ahora recondenado (los hospitales nada querían saber de un loco de esa envergadura), fue reintegrado a la celda colectiva, donde nadie volvió a molestarlo.

Cuando la Tétrica Mofeta entró en la prisión, el loco estaba a punto de llenar el tanque. Se había pasado unos diez años en esa labor y aunque lo que le faltaba era poco, debido a que la realizaba con un gotero, por lo menos tenía que seguir trabajando durante varios meses. Día y noche, por entre todos los presos que se insultaban y reñían entre ellos, el loco, ajeno a todo eso, no hacía más que correr del tanque al baño y del baño al tanque tratando de rebosarlo con su gotero. La tarea era muy difícil, puesto que muchas veces faltaba el agua: otras, había que hacer cola para adquirirla. Pero, a pesar de la escasez, ya nadie ni siquiera soñaba con utilizar del contenido del tanque del loco. Años atrás, cuando alguien intentó hacerlo pagó con su vida tal hazaña. Hasta hablar con aquel demente era un asunto serio y peligroso, quien lo intentaba recibía por lo general un puntapié envuelto en una jeringonza. La Tétrica Mofeta decidió no hablarle al loco sino observarlo.

Evidentemente, llenar aquel tanque con un gotero era una tarea de vital importancia para aquel hombre. Al cabo de un tiempo, la Tétrica, con un poco de agua en el cuenco de sus manos, se dirigió al tanque del loco con el fin de ayudarlo. El loco, entre gemidos, alaridos y amenazas terribles, le prohibió a la Tétrica Mofeta tal ayuda. Obviamente se trataba de una tarea personal que, por lo tanto, él solo debía realizar. La Tétrica Mofeta así lo comprendió y no interrumpió la labor del loco. Se limitaba a abrirle el camino cuando éste marchaba veloz con su gotero rumbo al tanque. Pero una noche, la Tétrica, no pudiendo contenerse, mientras los demás dormían y el loco seguía transitando a toda prisa con su gotero, le preguntó con voz familiar y a la vez respetuosa cuál era la finalidad de aquel trabajo. Entonces el loco, con una suerte de voz que era un mugido confuso y apresurado (que sólo la Tétrica descifró), dijo que se iba para la Luna.

La Tétrica Mofeta no interrumpió más al loco, quien seguía día y noche en su empecinada tarea, deteniéndose ya sólo cuando había luna llena para explayarse con sus gritos en una ceremonia insólita y desesperada. Por fin, una noche, el tanque quedó completamente lleno. El día siguiente el loco lo pasó en un constante trajín, cargando cada vez que podía (en las salidas autorizadas al desayuno, al patio, al comedor) pedazos de sillas, patas de banco, palos, estacas, tablas y todo tipo de madera que los prisioneros utilizaban para matarse entre ellos. Colocó toda aquella madera alrededor del tanque y le prendió fuego. Cuando el fuego estaba en su apogeo, el loco saltó dentro del tanque lleno de agua, cubriéndolo con una tapa de metal.

Los prisioneros oyeron las convulsiones del loco dentro del tanque de agua hirviente y trataron de acercarse con palos y hierros para voltearlo; pero la Tétrica Mofeta, provista de un hierro aún mayor (un verdadero «pincho»), no dejó que nadie se acercara al tanque. A la luz de una enorme Luna detenida frente a la reja de la prisión, el tanque se estremecía mientras el agua borbotaba, amenazando con desparramarse e inundar toda la galera. Por la madrugada cesaron los ruidos y el fuego. La Tétrica Mofeta levantó la tapa de metal del tanque y vio al presidiario en posición fetal completamente asfixiado. En el rostro del cadáver había la placidez de un niño que, acunado por su madre, se hubiese acabado de dormir. Entonces, la Tétrica Mofeta comprendió que aquel hombre se había ido definitivamente para la Luna. Su sonrisa no era de este mundo.

En una de esas dehesas del agro, al borde de una represa, el magro y agrio congreso de ogresas presas se alegra y celebra el milagro y el logro de inventar un ogro negro de imponente piragua tiesa.

(A un grupo de locas en un campo de trabajo forzado)

Monerías

En el inmenso Salón de las Retractaciones todo estaba listo. Los invitados habían ocupado sus puestos frente al escenario. Fifo lucía un imponente uniforme de gala tachonado de estrellas, un gorro y un supergorro en el cual se balanceaba una rama de olivo que llegaba casi al piso; también portaba una larga capa roja y unas botas que le llegaban hasta las rodillas. Al escenario subió H. Puntilla con el rostro maquillado de blanco, en el cual se le habían pintado las huellas de unas bofetadas recientes. Después subió Nicolás Guillotina con cara lóbrega batiendo sus enormes orejas. Nicolás extrajo de su saco unas cuartillas y comenzó a leer lo que podría considerarse la presentación del supuesto traidor.

—Queridos amigos —comentó el famoso poeta rumbero—, hoy nos reúne aquí un motivo que nos llenará de regocijo...

Pero no dijo más. En ese instante un estruendo como el de un submarino que hiciese explosión se escuchó en todo el Salón de las Retractaciones. Guillotina, aterrado, tiró sus cuartillas al suelo y dejó de batir sus inmensas orejas. H. Puntilla, a pesar del maquillaje blanco, se puso aún más blanco.

—¿Qué coño es eso? —preguntó Fifo.

Varios enanos diligentes treparon al palco del dictador y le explicaron lo que sucedía. Se trataba de Tiburón Sangriento, que hacía sus ejecuciones marinas frente al cristal del inmenso acuario. Sin duda el magnífico pez se había equivocado de horario, pues su función estaba programada para más adelante o para más atrás (que yo en esto de tiburones no ando muy claro). De todos modos, Fifo, concediéndole la primacía a su preferido, les ordenó a los enanos que trasladaran todo el personal invitado hacia el gran Teatro-Acuarium. Al instante Nicolás Guillotina, H. Puntilla, las grandes damas con su regios trajes, los reyes, los ministros, los presidentes, los esbirros y todo el mundo que allí se encontraba se encaminaron, guiados por los diligentes enanos, hacia la gigantesca gruta submarina al final de la cual, frente al inmenso cristal, evolucionaba Tiburón Sangriento. Rápidamente los enanos distribuyeron entre los invitados botellas de champán y todo tipo de bebidas, confituras y platos afrodisíacos. La cocaína, niña, siguiendo los consejos de Dulce María Leynaz, se servía también allí en bandejas de plata.

El acto que ante los invitados se desarrollaba no tenía paralelo en la historia de las maniobras acuáticas. Tiburón Sangriento bailaba detrás del inmenso cristal que comunicaba con el mar Caribe. Era una danza insólita de una belleza singular que hizo rabiar de envidia hasta a la misma Halisia. El magnífico pez se alzaba como un pájaro de fuego, se detenía en seco en medio del salto, batía entonces sus aletas llenando el mar de burbujas de todos los colores y avanzaba hacia el cristal con su inmenso sexo erecto. Cada vez que Tiburón Sangriento ejecutaba una de esas magníficas demostraciones, un suspiro arrobado se escapaba de las bocas de los generales, jefes de gobierno, reinas, grandes damas y agentes secretos y, en fin, de todos los que contemplaban el espléndido evento.

Fifo le ordenó a sus enanos que dejaran caer sobre la gruta marina el cuerpo de un prisionero político maniatado y desnudo. Lo primero que hizo Tiburón Sangriento fue romper con sus dientes las amarras de la víctima, que desesperadamente trataba de escapar a nado. Pero Tiburón Sangriento fácilmente le daba alcance, la envolvía en sus burbujas y la conducía al fondo marino; luego, sujetando al prisionero entre sus aletas, salía a la superficie, bailando con él, ante el público fascinado, una danza vertiginosa y circular en tanto que su sexo levantaba una estela de espuma. Finalmente, comprimiendo al prisionero contra el vidrio tras el cual todo el mundo observaba, comenzó a devorarlo en tanto que su sexo oscilante seguía creciendo y levantando bellísimas burbujas sangrientas. Aquella escena —y había que ver la elegancia con que el pez engullía al prisionero— erotizó a toda la concurrencia, que comenzó a masturbarse de una manera desenfrenada.

—¡Suelten los monos! —gritó entonces Fifo desde su regio palco, empujando a la Marquesa de Macondo, que de rodillas y desenfrenada quería mamarle el miembro.

Al instante, los diligentes enanos abrieron las jaulas que estaban a ambos lados del acuario y miles de gorilas lujuriosos comenzaron a violar a las damas y a los caballeros. Era realmente imponente ver a aquellos animales peludos con sus inmensos sexos clavando lo mismo a una primera dama que a un general, lo mismo a una Miss Universo que a un magnate petrolero o a un esbirro del Oriente. En tanto, Tiburón Sangriento, que había ya engullido a su prisionero, seguía contorsionándose lúbricamente delante de Fifo (que era poseído por un mono gigantesco) y delante, desde luego, de casi todos los invitados, que seguían siendo penetrados por los magníficos simios. En medio de aquella estruendosa bacanal retumbaban sin embargo los alaridos de gozo de la condesa de Merlín, ya rescatada por las tropas de Fifo del gigantesco urinario. Ante aquellos gritos, Tiburón Sangriento, en el colmo del desenfreno y la satisfacción, se volvió hacia el público mostrándoles detrás del cristal no solamente su sexo reluciente y ahora aún más descomunal, sino también sus descollantes testículos, tan grandes como los frutos de un centauro.

Al ver aquellas divinas proporciones balanceándose casi junto a sus ojos pero separadas por un cristal, la Mayoya, que no podía contener más la pasión que sentía por el pez, rechazó violentamente las apremiantes ofertas de un magnífico orangután y echó a correr por entre toda la audiencia, que era poseída en sus propias lunetas. La Mayoya abandonó el gran Teatro-Acuarium y voló rumbo al mar.

Nadie vio escaparse al mariconcito bailarín, pues todos, hasta los soldados de guardia y los diligentes enanos, se hallaban ensartados por los magníficos y lujuriosos monos que se habían desparramado por el palacio.

En el castillo de El Morro

Cuando la Tétrica Mofeta atravesó el túnel medieval que comunica el castillo de El Morro con el exterior, comprendió que una vez más estaba descendiendo a los infiernos, y como siempre, gracias a su sexto sentido para el espanto, no se equivocó. Aquel infierno no era una metáfora sino una réplica exacta del original, tal vez era incluso el original. El calor en aquella prisión amurallada era insoportable, pero el ruido que hacían los presos era aún más intolerable. Día y noche atronaba en la inmensa galera donde Gabriel había ido a parar un repiqueteo de latas, de palos, de voces, de aplausos, de golpes y berrinches. Reinaldo se instaló en una litera que estaba deshabitada porque era muy alta y caía debajo de la claraboya enrejada del edificio, donde daba el sereno y la luz del faro del castillo. Allí pensó que por lo menos podría pasar inadvertido. Pero los presidiarios son esos seres que lo saben todo sobre los otros presos. Pronto supieron tal vez por los guardias, quizá por el mismo jefe de la prisión, un matón de apellido Torres, que la Tétrica Mofeta era escritor. «El escritor» fue el apodo que le dieron inmediatamente todos los presos y acudieron con hojas en blanco y lápices hacia donde estaba Reinaldo para que les redactara una carta de reconciliación a una novia desengañada, a una esposa que quería el divorcio o para que estimulara a un amigo fiel y cómplice o a una madre entristecida. De modo que Gabriel se convirtió en el escritor oficial de toda la galera y de la cárcel completa. Nunca antes Reinaldo había escrito tanto. A veces tenía que resolver de manera epistolar problemas difíciles. Un presidiario había tenido la terrible sorpresa de que el día de la visita se le aparecieron su novia, su amante y su esposa. Reinaldo redactó tres cartas-súplica en tres estilos diferentes. En la visita siguiente veía cómo el recluso era abrazado por las tres mujeres, quienes además le traían una jaba llena de comida. A esas comidas de reconciliación, la Tétrica Mofeta era generalmente invitada por el preso agraciado. Muchas veces, cuando Reinaldo veía a un condenado besar a su novia o a su esposa, pensaba con alegría que gracias a sus hábiles cartas se había producido aquel acto. Otras veces, a través de sus cartas amorosas, redactadas por orden de un criminal, Gabriel lograba que el delincuente conquistase a una mujer que había ido a visitar a un hermano o a su marido.

Ante tales triunfos, la fama como escritora de la Tétrica Mofeta cundió por toda la prisión. De las diecisiete galeras de El Morro llegaban incesantes peticiones de trabajo para el escritor. Estas peticiones iban envueltas en bolas de jabón, amarradas a un largo cordel, que los presos, desde sus respectivas galeras, sabían introducir en la galera del escritor con verdadera habilidad. A esas bolas de jabón atadas, por medio de las cuales se comunicaban los presos, se les llamaba el correo. La correspondencia que Reinaldo tenía que despachar (cientos de bolas de jabón cruzando día y noche por los aires) era casi infinita. Desde luego que la Tétrica Mofeta no hacía aquellas labores gratuitamente. Por cada carta cobraba dos y hasta cinco cigarros, que debían viajar dentro de la famosa bola de jabón aérea. De esta manera, Gabriel reunía casi una pequeña fortuna, pues los cigarros, racionados en toda la isla, dentro de la prisión eran considerados (y con razón) oro del bueno. Como escritor, Reinaldo era en El Morro una especie de personaje sagrado; era un mago que podía emitir mensajes e imágenes y sentimientos al exterior, subsanar intrigas, promover reconciliaciones, reparar traiciones. Esto le aseguró también cierta impunidad y, desde luego, la admiración incondicional de todos los hombres, aun de los mismos donjuanes presos por problemas de faldas, naturalmente, y de los bugarrones más célebres y rotundos, quienes no vacilaron en hacerle proposiciones obvias o de mostrarle con cierta cortesanía sus sexos erectos y sus bellísimos cojones. El cocinero y el ayudante del cocinero no dejaban de traerle a la loca todos los días un plato de comida que a riesgo de sus vidas sustraían de la cocina. Sí, ofertas tuve, y muchas, pero todas las rechacé, querida. Un tapón en el culo me puse. Ya yo había visto que, en un combate entre dos bugarrones por causa de un maricón, era siempre el maricón el que salía tasajeado y los bugarrones terminaban reconciliándose y hasta templándose entre ellos. Además, estaban también los pájaros acomplejados y celosos, que mataban a sus supuestos rivales mientras dormían, traspasándoles desde debajo de la litera la espalda con un largo y fino fleje de hierro o los desollaban vivos con unos entizados, que eran unas cuchillas de afeitar pegadas a un palo. Y todo eso por celos platónicos o algo por el estilo. No, la Tétrica Mofeta no quiso saber nada de sexo entre los hombres mientras estuvo en la prisión; no sólo por el riesgo que esa actividad conllevaba, sino porque allí casi todos los hombres lo practicaban y por lo tanto era algo casi obligatorio o por lo menos una actividad convencional.

El sexo había sido para la Tétrica un acto de desenfado, rebeldía y libertad. Levantar un hombre era para Gabriel un acto heroico que lo enorgullecía. Conquistar un negro en una parada de ómnibus, meterse con él en el monte Barreto, enfrentando todos los peligros, incluyendo el de que el mismo negro, mientras la Tétrica se la mamaba, le diese una patada y lo desvalijara y hasta le cortara la cara: eso era un acto de libertad porque era un riesgo voluntario. La gloria radicaba para Reinaldo en el flete libre, espontáneo, inesperado a veces, en la conquista sin chantajes ni condiciones previsibles. Si antes había perseguido a los hombres era porque ellos eran difíciles, misteriosos y libres, al menos libres para poder elegir templárselo o no. Ahora, en la cárcel, donde todos estaban desesperados por un culo, templar con un hombre no era un acto heroico ni le proporcionaba prácticamente ningún placer. Era una ofensa para Reinaldo tener que fornicar con un esclavo prisionero que además lo hacía con un pájaro a falta de mujer. «A falta de pan, casabe», era la consigna de los presidiarios... Así pues, la Tétrica Mofeta, que se había pasado toda su vida detrás de los hombres y por culpa de los hombres había ido a parar a la cárcel, ahora que los podía tener a montones los rechazaba. Jamás templaré con un presidiario, se juró a sí misma. Una pinga envuelta en un uniforme de preso es un fraude metafísico y físico. La loca, luego de presenciar varios autodegollamientos de pájaros desesperados por el sexo de los presos, que nunca los llegaba a saciar, se dedicó solamente a redactar sus cartas de oficio (llamémosle así) y a escribir la quinta versión de su novela *El color del verano*. Luego de redactar las cartas de amor o de súplica a mujeres desconocidas, la loca se subía a su litera y trabajaba en su libro. De esa manera, entre el estruendo de las latas y las canciones de los presos sentimentales, entre los gritos de los apuñalados y los suspiros de placer de los que templaban o eran templados, Reinaldo llegó otra vez al final de su gruesa novela. *Opus* que él consideraba fundamental. Él sabía que tenía que reescribir aquel texto, pues en cierta ocasión envió a su madre a que consultara a las Divinas Parcas sobre el destino del manuscrito de su novela que había escondido bajo el tejado de la casa de Miramar. Y las Parcas le contestaron rotundas a través de la sufrida madre que los manuscritos de la novela de Gabriel habían sido entregados a la policía por su tía Orfelina y su hijo maricón, llamado Tony. Ahora, con la novela terminada, a la Tétrica Mofeta sólo le restaba una empresa dificilísima, la «semiculminación» de su obra: sacar el manuscrito de la prisión. Y decimos semiculminación pues la culminación era sacarlo de la isla; y la culminación total, publicarla... Pero por el momento lo más importante para Gabriel era la semiculminación. Tenía que poner el manuscrito más allá de los muros del castillo de El Morro. La cosa no era fácil. Cierto que si dentro de la galera se gozaba de alguna libertad (se singaba, se mamaba casi impunemente), una vez que los presos eran sacados fuera de la prisión para la hora de la visita (que tenía lugar cada quince días), eran sometidos a una requisa implacable. Cada presidiario tenía que desfilar desnudo ante una larga mesa donde decenas de oficiales lo observaban. Todas sus ropas eran minuciosamente inspeccionadas. Luego el preso tenía que pararse ante los oficiales (o «combatientes») observadores y abrir las piernas, levantarse los testículos y el pene, abrir la boca y abrir también el culo para mostrar que nada prohibido llevaba al exterior. La Tétrica Mofeta pudo observar que durante esas requisas muchos soldados y oficiales llevaban espejuelos oscuros y se erotizaban ostensiblemente. Los espejuelos oscuros les permitían contemplar a los presos desnudos a sus anchas sin que fueran tachados de rascabucheadores o algo por el estilo.

Por aquel túnel, con aquella cantidad de supervisores, era muy difícil sacar, no una novela, ni siquiera una página de su inmenso volumen. Y sin embargo, Gabriel se enteró de que, ante aquellos guardias que minuciosamente lo observaban todo, se realizaba uno de los tráficos más intensos realizados en prisión alguna. Los presos sacaban grandes cantidades de cartas que no podían ser sometidas a la censura de la prisión, navajas comprometedoras, joyas robadas a los otros presos y todo tipo de objetos que querían expedir con sus familiares visitantes. Por otra parte introducían en la prisión prácticamente todo lo que querían, hasta pistolas de seis balas con sus cartucheras de repuesto. ¿Cómo se las arreglaban para realizar este tráfico ante las mismas narices de los oficiales?, me preguntaréis, pajaritas de atar... Sencillamente, contrataban a las locas maleteros.

Las locas maleteros eran unos maricones que de tanto singar tenían unos culos de capacidades casi ilimitadas. En las profundidades de aquellos culos aparentemente muy bien cerrados y apretados (aun cuando abriesen las nalgas) transportaban cualquier cosa. Famoso era el pájaro maletero que había introducido en El Morro dos bolsas de gofio, diez cajas de cigarros, una barra de dulce de guayaba marca La Caridad, seis libras de azúcar y un tubo de desodorante. Todo eso, naturalmente, lo había transportado en las profundidades de su culo. También era famosa aquella loca que murió de una peritonitis aguda al intentar sacar un inmenso pincho de hierro con el cual le había dado muerte a su amante. Cientos eran las locas maleteros. Todas corrían desesperadas al baño cuando salían a la explanada de la visita o cuando entraban en la galera. Allí desovaban la mercancía que venía envuelta en nailons negros de polietileno.

Pero no era fácil contratar a una maletero. A todas las que se les acercó la Tétrica Mofeta, insinuando sus propósitos con cautela, se negaron con violencia diciendo que ellas jamás hacían de maleteros; luego de mucho palique le confesaban a la Tétrica que ya estaban alquiladas por meses y otras hasta por años. Pero como la mejor moneda que pedían aquellas locas para cobrar sus derechos de peaje eran los cigarros (pues todos allí fumaban como chimeneas), Reinaldo pudo al fin contratar a una maletero famosísima, quien en tres viajes y a cambio de más de mil cigarros le sacó fuera de la prisión su novela, que fue entregada, en las consabidas bolsas negras, a la madre de la Tétrica Mofeta, quien, entre protestas, quejas y llantos, cargaba con aquellos papeles semicagados. La Tétrica Mofeta, cuando comprobó que toda su obra había salido de la prisión, respiró casi en paz.

Muy poco, sin embargo, le duró este respiro a Reinaldo. Al cabo de catorce días (un día antes de la visita) un soldado lo fue a buscar a la galera y lo condujo a las oficinas de la dirección de El Morro. Gabriel fue introducido en un cubículo de techo abovedado, como eran los techos de todos los lugares de El Morro, incluyendo las galeras, el hospital y el salón donde se practicaban las requisas. En el cubículo había un militar joven, el teniente que atendía el caso de la Tétrica Mofeta y que lo había interrogado en la Seguridad del Estado. Se trataba, hay que reconocerlo, de un hombre apuestísimo. El joven teniente, luego de dar varios pasos al parecer enfurecidos mientras se apretaba sus ostensibles cojones como si no cupieran en el uniforme militar, se dirigió al pequeño buró que había en el cubículo y sacó el último manuscrito de la novela *El color del verano*, dejándolo caer varias veces con furia sobre el pequeño buró, que se estremeció ante aquella avalancha de papeles que lo golpeaba. Luego el militar se volvió a apretar sus magníficos testículos y mirando a la Tétrica Mofeta le dijo:

—A la verdad que con ustedes, los maricones, no hay posibilidades de rehabilitación. ¡Cuántas veces te hemos confiscado esta obra contrarrevolucionaria y tú persistes en escribirla! ¿No sabes que esto te puede costar más años de cárcel y hasta la propia vida? Bastaría con que yo le enviase este manuscrito a Fifo y al momento te mandaría estrangular por un preso común, y todo quedaría como una reyerta entre delincuentes. No lo olvides, Reinaldo, estás en nuestras manos.

Te podemos desaparecer ahora mismo o ponerte mañana en libertad. Todo depende de tu conducta. Pero si persistes en tu manía de escribir estas cosas no llegarás muy lejos. Te doy cinco minutos para que recapacites.

Pero la loca no pudo recapacitar durante ese corto tiempo. ¿Cómo lo iba a hacer, si el magnífico teniente se paseaba ante ella siempre apretándose sus abultados genitales y el sexo, que parecían querer estallar? Evidentemente aquel uniforme militar le quedaba estrecho y le molestaba al teniente de la Seguridad del Estado, acostumbrado a vestirse casi siempre de civil.

—¿Qué tienes que decirme? —le espetó súbitamente el teniente a la Tétrica Mofeta, siempre apretándose su morrocoyón.

—Que es algo fabuloso —dijo la loca mirando el promontorio militar.

—¿Qué dices? —preguntó el teniente, sorprendido, pero sin soltarse su divina macana.

—Que es realmente maravilloso que el Gobierno revolucionario haya enviado a una persona tan noble como usted para que converse conmigo y que usted hasta me haya dado tiempo para pensar y hasta una oportunidad (así lo espero) para rectificar y retractarme de todos los delitos. Por favor, déme unas hojas de papel y un lápiz.

El teniente, soltando su arma carnívora, le extendió a la Tétrica Mofeta un pliego de papel y una pluma.

Al instante, la Tétrica redactó con velocidad admirable una larguísima retractación donde se acusaba de vil, traidor, contrarrevolucionario, depravado y exaltaba la gentileza, nobleza y grandeza del teniente que lo atendía (en eso de la grandeza del teniente Reinaldo no mintió, al menos en el aspecto físico); luego se explayaba en una minuciosa exposición sobre las bondades y el genio de Fifo. «Todo lo que he escrito hasta ahora», terminaba diciendo la retractación, «ha sido basura y al basurero debe ir a parar. Desde hoy en adelante me haré un hombre y me convertiré en un hijo digno de esta revolución maravillosa.»

—Bien, bien —dijo el teniente luego de haber leído satisfecho aquella confesión—. Aquí tienes tu manuscrito. —Y poniéndose de pie, le extendió la novela a la loca.

—¿Podría darme un fósforo? —preguntó en voz baja Reinaldo.

—Aquí no está permitido fumar —replicó el delicioso teniente apretándose otra vez su vara mágica y sus regios aros.

—Yo no fumo —respondió el pájaro.

El teniente le extendió a Gabriel una caja de fósforos marca Chispa.

Reinaldo prendió un fósforo y quemó toda su novela.

—¡Así es como se portan los hombres! —le dijo el teniente y abrazó a la loca, quien al sentir el falo erecto del joven contra su vientre por poco se desmaya—. Ahora —continuó el teniente apartándose regocijado del pájaro— puedes irte tranquilito para tu galera, que nada te pasará. Te lo prometo.

El teniente le dio la mano a la loca, quien se la apretó y se la besó (aquí el teniente hizo un gesto de repugnancia) y corrió hasta su galera. Inmediatamente, cambió todos los cigarros que le quedaban por hojas en blanco y comenzó a reescribir la historia de su novela.

La historia

Ésta es la historia de una isla que poseía las playas más bellas del mundo, la tierra más fértil del mundo, la capital más cautivadora del mundo. Ésta es la historia de una isla que tenía una de las bailarinas más notables del mundo, uno de los poetas más destacados del mundo y la mejor música del mundo. Ésta es la historia de una isla que había sido calificada como la tierra más hermosa del mundo por un marinero que carenó desesperado en sus costas, salvándose de una tripulación que quería cortarle la cabeza por haberla embarcado en un viaje al parecer infinito. Pero poco a poco, con mil traquimañas, cada habitante de la isla quiso poseer para sí mismo la isla, quiso apoderarse para él solo de las mejores tierras y quiso habitar en las casas más lujosas sin importarle que los demás vivieran en la calle. La primera bailarina, en su colosal egoísmo, no permitió que nadie más llegara allí a ser primera bailarina, el gran poeta censuró a todos los otros buenos poetas, y los músicos no querían que nadie más abriese la boca o moviese la cintura si no era para cantar o bailar la música que ellos hacían. Por otra parte, cada cual quería adueñarse, para sí mismo o para sus familiares más allegados o para sus amigos íntimos, de todos los edificios públicos de la ciudad y de los cargos burocráticos más importantes. La ciudad se pobló de torres inaccesibles y mansiones amuralladas. Tan grande fue el pugilato sostenido entre todos los habitantes más prominentes, que eran unos delincuentes extraordinarios, para adueñarse de toda la isla que de entre ellos salió un delincuente mayor, un superdelincuente, producto típico de todos aquellos delincuentes, y con su propia banda de delincuentes redujo a todos los demás delincuentes, proclamándose él el delincuente único. Rápidamente se adueñó de todas las playas, de todas las tierras, de todas las ciudades y obligó a la gran bailarina, al gran poeta, a los cantantes y a las orquestas a que bailaran, tocaran y cantaran sólo para él.

Guille, galle, galla, gulle, güello...

No te embullas ni te guilles, Guillén, ni mucho menos te engalles, porque no tienes agallas. ¡Calla! o como payador de talla entónale una loa a la papaya de Maya Plisezcaya hasta que te salgan callos. Respeta a tu ayo o te parte un rayo, porque el caballo sólo quiere grillos y si te las das de gallo te engrilla, te engulle o te corta el cuello mientras tú aplaudes tu «autodegüello».

(A Nicolás Guillotina)

La confesión de H. Puntilla

En el inmenso Salón de las Retractaciones todo estaba listo. Los invitados habían ocupado de nuevo sus puestos frente al escenario. Fifo lucía su imponente uniforme de gala tachonado de estrellas, un gorro y un supergorro en el cual se balanceaba una rama de olivo que llegaba hasta el piso; también portaba una larga capa roja y unas botas que le llegaban hasta las rodillas. H. Puntilla estaba ya en el escenario. Nicolás Guillotina volvió a sacar sus cuartillas y comenzó a leer lo que podría considerarse la presentación del supuesto traidor.

—Queridos amigos —comenzó el famoso poeta rumbero—, hoy nos reúne...

Pero no dijo más, pues en ese momento los diligentes enanos, por orden del maestro de ceremonias, tocaron unas enormes trompetas y Paula Amanda anunció que el presidente del Senado de España quería imponerle a Fifo la máxima distinción que otorgaba el actual Gobierno español. El presidente del Senado español avanzó por el escenario con paso y cara de un hombre que por muchos años padece de hemorroides supurantes. Así arribó hasta la imponente figura de Fifo y le impuso la medalla. Tan nervioso estaba el pobre diablo que al prender el galardón pinchó a Fifo. «Mequetrefe fascistoide» fueron las palabras de agradecimiento que Fifo le dedicó al paciente hemorroidal.

Los diligentes enanos volvieron a tocar las trompetas y Paula Amanda anunció que la Avellaneda subiría al escenario a leerle un soneto a Fifo.

La inmensa figura de la Avellaneda, toda de negro, comenzó a subir lentamente las escaleras del proscenio seguida por su agente literario, la señora Karment Valcete. Tan lentamente subían estas señoras el escenario que tenemos tiempo de comentar el estado de euforia en que se encontraba Fifo. Y no era para menos: en aquella fiesta descomunal todas las actividades marchaban a las mil maravillas, tanto las artísticas como las económicas y políticas. El primer ministro del Canadá le había firmado un préstamo a Fifo por más de cien millones de dólares, un préstamo aún mayor le hizo el virrey de Santo Domingo, y el presidente de Venezuela había pronunciado un discurso en el que sostenía la tesis de que todos los países del mundo debían anexionarse a la república de Fifo. De todos modos, concluyó este pequeño Maquiavelo tropical, pronto en el mundo no habrá más que un Estado monolítico, Fifolandia. Creo que es mejor firmar la paz con tinta que con nuestra sangre... Al terminar el discurso, Fifo le entregó un sobre conteniendo un millón de dólares en billetes de cien. También en el sobre iba una casi invisible pero superpotente bomba de tiempo que explotaría cuando el señor presidente sobrevolase las nubes del Golfo de México, pues los informantes secretos de Fifo (entre ellos la inefable E. Manetta) le habían comunicado que dicho presidente cobraba también un cheque del Gobierno norteamericano... Pero dejemos ya este recuento que ahí llega la Avellaneda junto con su agente literario.

Cuando aquellas dos mujeres gigantescas se treparon al escenario donde las aguardaba Fifo, muchos temieron que se desatase un terremoto. Entre ellas dos y Fifo pesaban más de cuatro mil libras; si a eso añadimos los considerables volúmenes de Nicolás Guillotina y H. Puntilla, también en el escenario, se podrá apreciar que los temores no eran infundados. De todos modos la Avellaneda avanzó hasta el centro del escenario y dijo que leería un soneto dedicado a un hombre de una magnífica envergadura. Fifo, desde luego, pensó que el soneto estaba dedicado a él y bajó la cabeza en actitud agradecida. Pero la Avellaneda, que llevaba puesta su corona de laurel, que por unos momentos le había prestado Raúl Kastro, comenzó a leer su soneto a Washington. Terminada la lectura de aquel soneto, que era precisamente la antítesis de Fifo, pues se trataba de un homenaje a un héroe, Fifo, impertérrito, le regaló a la Avellaneda una rosa roja y le dio un beso a ella y otro a su agente literario. Los enanos tocaron otra vez las cornetas o clarines o clarinetes o lo que rayos fuera, y la Paula Amanda, con un nuevo y largo traje de faldas acampanadas, anunció que iba a comenzar la segunda retractación de H. Puntilla. La Avellaneda y la Valcete se sentaron en dos lunetas al lado de la esposa de H. Puntilla, la señora Baka Kosa Mala, que portaba una ametralladora. Fifo se retiró a su palco. Y comenzó el espectáculo.

Nicolás Guillotina le lanzó una mirada de asco a H. Puntilla, quien le dijo: Gracias, doctor, y leyó sus cuartillas. Era un aburrido discurso lleno de loas a Fifo, pero en el último párrafo decía que Fifo estaba enterado de todo lo que allí iba a suceder. Si se considera que aquella confesión era «espontánea», había que tomar aquellas palabras como una burla. Así las tomó Fifo y le ordenó a sus más fieles enanos que durante el carnaval le cortaran las dos piernas a Nicolás Guillotina (¡Guillotínenmelo! ¡Guillotínenmelo!) y que lo dejaran morir de una gangrena doble. El gran perro buldog terminó su exposición sin mirar a H. Puntilla que otra vez dijo: Gracias, doctor, y abandonó el escenario, sentándose junto a la Avellaneda. Entonces Baka Kosa Mala, enarbolando su ametralladora, le dijo a su esposo: Habla. Y otra vez H. Puntilla comenzó su «espontánea» retractación. La retractación se ajustaba al modelo titulado «Retractación de primer grado», redactado hacía más de treinta años por E. Manetta y Edith García Buchaca. Era un mamotreto oficinesco en el que se confesaba de haber cometido todos los delitos de lesa patria y de alta traición a Fifo y se pedía, como acto purificador, la pena de muerte por fusilamiento y terminaba con un exaltado «Patria o muerte. ¡Venceremos!».

Pero a aquel texto manettiano y maniqueísta, H. Puntilla le interpoló cosas de su propia cosecha. Así, mientras se delataba a sí mismo como traidor y contrarrevolucionario, delató también por el mismo delito a sus amigos, entre ellos la Paula Amanda y la César Lapa (la mulata de fuego), y también delató a su propia esposa, quien enarbolando su ametralladora le lanzó un tiro que fue a dar en una gigantesca estatua de Carlos Marx, haciéndola añicos. Entonces H. Puntilla, creyendo que ya lo estaban fusilando, que esta vez no lo salvaba ni la retractación, comenzó a soltar unos gritos desesperados, y como muestras de fidelidad al régimen recitó de un tirón sus tres poemas a la primavera compuestos, dijo, cuando estaba en las celdas de la Seguridad del Estado. Baka Kosa Mala soltó otro disparo que derribó la estatua monumental de Lenin. H. Puntilla lanzó un aullido hórrido y dijo que no lo mataran, que se arrepentía de todos sus delitos, que amaba a Fifo desesperadamente y que quería pedirle perdón de rodillas, por lo cual le rogaba al Comandante de la Aurora (así lo llamó) que subiera al escenario. En realidad, lo que perseguía H. Puntilla era que Baka Kosa Mala, con sus locos disparos, matara al comandante en jefe, liberándose así de dos enemigos terribles, el comandante y la esposa. Pero varios enanos, antes de que Fifo subiera al escenario, desarmaron a la desenfrenada poetisa.

Fifo, siempre envuelto en su gran capa roja, se trepó al escenario con sus tres famosos pasos. H. Puntilla se acercó a él de rodillas y volteándose le pidió al Máximo Líder que lo escupiera y lo pateara. Cosas que inmediatamente hizo el Máximo sin desprenderse de su gran capa roja ni de su monumental supergorro o caperuza. Se oyó en todo el salón el estruendo de un cerrado aplauso. Entonces H. Puntilla le pidió al Líder que lo orinase. Al momento, un potente chorro de orine que parecía salir de una manguera bañó el cuerpo del genuflexo. Retumbó otra vez en toda la audiencia un aplauso aún más cerrado. H. Puntilla se bajó los pantalones y le rogó a Fifo que le propinara un puntapié en sus nalgas desnudas. Fifo pateó violentamente las nalgas del poeta provocando un torrente de aplausos aún más avasallador. Pero H. Puntilla siguió llorando y ahora le pedía a Fifo que, por favor, le metiera todo su pie, con bota incluida, en el culo. Y poniéndose a cuatro patas mostró un culo negro e infinitesimal. El Máximo Líder caminó hasta un extremo del escenario y ayudado por los diligentes enanos se desprendió de toda su ropa, quedándose sólo con las botas, la gran capa roja y la magnífica caperuza con su rama de olivo. Tomando impulso, saltó desde el extremo del escenario y hundió una de sus piernas embotadas en el culo de H. Puntilla. Éste profirió un gigantesco alarido de gozo, más alto aún que el estruendo de los aplausos que retumbaban en toda aquella «maravillosa velada», como la había calificado el señor Torquesada. El problema surgió cuando Fifo intentó sacar su pierna del culo poético. No podía zafarse de aquel culo que apretaba la pierna como una ventosa o la muela de un gigantesco cangrejo. Más de sesenta y nueve enanos se treparon a la plataforma y comenzaron a tirar de H. Puntilla, pero no pudieron desprenderlo de la pierna máxima. Por último, un enano, que fungía como mayordomo de los enanos, le desató el lazo con que culminaba la bota empantanada y Fifo pudo liberar su pierna, pero la bota se quedó dentro del vientre de H. Puntilla. Envuelto en su gran capa, Fifo descendió del escenario entre un torrente de aplausos. La peste a mierda que exhalaba su pierna era horrorosa, pero los diligentes enanos comenzaron a limpiar la pierna con la lengua, ayudados fervientemente por Mario Bendetta, Eduardo Alano, Juana Bosch y la Marquesa de Macondo.

H. Puntilla, en pleno escenario, se despojó de toda su ropa y con gran gozo mostró al público su vientre prominente, donde se destacaba la inmensa bota del comandante en jefe. Jamás en el rostro de un hombre se vio una expresión tal de felicidad. Al fin había quedado preñado por la bota odiada y sobre todo amada del Máximo Líder. Pero H. Puntilla, siempre superambicioso, le pidió al Máximo Líder que subiera otra vez al escenario y le clavara su segunda bota. Así llevaría en sus entrañas las huellas del hombre más grande de este siglo, ésas fueron sus palabras, que al instante fueron copiadas por la Bosch mientras seguía lamiendo la pierna enmierdada. El comandante, rojo de furia por la peste a mierda, se puso de pie y llegó al escenario sólo en dos zancadas, y eso que una de sus piernas iba descalza. Ahora sí que voy a joder a este maricón, se dijo mientras, luego de tomar impulso, volaba por los aires —la capa al viento, el cuerpo desnudo, la pierna embotada en ristre— y caía, encajándose no solamente hasta la rodilla sino hasta el muslo. H. Puntilla lanzó un alarido indescriptible. En el teatro retumbó una ovación de pie. Esta vez sí que le era difícil al comandante salir de aquel atolladero cular. H. Puntilla, aunque se asfixiaba, apretaba cada vez más. Los diligentes enanos tiraban desesperados del poeta, pero todos sus esfuerzos eran inútiles. Entonces se le pidió a la Avellaneda y a Karment Valcete el concurso de sus fuerzas. Ambas mujeres subieron al escenario. La Avellaneda tomó a H. Puntilla; la Valcete a Fifo. Cada una comenzó a tirar por su lado. H. Puntilla seguía aullando de gozo, Fifo maldecía, la ovación seguía escuchándose. Las dos mujeres sudorosas y gigantescas pujaban y tiraban, pero no podían separar los cuerpos. Ya estaban casi dispuestas a darse por vencidas cuando un ruido sin parangón en la historia de los ruidos terráqueos (que es un libro infinito) desgarró las cortinas traseras del teatro, rompiendo vidrios y lámparas. Aquel ruido era superior al de varios submarinos torpedeados, a la detonación de una mina gigantesca en la Fosa de Bartlett, al autoestallamiento por suicidio de una ballena en el océano Antártico o a una explosión atómica en el mar del Japón. El insólito ruido provenía evidentemente del gran Teatro-Acuarium.

De un solo respingo, Fifo sacó su medio cuerpo del culo del poeta (que cayó desmayado en los brazos de la Avellaneda) y, seguido por numerosos invitados y por los diligentes enanos, corrió hasta el acuario. Atónito, contempló un espectáculo sin igual. Tras los cristales del acuario y ante un público arrellanado en sus asientos, Tiburón Sangriento y la Mayoya se contorsionaban enlazados en un acoplamiento descomunal.

La Tétrica Mofeta

Durante la fiesta de Fifo, la Tétrica Mofeta se desenvolvió con verdadera soltura y hasta con astucia y sabiduría. Intrigaba, entretenía, fascinaba; pasaba de las cosas más superfluas (un juego de palabras, por ejemplo) a las más trascendentes (las pruebas irrebatibles de la existencia del diablo, por ejemplo). Pero ¿quién era el que estaba aquella noche allí? ¿Quién era el que ahora sin dejar de contonearse en medio del carnaval delirante buscaba a Tatica para matarlo? ¿Era la Tétrica Mofeta, loca de atar? ¿Era Gabriel, el guajiro de las lomas de Holguín? ¿Era Reinaldo, el desdichado escritor? No podemos precisar cuál de los tres estaba allí esa noche representando al resto de los dobles que, inspirados en el ejemplo de la Ñica, se habían marchado del país hacía años por el estrecho de la Florida. De todos modos, quienquiera que fuese el personaje que allí se encontraba, caracterizó a los ausentes de manera perfecta. A tal punto que, por mucho que hemos investigado, no hemos podido dilucidar quién era el personaje que se encontraba en aquellas fiestas carnavalescas representando a sus auténticos dobles. ¿A quién representaba realmente la Tétrica Mofeta? ¿Por quién era representada?

La, le, li, lo, lu...

Lala, la Lea, aliada de la Lapique, lela en su largo letargo alarga su lengua lila y lame la luenga longaniza de Lulu, el antililiputiense libertino.

(A Lala la Lea)

El descomunal acoplamiento

Desde hacía muchos años, todas las locas de la isla, aun aquellas que aparentemente eran partidarias de Fifo e informantes, se habían percatado con alborozo de que Tiburón Sangriento, como todo tiburón, era bugarrón. Muchas de aquellas locas, mientras roían la plataforma insular, habían visto cómo los roedores masculinos que eran atrapados por Tiburón Sangriento o por los demás tiburones no sólo eran despedazados por estas fieras, sino al mismo tiempo cruelmente violados.

Un buen día, un cónclave de ogresas presas al borde de una represa en un campo de concentración decidió que la única forma de poder eliminar a Tiburón Sangriento era a través del amor. Sí, había que adiestrar a una de las locas más bellas de la isla en el arte de seducir a Tiburón Sangriento. La elección recayó sobre la Mayoya. Esta loca mulata, de juventud permanente, tenía un cuello escultural, una boca sensual, unos ojos verdes y un pelo encrespado y tan brillante como sus propios ojos. Así pues, las locas más sabias dentro del mismo aparato de Fifo, como la Ramera Guerra, la Capitán Pachuca, la Güevaavara, no cesaban de instruir a la bella mariquita en el arte de seducir al tiburón. También, gracias a su carácter oficial, estas locas le traían desde París a la Mayoya todo tipo de perfumes, aceites lúbricos, maquillajes, champús y lustradores de pelo que ayudaban a despertar aún más las apetencias sexuales del tiburón. La Mayoya, perfectamente engrasada, perfumada y ataviada solamente con un bikini de lentejuelas junto al cual portaba una afilada daga, se pasaba largas horas sobre una roca marina, bailando, meneándose y sonsacando desde luego a Tiburón Sangriento, quien a veces cruzaba bufando muy cerca del pájaro brillante. No pasó mucho tiempo sin que Tiburón Sangriento intentase seducir, o por lo menos llamar la atención, de la Mayoya, que seguía meneándose junto al mar, siempre con su inmensa daga de plata a un costado. Tiburón Sangriento emergía del fondo marino y comenzaba a hacer sus ejecuciones deportivas frente a la loca. La loca movía entonces aún más vertiginosamente sus nalgas, se tiraba de su rizada cabellera y emitía profundos trinos. El gran pez nadaba boca arriba, emergía como un cohete marino, llegaba hasta las nubes y caía recto entre un tumulto de espumas frente a la roca donde danzaba la Mayoya. Evidentemente, Tiburón Sangriento se había enamorado de la Mayoya. ¡Ay!, pero la escultural Mayoya también se había enamorado del gran tiburón. Pero por encima de aquella pasión se imponían unos principios éticos. El pez había sido educado por Fifo, que no tenía ningún tipo de principios, dentro de los más rígidos principios antimariconiles, y aunque muchas veces se templaba una víctima masculina (que moría doblemente, de goce y a causa de las mordidas del pez), tenía, como hemos visto, que matar al traidor. Un tiburón sangriento no puede perdonar a ningún traidor y mucho menos a un maricón, que era por naturaleza un traidor doble, ésa era la moral en la que había sido educado, no solamente por Fifo sino por Isabel Monal y otras destacadas profesoras de materialismo dialéctico. Evidentemente, entre el amor que sentía por la Mayoya y su conciencia había un abismo. Sobre ese abismo se alzaba el tiburón, desesperado y con su falo erecto... Por otra parte, la Mayoya, siempre en busca de un palo mayor y único (por lo cual era cierto que aún conservaba su virginidad), había encontrado en la apostura y las dimensiones de Tiburón Sangriento el objeto de su anhelo cular. Pero aquel tiburón era también el símbolo de la represión que le había impedido a ella, la Mayoya, y a todo el mundo en la isla, realizarse. De manera que también entre la Mayoya y Tiburón Sangriento se interponían graves principios morales... Ser atollada por aquella bestia marina, sentir, ¡Dios mío!, que aquel monstruo carnicero la envolvía en sus aletas, la llevaba al fondo del mar, la traspasaba de un golpe pingal y así (hechizada y llena de gloria), coronada de caracoles, erizos y medusas, la remontaba ensartada hasta las nubes... La loca enamorada bailaba y lloraba sobre su roca. Tiburón Sangriento, con su faz de bugarrón indiscutible y trágica, lleno de remordimientos se resolvía en desesperadas ejecuciones lúbricas frente al pájaro prohibido.

De todos modos, este romance pudo contenerse y mantenerse casi en secreto hasta que la Mayoya, en el acuario de Fifo, pudo ver de cerca, de muy cerca, sólo separadas por un cristal, las descomunales proporciones sexuales de Tiburón Sangriento. La loca no pudo más, lanzó un grito que nadie escuchó, pues todos eran poseídos por los simios, y abandonó corriendo el palacio catacumbal. Como una centella cruzó la explanada, saltó por encima del grupo de los despechados, se desprendió de todos sus vistosos ropajes y con la daga en la cintura y su bikini de lentejuelas se lanzó al mar. Iba en busca de su gran amor, que planeaba insatisfecho sobre las aguas cercanas al gran palacio.

—Ahora se hará justicia divina —dijo el padre Gastaluz viendo a la loca tirarse al mar con un puñal en la cintura.

Y toda la comitiva discriminada cayó de rodillas sobre las rocas.

—Ahora el tiburón la va a matar a no ser que se produzca un milagro —dijo el rey de Rumania, besando una imagen de la Virgen Negra de Cracovia y viendo cómo Tiburón Sangriento nadaba hacia la loca.

—Ahora el pájaro matará a Tiburón Sangriento —fueron los comentarios de Sakuntala la Mala y del jefe del Partido Comunista de Italia.

Junto al palacio, cerca de la costa y a la vista de los despechados, se produjo el encuentro anhelado. La Mayoya, abriendo sus brazos, abarcó y abrazó al potente falo de Tiburón Sangriento —falo que emergió como un negro periscopio mientras el pez lanzaba aletazos de gozo—. La loca besó arrobada las opulentas proporciones. El pez, impulsándose con la cola, remontó a la loca por los aires mientras la besaba y con sus magníficos dientes le quitó el bikini de lentejuelas. La loca, en el aire, lanzó lejos de sí la daga de plata, que se hundió en el mar, y alzando los brazos cayó de nalgas sobre el gigantesco miembro viril del cetáceo, quien haciendo una contracción indescriptible la poseyó. La loca, en ese momento, soltó un chorro de humo por la boca. Era el vapor candente que el brioso falo del tiburón le había insuflado. La Mayoya, convertida en una bola flotante, se elevaba y caía, encallando jubilosa sobre el falo erecto. El placer que ambos cuerpos recibían y exhalaban era tal que de ellos salían potentes descargas eléctricas que partían como rayos o inmensas flechas hacia el cielo. Estas descargas eléctricas desataron una fuerte tormenta que los despechados y traicionados personajes (que llenos de furia observaban el combate sexual) resistieron valientemente, aferrándose a los bordes de las rocas. Terminada la tormenta, volvieron a observar los juegos lujuriosos que se desplegaban sobre el mar mientras tramaban la manera de vengarse. Pero tiburón y pájaro, olvidados de todos los peligros, que eran innumerables, se concentraron en su desenfreno erótico, que ahora se desarrollaba en medio de una atmósfera saturada y serena. La Mayoya caminó con los brazos abiertos sobre el mar y de un salto, abriendo su boca sensual, se introdujo hasta la garganta el negro miembro de Tiburón Sangriento. Tiburón Sangriento, elevándose más allá del azul marino con la Mayoya entre sus fauces, comenzó a hacerle cosquillas con sus múltiples dientes. Así, sin tocar las olas y ante las miradas aterradas de la Diaconisa Marina y del obispo Oh Condon, pájaro y pez prosiguieron envueltos en la ingravidez de un ensartaje único. La Mayoya recibía aquel don con una inmensa carcajada y metía su cabeza en las fauces de la bestia, quien, aún más erotizada, y sin desentollar al mariconcito, remontaba las olas, despidiendo un olor a sexo masculino tan fuerte que contaminó para siempre todos los mares (por eso se ven tantos maricones singando en las playas) y erotizó a las holoturias, sacándolas de sus sueños milenarios... Aquel palo descomunal y marítimo detuvo también la corriente del Golfo de México, la que, finalmente, en un espasmo sin igual, lanzó a Hemingway (quien, resucitado, venía a la fiesta de Fifo) hasta la isla de Groenlandia, donde al verse desnudo y con un sexo tan pequeño se suicidó ahorcándose con una de sus plumas. Aún por unos minutos más, el negro escualo priápico y el pájaro de fuego giraron en un nuevo combate sexual del cual salían chillidos, escamas, chorros de semen fríos y calientes, risitas ahogadas y aleteos despampanantes. Luego, fundidos en un torbellino lujurioso, descendieron girando hasta el fondo de las aguas, levantando una tromba marina que aún hoy es azote de todos los navegantes del globo. Así, formando un solo meteoro erótico que provocaba nuevos temblores de tierra, pájaro y tiburón atravesaron ensartados el fondo marino hasta llegar a las paredes de cristal del gran Teatro-Acuarium. Allí prosiguieron el combate en medio de estruendos ensordecedores mientras Fifo, con toda su comitiva, irrumpía en el salón.

Hay que reconocer que nunca en la prolongada historia de la templeta se había visto, ni se volverá a ver, una batalla sexual tan colosal. Frente a la gran pecera, tiburón y loca se revolvían, saltaban, se contorsionaban, se abrazaban, se mordisqueaban soltando burbujas de goces y provocando estruendos sordos... Fifo estaba rojo de ira. Sufría a la vez no sólo un golpe sentimental, sino también un golpe moral. Sentimental, porque siempre estuvo enamorado de aquel tiburón (como lo estuvo una vez de una vaca lechera); moral, porque aquel acto era una alta traición política, una desmoralización ideológica cometida para colmo delante de sus célebres invitados. Esto es, delante de primeras damas, ministros, fiscales, reyes, traficantes de drogas, magnates, esbirros, poetisas y otras putas diplomadas. ¿Y qué hacían en tanto los invitados que contemplaban aquel espectáculo arrellanados en sus felpudos asientos? Lo único que puede hacerse ante una demostración semejante: erotizarse y masturbarse.

Fifo, que en ningún momento dio señales de perder su compostura, mientras impartía órdenes secretas para que aniquilasen por todos los medios a Tiburón Sangriento mandó otra vez soltar los monos. Pero los monos, luego del combate titánico que habían sostenido con los invitados, más que monos parecían zombis, y cayeron despatarrados sobre los cuerpos desesperados de los invitados. La única persona que logró erotizar a uno de aquellos simios fue la Madre Teresa, que, luego de musitarle no se sabe qué palabras en latín a un gigantesco orangután, consiguió que él mismo la ensartara. Los demás se las arreglaban como podían. Así, por ejemplo, el primer ministro de la India desenrolló la momia de su madre por él mismo asesinada y comenzó a poseerla mientras a su vez él era poseído por varios de sus robustos escoltas enfundados en sus trajes regionales.

Un inmenso arponero apareció en la pantalla marina y lanzó su arpón contra Tiburón Sangriento. Pero la Mayoya, al ver aquel arma mortífera, con una fuerza descomunal —las fuerzas del amor— arrastró el cuerpo de Tiburón Sangriento, que la traspasaba, salvándole así la vida. Continuaban los arponazos, ahora precedidos de bombas de profundidad, lo que provocó que Tiburón Sangriento, siempre con la finalidad de que no le pasara nada a su Mayoyita, a la cual abrazaba, reculase con violencia chocando contra los grandes cristales del Teatro-Acuarium. Tan fuerte fue el golpe de Tiburón Sangriento contra estos cristales que los rajó, provocando al instante una inmensa estampida de agua que comenzó a inundar el gran teatro, en tanto que los personajes, con sus trajes empapados, salían presurosos, seguidos de los monos, muchos de los cuales, debido a su fatiga, murieron ahogados. Las aguas no sólo comenzaron a inundar el Teatro-Acuarium, sino todo el palacio catacumbal a pesar de los diligentes esfuerzos de los enanos, que tapaban huecos y cerraban compuertas.

En ese momento retumbó en el exterior del palacio un clamoroso rugido metálico.

—Salgamos al Jardín de las Computadoras —dijo Fifo navegando ya en una de las balsas que los diligentes enanos distribuían entre todo el personal—. Había olvidado que tenemos que alimentarlas. ¡Vamos! Será un espectáculo único.

Y haciendo de tripas corazón, se encaminó con toda su comitiva flotante rumbo al Jardín de las Computadoras.

En tanto, Tiburón Sangriento y la Mayoya salían mar afuera perseguidos por los arponeros, por numerosos aviones y por enormes helicópteros de guerra que le había regalado el ex dictador de Rumania a Fifo con el fin de que contuviese a las «hordas rebeldes». Era evidente que Fifo no quería permitir que aquellos traidores siguieran con vida. Tiburón Sangriento, en peligro de muerte, le dio a la Mayoya un rotundo beso de despedida y la remolcó casi hasta la costa. Allí mismo se sumergió y comenzó a roer furiosamente la plataforma insular de la isla, para asombro del resto de los roedores. Tiburón Sangriento (y las bombas de profundidad seguían estallando) les ordenó a todos los demás tiburones que empezaran a roer la plataforma insular. Todos los tiburones comenzaron a roer. También numerosos pulpos, calamares, cangrejos, erizos, caguamas y otros seres marinos cuyos familiares habían sido seriamente afectados por las bombas y los arponazos se integraron en la banda de los roedores. Como si eso fuera poco, obispos con todos sus atuendos púrpura, monjes con esclavina, el jefe de contraespionaje soviético, generales de Fifo, una Miss Universo, un Premio Nobel y hasta un alto funcionario del Imperio chino, entre otros invitados, aprovechando la confusión del momento se zambulleron y comenzaron a roer la plataforma insular.

En cuanto a la Mayoya, con aire de pájara triunfal, llegó a la costa y cayó, fatigada de goce, cerca del gran promontorio que formaba la comitiva de los despechados. Inmediatamente esta comitiva, encabezada por la Diaconisa Marina, el rey Miguel I de Portugal, el jefe de las fuerzas armadas de Zambia, Clara Mortera y el príncipe de Batavia, ordenó que se le celebrase un consejo de guerra a la loca por alta traición. El jurado estuvo compuesto, entre otras personalidades, por la reina del carnaval de Río de Janeiro, el presidente de Amnistía Intercontinental, el padre Gastaluz, Sakuntala la Mala, Oliente Churre y su madre agónica y el jefe del Partido Comunista de Italia; también lo integraron Mahoma (la astuta), Delfín Proust, la Supersatánica y la Tétrica Mofeta, quienes valiéndose de la confusión causada por el diluvio salieron del palacio para castigar a la Mayoya. La sentencia, por unanimidad, se dictó en menos de cinco minutos: la Mayoya sería quemada viva frente al mar y ante la mirada enloquecida de Tiburón Sangriento, quien casi constantemente salía a la superficie para ver cuál era la suerte de su amado mariconcito.

La Mayoya fue amarrada a una roca puntiaguda y se le cubrió de palos secos. Hiram, la Reina de las Arañas, prendió la hoguera. El padre Gastaluz y el obispo Oh Condon comenzaron a rezar por la salvación del alma del pájaro. La reina del carnaval de Río de Janeiro, con todos sus atuendos reales, se acercó a las llamas esgrimiendo una enorme cruz que había hecho con dos pedazos de tabla.

—¡Abjura! ¡Abjura como Juana! —le gritaba la reina del carnaval, esgrimiendo su cruz como si fuera una varita mágica.

—Sí, como Juana la Loca —dijo Sakuntala la Mala en voz alta mientras le echaba más leña a la hoguera.

Pero la Mayoya, en vez de abjurar, le lanzó un escupitajo candente a la reina del carnaval de Río, sacándole un ojo.

Mientras la loca ardía, los despechados, incluyendo al jefe del tercer partido independentista de Puerto Rico, a Corazón Aquino, a la Triplefea y hasta a la Jibaroinglesa y la madre agónica de Oliente Churre, formaron un enorme círculo y cogidos de la mano comenzaron a girar y a danzar alrededor de la pira gigantesca. Esta ceremonia ritual se prolongó por largo tiempo, pues aunque la loca ardía por fuera a causa de las llamas, por dentro ardía y estallaba de goce al recordar el descomunal acoplamiento sostenido con Tiburón Sangriento. Ante tales recuerdos la loca eyaculaba copiosamente, apagando parte del fuego, que tenía que ser nuevamente alimentado.

En tanto, Tiburón Sangriento, en el delirio de la furia y del dolor pasional, se elevaba al cielo, donde trituraba con los dientes los aviones de Fifo, que de ninguna manera podían destruir al terrible pez. Por fin, el pájaro terminó de achicharrarse. *Requiescat in pace!,* dijo el padre Gastaluz, rociando las cenizas con su hisopo de plata (se trataba del mismo hisopo que había utilizado para bendecir una máquina de vapor hacía más de ciento cincuenta años). Inmediatamente las cenizas fueron lanzadas al mar, donde Tiburón Sangriento otra vez roía la plataforma insular.

Mama, meme, momo, mima, mumo...

Yo, Meme, momia mamífera, mamo mucho el monísimo mamey del mameluco Mimo Momo, porque mi mamá me mima y gracias a sus mimos y a sus miméticas mamas mecanografía melosos mamotréticos memos a Mumo, el mismísimo mamarracho ministro de la moral antimamífera a quien mi mimosa mamá momentáneamente se la mama y él la ama.

(Para la Momia, cuyo verdadero nombre es Meme Solás)

Una carta

La Habana, 25 de julio de 1999

Mis queridos Reinaldo, Gabriel y Tétrica Mofeta:
Respondo de una vez y definitivamente a sus cartas, que me han llegado a veces, pero como todas las que he recibido dicen más o menos lo mismo, creo que ninguna información importante se ha perdido. Me imagino cuánto han sufrido y estarán sufriendo, y la soledad que padecerán allá, lejos de este país que es el nuestro y que lo seguirá siendo vivamos donde vivamos. Pero nada de eso es comparable al horror de estar aquí. Allá, aunque sólo reciban patadas por el culo, pueden al menos gritar; aquí tenemos que aplaudir esos golpes, y con entusiasmo. ¿Cómo se atreven a decirme ustedes que no me vaya de aquí? ¿Acaso ya olvidaron que vivir bajo una tiranía no sólo es una vergüenza y una maldición, sino que es también una acción abyecta que nos contamina, pues, quieras o no, hay que cooperar con el tirano si se vive bajo sus leyes?

No me vengan con lamentos, ni me digan que están solos, ni me hablen de las plagas que los matan; aquí también todos estamos solos y yo también tengo la plaga y además de no tener la atención médica adecuada ni siquiera puedo soltar el menor lamento. Se preguntarán que cómo entonces me atrevo a escribir de este modo. La respuesta es muy sencilla: mañana, en pleno carnaval, pienso tirarme al mar con mi última novela, que no he podido sacar del país, y mis patas de rana. ¡Al mar! A lo mejor los guardacostas y hasta los tiburones estarán borrachos celebrando el triunfo de Fifo y yo puedo escapar. Aunque lo más probable es que perezca en el intento.

De mis libros no les he hablado. Espero que todos los que les he enviado estén a buen recaudo. Ya saben que todo cuanto he hecho es una sola obra totalizadora; algunas veces esta obra sigue un curso más apretado, con los mismos personajes y las mismas desesperaciones y calamidades, como es el caso de la «pentagonía»; otras veces, los personajes, transformados, vuelan en el tiempo, son frailes, negros esclavos, condesas enloquecidas y patéticas. Pero todo lo poco que he hecho, desde mis poemas, cuentos, novelas, piezas de teatro y ensayos, está unido por una serie de ciclos históricos, autobiográficos y agónicos; por una serie de angustiosas transmutaciones. Hasta en mi libro de poemas *Voluntad de vivir manifestándose* hay un soneto inspirado en la Tétrica Mofeta. Así que, por favor, les pido que si todo eso se publica, hagan constar que mis libros conforman una sola y vasta unidad, donde los personajes mueren, resucitan, aparecen, desaparecen, viajan en el tiempo, burlándose de todo y padeciéndolo todo, como hemos hecho nosotros mismos. Todos ellos podrían integrar un espíritu burlón y desesperado, el espíritu de mi obra, que tal vez sea el de nuestro país. En cuanto a mi pieza de teatro *Abdala,* no la publiquen, no me gusta para nada, es un pecado de adolescencia.

Bueno, los dejo que tengo que embotellar mi novela. Y mañana, al mar. No puedo explicarles cómo me siento, por lo tanto no voy a caer en la tentación de poner en palabras cosas que no caben en ellas... Mientras termino de escribir esta carta, siento que tengo las manos de ustedes entre las mías; tal vez por última vez las estrecho.

Es terrible despedirse cuando seguramente nunca más nos volvamos a ver y todos formamos una sola persona dispersa, y cuando además nos despedimos a través de la ausencia, sin vernos, a distancia, y mediante una carta que tal vez ustedes nunca reciban. Realmente, el espanto que hemos sufrido no lo merece ni siquiera el peor criminal. Quizá cuando llegue al infierno pueda abofetear al diablo mientras le pregunto cuál ha sido nuestro terrible delito. Pero no, no tendré ese consuelo. No tendré ni siquiera el consuelo del infierno. Ante mí tengo sólo el mar. Después, la nada. Y basta. Tal vez eso sea lo mejor. Tal vez...

Adiós.

La Tétrica Mofeta

Muerte de Virgilio Piñera

Faltaban apenas cinco minutos para que se inaugurase oficialmente el gran carnaval (aunque, desde luego, ya hacía horas que había empezado), por lo que las órdenes impartidas por Fifo para que asesinaran a Virgilio Piñera se hacían cada vez más apremiantes.

Los amigos más íntimos de Virgilio, como José Rodríguez Pío, por ejemplo, habían suministrado a los cuerpos efectivos de la Seguridad de Fifo todos los movimientos del poeta. Virgilio se acostaba temprano y se levantaba con el alba, se tomaba una taza de café comprado en bolsa negra y se ponía a escribir; luego, con una jaba de saco, se iba a hacer la cola para el yogur.

Virgilio vivía solo en el décimo piso de un pequeño apartamento en El Vedado. Ahora eran las diez de la noche y Virgilio ya estaba en la cama, ajeno al estruendo del carnaval que retumbaba en la calle. El poeta cerró los ojos, pero el recuerdo de la última novela de Humberto Arenal no lo dejaba dormir. ¿Cómo, se preguntaba el poeta, puede una persona escribir tan mal y ser a la vez mi amigo? Estas preocupaciones literarias y morales lo mantenían desvelado, aunque por ley doméstica, por él mismo impuesta, ya debía estar dormido en aquel cuarto absolutamente a oscuras.

Virgilio sintió cómo la puerta de su pequeño apartamento se abría y alguien entraba.

—¿Eres tú, Arrufada? —preguntó con gran temor, pues Arrufada tenía la llave de su apartamento y solía visitarlo para leerle su última pieza de teatro.

Pero el maestro no tuvo respuesta. En la oscuridad sintió que alguien avanzaba por la pequeña sala tropezando con un mueble y entraba ya en su cuarto. Por la firmeza de aquellos pasos, Virgilio dedujo que no podía ser Antoni Arrufada, que ni siquiera podía ser una sola persona.

Los encargados de realizar el asesinato habían recibido órdenes estrictas de que el mismo se realizara en silencio y de que no pareciese un asesinato, sino un suicidio o una muerte repentina provocada por un infarto o algo por el estilo.

Súbitamente la luz de la habitación se encendió y el poeta pudo ver a cuatro hombres robustos que se abalanzaban sobre él. Los hombres agarraron el cuello de Virgilio y sin más comenzaron a estrangularlo. Ésa era una de las alternativas ofrecidas por Fifo a sus esbirros, luego de haber consultado a la Barniz y a la Paula Amanda, pues Virgilio en varias ocasiones había manifestado que quería ahorcarse. Un estrangulamiento era algo muy parecido a un ahorcamiento. Además, luego de muerto Virgilio, lo colgarían con una soga de manila que uno de los esbirros llevaba en un bolsillo. «Retuérzanle bien el pescuezo», fueron las órdenes de Fifo. Así, los agentes tiraban del cuello de Virgilio, que los contemplaba con sus grandes ojos abiertos. Pero el cuello del poeta era tan largo, tan flaco y flexible que no había manera de retorcérselo. Las ocho manos asesinas comenzaron entonces a tirar del pescuezo con el fin, por lo menos, de desprenderlo de los hombros, pero también esta tarea era dificilísima: la cabeza del poeta era tan pequeña que no se diferenciaba del grosor del cuello, por lo que las manos de los esbirros resbalaban y se quedaban apretando el vacío. Para infortunio de los cuatro agentes de Fifo, no solamente el cuello de Virgilio, sino todo su cuerpo era resbaladizo y casi inasible, como si se tratara del cuerpo de un jubo o algo por el estilo; era pues imposible estrangularlo, reventarlo o descoyuntarlo, sobre todo si se piensa que todo tenía que hacerse en silencio. No olviden que Fifo quería un asesinato discreto. Fatigadísimos, luego de tirar más de una hora del cuello del poeta, que siempre se les escapaba, los esbirros apagaron la luz del apartamento y salieron a meditar al exterior, al son de la bachata carnavalesca, mientras se tomaban unas cervezas en sus pintas de cartón.

—¡Qué pesadilla tan terrible he tenido! —se dijo Virgilio una vez que se halló solo en las tinieblas de su cuarto—. Soñé que unos hombres me querían estrangular. Indiscutiblemente, no puedo leer más a Humberto Arenal.

Y haciendo un gran esfuerzo, pues ahora afuera el escándalo era descomunal y el recuerdo de la novela seguía acosándolo, el poeta se quedó dormido. Pero, a los pocos minutos, un nuevo estruendo se escuchó en la puerta de salida que daba a un pasillo y Virgilio tuvo que despertarse.

—¿Eres tú, Arrufada? —preguntó el poeta inclinándose en su cama.

Pero no obtuvo ninguna respuesta.

Los cuatro agentes, ahora casi borrachos, entraron en el cuarto de Virgilio y prendieron la luz. Mientras le ponían una mano en la boca cargaron el frágil cuerpo del dramaturgo hasta el balcón del apartamento. Si Fifo lo que quería era que el asesinato de Virgilio pareciese un suicidio, nada mejor que tirarlo por el balcón. ¿Con qué pruebas contaba la opinión pública, que por otra parte no podía manifestarse, para decir que el poeta no se había lanzado voluntariamente al vacío? Sin más, los robustos agentes lanzaron el cuerpo de Virgilio, que vestía una piyama de rayas lilas, blancas y negras, al vacío.

El asunto parecía concluido, pensaron los fatigados esbirros, y se asomaron por el balcón para ver cómo el poeta se hacía añicos al caer a la calle. Pero he aquí que el cuerpo de Virgilio, en vez de caer, se mantenía flotando, y rápidamente, sin duda impulsado por la brisa tropical, se elevó apareciendo otra vez en el balcón. Evidentemente, aquel hombre era tan flaco que carecía de gravidez o era menos grávido que el aire, por lo que resultaba imposible tirarlo al vacío. Virgilio se agarró a la reja del balcón y entró en su apartamento.

—¡Pepe! ¡Pepe! —llamó el poeta desesperado a su supuesto amigo—. Aquí hay unos truhanes que me quieren matar por orden de Guillén.

Pero Rodríguez Pío, que observaba tras la puerta de su apartamento, situado frente al de Virgilio, no dijo ni pío.

Más de tres veces los esbirros cogieron el cuerpo de Virgilio y lo lanzaron por el balcón, pero siempre el cuerpo ascendía y volvía a entrar en el apartamento.

—¡Inyéctenlo con arsénico! —se oyó detrás de los esbirros la voz de Rodríguez Pío, y al instante una jeringuilla llena de arsénico cayó junto a la puerta de Virgilio.

Los esbirros tomaron el cuerpo, que una vez más acababa de ascender, e intentaron ponerle la terrible inyección. Pero la piel del poeta estaba tan endurecida por las comidas farináceas, los yogures de Bulgaria y el sol al que se sometía durante las colas infinitas, que más que piel era un impenetrable caparazón. Aquella tarea era tan inútil como la de tratar de clavarle un alfiler a un cocodrilo. Nuevamente enfurecidos, los esbirros lanzaron al poeta y la jeringuilla llena de arsénico por el balcón y decidieron salir a la calle a tomarse otras cervezas y a pensar cómo podían ponerle fin a aquel delicado trabajo.

—¡Qué pesadilla tan terrible he tenido! —le dijo Virgilio a Rodríguez Pío, que había entrado en el apartamento, al ver que los esbirros se retiraban, con el fin de robarle al poeta, ya supuestamente extinto, su diccionario *Larousse*—. Soñé que unos hombres rotundos, de esos que La Habana no les depara a cualquiera, me lanzaban por el balcón.

—Pesadillas de viejo —lo tranquilizó Pepe—. Los hombres ya no se acuerdan de ti. Acuéstate que mañana no pensarás en nada.

Y se marchó.

A Virgilio, todavía más nervioso, le costó mucho trabajo conciliar el sueño. Además, el ruido del carnaval allá abajo era algo descomunal. Haciendo un gran esfuerzo se quedó dormido. Apenas si había cerrado los ojos cuando otra vez los tenaces esbirros entraron en su cuarto.

—¿Eres tú, Arrufada? —volvió a preguntar Virgilio, convencido de que aquella noche no iba a poder pegar ojo.

Pero el poeta no obtuvo respuesta alguna. Sólo escuchó un ruido sordo que avanzaba en las tinieblas y unos pasos que se arrastraban en silencio. El ruido se detuvo frente a la gran cama donde yacía Virgilio. Entonces uno de los policías secretos de Fifo prendió la luz. Frente a Virgilio estaban los cuatro hombres de su pesadilla, ahora más reales que nunca, rodeando un caballete gigantesco donde colgaba un cuadro protegido por una cortina negra. Al mismo tiempo, los cuatro hombres desvelaron el cuadro que aún estaba sobre el caballete, pues se trataba de una obra fresquísima. Virgilio abrió los ojos como nunca antes lo había hecho, a pesar de haber visto tantos horrores. Lo único que había en el cuadro era un bollo gigantesco pero pintado con tal realismo que aquel sexo giraba enloquecido dentro de la tela, supuraba, emitía desesperados gorgoteos y chasquidos mientras enfilaba todos sus pendejos y su pepita abierta de par en par hacia la cama del poeta. Virgilio Piñera, no pudiendo tolerar aquella presencia inminente, murió de un infarto.

Los cuatro esbirros, luego de comprobar que el poeta había expirado, lo arroparon y comenzaron a organizar sus funerales, que se celebrarían esa misma madrugada. Antes de marcharse cargaron con el cuadro gigantesco, que ya estaba vendido por Fifo a Anastasia Filipovna, que aguardaba impaciente en un yate cerca de la costa. Se trata del *Retrato de Karilda Olivar Lúbrico*, óleo sobre lienzo pintado por Clara Mortera. La tela, de un metro de ancho por dos de alto, es una obra maestra. Actualmente se exhibe en la sala 21 (fetiches y objetos religiosos) del museo de Tirana gracias a una gentil donación de Peggy Guggenheim.

Ña, ñe, ñi, ño, ñu...

Mi ñoña concuña Ñica, semejante a una cucaña en corpiño de vicuña, siempre se engurruña y gruñe cuando con su puño en forma de cuño acuña los coños con que su concuño Geño Ñáñez con guiña la pared aledaña le embarruña.

(Para la Ñica)

Las cuitas del joven Tapón

En medio de todas las complicaciones en que estaba envuelta la Tétrica Mofeta, denuncias, persecuciones, chantajes, enfermedades inconfesables, la visita ineludible a Blas Roka en solicitud de clemencia para el Aereopagita y, sobre todo, en el momento más intrincado y difícil de su novela *El color del verano*, la parte en que Fifo salía finalmente con todos sus invitados al Jardín de las Computadoras, precisamente en ese momento casi culminante e intrincado de la trama, tenía Reinaldo que dejar la novela y partir a todo trapo rumbo a la casa, cuarto o tugurio de Clara Mortera. Allí estaba Teodoro Tapón, redondo y sin resuello, y en su mirada desesperada se divisaba una petición de ayuda para él y para su esposa.

Pero las cosas, pensaba con razón la Tétrica, no eran tan fáciles, mi querida comadre o comadreja. No creas que todo culminaría ahí. Partir y dejar el problema entre Teodoro y Clara resuelto. La Tétrica Mofeta sabía que los problemas entre marido y mujer (ya sea ella una puta y él un pájaro, sea ella una monja y él un caballero de Malta) nunca tenían solución.

Y allí estaba Teodoro Tapón con su rostro de pena en la puerta.

Desde muchos años atrás, la Tétrica Mofeta tenía que sufrir las visitas escurridizas de Teodoro Tapón, quien, siempre desesperado, entraba en el cuarto de la Tétrica Mofeta en el hotel Monserrate y con voz ahogada, mientras batía sus cortos brazos, exclamaba: «¡Por favor, Reinaldo, préstame tus patas de rana, que esta noche me tiro al mar! ¡No puedo más, tengo que abandonar el país!».

Gabriel, con un gesto de resignación, se metía debajo de la cama, extraía sus queridas patas de rana, que no eran ni siquiera un reflejo de aquellas patas flamantes que una vez le robara Tatica, y se las entregaba a Teodoro. De todos modos, pensaba Reinaldo con cierto consuelo, tal vez yo nunca llegue a utilizar estas patas. Por otra parte, Teodoro Tapón, como siempre, me las devolverá. Este pendejo jamás se lanzará al mar.

Y como ya era una costumbre, Teodoro Tapón, ante la presencia de las patas de rana, se serenaba. Ponía su pequeño y cilíndrico cuerpo en una de las pocas sillas de la Tétrica, acariciaba las patas de rana (su última tabla de salvación) y comenzaba a desgranar pacíficamente ante la pobre Tétrica Mofeta el infinito rosario de todas las ofensas que Clara le había infligido. Había en aquella voz quejosa un tono tan resignado al espanto que la Tétrica Mofeta se olvidaba de sus patas de rana y comenzaba a temer por el manuscrito de su novela, a la cual, si no le daba rápido término y expedición, Fifo, sin duda, volvería a destruir. Mientras Teodoro hablaba, Reinaldo trataba de componer al vuelo el capítulo «En el Jardín de las Computadoras».

Entre las inmensas humillaciones sufridas por culpa de su esposa, que Teodoro Tapón nunca olvidaba enumerar, estaba aquélla, la primera, cuando él, embullado por unos amigos de la provincia, conoció a Clara Mortera, que esa noche había convocado a un grupo de marineros para que participaran en el acto del superensartaje donde ella, desde luego, sería el punto clave y final de todos los dardos. Pues bien, Clara no le permitió a Teodoro que participara en aquel acoplamiento sin igual. Sin embargo, al final, con voz melodiosa y conminatoria, entre niña y bruja de alto rango, obligó a Teodoro a que le limpiara el cuarto, que era un desastre, y además a que se quedara a vivir con ella, fungiendo como «tapón» o chulo protector. Desde entonces habían pasado diez años y el cúmulo de humillaciones a que Clara había sometido (y sometía) a Teodoro era infinito.

Todas las noches, cuando Clara llegaba de recorrer los arrabales del puerto o los pantanos del parque Lenin, siempre en aventuras lujuriosas de mala muerte, Teodoro tenía que rasparle con el cuchillo de la cocina las piernas enfangadas a Clara. Era una tarea heroica el quitarle a Clara la costra de fango ya seca que se acumulaba en aquellas piernas raquíticas. Además, antes tenía él que salir a buscar agua por La Habana Vieja, lo cual era casi como salir a buscar oro. Una de mis grandes humillaciones es tener que atravesar el Parque Central con un cubo lleno de agua, confesaba Teodoro con amargura sin separarse de las patas de rana. A veces, luego de subir la monumental escalera del solar donde estaba el cuarto de Clara, con aquel cubo que además se salía y había que soldar con pedacitos de jabón, Clara se negaba a abrirle la puerta. Teodoro tenía que resignarse a escuchar desde afuera los estruendos de una orgía mientras intentaba que el agua del cubo no se escapase totalmente. Tampoco le perdono el que nunca me haya invitado a sus orgías, se quejaba con razón Teodoro Tapón. Si tú pudieras escuchar aquellos gemidos que yo escucho a cada rato detrás de la puerta... Y Teodoro trataba, con voz lenta y ronca, de repetir aquellos alaridos de lujuria. Alaridos que finalmente la Tétrica Mofeta detenía a un movimiento de sus garras en señal de que no era necesario más.

También, Clara había obligado a Teodoro Tapón a fabricar un falo de madera y lo obligaba a que se lo introdujera a ella a la vez que le gritaba «impotente y degenerado». Desde luego que también Teodoro Tapón, como esposo legal (sí, legal) de la genial pintora, tenía que acompañarla en sus visitas a otros pintores y entretener al anfitrión mientras Clara se metía en sus enormes bolsillos del vestido, que ella misma se había confeccionado, tubos de óleos, telas y pinceles. Cuando aquellas visitas no se realizaban (muchos pintores no recibían a Clara), Teodoro, a riesgo de muchos años de cárcel (robo con fuerza y escalamiento en las casas), tenía que robarse las sábanas de las tendederas de La Habana Vieja. En esas sábanas, Clara pintaba obras maestras, que Teodoro admiraba casi avergonzado.

Clara obligaba a su esposo a que invitara a sus amigos a su cuarto y allí les robaba la libreta de productos industriales, que luego vendía en bolsa negra. A mí mismo me robó mi libreta de productos industriales, se quejaba en ese punto la Tétrica Mofeta, yo que pensaba comprarme una camisa de mezclilla que la misma Clara me había prometido pintarme para el gran carnaval... Y volvía a sumergirse en su novela.

También Clara había obligado a Teodoro Tapón a engordar monstruosamente comiendo lo que apareciese (incluyendo yerba y aserrín) para de esa manera poder destacarse como un personaje esbelto y bello. Era realmente patético ver a aquellas dos figuras caminando por el Malecón habanero. Clara, alta, erguida y delgada con un traje largo hecho con sacos de harina bordados por ella misma y con su largo cuello, en el cual se enredaba una joya de fantasía hecha por Poncito; Teodoro, rodando como una bola que la gran Clara empujaba a veces con una de sus finísimas sandalias griegas. A veces Clara vestía a Teodoro de mujer y así salía con él para rebajarlo aún más y lograr que los hombres se fijaran en ella. La sufrida bola, vestida de mujer, tenía que cargar además con todos los atuendos de Clara: maquillajes, sombrillas, perfumes, preservativos, lubricantes eróticos, una estera y otros féferes que ella, como gran dama, se negaba a portar. Lo que más me duele es que me haya obligado a engordar y que me haya obligado a aumentarme la edad, volvía Teodoro Tapón a sus lamentos. Tú sabes que yo sólo tengo veintitrés años y ella cincuenta y siete. La Tétrica Mofeta sabía que Teodoro era más viejo y Clara más joven, pero hizo silencio. Había sencillamente que oír a Tapón —¡ay!, y el capítulo «En el Jardín de las Computadoras» esperándome— contar cómo su esposa lo había obligado a reconocer a todos los hijos que ella había tenido furtivamente con los hombres de los países más remotos. Teodoro Tapón era pues el único hombre del mundo que con una sola esposa tenía tres hijos chinos, uno yugoslavo, cuatro árabes, dos africanos, uno sueco, un ruso, varios griegos, un vasco, un indio y un sirio, que armaban en aquella casa una algarabía insoportable. Con aquella cantidad de niños y niñas de todas las edades, Clara obligaba a Teodoro a que saliera a pedir limosna a la calle mientras ella hacía el amor con algún marinero entre las columnas del puerto. A aquel amante fugaz Teodoro tenía que entregarle el producto de su mendicidad y tenía además que cargar luego con el fruto de ese amor, pues el marinero dejaba preñada a Clara, quien, aunque según Teodoro era una anciana, no perdía su fertilidad.

Teodoro Tapón tenía también a veces que escribir los informes que Clara, como artista clandestina, tenía que redactar sobre los otros artistas clandestinos y sobre los no clandestinos.

Clara (y Teodoro) también tenía que denunciar a las putas que trabajaban por la libre, sin un convenio previo con la Seguridad del Estado. Teodoro tenía que entregar semanalmente esos informes en las Oficinas Centrales de Contrainformación de Fifo, es decir, «en el Jardín de las Computadoras», que aún la pobre Mofeta no había podido terminar... Hasta sobre ti hay que rendir un informe semanal, le había confesado Teodoro a la Tétrica Mofeta, mientras como un niño acariciaba las patas de rana colocadas sobre sus piernas. Pero esa confesión, sin duda sincera, no irritaba a la Tétrica Mofeta ni la alarmaba en lo más mínimo.

Ella sabía que estaba vigilada por los cuatro costados. Especialmente por sus amigos más fieles, como el mismo Teodoro... ¡Tengo que hacer esos informes!, se justificaba Teodoro Tapón. Si no, me cogería la ley contra la vagancia, pues Clara tiene muchos contactos. Hace poco cometió un asesinato y salió impune. La Tétrica Mofeta (como todos en La Habana Vieja) conocía este hecho, pero tuvo, resignada, que volver a escuchar la historia del asesinato de la madre de Teodoro Tapón. Efectivamente, Clara había invitado a su suegra, una campesina de Holguín, a pasar unos días en su casa. Allí la envenenó para robarle unos zapatos de goma y unos aretes de fantasía. Teodoro, impávido y silencioso, tuvo que contemplar aquel asesinato y aquel robo. Pero la irritación de Teodoro culminaba al relatar (y aquí levantaba las patas de rana y volvía a colocarlas sobre sus muslos) el hecho de que Clara lo había obligado a ingresar en la Escuela de Filosofía y Letras de la Universidad de La Habana, ofensa sin límites que obligaba a Teodoro a redactar composiciones literarias y a leer las de sus colegas y además a incorporarse a las milicias universitarias, donde ya ostentaba el rango de cabo de escuadra. Así, como siempre, la Tétrica Mofeta tenía que resignarse a escuchar aquellas terribles cuitas y confesiones de Teodoro Tapón y, sobre todo, tenía que resignarse a oír (aun cuando se tapara los oídos) su exabrupto final y repetitivo:

—¡Pero ya no puedo más! ¡Esta noche me tiro al mar con tus patas de rana! ¡Que me coman los tiburones! ¡Es preferible!

—El único favor que te pido es que si te cogen preso no digas que las patas de rana son mías.

—Descuida —respondía Teodoro. Y tal vez porque se trataba del último adiós, él mismo se invitaba a un té ruso que la Tétrica Mofeta le había comprado en bolsa negra a un bodeguero de Regla.

Sin embargo, sería injusto consignar aquí que Teodoro estaba sometido a Clara Mortera sólo por sentimientos mezquinos o cobardes. Tapón profesaba hacia el talento artístico de Clara una inmensa devoción y además la amaba. A veces la misma Clara era un estímulo para que Teodoro desarrollase su potencial inventivo. Clara había sido el motor que había puesto a funcionar aquella máquina pensante llena de ideas un poco alocadas que era el cerebro de Teodoro Tapón.

De todas las confesiones de Teodoro, la que más interesaba a la Tétrica Mofeta (y desde luego a Gabriel y a Reinaldo) era la de los inventos que, bajo el estímulo de Clara, él había confeccionado o intentaba confeccionar.

En muchas ocasiones se trataba de inventos de carácter doméstico, local o de uso casero para alegría y entusiasmo de unos pocos, como aquel de cargarle el gasto de la electricidad de todo el solar a un bombillo del parque Habana mediante un cable clandestino. El bombillo explotó, pero Teodoro, por consejo de Clara, pudo arrancar a tiempo el cable antes de que llegara la policía. Aquellos inventos también le permitían a Teodoro vivir algunas horas de expectación, de alegría y de burla, pues eran, como todos los inventos, actos de irreverencia.

¿Qué me dicen ustedes del batido de mamey sin mamey ni leche inventado por Teodoro Tapón? Era una cosa extraña hecha con clara de huevo, agua de mar y ceniza, que, según dicen las buenas personas, fue lo que mató a la madre de Teodoro... También Teodoro, siempre bajo el influjo de Clara, había creado una moneda hecha con chapas de refresco Son. Estas chapas o tapas amartilladas podían a veces depositarse en la caja registradora de la guagua y no había que pagar la entrada. Claro, si por casualidad se descubría el atraco («robo al pueblo»), los depositantes tenían que salir desatracados... Suya, de Teodoro Tapón, sí señor, era la idea de la vidriera de cristal rebotable. Se trataba de un cristal especial al cual, cuando un ladrón le tiraba una piedra, la misma rebotaba en la cabeza del caco, fulminándolo. De este modo el delincuente era ajusticiado con el mismo instrumento del delito. El invento no era malo, pero costoso; además, las vidrieras de La Habana no guardaban nada de valor. Al final, Teodoro, bajo presiones de Clara, tuvo que cederle la patente a Fifo, quien la vendió a un joyero francés. Este joyero francés es hoy en día uno de los hombres más ricos del mundo, tiene un inmenso castillo y se pasea por sus alrededores a caballo mientras su mujer, una dama muy fina y culta, hace el amor con el cuerpo de servicio doméstico y con los imponentes porteros negros. Dicen que, con la venta de esta patente, Fifo hizo una gran fortuna (una más) y que adquirió fama mundial como hombre de negocios y hasta de ciencia.

Otras de las invenciones de Teodoro fue la de las bolsas plásticas para los traseros de los totíes del Parque Central de La Habana. De esa manera, esos pájaros, cuyos trinos Teodoro amaba, no cagarían a los transeúntes cuando al oscurecer se conglomeraban con grandes cantos para dormir en los viejos laureles. Pero esta invención tampoco pudo ser costeada por el Estado, que era en definitiva el único patrón. Se necesitaban miles de bolsas negras de polietileno, que cuando las había se utilizaban para sembrar, bajo la orden de Fifo, posturas de café caturla en todos los alrededores de La Habana. Y aquellos totíes cantores, el único gran consuelo de Teodoro, fueron exterminados uno a uno por las tropas de las Milicias Territoriales. Ése era otro golpe al que Teodoro Tapón no podía resignarse.

Tal vez con el fin de entretenerse en algo y no perder de una vez la razón, Teodoro trabajaba ahora con entusiasmo y tesón en una máquina portátil compresora de humo gracias a la cual, al abrir un pistón en su momento oportuno, se podría entrar envuelto en una nube al mismo cine Payret y ver *King Kong*, una película que desde hacía diez años se exhibía en aquel cine, provocando unas colas multitudinarias que ni Teodoro ni Clara ni la Tétrica Mofeta habían podido afrontar. Pero él, Teodoro, Clara, todos sus hijos y Reinaldo (así se lo prometía a la Tétrica) entrarían sin hacer cola y sin pagar en medio de una bola de humo. Ya una vez dentro del cine y con las luces apagadas, quién los iba a descubrir. Ése era el nuevo sueño de Teodoro y el que le impedía, a última hora, tirarse al mar. Pero ya ese sueño o proyecto la Tétrica Mofeta lo conocía hasta en sus más mínimos detalles, pues cada vez que Teodoro lo visitaba para contarle su tragedia y pedirle las patas de rana, le hablaba a la Tétrica Mofeta de aquel invento, en el cual pensaba seguir trabajando dondequiera que carenara.

Pero, esta vez, Teodoro Tapón no había corrido al cuarto de Gabriel en el hotel Monserrate para pedirle sus patas de rana y contarle sus cuitas, sino para comunicarle a Reinaldo, con voz desesperada y ahogada mientras batía brazos y cuello cortos, una noticia urgente:

—Clara convoca a una reunión de emergencia. Parece que es algo muy grave. Dice que estamos perdidos. Me dijo que te dijera que no podías faltar. Te está esperando.

Y sin ofrecer más explicaciones, Teodoro Tapón echó a rodar escaleras abajo de una manera tan veloz y arrolladora que la Tétrica Mofeta pensó que, evidentemente, tenía que asistir a aquella reunión.

Oca, oco, ico, eco...

Al escuchar el eco del cucu, de repente el coco, que era una loca, soltó la oca que tenía en el pico, se enjuagó la boca, se puso una toca, se trepó a la roca y gritando «¡qué rico!» pidió más coca.

(Para Dulce María Leynaz)

Retrato de Luisa Pérez de Zambrana

Aunque la Tétrica Mofeta, a quien además le encantaban los chismes y los chanchullos, partió como una exhalación hacia el cuarto de Clara Mortera, cuando llegó allí comprobó que muchos de los invitados ya habían llegado. El mismo Teodoro Tapón, con su trágica pachocha reflejada en todos sus ademanes (que por lo demás eran muy pocos), le abrió la puerta.

En el centro del cuarto, sentada en un sillón, estaba Clara Mortera con un traje largo y blanco que le cubría las rodillas y el cuello. La rodeaban, tirados por el piso o de pie o sentados como podían, los invitados, que formaban una variadísima gama.

Allí estaban los bisabuelos campesinos de Clara, todos sus hijos, varios marineros cubanos y extranjeros, la Reinaldo Gozaidale y la Dario Mala; ambas locas, supuestamente amaridadas, llevaban jabas con huevos duros y galletas negras, y también iban acompañadas por dos delincuentes de la peor ralea, pues aquellos pájaros viajaban con provisiones de boca y de culo, según ellos mismos confesaban. Desde luego que allí estaba Oliente Churre, aunque sin su madre agónica. Allí estaba también un bonzo budista, con la cabeza rapada pero con una trenza en la coronilla que caía sobre sus espaldas, cubiertas con un largo traje talar hecho de seda finísima. Desde hacía muchos meses se encontraba en la isla y aspiraba, luego de haber hecho miles de trámites políticos y religiosos, a que Fifo lo invitara a su gran fiesta. También tenía interés en ganar prosélitos para Buda y planificaba un desfile meditativo la noche en que estallase el carnaval. Clara, que desde luego pensaba apoderarse de aquel hermoso traje de seda, había colmado al bonzo de esperanzas, aunque en realidad pensaba denunciarlo a Fifo luego de desvalijarlo.

La madre de Clara se encontraba presente, con una trágica cara de circunstancias.

Súbitamente, la única puerta de salida del cuarto tronó con furia. Teodoro, luego de recibir la orden de Clara, abrió no sin mil temores.

—¡Ah, es ella! —le comentó por lo bajo Sakuntala la Mala a Coco Salas.

No le faltaba razón a aquel pájaro diabólico y caballuno en calificar de «ella» al hombre ventrudo y mofletudo que acababa de hacer su entrada. Sí, «ella», ése era su título, pues aunque llevaba altas botas de cuero con espuelas de hierro, pantalones de vaquero, camisa kaki de campesino, sombrero alón y voz engolada, además de unas manillas y de una enorme cadena de oro en el pecho velludo, todos reconocieron en aquella rechoncha bola deshumana a Miguel Barniz. En fin, se le notaba que era un pájaro de la peor catadura, quien venía además acompañado por un hombre de apariencia truculenta, el señor Nancy Mojón.

—Ya llegó el Santo Oficio —le musitó la Tétrica Mofeta a Tomasito la Goyesca y a Renecito Cifuentes.

Muy cerca de ellos y envuelto en una manta, aunque el calor era horrible, se contraía, tiritaba y supuraba sus miasmas Ramón Sernada (la Ogresa), quien ante la presencia de Barniz estuvo a punto de reventar de un solo vahído. Pero con la regia bienvenida dada por Clara Mortera al Inquisidor, todos volvieron a capítulo y hasta el mismo Sernada se sumió en una suerte de aleteo tembloroso. Por lo demás, nublando a la Sernada en todos los sentidos, pululaban numerosos traficantes de obras de arte, policías de cuerpos especiales desconocidos por los otros policías allí presentes, obreros, bugarrones de oficio, putas diplomadas, miembros de alta burocracia de Fifo, conspiradores, pescadores, muchachos del barrio y una gran diversidad de representantes de entidades siniestras o patrióticas.

Pero hay que decir que, opacando a todos aquellos personajes tanto en brillo como en maldad, bondad, astucia, grandeza, sensibilidad e inocencia, se encontraba, además de la Tétrica Mofeta, la Superparca o Gran Parca (como él mismo a veces se autotitulaba), Delfín Proust, la Reina de las Arañas, quien al final de la habitación permanecía amarrada de pies y manos a una barra de hierro adosada a la pared. Delfín estaba allí en calidad de rehén de sí mismo o de su obra, y de prisionero tal vez a perpetuidad. Los motivos eran sobrados.

Desde hacía varios meses Delfín Proust se dedicaba a escribir su autobiografía y a leer trozos de la misma en las casas donde era invitado. Pero esas memorias autobiográficas tenían un carácter cambiante y versátil. Así, por ejemplo, cuando Delfín Proust era invitado a leer en casa de Paula Amanda (alias Luisa Fernanda), suprimía las páginas ofensivas y por lo mismo objetivas que contra esa bruja había escrito, sustituyéndolas por otras en las cuales la Paula Amanda aparecía como la diosa de la poesía, del bien y del genio político. Luego, terminada la lectura, volvía a intercalar las páginas reales y proseguía leyendo en otros salones. Había escrito la partida y la contrapartida de todas las personas mencionadas en su autobiografía. De acuerdo como conviniese a las circunstancias, leía una u otra versión.

Si estaba en casa de una de las enemigas de la Tétrica Mofeta, como era Coco Salas, Delfín leía las diatribas más virulentas contra Reinaldo. Si leía en casa de Reinaldo, relataba minuciosamente cómo Coco Salas había sido golpeado, casi hasta morir, por unos bugarrones de La Habana Vieja, quienes le habían robado la cámara fotográfica que le trajo Halisia de Montecarlo. Tan terribles eran los golpes que había sufrido Coco, seguía leyendo Delfín, que los médicos le habían puesto una garganta de platino y ya no podía mamar más. Desgracia suma, de esa forma concluía la Reina de las Arañas aquel capítulo contra Coco. También en casa de la Tétrica Mofeta, Delfín había leído una enorme apología de Reinaldo, donde comparaba a la Tétrica Mofeta con José Martí. Es indiscutiblemente el único genio de nuestra generación, nuestro apóstol, el único capaz de destruirse por la pasión, nuestra figura definitoria. Así culminaba la apología. Y la Tétrica Mofeta, llena de tristeza, comprendía que todo aquello era cierto. Pero si la Reina de las Arañas le hubiese leído a la Tétrica Mofeta las partes insultantes y ofensivas que contra Reinaldo había escrito, éste hubiese comprendido que todo lo que allí se decía era también cierto.

El caso es que cuando Clara se enteró de que Delfín tenía escritas esas memorias en las cuales en una parte la insultaba y en la otra la pintaba como una reina, invitó a Delfín Proust a tomarse un té ruso en su casa. Allí mismo, con la ayuda de Teodoro, de sus numerosos hijos y del bodeguero de la esquina, dejaron amarrado a Delfín hasta que éste revelara dónde escondía sus memorias. Algunos invitados, compadecidos, se acercaban a Delfín Proust y le introducían en la boca una galleta mojada y hasta un sorbo de café claro y un caramelo.

Según Clara, que consultaba a cada instante una larga lista, aún faltaban numerosas personalidades por llegar, entre ellas Hurania Bicha, Poncito, el agregado cultural de la embajada de Jamaica, la Maléfica, una traficante en pinturas primitivas de las Alturas de Chabón en Santo Domingo... Ahora mismo arribaban Mahoma (la astuta), la Glu-Glú, una refugiada política de Panamá, un egresado de la Universidad de Columbia de Nueva York en compañía de Casandra Levinson y una decena de bugarrones y maricones de nota.

Mientras terminaban de llegar los invitados, la Tétrica Mofeta, haciendo fantásticos equilibrios para moverse entre aquella ola humana allí apiñada, se dedicó a repasar algunos de los cuadros de Clara. Impresionante era el bosque encantado, poblado al parecer por inmensas lianas y hojas violentas y selváticas.

Aquella pintura emanaba una vitalidad y una potencia que no eran de este mundo. Cada flor terminaba en una tijera extraña que se abría y se cerraba incesantemente. Al fondo del cuadro se extendía un mundo infinito con perspectivas alucinantes y aves ladradoras. La Tétrica Mofeta observó con gran devoción aquella obra cumbre, aunque procuró no tocar la tela ni acercarse demasiado a ella. Muchos de los que lo habían hecho habían salido heridos. Ramón Sernada, que una vez fue director de un museo y traficante en pinturas falsas, confesaba a sus íntimos (y por lo tanto aquí no lo podemos escribir) que había cogido el sida por un picotazo de un cuadro de Clara. Aunque eso es dudable, lo cierto es que Clara recibía una pequeña comisión o clemencia estatal cada vez que difundía el virus del sida en la población llana. La Tétrica Mofeta siguió recorriendo entusiasmado aquella insólita pinacoteca. Se detuvo y admiró desde luego el *Retrato de Karilda Olivar Lúbrico*, obra maestra aún no terminada, de la que ya hablaremos más adelante, en el capítulo titulado «Muerte de Virgilio Piñera». Pero cuando Reinaldo cayó en éxtasis fue cuando se detuvo ante el gran cuadro titulado *Homenaje a Luisa Pérez de Zambrana*. Este cuadro, como todas las cosas extraordinarias de este mundo, tenía la cualidad de mostrar siempre diferentes facetas de su misterio. Una vez que se contemplase aquella obra, era imposible resignarse a no volverla a ver.

Como toda obra maestra era inexplicable y, desde luego, inabarcable; tampoco aceptaba una interpretación racional o única. Aparentemente, era el retrato de una mujer. Una mujer joven, trigueña, sentada bajo un árbol, con los cabellos recogidos hacia atrás, con una flor blanca (tal vez mariposa) en la cabeza, con un libro en las manos que no leía, pues la poetisa miraba a quien la estuviese mirando, comunicándole que toda la verdad terrible que decía aquel libro era un acto inútil, que algo más terrible se escondía detrás del primer descubrimiento y así sucesivamente.

El problema es que de aquella mujer, de sus ojos, de sus manos, de sus cabellos, de toda su figura y del conjunto que la rodeaba, emanaba un misterio total, una desolación y una resignación intemporales. Aquel rostro era el retrato interior de una mujer que había visto morir en su juventud a sus cinco hijos y a su esposo. La obra estaba tocada por una pena infinita, tan terrible como la misma resignación que exhalaba. La obra estaba tocada por alguien que venía de la Noche y que había conocido su pavor minucioso. Podría decirse que era como la suma de todas las fatalidades concentradas en una espantosa sabiduría estoica.

Aquella mujer, aquel cuadro, no era un cuadro, era un hechizo, era una fuerza mayor e irrepetible. Algo que solamente ocurre en un rapto de locura genial. Enigma y consuelo, fe en que de todos modos la vida tiene algún sentido, y desesperación absoluta. Concentrado diabolismo y bondades que hacían enmudecer al que lo contemplaba y finalmente tenía que echarse a llorar.

Solamente, tal vez, la *Mona Lisa* podría compararse a aquel retrato que se alzaba en un rincón de aquella pocilga calenturienta y remota. El cuadro, escudándose en la imagen de la derrota, era un desafío triunfante, patético y atroz.

Desde luego que el cuarto de la genial pintora estaba atiborrado de obras maestras que cubrían las paredes y hasta el alto techo colonial. Pero la Tétrica Mofeta, olvidada de todos los espantos —sobre todo del hecho de estar vivo—, siguió ensimismada y conmovida ante el retrato de Luisa Pérez de Zambrana. Haber podido contemplar aquella obra era un privilegio que enaltecía cualquier pena.

Pero súbitamente, Clara le dijo a Teodoro que pasara la tranca a la puerta, pues todos los invitados habían llegado. Y comenzó a hablarle a toda la audiencia.

—Hijos míos —dijo Clara, aunque entre los invitados se encontraban varios de sus ex suegros y hasta su bisabuelo—, ustedes saben que yo durante toda mi vida he sido puta. Conocen todos los riesgos que he tenido que padecer en el desempeño de mi oficio. Pero gracias a él he sobrevivido en todos los sentidos, los he ayudado a ustedes, he mantenido una enorme familia y he trabajado en mis cuadros. Pero sobre todo he vivido en forma independiente y desenfadada, practicando la única profesión que aún no se ha prostituido: la de la putería. Ese magnífico oficio me ha permitido mantener el timón de esta casa y el timón de mi vida. Pero, ahora, algo terrible me ha sucedido. Se me han caído las tetas. ¡Miren!

Clara se puso de pie y se rasgó el escote de su largo vestido blanco, mostrándole a toda la concurrencia unas tetas secas, minúsculas y renegridas que rodaron como lombrices hasta su vientre.

Un «¡Oh!» de horror estremeció a toda la concurrencia, incluyendo al mismo Miguel Barniz. Aquel drama era en verdad desolador.

Todos los hijos de Clara se abrazaron llorando a las faldas de su madre, que seguía de pie, mostrando al mundo sus tetas fallidas. Su bisabuelo, sus ex suegros, la misma madre de Clara (a quien ella tanto le resolvía), se arrodillaron besando su largo vestido desgarrado. El bonzo pronunció unas extrañas y dolidas palabras en su lengua nativa. Los monumentales marineros y los estibadores del puerto lloraban a lágrima viva. Las locas más fuertes se cubrieron los ojos con los brazos. Coco Salas se volvió a quitar los espejuelos. Hasta Delfín Proust, amarrado a su barra de hierro, contemplaba la escena conmovido. Hasta Sakuntala la Mala carraspeó. Pero quizá lo más emotivo eran los gemidos desesperados y roncos que emitía Teodoro Tapón rodando alrededor de la alta figura de Clara.

Entonces, la Tétrica Mofeta, caminando sobre las cabezas compungidas, avanzó hasta detenerse frente a la alta y trágica figura de Clara, y la examinó fijamente. Y al verla así, esbelta, semidesgarrada, con las tetas muertas y la mirada extraviada, Reinaldo comprendió que desde hacía mucho tiempo Clara conocía lo de la caída de sus tetas y sufría por ello, y comprendió que aquel momento de la confesión era su momento de mayor dolor porque hacía pública su derrota. Y la Tétrica Mofeta comprendió aún más: comprendió que el retrato de la sufrida, abnegada, maternal, desesperada, paciente, enigmática e insigne poetisa Luisa Pérez de Zambrana era el autorretrato de Clara Mortera.

Op, ap, ip, ep...

Ante el óptimo rapto, Calipso, la inapta, opta por reptar el eucalipto.

(Para Mayra la Caballa)

El hueco de Clara

Sería injusto no enumerar, en la medida de lo posible, las pruebas de solidaridad que casi todos los invitados le mostraron de inmediato a Clara. El mismo Oliente Churre, en un gesto singular, se comprometió a vender en bolsa negra los medicamentos de su madre agónica y entregarle el producto de esa venta a Clara. Sakuntala la Mala se arrancó un arete de oro, herencia de su bisabuela negrera, y con actitud respetuosa lo depositó como una ofrenda a los pies de la pintora. Hurania Bicha se despojó de sus ajustadores extranjeros, que con tanta batalla había conseguido, y ante Clara los depositó. Mahoma se descalzó sus insólitas plataformas (más de medio metro de tacón) y las puso junto a Clara. El bonzo se cortó la trenza que salía del centro de su cabeza rapada y, también sumiso, la dejó caer a los pies de la Mortera haciendo una profunda reverencia. El mismo Coco Salas prometió bajo juramento venderle a Maya Plisezcaya el secreto de sus mosquitos y con dos jabas llenas de rublos partir con Clara hacia el Mar Negro, cuyas aguas seguramente (afirmaba Coco) revitalizarían las tetas de Clara... Las ofrendas, las promesas, los gestos de estímulo y de compasión seguían repitiéndose. Hasta que Clara, apartando todo el túmulo que ante su largo cuerpo se acumulaba, habló de este modo:

—¡Déjense de tonterías! ¿No comprenden que nada de eso va a poder levantar mis tetas? Ya yo no soy yo.

Ante esa declaración irrebatible reinó el silencio. Pero fue un silencio breve, pues al instante un terrible aguacero tropical irrumpió en La Habana Vieja con tal violencia que parecía que había llegado el Apocalipsis.

Clara recobró su serenidad y gracia y avanzando trabajosamente entre sus amigos, mientras se abanicaba con un plato de lata que Teodoro había robado en una pizzería, dijo:

—¡Me ahogo de calor! A este cuarto lo que le hace falta es una ventana. ¡Una ventana o nos asfixiamos!

Con gran diligencia, Clara repartió entre los invitados los objetos con los cuales se podría hacer un hueco en la pared: un largo cuchillo de cabo de madera, un machete centenario, un puñal, el asta de una bandera, dos tenedores, una pata de cabra y el largo y puntiagudo falo de madera construido por Teodoro.

Se despejó una parte de la pared donde colgaba una obra magistral de Clara, *Pájaros enlutados sobre la matanza de Caonao*, y al instante se comenzó a escarbar en aquella pared. Afuera seguía el aguacero y el calor era realmente mortal, máxime si se tiene en cuenta la cantidad de personas que permanecían encerradas en aquel cuchitril. Abrir la ventana, en fin, era cosa de vida o muerte.

Casi todos, turnándose, arremetieron contra la pared con aquellas extrañas picas, las cuales, además, había que cubrir con trapos para que los golpes no llamaran la atención de la presidenta del comité de vigilancia de la cuadra. Los hijos de Clara arrancaban piedras con la mano, los marineros hundían sus puños en aquella pared que no parecía tener fin; el agregado cultural de Jamaica era un lince con la pata de cabra; Casandra Levinson apuñalaba frenéticamente el hueco, que ya tenía más de dos metros de profundidad. Mahoma golpeaba el túnel con los tacones de sus enormes plataformas. Algunos batosos del barrio se lanzaban dentro del hueco con agudos gemidos de karateca y lo golpeaban.

La Tétrica Mofeta con sus largos dedos e inmensas uñas, raspaba la argamasa.

El calor se hizo más intenso, y aunque ya habían traspasado más de tres metros de pared y el cuarto estaba lleno de tierra aún no habían llegado al otro lado. Uno de los albañiles allí presentes, Lutgardito el de Regla, explicó que aquel solar era una construcción colonial y que en aquellos tiempos las paredes tenían hasta cinco metros de ancho. Pero estas razones, en vez de desalentar a la comitiva, los invistió de una insólita furia.

Y con la desesperación de topos perseguidos por un incendio —e incendio era lo que allí imperaba— continuaron escarbando.

Se acordó por unanimidad liberar a Delfín Proust, que ahora dormía, y hacer uso de la barra de hierro a la que estaba atado.

Delfín Proust se desentumeció, estiró sus muñecas magulladas, abrió sus pequeños ojos de serpiente y lanzó una seria protesta.

—¡Por qué me han despertado! —dijo—. Soñaba que estaba templando con Stalin. Yo estaba sentado sobre el enorme falo del viejo y lo cabalgaba mientras tiraba de sus bigotes. Nos comunicábamos en ruso, como es natural, pues ustedes saben que yo hablo el ruso a la perfección. En el instante en que me despertaron, Stalin y yo íbamos por el tercer orgasmo. Era un palo magnífico, lo confieso. Sólo he disfrutado de esa manera cuando me singaba mi bisabuelo. Mis amores han sido siempre fugaces y casi imposibles...

—Es un destino muy triste —le respondió la Tétrica Mofeta, compadecida—. Lamentamos haber interrumpido tus ilusiones oníricas, pero ahora lo que nos hace falta es la barra de hierro a la que estás atada. O terminamos de cavar el hueco o nos asfixiamos.

—¡Sí! ¡Sí! ¡Pero mi palo con Stalin ha quedado interrumpido, sin duda para toda la vida! ¡Ya no encontraré sosiego alguno!...

Pero pocos prestaron atención a las quejas de Delfín y casi todos, con la pesada barra de hierro envuelta en una de las sábanas de Clara, comenzaron a golpear la pared. Pero aquella barra de hierro, debido a su peso y a su punta roma, no fue de gran utilidad.

Cuando ya parecía que las fuerzas no daban para más y Teodoro era un pobre ratón perdido en aquel hueco al parecer sin salida, Mahoma (la astuta), ayudado por la Tétrica Mofeta y por Lutgardito, arremetió con tal violencia con sus plataformas que los tres salieron despedidos al otro lado de la pared. Oyóse un estruendo descomunal y remoto y todo el mundo pensó que aquellos infelices, con los cuales se había ido también Teodoro Tapón, habían caído en la calle, donde ya serían cadáveres descoyuntados. Pero, de pronto, Teodoro, Mahoma, la Tétrica Mofeta y Lutgardito se encontraron no en la calle Muralla de La Habana Vieja, con la que se suponía que aquella pared comunicaba, sino en la sede central del convento de las monjas de Santa Clara, sede en la cual se habían refugiado las religiosas villaclareñas luego que la condesa de Merlín le pegó fuego al convento provincial. Los cuatro personajes estaban pues ahora en el convento nacional o central de las monjas de Santa Clara. Se trataba de una vasta construcción colonial que las monjas habían abandonado desde el triunfo de la revolución de Fifo, dejando la imponente mole (a la cual se adosaba el solar donde vivía Clara Mortera) absolutamente intacta. Desde entonces, el convento había sido sellado por la Reforma Urbana y nadie más se acordó de su existencia. Era uno de los tantos edificios que Fifo había clausurado y en cuya inmensa puerta se le había colocado, como un signo de lo prohibido o tabú, el cartel de RECUPERACIÓN DE BIENES MALVERSADOS - INRU (Instituto Nacional de la Reforma Urbana), que era capaz de alejar a los ladrones más intrépidos.

Por aquel inmenso local religioso, entre baúles, arcones, mármoles, tapices monumentales, cruces, relojes de pie, bancos de cedro, confesonarios, sillones de mimbre y miles de otros objetos, muebles y artefactos, Lutgardito, Teodoro Tapón, Mahoma y la Tétrica Mofeta se paseaban admirados, contemplando sobre todo el altísimo techo artesonado que acallaba hasta el estruendo del aguacero que afuera retumbaba. Los cuatro personajes permanecieron por unos instantes en éxtasis, apoyados unos contra otros, respirando aquella paz y aquella grandeza que ya no eran de este mundo. Evidentemente, el hueco de Clara les había deparado no solamente una gran fortuna, sino otro universo.

Era un universo monumental y detenido en el tiempo donde no había que pedir permiso para echar a correr y donde finalmente, Mahoma, con sus grandes plataformas calzadas, comenzó a taconear sobre unas baldosas y azulejos medievales que cubrían los restos de la primera madre superiora, que allí habían enterrado hacía más de trescientos años.

—La acústica es perfecta —dijo Mahoma conteniendo el taconeo. Al momento, mirando hacia el alto portillo por el cual habían salido disparados, gritó que tiraran una soga y que bajasen todos a ver aquello.

—Una soga no, una escala —corrigió la Tétrica Mofeta, que en ese momento ya sentía aires medievales.

Toda la comitiva, amarrando sábanas (en las cuales Clara pensaba pintar sus futuros cuadros), comenzó a bajar. Cuando terminó el descenso había dejado de llover y una luz tamizada y multicolor atravesaba los altos vitrales bañando a todos los personajes, que, sorprendidos, caminaban por el convento.

—Esto es una verdadera mina —dijo Mahoma la astuta; aunque era imposible hacer un inventario de todo lo que durante siglos las monjas habían acumulado pacientemente y habían tenido que abandonar en menos de veinticuatro horas. Cada uno empezó a inspeccionar los diversos corredores, los salones, las capillas, las celdas, los dormitorios colectivos, la gran biblioteca, el refectorio, la sacristía, los inodoros y los mil y un compartimentos que allí había, extasiándose ante un tapiz, una lámpara, una almohadilla, una tubería de cobre, un cuadro religioso, un abanico de metal, un tinajero, una mesa de mármol, un baúl, un crucifijo monumental o un santo de madera... En un gigantesco arcón había acumulados extraños objetos cilíndricos de un pie de largo tallados en madera preciosa. Al principio nadie pudo explicarse qué era aquello. Clara, con indiferencia, mientras continuaba su inspección, dijo de qué se trataba.

—No son más que consoladores de palo.

El altar mayor era en verdad majestuoso y estaba bajo una bóveda de cristales de colores.

Cada cual, entre gritos de elogio y de sorpresa, comenzó a apropiarse de lo que en ese instante prefería: una urna, un farol, un mueble antiguo, un azulejo, un relicario, un icono, una tinaja, un libro de música sacra, una vajilla de plata, un consolador, un misal... Pero Clara Mortera, como dueña del hueco, impartió sus órdenes. Primero había que construir una escalera para poder llegar al portillo que comunicaba con su cuarto. Después se vería cómo se iban a sustraer aquellas cosas del convento.

—Recuerden que todo esto pertenece a la Comisión de Bienes Malversados —sentenció objetivamente la pintora—. Todo tiene que hacerse con mucha cautela y sin llamar la atención. Y, desde luego, con mi consentimiento.

Acumulando baúles, mármoles, bancos, literas y sillones en forma escalonada, se improvisó rápidamente la escalera. Desde luego, era imposible que aquella cantidad de objetos y muebles, algunos descomunales, como la cama de la madre superiora, los baúles, los confesonarios y las mesas, pudieran salir por aquel pequeño hueco. Casi todos se dieron a la tarea, ya no tan difícil, de agrandar el agujero de Clara para poder realizar el tráfico.

Oliente Churre se había apoderado de una gigantesca espingarda, de las varias que había (vaya usted a saber por qué) en el convento, y vestido de negro de pies a cabeza, sobre el gran promontorio que formaba aquella complicada escalera, ensanchaba a lanzazos el hueco.

En medio de ese trajín, la Tétrica Mofeta seguía recorriendo decenas de compartimentos, salones, cuevas, criptas, oratorios, la sala de lectura de la inmensa nave... Cuando entró en la cocina, un ejército de ratones se puso en fuga desesperada. Caminando por entre barriles, garrafones y marmitas, la Tétrica Mofeta llegó a una alacena que se alzaba desde el suelo hasta el techo. Abrió aquel mueble hecho de maderas preciosas y ante lo que contempló su rostro se rejuveneció y se iluminó como si toda la luz que entraba en el convento se proyectase hacia ella.

Había descubierto una bodega llena de botellas vacías. Eran cientos de botellas de un verde primaveral, gruesas y resistentes. La Tétrica Mofeta se arrodilló ante aquellas botellas vacías con tal devoción (nunca antes allí manifestada) que hasta las paredes del viejo convento parecían estremecerse. Por primera vez se había realizado allí un verdadero acto de fervor religioso.

La paz y la luz del atardecer crearon una nueva dimensión en el tiempo de aquella inmensa cocina donde Reinaldo seguía arrodillado ante un montón de botellas vacías.

Esa misma tarde comenzó el saqueo. Cada cual cargaba con lo que podía, comprometiéndose a pagarle a Clara la mitad del supuesto precio de la mercancía. Por la puerta del pequeño cuarto del solar comenzaron a salir los objetos más incongruentes, desde ruedas de volantas hasta loceras venecianas, desde cruces gigantescas hasta neveras repletas de libros capitulares, desde ermitas portátiles hasta baúles repletos de látigos de cuero y hopalandas religiosas, desde tapices de más de tres metros de largo hasta extraños floripondios y gigantescos arcones con agarraderas de plata... A media noche, cuando el saqueo era más febril, se presentó en la puerta de Clara la presidenta del comité de vigilancia de la cuadra. Rápidamente, Clara, que anotaba en una libreta todo lo que salía del hueco, lo tapó con su cuadro *Pájaros enlutados sobre la matanza de Caonao* e invitó a pasar a la jefa de vigilancia. Sin más rodeos, la presidenta del comité de vigilancia dijo:

—Mira, Clara, no te voy a pedir la propiedad de esas cosas que salen de tu cuarto. Pero sí quiero que me digas ahora mismo cómo de un lugar tan pequeño pueden salir tarecos tan grandes.

Entonces Clara, que sabía que era imposible continuar el tráfico sin el consentimiento de la presidenta del CDR, o comité de vigilancia, corrió su famoso cuadro y le mostró el hueco a la investigadora, diciéndole:

—Puedes bajar y coger lo que más te guste.

La presidenta del comité de vigilancia se asomó al hueco y quedó por unos momentos pasmada mirando aquella cantidad de locas, cheos, niños, putas y ancianos que a la luz de gigantescos faroles trataban de mover, empujar, alzar o desarmar las cosas por ella más insospechadas. Saliendo de su letargo, la presidenta del CDR se precipitó escaleras abajo, cogió una enorme hamaca de cañamazo y en ella metió unos calderos de cobre, la taza de un inodoro, unos tornillos y unos clavos de línea que nadie sabía qué hacían allí, y con aquel inmenso jolongo volvió a subir la improvisada escalera y se despidió de Clara diciéndole:

—Yo no he visto nada. Que eso quede bien claro. ¿Oíste?

—Ni yo tampoco he visto nada —le respondió Clara mientras miraba fijamente el enorme bulto que cargaba la jefa de vigilancia—. De todos modos, cuando necesites algo puedes volver.

Con el visto bueno de la presidenta del CDR, Clara y su comitiva comenzaron a desmantelar el convento como si hubieran sido agraciados por una bula papal y con la velocidad de ardillas previsoras contra un invierno inminente.

Por toda La Habana Vieja se vieron cruzar los objetos más insólitos montados sobre vehículos de tiro que no eran más (en la mayoría de los casos) que cuatro tablas con ruedas de madera fabricadas dentro del mismo hueco. Más de diez locas forzudas halaban un carromato donde viajaba un órgano de viento; Mahoma empujaba una gigantesca poltrona; los hijos de Clara tiraban de una extraña e improvisada carreta llenas de bolas del mundo; Miguel Barniz, roja y redonda, pujaba propulsando un gigantesco cajón lleno de orinales esmaltados y aguamaniles de porcelana; detrás iba Casandra Levinson con una carretilla repleta de libros religiosos que pensaba vender a precio de oro en un centro cultural neoyorquino. Mientras estos dos personajes siniestros cargaban con aquella cantidad de orinales y literatura religiosa, que no le pagarían a Clara, ya pensaban en el informe que iban a redactarles a las computadoras de Fifo... Un negro arrastraba una bañera de mármol, repleta de alambres de cobre, lámparas de aceite, misales y falos de madera.. Un pájaro tiraba de un carricoche lleno de anafes y vírgenes de yeso. Varios marineros hacían rodar calle abajo, rumbo al mar, un tapiz descomunal. Vajillas, tubos de bronce y de barro, cojines, garrafas, azulejos, relojes de péndulo, pilastras, mesas de mármol, sillones, confesonarios, ermitas portátiles y camafeos salían disparados de aquel pequeño cuarto rumbo a destinatarios desconocidos pero ávidos. Casi todo podía ser sacado y vendido, pero cuando Tomasito la Goyesca emergió del hueco con dos bidones repletos de gasolina blanca, Clara puso una cara muy seria y dijo que aquello no estaba en venta.

Por último, Clara, sabiendo que era imposible controlar aquellas ventas, decidió cobrarle a sus clientes o asociados un derecho de peaje. La estancia en el hueco se cobraría por minutos. Cada cual tenía que pagarle una suma en efectivo a Clara y podía sacar casi todo lo que quisiera si el tiempo (y en esto Clara era implacable) se lo permitía.

Como las demandas eran cada vez más enormes, se impuso entre todos los traficantes un espíritu de competencia casi insostenible. A veces una anciana, raquítica y mal alimentada tenía que sacar de allí cincuenta tinajones de barro en menos de quince minutos para poder cubrir los gastos del peaje. Otras veces, Oliente Churre, en cinco minutos, tenía que cargar con noventa cilicios de hierro que envueltos en varios mosquiteros producían un estruendo infernal al ser arrastrados solar abajo. De todos modos, en pocas semanas, los muebles, los utensilios y los objetos más o menos transportables que poblaban aquella nave fueron vendidos. Desde luego que la presidenta del CDR realizaba casi todas las tardes una visita atemorizada al hueco de Clara, agarraba lo primero que encontraba (una loseta, la pata de una silla, la bisagra de un baúl, el fondo de un sillón, los muelles de un colchón, una garlopa o un escapulario) y salía con cara atribulada.

La Tétrica Mofeta, ayudada por la Llave del Golfo y hasta a veces por Teodoro Tapón, contribuyó eficazmente a poblar toda La Habana de objetos que, según las leyes de Fifo, podrían calificarse de «extravagantes». Los borrachos de las cervecerías piloto tomaban ahora la cerveza en cálices de plata, las amas de casa hacían cola para el vinagre provistas de inmensos garrafones violeta; los niños de La Habana Vieja jugaban a la pelota en plena calle con bomboneras de cobre que al ser golpeadas por bates, que eran en realidad grandes crucifijos, producían un ruido insólito.

Los bembés en homenaje a san Lázaro y a santa Bárbara resplandecían con enormes cirios medievales. Muchos de los cuartos de baño más remotos de la ciudad fueron cubiertos con azulejos mozárabes y en los cuchitriles más oscuros colgaban tapices holandeses.

La Tétrica Mofeta, siempre con la ayuda de la Llave del Golfo, se construyó una barbacoa regia hecha con maderas preciosas y escalera de caracol y tapizada con los más finos lienzos religiosos. El cuarto, multiplicándose, adquirió un baño con tubería de cobre, sala con mesa de mármol y muebles tallados en una sola pieza y desde luego un largo camafeo. Lámparas de lágrimas de cristal colgaban por toda aquella habitación. Luego, la Tétrica Mofeta convirtió la ventana de su cuarto (que ya no era cuarto, sino un apartamento de dos plantas) que daba al vacío en una puerta, y a partir de esa puerta, con cabillas y pedazos de madera que se introducían en el edificio de al lado, construyó un balcón volado al cual le puso barandas de bronce, mosaicos con flores de lis y grandes rosetones. En aquel improvisado balcón (o terraza) que atravesaba la caja de aire del edificio, por lo cual reinaba allí siempre una temperatura muy agradable, la loca colocó sillas de mimbre, mesas de hierro forjado, macetas con plantas robadas en el parque Lenin, grandes vitrales y fanales que en las noches de pico eléctrico (que eran casi todas) producían un resplandor extraordinario que hacía rabiar de envidia hasta al mismo Coco Salas, aunque su cuarto era en verdad una vidriería medieval.

También Oliente Churre había decorado su tienda de campaña con todo tipo de argollas, tapetes, tapices, esteras, flores de nácar, mantones y libros capitulares. La madre agónica de Oliente Churre decía que se iba a asfixiar entre aquella cantidad de objetos que atiborraban la tienda de campaña, entre los que se encontraba una espingarda y una extraña mandolina colocadas tal vez en actitud de ofrenda frente al retrato de Isabel II de Inglaterra. Pero la madre agónica se quejaba ahora envuelta en un sudario negro que también había sido extraído del convento.

De aquella extraña casa de campaña salía a veces Oliente Churre ataviado con algunos atuendos que había sustraído del hueco: gran casulla, alba, capa pluvial, sandalias negras, mitra de oro, manto y manípulo. Oliente caminaba ahora apoyándose en un bastón tricentenario.

Esta aparición no causaba ninguna sorpresa en los habitantes de La Habana Vieja, pues todos estaban imbuidos en el frenesí alucinatorio de los objetos de Clara —trajes, muebles, ventiladores de techo, mantones, salterios, misales, látigos, rosarios— y todos, de una u otra forma, se las arreglaban para conseguirlos y hasta para regalarlos o subastarlos. Famosa, por cierto, fue la subasta de Biblias empastadas que desde un árbol del Parque Central realizó el Aereopagita.

Al mismo José Lezama Lima, que, entonces vivo (o resucitado, ya no recuerdo bien), se informaba con lujo de detalles de todo lo que sucedía en el hueco, la Tétrica Mofeta le regaló una enorme cruz de plata con larga leontina de oro. Con esa inmensa cruz colgando de una de sus piernas pantagruélicas se presentaba Lezama en la UNEAC, poniendo en fuga a Nicolás Gillotina, quien encerrado en su oficina le pedía a Tedevoro que le bailase y cantase el *Sóngoro cosongo*. Lezama decía que aquella cruz exorcizaba hasta al mismo Lucifer, pues tenía un *pótens* de quinientos años. Con María Luisa Bautista del brazo, Lezama entraba en la pizzería La Bella Napoli, que estaba en la calle Trocadero, y no tenía que hacer cola, aunque hubiera (y siempre las había) miles de personas aguardando. La cruz le abría el camino. María Luisa, ordenaba Lezama con voz asmática antes de salir a la calle, agarra el *pótens* que nos vamos para la pizzería.

También se rumoreaba que Mahoma (la astuta) había hecho una fortuna fabricando plataformas con maderas preciosas y piel de becerro que extraía del hueco de Clara.

A pesar de que el tráfico en el hueco de Clara era incesante y éste parecía ya completamente saqueado, a cada rato se encontraban entre los escombros objetos insospechados, como cofias de metal y látigos de cuero y hasta una extraña joya sagrada que destellaba un brillo asombroso. En una cámara en tinieblas descubrieron un cepo, por lo que a Clara le vino otra vez la idea de castigar a Delfín Proust, que a todas éstas no había entregado su autobiografía. La Reina de las Arañas, ante aquella perspectiva, salió a escape envuelto en un mantón de holán fino y con su inmensa cabeza cubierta por un sombrero de obispo, tal vez olvidado en aquel lugar desde hacía siglos. Mientras Delfín Proust se escapaba de aquel solar que se había convertido en un hormiguero, subía con parsimonia Oliente Churre en traje pontifical. Las dos locas se persignaron y cada una continuó su rumbo... En un inmenso portamantas se descubrieron más de cien trajes de hombre, antifaces, encajes negros, uniformes de granaderos, una pequeña bala de cañón, vestidos de gala, mantillas y otras confecciones finísimas.

Clara Mortera, que también dominaba a las mil maravillas el arte de la alta costura, arregló para ella los trajes más insólitos y guardó algunos de ellos para la ya famosa y futura exhibición de disfraces prohibidos que con la autorización de Fifo se realizaría el día del gran carnaval. No era pues extraño, como ya hemos casi consignado, ver deambular por toda La Habana Vieja a personas vestidas de la manera más estrambótica, pero como a Fifo le había dado por fomentar el turismo precisamente en aquella zona, ni siquiera los diligentes enanos podían sorprenderse ante tales apariciones. Además, aunque aún faltaba mucho tiempo para el gran carnaval, ya habían comenzado los ensayos. Parecía pues normal tropezarse con aquellas figuras ataviadas de manera tan estrafalaria. Ni siquiera Sakuntala la Mala pudo llamar la atención cuando atravesó la calle Muralla enfundada en un traje de maderas medievales. Se trataba de un retablo sagrado que ella (o él) había transformado en tríptico y que se abría y cerraba a su antojo, mostrando su horrible cuerpo desnudo.

Pero hay que reconocer que el negocio de las maderas fue desde un principio capitalizado por la Tétrica Mofeta y la Llave del Golfo. Conociendo que uno de los tantos problemas de La Habana Vieja y de toda la isla era el de la vivienda, a la Tétrica Mofeta se le ocurrió la idea de que con aquellas maderas que cubrían el techo artesonado y todas las dependencias se podrían fabricar barbacoas a domicilio; la misma regia barbacoa que se había construido la Tétrica y, desde luego, la que le había construido a Clara, eran ejemplos hechizantes. Además, ¿quién que viva en un cuartucho no quiere multiplicar su espacio? Y si se tiene en cuenta la altura de los puntales de La Habana Vieja, se comprenderá cuán fácil era construir allí barbacoas sin que los habitantes se abollasen la cabeza al ponerse de pie. Así, bajo el impulso de la Tétrica Mofeta, de la Llave del Golfo y de un pequeño equipo de ayudantes, entre los que se encontraban Teodoro Tapón y Lutgardito, La Habana Vieja se convirtió en la única ciudad del mundo que comenzó a crecer para adentro. La barbacoa diseñada por la Tétrica Mofeta fue el último grito y la gran solución de la vivienda urbana. A cualquier hora de la noche, la Tétrica Mofeta y la Llave del Golfo (que ya dormía en casa de la Tétrica) eran despertados por alguna ama de casa desesperada que quería separarse de su marido y que por lo tanto necesitaba una barbacoa. Mujeres recién paridas solicitaban urgentemente una barbacoa. Locas que querían independizarse de su familia, y hasta singar sobre las cabezas de sus padres, pedían casi a gritos su barbacoa.

La construcción de la barbacoa se hacía bajo contrato verbal y con el pago por adelantado de la mitad del costo; en cuanto estaba terminada la barbacoa había que pagar la otra mitad so pena de que la misma barbacoa desapareciese al instante. Una barbacoa tenía que levantarse en una noche y en silencio, pues desde luego, Fifo las perseguía bajo el acápite de «construcciones clandestinas». Pero hay que confesar que casi toda la población, incluyendo la policía secreta de Fifo, hacía la vista gorda ante aquella proliferación de barbacoas (con la que muchos resolvían el problema del hábitat) y hasta colaboraba en aquel trabajo febril. En una sola noche, casi todos los cuartos del hotel Monserrate se duplicaron y aunque el estruendo de los martillazos era enorme nadie pareció escuchar ni el menor sonido... Para las personas escasas de recursos económicos, la Tétrica Mofeta diseñó la semibarbacoa, que era una suerte de balcón interior adosado a un lado de la exigua habitación.

Todas las maderas del convento, las columnas, los puntales, los parales, el techo artesonado, las tablas de pino que estaban encima del artesonado, sobre las cuales, entre unas planchas transparentes, descansaba el tejado, fueron sacadas del convento.

A cualquier hora del día se podía ver en el altísimo techo de la nave religiosa a la Tétrica Mofeta y a la Llave del Golfo, quienes, serrucho en mano, abatían aquella inmensa armazón que retumbaba como las jarcias de un barco. Después había que atravesar la ciudad con el cargamento y esa misma noche levantar una o veinte barbacoas.

Como las demandas seguían siendo cada vez más desesperadas e incesantes —hasta tres comandantes solicitaron seis barbacoas—, llegó un momento en que se agotó la madera. Entonces, bajo las orientaciones de Clara, sus asociados se dedicaron a demoler las paredes interiores del convento y a desmontar todas sus tejas. De esta manera, el que ya no podía tener una barbacoa podía, por lo menos, construir una pared y gozar de cierta privacidad. Otras personas construían en las azoteas una suerte de palomar techado con tejas españolas. Teodoro Tapón se dedicaba a raspar pacientemente las tejas y los ladrillos antes de que fueran expedidos a sus consumidores.

Un día, al derrumbar una de aquellas gruesas paredes descubrieron un cuarto sellado donde había cinco cajas fuertes. Aquí está el tesoro de las monjas, dijo Lutgardito. Mientras Clara, Coco y la Superchelo cantaban a toda voz con el fin de opacar cualquier otro ruido, Lutgardito, la Tétrica Mofeta y Teodoro arremetieron a mandarriazos contra las cajas fuertes. Todas estaban vacías. Lo único que encontraron fue el testamento de una de las primeras monjas del convento —cuando aquello todavía ni siquiera era realmente el convento de Santa Clara—, la cual legaba todos sus bienes al pirata William Morgan «por su constante fidelidad a mi persona»... Pero Lutgardito razonó que las monjas no podían haber cargado su fortuna para España cuando apenas si podían huir con los hábitos que tenían puestos, y que en algún lugar del convento estaba enterrado el tesoro.

Se compraron en bolsa negra picachones, palas y barretas y comenzaron las labores de excavación. Todo el recinto se llenó de enormes furnias; hasta debajo del altar mayor, que Clara no quiso vender, se hizo un hueco. Pero el tesoro no apareció.

Solamente descubrieron un cementerio para niños recién nacidos. Era una fosa común llena de huesos mínimos. Evidentemente las monjas habían dejado bien oculto el fruto de sus amores prohibidos. Con gran solemnidad se volvieron a sepultar todos aquellos huesos y se puso punto final a las excavaciones.

—Capaz que encontremos aquí hasta el esqueleto de Cristóbal Colón —dijo Clara.

Cuando todos los huecos habían sido cubiertos con la misma tierra que habían tenido que remover, Lutgardito, furioso y desengañado, clavó su barreta en el piso. Entonces saltó un líquido tan precioso en toda La Habana Vieja y en la isla completa que podía considerarse que habían descubierto el tesoro. Era agua. ¡Agua! Sin querer habían arremetido contra una cisterna subterránea que, por lo baja que se encontraba, recibía el agua que por su poca fuerza y abundancia no podía llegar a las pilas de las casas. Todos, hasta la misma Clara, decidieron bañarse en aquellas aguas casi milagrosas. Después se organizó la venta de agua al por menor por toda La Habana Vieja. El agua se vendía por latas, por cubos, por galones, por litros y hasta por vasos. Las colas frente al cuarto de Clara eran desmesuradas.

Lutgardito, Teodoro Tapón, la Tétrica Mofeta y la Llave del Golfo se pasaban el día entero bajando al convento y subiendo con recipientes llenos del precioso líquido, que Clara se encargaba de despachar y cobrar. Después, gracias a los contactos de la presidenta del CDR (que ahora era íntima de Clara), se consiguió un motor con una manguera, y el agua podía subir hasta la misma puerta donde se extendía la cola infinita.

Tarde en la noche, la Tétrica Mofeta y la Llave del Golfo se iban para el hotel Monserrate y hacían crujir la barbacoa que ante aquellos embates siempre despedía un aromático olor a cedro recién cortado. Los crujidos se confundían con el estruendo de las botellas vacías que la Tétrica Mofeta guardaba celosamente debajo de la cama, también de cedro. La Llave del Golfo se irritaba ante el estruendo de las botellas y en varias ocasiones intentó tirarlas a la calle, pero la Tétrica Mofeta se lo prohibía terminantemente. La Llave del Golfo terminó resignándose a aquel estruendo, tal vez porque gracias a la Tétrica Mofeta le había construido una barbacoa a su madre, otra a su novia de turno y varias a sus parientes campesinos del municipio de Guane, en Pinar del Río.

—Casi todo el mundo tiene ya su barbacoa —decía la Tétrica Mofeta cuando recibía a alguien en su casa—. Pero la mía es la única que está hecha con cedro del Líbano. Sí, cedro del Líbano. Yo mismo escogí la madera. Cuando hago el amor casi escucho *El cantar de los cantares* de Salomón.

El convento quedó completamente desarbolado, sin pasillos, ni columnas, ni baldosas, ni paredes interiores, ni techo artesonado. Lo único que en realidad casi quedaba del convento era un inmenso cascarón con sus grandes paredes exteriores, el altar mayor y un techo formado sólo ya por unas planchas transparentes. Desde luego, el gran portón se mantenía, como siempre, cerrado con su inmenso candado y el sello oficial de la Reforma Urbana. Dentro, el aspecto era el de un barracón de esclavos, el de una plaza de toros o el de una catedral gótica sometida a los estragos de un terremoto. El piso era ahora de tierra, bien apisonada por la infinita paciencia de Teodoro Tapón. Nada había allí para vender, salvo el agua. Clara, haciendo uso de la manguera, regó todo el interior del convento y lo sembró de tomates. La enorme tomatera abasteció por unos meses a casi toda La Habana Vieja, pero sucumbió a los yerbazales. Entre esos yerbazales, Clara plantó sábila, llantén, albahaca y numerosas plantas aromáticas y medicinales y hasta imponentes astromelias que perfumaban todo el recinto. Se decía que Clara, que conocía de magia y de medicina ilegal, pensaba instalar un herbolario clandestino y sostener consultas privadas. Pero es posible que eso fueran sólo rumores.

El hueco de Clara le deparó a todo el grupo unos meses de reposo. Allí se conglomeraban numerosos amigos, conocidos, y a veces hasta desconocidos, para tomar el sol que se filtraba a través de las planchuelas transparentes del techo. Los problemas económicos estaban momentáneamente resueltos. Clara tomaba el sol desnuda, tendida sobre el altar mayor, que nunca quiso vender, mientras por toda la nave la gente se abandonaba a sus propios placeres. La Pornopop (la única loca yeyé que queda en Cuba) declamaba en voz alta sus poemas pornopops que pensaba recitar en la fiesta de Fifo, en tanto que Coco Salas y la Superchelo emitían trinos operáticos. Las Tres Parcas tejían sosegadamente el destino de los demás. Delfín Proust abría sus brazos de par en par mientras saltaba, estremeciendo los cactus, que le llenaban las manos de púas. Los hijos de Clara nadaban en la cisterna de donde todos bebían. La Tétrica Mofeta escribía sobre una piedra y la Llave del Golfo corría por el convento y hacía todo tipo de ejercicios para conservar su graciosa figura: él sabía que en el próximo y último carnaval sería elegido para la ceremonia de la elevación del Santo Clavo. Por encima de las yerbas y los matorrales, que habían crecido con la violencia y la exuberancia de quien ha esperado cuatrocientos años para manifestarse, saltaban locas que lanzaban grandiosos jetés, interrumpiendo las lecturas, las composiciones literarias y hasta las meditaciones de pájaras sabias y de funcionarios caídos en desgracia.

Pululaban por el convento (o por lo que había sido el convento) actrices retiradas, marineros cansados del mar y numerosos adolescentes que se dedicaban a «estar allí», sabiendo que aquel paraíso —como todos— sería efímero. También se guarecían en aquel recinto putas prófugas, vagabundos, desertores del servicio militar obligatorio, niños que habían sido abandonados por sus padres y amas de casa que no querían saber nada de la cocina, ni del fregado, ni de todas las calamidades que impone un hogar; hasta la directora de la Biblioteca Nacional, ya ciega y en desgracia, se refugió en aquella nave acompañada por María Las Tallo. Un día le hicieron un homenaje al Caballero de París (alias Alejo Carpentier), que allí también se había cobijado desesperado, pues temía que de un momento a otro se descubriera su identidad literaria y Fifo lo enviara de agregado cultural a la Martinica. *J'ai toujours détesté le tropique mais une petite île tropicale c'est trop...* De pronto, entre los yerbazales se erguía la figura gigantesca de Ramón Sernada (la Ogresa), quien buscaba en el jardín interior del convento, que él consideraba sagrado, una yerba, una planta, una hoja, una raíz o un bejuco mágicos que le curara el sida. La Ogresa, arrastrándose penosamente, llegaba hasta el altar, donde Clara tomaba el sol, y le mostraba una nueva rama o una hoja. Clara la olía y la rechazaba con pena. Pero seguía alentando al enfermo. El día que descubras esa yerba nos haremos millonarios, le decía. Pero si no la descubres no te preocupes que de todos modos todos estamos en el mismo bote y no tenemos escapatoria. Amamos demasiado la vida para vivir mucho tiempo, además, no vale la pena... Pero llégate a la cisterna y date un baño, que el agua lo cura todo. Clara, a modo de despedida, cerraba los ojos y se estiraba sobre el altar mientras un sol tamizado y dulce bañaba su cuerpo desnudo.

Un día, Clara salió de su letargo de sol. Subió a su barbacoa; desenrolló todos los tapices, los lienzos, los mosquiteros, las sábanas de hilo y las mantas que había sacado del hueco o que había comprado (gracias al hueco) en bolsa negra, y comenzó a pintar. Encerrada en aquella inmensa nave, ajena a todo lo que pasaba a su alrededor, en menos de un mes creó más de trescientas piezas magistrales. Nunca se vio una energía semejante ni un genio con tal vitalidad explosiva. En cinco minutos pintaba de blanco un tapiz multicentenario y sobre ese tapiz surgía un cuadro único hecho por las manos casi invisibles de Clara.

En pocas semanas el recinto estuvo atiborrado de obras maestras. También, Clara trasladó al hueco todos los cuadros que había en su cuarto, aun aquellos que no había terminado, como el *Retrato de Karilda Olivar Lúbrico*. Ayudada por sus amigos, toda aquella obra se montó de la forma más apropiada, poblando el convento. Hasta en el mismo altar mayor se erigieron grandes tarimas que sostenían óleos irrepetibles, entre ellos *El color del verano o Nuevo «Jardín de las delicias»*, con explosión y derrumbe sonoros en la parte final del tríptico. A la Tétrica Mofeta no le molestó que Clara usara el nombre de su novela para este cuadro. Sabía que Clara y él era una misma persona y por lo tanto sus obras se complementaban... Cuando la exposición estuvo instalada, Clara decidió dar una fiesta de inauguración.

La inmensa nave se iluminó con todos los fanales, faroles, lámparas de aceite, anafes, cirios y velas que Clara guardaba encima de su barbacoa. Antes de que se abriese la exposición a un público clandestino y sabio y también a los curiosos de todo tipo, se tenían noticias de aquel acontecimiento único en la historia de la pintura cubana y del mundo. Unas trescientas obras cumbres de un solo pintor, reunidas en un mismo local, pintadas en un solo rapto de inspiración y expuestas con carácter temporal es algo que se da muy pocas veces (o tal vez una sola vez) en la historia del arte.

La exposición se realizó.

El público que se las agenció para entrar, además de los amigos y enemigos de Clara, era numerosísimo. La entrada era gratis. Todos deambulaban por entre aquellas telas sin poder abrir la boca o sin poder cerrarla. Estando allí era imposible hacer comentario alguno, ni nadie lo esperaba. Aquello había sencillamente que verlo. Algunos lloraban en silencio. El universo completo —por lo menos el universo de Clara Mortera— con todas sus visiones, mitos, terrores y éxtasis había llegado a una eclosión final. La pintora no había podido visitar nunca el Museo del Prado, ni el de los Uffici, ni el Louvre. No había salido nunca de la isla. Sin embargo, en aquel hueco mal iluminado se exhibieron aquella noche cuadros muy superiores a las obras que cuelgan permanentemente en los citados museos.

La exposición duró tres días, cerrando a la tercera noche, cuando ya las velas se extinguían.

Antes de que se apagaran todas las luces, Clara invitó a una cena. Se repartieron huevos duros y agua de la cisterna.

Mujeres, hombres y pájaros ataviados con atuendos insólitos, además de toda la intelectualidad cubana, de los consejeros culturales extranjeros y de los embajadores, desfilaban ante los cuadros con un huevo duro en la mano que brillaba como una extraña fruta. Finalmente, guardaban el huevo en un bolsillo o en la cartera como recuerdo de una noche (tal vez la única) mágica.

«Se trata de un cosmos resuelto. Todo el que sale de ahí sale hechizado. En ese convento he escuchado las trompetas de la Epifanía», todo eso pensó sin decirlo José Lezama Lima cuando llegó a su casa, acezante y casi al borde del desmayo, aunque había sido llevado en una litera de mano por la Tétrica Mofeta, Mahoma, Sakuntala la Mala y Delfín Proust.

—Allí está todo y como está todo no se puede explicar nada —comentó Virgilio Piñera en casa de Olga Andreu.

Pero hay que reconocer que Virgilio sólo vio dos de los cientos de cuadros que allí se exhibían: el *Homenaje a Luisa Pérez de Zambrana* y el *Nuevo «Jardín de las delicias»*. Ante aquellas obras pasó Virgilio toda la velada, como si hubiese comprendido que ya no había que seguir adelante y que además era imposible apreciar más de trescientas pinturas magistrales en una sola noche.

Al otro día, Clara Mortera clausuró la exposición y cerró la entrada del hueco con un pedazo de cartón. Nadie más (hasta el día del carnaval), con excepción de la pintora, volvió a entrar en el recinto.

Lo que más lamentaron los vecinos fue que con el cierre del hueco quedó suspendida definitivamente la venta de agua.

Sia, sie, cio, sio...

En pleno iconastasio, entre versos de Horacio, estatuas de Samotracia y cantos beocios, Anastasia de Rusia y Anisia de Prusia, asidas a una silla Aspasia, combaten el ocio con licenciosas caricias.

(Para Nancy Mojón y Hurania Bicha)

La Conferencia Onírico-teológico-político-filosófico-satírica

Toda la comitiva, siguiendo a Fifo, abandonó rápidamente el Teatro-Acuarium, cuyas aguas subían de nivel. Fifo navegaba en una gran balsa de motor. Detrás venían los invitados también en balsas, en gomas plegables, en lanchas, en botes de remo, en chalupas de vela y hasta en góndolas súbitamente improvisadas por los diligentes enanos, que las manipulaban con destreza.

Fifo estaba excitadísimo y mostraba un gran interés en llegar al Jardín de las Computadoras, que rugían desesperadamente. Pero cuando atravesaba un largo pasillo inundado divisó el salón de las conferencias internacionales. Se trataba de un enorme hemiciclo de techo abovedado y de acústica perfecta aunque ya las aguas comenzaban también a tomarlo. Fifo detuvo su enorme balsa, en la cual viajaba con sus preferidos e íntimos. Y abruptamente decidió que en ese mismo instante tenía que celebrarse en aquel salón, y antes de que fuera totalmente cubierto por las aguas, la Gran Conferencia Onírico-teológico-político-filosófico-satírica que era parte fundamental de su programa festivo. Al instante se impartieron las órdenes apropiadas para que se iniciase la conferencia.

Mientras todos navegaban hacia el hemiciclo, al final del cual se levantaba una enorme tarima con una larga mesa y sillas de diversos tamaños, el presidente del Pen Club de Alemania, el señor Günter Grasoso, quiso imponerle a Fifo la gran Medalla de Honor que concedía su organización al intelectual más destacado de Occidente en los últimos veinticinco años. Rojo y sonriente de oreja a oreja, el escritor germano, envuelto en una chaqueta negra, saltó a la balsa donde navegaba Fifo y le colocó la medalla. Todo se hizo rápidamente y sin mayores complicaciones. Pero cuando el escritor terminó de colocar el galardón, Fifo se infló de tal manera que su prominente vientre, dilatándose, empujó sin querer al autor de *El tambor de hoja-rata*, expulsándolo de la balsa. Al momento su pesado cuerpo desapareció en las profundidades del salón junto con la medalla, a la cual se había aferrado en la caída.

Varios vietnamitas se lanzaron al agua tratando de recuperar el precioso objeto (nos referimos a la medalla); también otras personalidades se zambulleron en las aguas turbulentas, entre ellas el presidente de México, el jefe del Instituto de Deportes de Siria, el rector de la Universidad Mundial de Santo Domingo y el escritor Carlos Puentes. Pero nada encontraron.

Fifo, acompañado por altas personalidades de la ciencia, la cultura, la religión, la política y la filosofía, se encaminó en su balsa a la gran tarima donde de un momento a otro comenzaría la Conferencia Onírico-teológico-político-filosófico-satírica. En tanto que la comitiva se...

—¡Un momento, querido, que ahora sí te cogí en el brinco! Has cometido una grave omisión literaria.

¿Cuál, si se puede saber, mi querida Sakuntala la Mala?

—Elemental. Elemental, mi querido Reinaldo; si en esa conferencia van a participar tantos científicos importantes: «altas personalidades de la ciencia», como acabas de escribir, la conferencia entonces tiene que llamarse Conferencia Onírico-científico-teológico-político-filosófico-satírica. Se te olvidó la palabra científico, que es fundamental.

Pues mira, loca, que en este caso tienes razón. Tú sabes que yo soy tan distraída...

—Eres distraída cuando te conviene, pues cada vez que pones mi nombre siempre te acuerdas de agregarle el epíteto de «la Mala». Así que de ahora en adelante me pones Sakuntala y se acabó. O Daniel Sakuntala, que son los nombres que aparecen en mi partida de nacimiento en Nuevitas.

Bueno, bueno. Eso lo veremos. Ahora déjame seguir con mi condena.

En tanto que la comitiva se acomodaba en sus objetos flotantes, los enanos manejaban con presteza enormes mangueras que mantenían el agua a un nivel tolerable.

Imposible relacionar aquí todos los integrantes del gran panel.

Entre otras personalidades estaban allí Maltheatus, Macumeco, la reina de Holanda, la Tétrica Mofeta, Fray Bettino, Tomasito la Goyesca, la condesa de Merlín, Joseph Pappo, el presidente Pro-Liberación de la Tierra de Fuego, el obispo de Santa Marta, Alderete con una peluca roja, el alcalde de Venecia, Coco Salas, el director del Ballet Nacional de Chile, La Supersatánica, el inventor del sida, la presidenta de la Federación Mundial de Mujeres, el jefe del cártel de Medellín, el inventor de la bomba de neutrones, la Papayi, la Venus Eléctrica, Jimmy Karter, Delfín Proust, la Antichelo, el presidente de la Liga Internacional Comunista, la Tiki Tiki, Robert Recfort, la Superchelo, además de numerosos escritores famosos (algunos resucitados especialmente para este evento a pesar de ellos mismos, como era el caso de André Breton) y príncipes regentes, dictadores y asesinos de nota. Presidía la conferencia el jefe de la Academia Sueca, quien, según le manifestó al alcalde de Pretoria, estaba allí por su condición neutral.

También merodeaban por aquella mesa gran cantidad de estudiosos, relatores, oidores y observadores que trataban incesantemente de acercarse a Fifo. Pero éste, además de su guardia personal y de su hermano, sólo permitió que se sentaran a su lado y le dirigieran la palabra la Marquesa de Macondo y Carlos Puentes, fieles expresiones de una raza de pigmeos acéfalos, achaparrados, ambiciosos, altaneros, delincuentes y grasientos a quienes Fifo escogió para que lo escoltaran intelectualmente, pues sabía que junto a aquellos esperpentos él no dejaría de brillar.

Antes de que comenzara la conferencia, las luces del hemiciclo se apagaron. Por unos instantes sólo se oyó el gorgoteo del agua y el ruido sordo de las bombas y mangueras. Pero al momento se iluminó una enorme pantalla y se exhibió en estreno mundial el largometraje *Adiós a Maritza Paván*, filmado hacía cuarenta años en el bosque de La Habana por Alfredo Güevara. La presentación de la película estuvo a cargo del marqués de Pinar del Río, el director del Festival Internacional de Cine de La Florida y responsable del festival Nuevos Directores de Nueva York y el presidente del Instituto Cinematográfico de Cartagena. Al final del largometraje resonó un aplauso cerrado y entusiasta. Entonces y para sorpresa de casi todos apareció en el escenario Maritza Paván. Se trataba de un pájaro centenario que había abandonado la isla hacía cuarenta años dando una fiesta de despedida en el Bosque de La Habana (en torno a esa fiesta giraba la película) y que ahora se encontraba entre los invitados de honor que Fifo esa noche quería presentar para ganarse el beneplácito de la opinión pública mundial y la ayuda económica de los Estados. A Maritza Paván se le ovacionó durante diez minutos, aunque fue imposible ofrecerle una ovación de pie dado que era muy difícil mantenerse erguido sobre una balsa, una góndola o cualquier otro pequeño artefacto flotante.

Terminada la ovación, el jefe de la Academia Sueca abrió la conferencia.

El capítulo teológico fue contundente. En una prerrogativa leída por el obispo de Santa Marta y, según él, aprobada por los jefes de todas las Iglesias, se llegaba a la conclusión de que sólo había un Dios: Fifo. El momento era solemne. Fifo, que ya había logrado (gracias al presidente de Venezuela) la investidura cesárea, ahora obtenía la divina. Por desgracia para Fifo, en ese momento, y sin que estuviese programado por él, levantó la mano Salman Rishidie y dijo que era imposible hablar de la existencia de Dios sin mencionar también la existencia y potencia del diablo y las pruebas irrebatibles de dicha existencia.

En ese instante en el gran panel se irguió la figura de Tomasito la Goyesca, quien agitaba un inmenso cartapacio.

—Aquí tengo —dijo— las pruebas irrebatibles de la existencia del diablo, que ahora mismo les voy a leer.

Parada sobre las plataformas regias que nuevamente le había comprado a Mahoma, Tomasito la Goyesca leyó todas las pruebas irrebatibles de la existencia del diablo, documento inobjetable, que había redactado la Tétrica Mofeta, en el cual se llegaba a la conclusión de que la prueba máxima de la existencia del diablo era el mismo Fifo. Fifo, desde luego, condenó a Tomasito la Goyesca a muerte, pero en aquel momento no podía hacerse pública ni realizarse la ejecución.

—Me le cortan el cuello y la lengua en pleno carnaval —le musitó a uno de sus oficiales más acuciosos, quien le transmitió la orden a Raúl Kastro.

Desde luego, aquellas acusaciones contra Fifo levantaron una airada protesta encabezada por Carlos Puentes y Elena Polainatosca. Por unos momentos el guirigay fue ensordecedor. El jefe de la Academia Sueca, tal vez por considerarse neutral, no sabía qué hacer. Pero Dulce María Leynaz, tomando el martillo que el académico debía manipular, dijo que aquél era un panel donde cada cual podía expresar lo que quisiera y que luego quedaría abierto al debate.

—Y si no se callan, no entrego al Estado el manuscrito de *Bodas de sangre* de Federico García Lorca, que es además lo único que place al paladar de mis ratones...

No se podía permitir que se perdiese aquel manuscrito, que Fifo ya había vendido y cobrado a la Universidad de Halifax en Nueva Escocia por una fortuna. Tenía, pues, que proseguir la conferencia.

Ahora le tocaba hablar a la Tétrica Mofeta dentro del capítulo teológico.

—Ya que hemos hablado de Dios y del diablo, lo cual a la larga es una misma cosa siniestra, tenemos que adentrarnos en el infierno, o en el paraíso, lo cual, desde luego, es lo mismo. En toda vida, en toda obra, en todo libro (es decir en todos los infiernos), hay un descenso al infierno absoluto. Desciendan conmigo. El viaje será breve, pues sólo les mostraré las siete maravillas del socialismo cubano.

En un viaje relámpago que duró unos quince minutos pero que

sintetizaba cuarenta años de espanto la Tétrica Mofeta realizó el descenso al infierno cubano más reciente.

Otras ponencias fueron más largas que la de la Tétrica Mofeta, pero hay que tener en cuenta que ésta también había participado (y por adelantado) en el capítulo satírico con sus «Treinta truculentos trabalenguas», por lo cual no podía abusar del tiempo. Memorables fueron las disertaciones de André Breton en el capítulo onírico sobre «Los sueños imposibles», la ponencia de la Antichelo sobre «Las siete grandes categorías de la locura», que osciló entre lo científico y lo filosófico, y sin embargo, esta disertación fue leída bajo el capítulo teológico (quizá porque hablaba de «la locura sublime» y por lo tanto divina). Dentro de los capítulos teológicos y filosóficos se destacó la exposición «Nuevos pensamientos de Pascal o Pensamientos desde el infierno», texto apócrifo leído por la Supersatánica, quien explicó que Pascal no pudo ser resucitado porque no se sabía a ciencia cierta dónde estaba su tumba... En el acápite científico hay que antologar la ponencia «Relojes y máquinas de vapor» de la condesa de Merlín, la cual hacía una sustanciosa crítica a la máquina de vapor («causa de tantas destrucciones y esclavitudes») y a los relojes («que sólo sirven para recordarnos la muerte»); en el capítulo político brilló Fray Bettino con su texto «Grandes capitanes de la aurora», en el que realizaba la apología de Hitler, de Stalin y de Fifo y atacaba a la democracia, calificándola de «algo efímero y vulgar, consecuencia de la falta de grandes hombres que le sepan poner brida a las pasiones humanas». Esta ponencia levantó un enorme revuelo en la audiencia, que provocó otra vez el desasosiego del jefe de la Academia Sueca, por lo que, de nuevo, Dulce María Leynaz, a martillazos, restauró la disciplina.

Dentro de los capítulos filosóficos y teológicos, la continuación de la conferencia estaba ahora a cargo de Oliente Churre.

Sin embargo, por intrigas de la Tétrica Mofeta, de Coco Salas y de la Reina de las Arañas, a Oliente Churre se le había negado la entrada al palacio. Pero Oliente se las arregló para hacer llegar su texto a la presidencia del panel, quien no pudo rechazarlo, pues el mismo se ajustaba a los requisitos de la conferencia. Es más: casi la completaba. Se había hablado de Dios y del diablo, se había descendido al infierno, faltaba pues hablar de los goces del paraíso y de la misión de los paradisíacos y de todos sus avatares y luchas por llevar a cabo una vida mundana y feliz. En una nota al margen, Oliente Churre pedía que, ya que a él, el autor, no se le permitía leer su texto, que el mismo fuese leído por el obispo de Canterburry, pero el obispo con sólo tirarle un vistazo a aquellas páginas cambió de color pasando del rojo al negro retinto. Y así, negro, se quedó para el resto de sus días, por lo cual fue objeto de ofertas eróticas atrevidísimas por parte de Tomasito la Goyesca, Delfín Proust, la Tétrica Mofeta, la Vieja Duquesa de Valero y la condesa de Merlín, a quienes los negros les fascinaban... El caso es que la ponencia de Oliente Churre seguía sobre la mesa mientras el agua continuaba inundando el gran salón y nadie se atrevía a leerla.

Fue finalmente la reina de Holanda quien, tal vez por vivir en los Países Bajos y estar acostumbrada a todo tipo de inundaciones, tomó el texto de Oliente Churre, que estaba escrito en latín y lo leyó sin pestañear en un español casi perfecto, aunque saltando o sustituyendo algunas palabras como «espingarda», «archivoltas», «repantingamiento», y locuciones como *sursum corda* y *ut supra*. La tesis de Oliente Churre era sencilla y profunda:

Se había perdido el sentido de la vida porque se había perdido el paraíso y se había perdido el paraíso porque se había condenado el placer. Pero el placer, perseguido, execrado, condenado, esquilmado y casi borrado del mundo, aún tenía sus ejércitos; ejércitos clandestinos, silenciosos y siempre en peligro inminente, pero que no estaban dispuestos, de ninguna manera, a renunciar a la vida, esto es, a hacer gozar a los demás. «Ese ejército», retumbó la voz de la reina de Holanda por todo el recinto inundado, «está formado por los maricones. Ellos son los héroes de todos los tiempos, los verdaderos sostenedores de la ilusión del paraíso y los que a toda costa pretenden recuperarlo.» Aquí la loca explayó su conferencia hacia el Egipto y los grandes amores masculinos de Timosis I, Timosis II y Timosis III; saltó a Mesopotamia, ofreciendo una detallada lista de todos los efebos que habían encantado las noches del rey Assurbanipal; brincó hasta los griegos, «cuya exaltación del amor de un hombre hacia otro hombre nos ha legado la obra maestra de todos los tiempos, la *Ilíada*», llegó a Roma y fue pródiga en citas de genios y Césares que habían vivido fundamentalmente para hacer el amor con los hombres. Llegó a Cristo, «aquel joven de treinta y tres años que vagaba predicando y practicando el amor con doce mozalbetes». Y a un ademán de la reina se proyectó en la gran pantalla una pintura antiquísima en la que se representaba a Jesucristo con las piernas abiertas y a Juan, el amado, un adolescente divino, durmiendo plácidamente con la cabeza sobre aquellas piernas ante la beatitud del Señor y del resto de los discípulos. Luego se pasó a analizar el catolicismo, las fiestas paganas con sus ejércitos invencibles del placer y la propagación de la hoguera. «Los bellos cuerpos desnudos fueron mutilados, las estatuas se cubrieron de ridículos mantos píos y hojas de parra o sus sexos fueron cruelmente cercenados. Encapuchado y desencapuchado, el medievo desplegó, y aún despliega, su sórdido esplendor. Pero la batalla por recuperar el paraíso jamás se ha detenido, y el ejército del placer, los ángeles verdaderos expulsados de la vida, siguen practicando, como sea y donde sea, lo que los inquisidores y cobardes llaman el "pecado nefando"...» Se ofreció una relación detallada de los horrores que habían padecido las locas y los bugarrones desde el imperio de Constantino hasta la implantación de la moral burguesa y del comunismo militante. Se invocó a Heliogábalo, a Julio César, a Shakespeare, a Luis XIII de Francia, a Shelley, a Lord Byron, a Eduardo II de Inglaterra, a Miguel Ángel, a Whitman, a Luis de Baviera, a Petronio, a Jacobo I de Escocia, a Chaikovski, a Marcel Proust, a Passolini, a Gide, a Cortázar, a Mishima, a Van Gogh, a Oscar Wilde, a Genet, a García Lorca, a Tennessee Williams, a Gombrowicz, a Benavente, a Virgilio Piñera, a Lezama Lima y otros mil nombres famosos. Se hizo una relación de los sufrimientos por los que habían pasado casi todas las locas. Se sacaron a colación millones de indios exterminados, según declaraciones del propio cronista y soldado López de Gómara, por haber practicado la sodomía... «Y sin embargo, a pesar de la persecución», se elevó la voz de la reina de Holanda, «aquellos nativos seguían reuniéndose en grupos de más de tres mil para practicar el amor prohibido.» Se citaron las locas de la colonia también perseguidas, las locas de la república también discriminadas, las locas masacradas bajo el comunismo y el fascismo. Se iluminó la pantalla y aparecieron locas rusas congeladas en gulags remotos, locas carbonizadas en campos de concentración nazis. Se mostraron fotografías de las locas cubanas confinadas en los campos de concentración de Fifo. Se exhibió incluso un documental en el cual se veía a las locas mientras eran recogidas en el Parque Central de La Habana, en las playas, en el Paseo del Prado, en la heladería Coppelia, en el teatro García Loca y hasta en la Loma de la Cruz de Holguín y en La Gran Piedra. Se mostró un campo de confinamiento para las locas víctimas del sida. Se mostraron prisiones, cayos, torres y túneles atestados de prisioneros sexuales. En un rápido recuento fílmico aparecieron locas sembrando café en el Cordón de La Habana, locas cortando marabú en Camagüey, locas arrancando yerba con la mano en Pinar del Río, locas picando piedras en canteras inundadas. Se enseñó una foto del famoso chofer Pingapistolas, el que había arrestado en Londres a César Lapa, la mulata de fuego. Se trataba de un imponente ejemplar masculino del Ministerio del Interior de Fifo que portaba bajo los calzoncillos un revólver calibre 45. Su labor secreta consistía en detectar qué diplomático cubano era pájaro. El chofer se sentaba al timón con la pistola en la bragueta. La pobre loca, en un momento de delirio, de arrebato o de vida, se lanzaba a aquel promontorio. Y de repente veía que lo que tenía entre las manos era una pistola. Si la sueltas dispara, decía el chofer, quien al momento fotografiaba a la loca con las manos en la masa. Así, por culpa de aquel Pingapistolas, se frustraron las carreras diplomáticas no sólo de la César Lapa, sino también de la Paula Amanda, de la Retamarina, de la Harolda Gratmatges, de la Jibaroinglesa, de la Rogelio Martínez Furiosa, de la Pereyrra, de cientos de seres más que ahora deambulaban enloquecidos o envilecidos por el mundo por los predios de Fifo, acobardados y amedrentados —chantajeados— por aquella fatídica fotografía (la mano sobre la bragueta de Pingapistolas) guardada en los archivos secretos de Fifo. «La documentación es abrumadora e irrebatible», seguía diciendo el texto, «pasemos ahora a las conclusiones.»

La reina de Holanda tomó un poco de agua de una botella que ella, precaviendo cualquier envenenamiento, llevaba en su cartera, y prosiguió la lectura.

«Hace sólo unas semanas, mientras me encontraba en el teatro García Loca, viendo bailar, desde luego, a Halisia, me llamó la atención el comentario que una loca le hizo a otra detrás de mi butaca. "Salí esta mañana y aún no he retornado." Ése fue el comentario que escuché y el mismo fue como una iluminación de todas nuestras vidas. ¿Quiénes son los que retornan? Las aves migratorias, los pájaros, en su perenne afán de encontrar el clima adecuado, el nido, el árbol, el gajo donde quedaron los recuerdos. Un homosexual es un ser aéreo, desasido, sin sitio fijo o propio, que anhela de alguna manera retornar a no se sabe exactamente qué lugar. Estamos siempre buscando un sitio que al parecer no existe. Estamos siempre como en el aire y atisbando. Nuestra condición de pájaro es perfecta y está muy bien que así nos hayan calificado. Somos pájaros porque estamos siempre en el aire, en un aire que tampoco es nuestro, porque nuestro no es nada, pero que al menos no tiene fronteras.

»Y aun cuando estemos en la tierra, como en estos momentos, estamos siempre como propensos a alzar el vuelo, por eso tenemos siempre esa expresión alerta o como de andar siempre en puntas o como de "golondrina en cruz", como dijo nuestro gran poeta, siempre a la expectativa, al garete con la ilusión pajaril de un retorno casi imposible; un retorno que sería, indiscutiblemente, un retorno al placer. Y el placer, ya se sabe, es un rasgo paradisíaco. Nosotros somos los expulsados del paraíso. Y el paraíso ha sido además abolido. Los verdaderos chivos expiatorios en nombre de los cuales se suprimió el paraíso hemos sido nosotros. Porque nosotros somos las verdaderas aves del paraíso. No nos abochornemos de regar plumas en público. Una de nuestras misiones como pájaros edénicos es la de llenar el mundo de plumas de todos los colores y tamaños para que nadie se olvide de que descendemos del paraíso y de que tenemos la intención de recuperar ese paraíso del que fuimos expulsados. Y fuimos expulsados del paraíso no porque fuéramos la clásica y bíblica pareja que debía amarse "castamente" y no lo hicieron de ese modo, sino porque éramos distintos; porque los verdaderos Adán y Eva eran dos hombres (dicen que uno disfrazado de mujer) o dos locas, o dos mujeres que rompieron la norma celeste, porque buscaban su propio cielo. Y no existe otro cielo que el del placer. Eso está demostrado desde el principio de la vida. Ante nosotros tenemos pues una tarea sacra: crear el ejército del placer, o, mejor dicho, continuar siendo soldados de ese ejército, reforzándolo. Ésa es una misión divina porque enaltece (y hasta hace por momentos olvidar) lo humano. Nuestro objetivo es la creación (o si se prefiere, la preservación) de una mitología y de una metafísica del placer. Misión peligrosa, arriesgada y desinteresada, porque en definitiva lo que buscamos es que los demás se diviertan. ¿A qué hombre no le gusta que un pájaro le mame la pinga? Un pájaro además que aparece súbitamente y que luego alza el vuelo o desaparece sin complicaciones de ningún tipo. Seamos sinceros, el goce que siente ese hombre es extraordinario. Y ese goce lo proporcionamos no solamente gratis, sino que a veces hasta pagamos. Y también al hacer gozar gozamos. Lo bueno que tenemos las locas es que cuando miramos para atrás podemos decir: ¡Cómo hemos vivido! Porque hemos hecho que la gente viva. De ahí pues mi decisión concluyente de crear o intensificar la mitología y la metafísica del placer. Y escribo "metafísica" porque se trata de una teoría general de corte aristotélico y de un gran fervor piadoso. Las locas formamos una entidad religiosa y por lo tanto fanática y sagrada cuyo fin es proporcionar y recibir el placer. Contra todo el horror del mundo, y aun dentro del mismo, anteponemos lo único que poseemos, nuestros cuerpos esclavizados, como fuente y receptáculo de goce. De ahí la justificación de una santa patrona para nuestros altares aéreos (vilipendiados y destruidos); pues toda entidad religiosa debe tener "mártires" y, aun en nuestro caso, "vírgenes" que de una u otra forma simbolicen o resuman nuestro inacabable vía crucis. Porque hemos padecido y padecemos todos los sufrimientos típicos que azotan al género humano (calamidades domésticas, enfermedades, vejez, abandono, soledad), pero además de todo eso cargamos con otros sufrimientos aún más terribles. Hemos padecido todo tipo de escarnio y de exterminio. Hemos sido enterrados vivos, emparedados, quemados, ahorcados, fusilados, discriminados, chantajeados y confinados. Se ha intentado (y se intenta) borrarnos del mapa. La ciencia, la política y la religión se han puesto al servicio de nuestra destrucción. Con la creación del virus del sida, fabricado especialmente para aniquilarnos y aniquilar todo intento de aventura (pues toda aventura encierra una inquietud y una posibilidad eróticas), se quiere poner punto final a nuestra historia, historia que no puede tener fin porque es la historia de la vida misma en su manifestación más rebelde y auténtica. Se persigue por todos los medios un mundo casto, práctico y sobrio. A ese horror nos oponemos rotundamente, asumiendo todos los riesgos posibles y esgrimiendo a cada instante la gran arma (la única arma) que poseemos: el placer.»

Es muy probable que en este punto terminara la ponencia de Oliente Churre, leída por la reina de Holanda, pero tampoco podemos afirmarlo, pues en ese instante, como una rana amenazada por una culebra, saltó Delfín Proust, la Reina de las Arañas, y habló de este modo:

—Lo que no entiendo de esta ponencia es por qué se intenta establecer una diferencia entre hombre y loca, cuando en definitiva toda loca es hombre y todo hombre no es más que una loca. Existen, señoras y señores, cuatro grandes categorías entre las cuales se agrupan todas las locas, y esas cuatro grandes categorías abarcan naturalmente a todos los hombres. Escuchad, pues, las "Cuatro grandes clasificaciones de todas las locas". Y no olvide, señor, que en una de esas categorías se encuentra usted. Sí, se encuentra usted, acéptelo o no lo acepte. La realidad es más avasalladora que su propia mojigatería o su cobardía. Así que abra las orejas y escuche:

»*Primera categoría o grupo:* LA LOCA DE ARGOLLA (también conocida como "loca de atar"). Camina como una araña ciega, como un topo desesperado, siempre en busca de una bragueta. Su inquietud fundamental es el falo y a cada instante está en trance de muerte o desesperación. No duerme, apenas si come. No deja rincón, escondrijo, solar, playa, matorral, escalera o urinario sin registrar. Nunca encuentra el objeto de su deseo y cuando cree encontrarlo se queda aún más desesperada, y parte en estampida hacia una nueva búsqueda. Es un ejemplar tan escandaloso que el sistema la ha provisto de una argolla metálica que lleva al cuello. Esa argolla puede ser visible o invisible.

»Cada vez que por alguna razón política, moral o económica, la loca de argolla debe ser confinada en un campo de trabajo, lo único que tienen que hacer los agentes del sistema es tirarle un garfio a la argolla. Así, este tipo de loca es recogida fácilmente. Una vez en el campo de trabajo, unidas por una varilla metálica que atraviesa las argollas, las locas siembran papa, malanga, tomate, cortan caña, marabú, henequén o realizan cualquier otra labor ingrata. Aunque se les persigue incesantemente, proliferan cada día más, a veces hasta hacen sonar su argolla mientras caminan. Un ejemplar típico de la loca de argolla es Tedevoro. Aquí la tienen, aunque no en persona, como yo hubiese querido.

La gran pantalla que estaba detrás de la mesa de conferencias se iluminó y en ella apareció la imagen de Tedevoro que reunía todos los rasgos que la Reina de las Arañas (también loca de argolla) le había atribuido.

Se apagó la gran pantalla, y Delfín Proust o la Reina de las Arañas prosiguió su discurso.

—*¡Segunda gran categoría!* LA LOCA COMÚN (o loca simple). Este tipo de loca tiene su compromiso, que es otra loca común, y suelen pasearse bajo algún pinar mientras comentan pequeños proyectos, comprarse un par de chancletas plásticas, dar un viaje a Varadero. La loca común vive generalmente con su madre y va siempre a la cinemateca a ver *Los paraguas de Cherburgo*. Pequeño oficinista, traductor, burócrata minúsculo, usa camisas blancas de manga larga, a veces va de cuello y corbata. No sueña con recibir la obra de un posible macharrán. Veamos un ejemplar típico. Éste se llama Reynaldo Filippe, pero podría llamarse Juan Pérez o Jesús Briel.

La gran pantalla se iluminó y en ella apareció la foto en blanco y negro de una loca de unos cuarenta años, peinada con una raya al costado, de labios finos y facciones regulares e impersonales que en algo recordaba a T.S. Eliot. Pero Hiram Proust aclaró que aquella loca, por ser tan común, era desconocida y que lo que allí se mostraba era un ejemplar *sui generis* que podía verse en cualquier sitio.

—Es como si estuvieran contemplando una hoja en blanco —dijo Delfín y se apagó la pantalla—. En la *tercera categoría* se encuentra LA LOCA TAPADA (o loca tapiñada). Esa loca puede llegar a ser abogado, profesor de marxismo leninismo, militante de la Juventud Comunista, dirigente de una empresa, miembro del Partido Comunista y párroco de una iglesia católica. A veces dirige una revista literaria y realiza viajes a Bulgaria o a Mongolia. Desde luego, la loca tapada es una loca que se niega rotundamente a ser loca. Es una loca fatal, pues casi nunca puede manifestarse en su total dimensión. Vive aterrorizada temiendo que le tiendan alguna trampa fálica. No quiere saber nada de las otras locas. Vegeta en plena renuncia. Sin embargo, a veces, no pudiendo más, entra en el baño de una cervecería piloto. Allá, al final del urinario, simula orinar un negro de verga retadora. La loca tapada no puede más. Lleva años de abstinencia, asistiendo al parque Lenin con sus hijas cogidas de la mano o reuniéndose en el comité de cuadra, donde es activista. La loca tapada, toda temblores, se acerca al falo gigantesco, estira el dedo índice, allí donde precisamente lleva el anillo de compromiso de su esposa, aquel fardo del cual nunca podrá deshacerse. La loca aterrorizada toca el falo reluciente, lo aprieta con una mano, mira desesperada hacia todos los rincones, hacia la puerta del baño. Desesperada se agacha, mama por unos segundos; de pronto, cree haber escuchado un ruido, unos pasos. La loca se incorpora y echa a correr por toda la cervecería piloto, temerosa de que el negro saque una pistola y allí mismo la arreste. Atraviesa en son de fuga la ciudad y se refugia en su casa junto a su esposa y a sus hijas. Ese día seguramente invitará a su suegra a comer en una pizzería... Os ruego que contempléis con pena y piedad la imagen de esta loca compungida y sufrida.

La pantalla se iluminó y surgió la figura de Luis Marrano, director de la revista literaria *La Maceta de Cuba*. El pobre ejemplar vestía de saco y corbata y llevaba una boina verde. Su aparición en la pantalla causó cierto revuelo pues se sabía que el director de *La Maceta de Cuba* estaba en el salón. Pero este funcionario medio se quitó rápidamente la boina verde olivo y se desprendió de su saco y se quedó en mangas de camisa. La pantalla, por suerte, se apagó de inmediato y la Reina de las Arañas siguió hablando.

—La *última gran categoría* de las locas es LA LOCA REGIA. Se trata de una loca única que hace vida de loca, que no le oculta a nadie que es loca, que ocupa cargos políticos prominentes, que viaja a los países capitalistas, que tiene varios carros y varios choferes, a los cuales ella les administra el timón fálico. La loca regia es dueña de secretos insólitos, de una maldad descomunal, de un talento ilimitado y oportunista, de un pasado que la vincula a los poderes más sórdidos y permanentes. Inmune a todo descalabro o chanchullo político y moral, ella es en sí misma un secreto o un enigma estatal. Tal vez en su juventud tuvo relaciones contundentes con un jefe de Estado, con el presidente de la ONU, con un rey o con un dictador vitalicio. He aquí un ejemplar de loca regia.

La pantalla se iluminó y en ella apareció un ministro de Fifo, el señor Alfred Güevaavara, quien para mayor escándalo ocupaba la balsa oficial a la cual había vuelto Fifo. Se trataba de una loca fofa, casi transparente, de ojos chinos, pómulos pronunciados y cara mofletuda, de papada mediana y calva inocultable. Desde luego que era imposible que la concurrencia no reconociese a aquel personaje. Por lo que se escuchó un rumor ensordecedor en todo el inundado hemiciclo.

Para colmo, cuando se apagó la pantalla, Delfín Proust, avanzando por la plataforma que conducía al público flotante, comenzó a señalar las locas regias que se hallaban en la fiesta y todos los tipos de locas allí presentes.

En ningún momento a Fifo le satisfizo el tono que fue tomando la Gran Conferencia Onírico-teológico-científico-político-filosófico-satírica. Si hasta aquel momento la había tolerado a regañadientes era para dar pruebas a sus invitados de su magnanimidad y liberalismo (aunque muchos de los participantes en la conferencia habían sido condenados secretamente a muerte por Fifo), pero cuando Delfín Proust, con desparpajo sin igual, comenzó a señalar como locas regias a casi todo el equipo oficial de Fifo y hasta a sus mismos escoltas, éste no pudo más y ordenó a sus enanos que sin mayores trámites ultimaran a la loca antes de que prosiguiera con su arrebato.

Sólo una condición se le impuso a los asesinos: la loca tenía que ser traspasada a cuchillo o con cualquier arma blanca, pues el uso de una pistola o de un arma de fuego en medio de una conferencia podía ser considerado como un insulto a la concurrencia y podía además herir a algún invitado. Así, mientras la pájara saltaba vertiginosamente de balsa en balsa señalando el título de la loca que allí se encontraba —regia, de argolla, común, tapada—, los enanos, cuchillo o puñal en mano, la perseguían de cerca y le lanzaban puñaladas y a veces hasta le tiraban los cuchillos, que sólo las piruetas incesantes de Delfín podían sortear. Algunos de aquellos cuchillos y puñales se clavaron en las balsas provocando su hundimiento y el de sus ocupantes. Mientras tanto, la loca perseguida, con saltos de rana regia, seguía escapándose y brincando de uno a otro objeto flotante a la vez que señalaba al pájaro que allí se encontraba. En ese momento tan crítico en que los cuchillos y puñales partían como flechas, Delfín Proust, levantándose la piel de la cara, que era una careta, exhibió al público lo que parecía ser el verdadero rostro del personaje: se trataba de la Chelo. La revelación era terrible. No se podía matar impunemente a un aliado de esa envergadura, aunque hay que aclarar que debajo del rostro de la Chelo se ocultaba el rostro auténtico de la Antichelo, quien de esa manera, y por órdenes de la condesa de Merlín, se vengaba de la Chelo. Fifo se mantenía rojo de furia mientras lo invadían las interrogaciones. ¿Liquidarían a la que hasta ahora había sido para él una fiel Mata-Hari?

¿Le perdonaría la vida a aquel maricón burlesco? En ese instante crucial, retumbó de una manera aún más estentórea el aullido de las computadoras que bramaban desde su jardín, clamando por los informes. El llamado era inaplazable. Sonaba con las cornetas, trompetas, alarmas o sirenas que suelen escucharse momentos antes de que empiece un bombardeo atómico. De modo que, mientras el palacio seguía inundándose, Fifo dio la orden de partir inmediatamente hacia el Jardín de las Computadoras.

Oración

Ya está aquí el color del verano con sus tonos repetitivos y terribles. Los cuerpos desesperados, en medio de la luz, buscando un consuelo. Los cuerpos que se exhiben, retuercen, anhelan y se extienden en medio de un verano sin límites ni esperanzas. El color de un verano que nos difumina y enloquece en un país varado en su propio deterioro, intemperie y locura, donde el infierno se ha concretizado en una eternidad letal y multicolor. Y más allá de esta horrible prisión marina, ¿qué nos aguarda? ¿Y a quién le importa nuestro verano, ni nuestra prisión marina, ni este tiempo que a la vez que nos excluye nos fulmina? Fuera de este verano, ¿qué tenemos?... Ya está aquí la inminencia de los adolescentes que el sol resalta y súbitamente opaca. Y hay que echar a andar como si aquella esquina guardase para nosotros un secreto, hay que seguir como si la misma acera de fuego fuese una tierra de promisión. Las transpiraciones de las plantas supuran espejismos alucinantes. Un olor a césped cortado sube en oleadas. El perfume de unas flores diminutas y blancas nos sale al paso y nos subleva. *Queremos ser, queremos ser...* El color del verano se ha instalado en todos los rincones. Un cosquilleo sin límites recorre nuestros cuerpos empapados. Y aun a veces, mientras envejecemos, soñamos. Y aun a veces nos parece que, dentro de la luz cegadora, un ángel desnudo con hermosas alas nos visita. Y aun a veces, como viejas solteronas, estamos prestos a enternecernos por equivocación. Y seguimos avanzando en medio de este vaho espeso y candente que por momentos adquiere tonalidades rojizas. Nuestros cuerpos húmedos y afilados como cuchillos cruzando una quietud temible, transverberándonos, retando al cielo que se nos viene encima, queriendo encontrar en el resplandor del mar una respuesta. Pero no hay más que cuerpos que se retuercen, se enlazan y engarzan en medio de un carnaval sin sombras, donde cada cual se ajusta la máscara que más le conviene y la traición y el meneo forman parte de la trama oficial y de nuestra tradición fundamental... Vendrán los grandes aguaceros, y una desesperación sin tiempo seguirá germinando en todos nosotros. Vendrán nuevas oleadas de luz y de humedad y no habrá roca, portal o arbusto que no sea pasto de nuestra desolación y desamparo. Seremos ese montón de huesos abandonados pudriéndose al sol en un yerbazal. Un montón de huesos calcinados por el tedio y la certeza sin concesiones de que no hay escapatorias. Porque es imposible escapar al color del verano; porque ese color, esa tristeza, esa fuga petrificada, esa tragedia centelleante —ese conocimiento— somos nosotros mismos. Oh, Señor, no permitas que me derrita lentamente en medio de veranos inacabables. Déjame ser sólo un destello de horror que no se repite. No permitas que el nuevo año, el nuevo verano (el mismo verano de siempre) prosiga en mí su deterioro, y otra vez me conmine a lanzarme a la luz, ridículo, arrugado, patético y empapado, buscando. Que el próximo verano yo no exista. Déjame ser tan sólo ese montón de huesos abandonados en un yerbazal que el sol calcina.

Tra, tre, tri, tro, tru...

Atribulada entre los tréboles trota y trina Triana atravesada por el trozo de un truhán.

(A Rodrigo de Triana)

En el Jardín de las Computadoras

Fifo, con todos sus invitados, abandonó rápidamente el palacio subterráneo o catacumbal, que seguía inundándose, y salió a una colina donde estaba situado el Jardín de las Computadoras. Se trataba de una alta explanada amurallada dentro de la cual había cientos de computadoras de todas las formas y tamaños. Cada computadora estaba pintada de verde y ocupaba un redondel cercado de alambres, como si se tratara de una planta preciosa o exótica. Todos los invitados quedaron extáticos ante aquel enorme jardín sembrado de computadoras verdes que rugían furiosamente exigiendo informes para procesarlos. En efecto, cada uno de aquellos aparatos abría su boca metálica y saltaba como queriendo desprenderse de su base, clamando por las delaciones para sus estómagos de hierro. Esas delaciones constituían el alimento que hacía funcionar a aquellos artefactos. Y en aquellos aparatos voraces e implacables radicaba el verdadero poder de Fifo. Lo único que pedían las computadoras era comida; y eso, para ellas, sobraba. Allí, a un costado de la explanada, separada del jardín por una vasta alambrada, se agrupaba una multitud enardecida. Y cada miembro de esa multitud tenía un pliego de papel, una carta, un documento que era una delación contra alguien y que quería entregar urgentemente a las computadoras. Ese tipo de abastecimiento se realizaba todos los días, pero Fifo, con el fin de impactar a sus invitados, mostrándole su poder, había congregado a aquella multitud desde hacía una semana alrededor de su palacio, sin permitirle la entrada al jardín. Eso había hecho que el número de los informantes se septuplicase y que el apetito de las computadoras aumentara.

Fifo, en el colmo del éxtasis, se situó con sus invitados en la parte más alta de la colina y desde allí les ordenó a los enanos que abriesen la gran portería. Formando una manada ululante y enfebrecida, todos los informantes corrieron rumbo a las computadoras. Sabían que tenían que presentar su informe lo más rápidamente posible, antes de que otros presentasen otros informes contra ellos. Se desató una batalla campal por llegar primero al cerco donde rugía cada computadora. Mujeres desesperadas presentaban informes contra sus esposos; los esposos delataban a sus hijos y a sus mujeres y a los maridos de sus mujeres y también a sus propios maridos. Cientos de profesores denunciaban a sus alumnos; miles de alumnos delataban a sus profesores. Un tumulto de obreros elevó un pliego contra la jefa de una delegación sindical, pero la jefa del sindicato suministró un enorme texto en clave que condenaba sin recurso a aquellos obreros. Un niño llegó jadeante y le lanzó a una computadora un informe descomunal contra su bisabuela, la misma bisabuela que lo había traído en brazos desde Artemisa y que ahora se entretenía entregando un informe contra su viejo esposo, quien a su vez la delataba junto con el resto de su familia y el chofer de una ruta de ómnibus interprovincial por dedicarse al tráfico de viandas en bolsa negra. De los lugares más remotos de la isla seguía arribando la gente con sus informes. Nadie se escapaba. Los vecinos de una cuadra eran denunciados por la presidenta del comité de vigilancia, la presidenta del comité era denunciada por el jefe de zona; el jefe de zona, por un miembro del partido; el miembro del partido, por el comité provincial; el comité provincial, por el comité nacional; el comité nacional por un agente de la Seguridad del Estado y este agente era a su vez denunciado por un superagente. No había nadie en aquella multitud delatora que no fuese delatado. Todos robaban, conspiraban, mentían; todos se habían cagado en la madre de Fifo. Todos eran roedores.

Las computadoras abrían sus inmensas fauces, estiraban sus lenguas metálicas, se metían entre sus dientes aquellos informes y al momento los codificaban. Una sensación de felicidad (casi de seguridad y de paz) invadía a aquellas personas una vez que sus informes eran engullidos por la computadora elegida. Entre susurros respetuosos elogiaban a una determinada máquina. Ésta es una de las mejores; gracias a ella pude deshacerme de mi sobrino y de mi esposo. Aquélla fue la que en una sola visita que le hice acabó con todos los maricones de mi cuadra. Gracias a ésta logré al fin que cerraran la playa de mi barrio y fusilaran a mi hermano... Y seguían los elogios, siempre entre susurros, para no irritar a las otras computadoras que continuaban masticando.

Todo el jardín no era más que un enorme agitarse de papeles que eran tirados por encima de las cercas de alambre, dentro de las cuales saltaban las computadoras, tomándolos al vuelo y engulléndolos con estruendo de balacera. Allí estaba Clara Mortera, lanzando un informe contra Teodoro; allí estaba Teodoro Tapón, entregando un informe contra Clara. Unos marineros elevaron un informe contra unos bugarrones y un cura presentó un libro redactado en una semana contra un limosnero. Se presentó una delación contra un puente y contra una mata de almendras. Cientos de poetas aportaron informes contra ellos mismos. Amas de casa se autoacusaban de haber malgastado la manteca forastera. Los adolescentes, mientras ocultaban sus melenas bajo enormes gorros, delataban a los melenudos. Las putas oficiales delataban a las que trabajaban por la libre. Se presentaron millones de informes sobre personas que oían La Voz de las Américas, Radio Martí y Radio Tinguaro y sobre los que leían *Novedades de Moscú*. Un enorme informe fue entregado a una computadora gordísima; en el mismo iba una lista de los presuntos suicidas del próximo mes.

En medio de aquella multitud de informantes, la Tétrica Mofeta creyó descubrir la figura de su madre. Rápidamente tomó los gemelos de la Vieja Duquesa de Valero (que redactaba un informe contra su tatarabuela, muerta hacía doscientos años) y atisbó. Efectivamente, entre aquella multitud estaba la madre de la Tétrica Mofeta, enarbolando un informe. La Tétrica Mofeta graduó más aquellos excelentes gemelos con los cuales la Vieja Duquesa se dedicaba a detectar los negros sobre las matas de coco, y pudo leer el informe. Era un informe contra él, la Tétrica, y había sido traído por su madre desde Holguín quién sabe después de cuántas peripecias. La Tétrica repasó con los gemelos el informe que su madre quería meter en la boca de una de las computadoras. El informe estaba dirigido directamente a Fifo y en él se acusaba a Gabriel de corruptor de menores, de vago, de degenerado y vicioso; de oveja descarriada que quería irse del país, de ser el jefe de una banda de maricones y de estar escribiendo un libro contra Fifo y contra todo el país, un libro ateo, maldito y contrarrevolucionario. También consignaba que su hijo, en su última visita a Holguín, le había robado una botella de manteca de puerco y una bigornia. «La única bigornia que teníamos en todo el barrio, porque yo se la prestaba a todos los vecinos. He venido desde Holguín con las suelas de mis zapatos al garete.» Por último le decía a Fifo que escribía todo eso conociendo su bondad y sus principios y que esperaba que él, Fifo, regenerase a su hijo y lo encarrilase por el buen camino. «Él nunca ha tenido un buen padre (ni bueno ni malo); usted puede serlo. Yo se lo entrego con toda mi confianza y con todo mi amor. Regenéremelo, reedúquemelo, que se haga un hombre moral y sin mácula. Que yo pueda caminar siempre por mi pueblo con la frente bien alta. Él es mi hijo y es lo que yo más quiero en este mundo, pero es también mi vergüenza. Él no es malo, pero ha perdido el rumbo por culpa de tantos delincuentes como hay en La Habana. Apártemelo de esa churrupiera. ¡Encarrílemelo!», clamaba el informe. «Que trabaje duro, que el trabajo no le hace mal a nadie. Yo propongo que me lo mande a picar piedras a Isla de Pinos. Todo esto lo escribo empapando este papel en lágrimas»... Y sin más, la Tétrica Mofeta vio cómo su madre, llorando, lanzaba aquel informe a una computadora que al momento se lo tragó. Dando tropiezos, sin duda a causa de sus zapatos rotos, la madre de Reinaldo se confundió entre la muchedumbre. La Tétrica Mofeta quiso seguir observándola con los catalejos de la Vieja Duquesa, pues sabía que ésta era la última vez que la iba a ver. Pero en ese momento otra oleada humana invadió con nuevos informes el Jardín de las Computadoras y la madre no pudo ser identificada. Una nueva lluvia de delaciones cayó sobre las voraces computadoras. La Tétrica Mofeta, tal vez para olvidar su espanto o sencillamente para entretenerse, observó con sus catalejos y leyó un informe presentado por el comisionado del municipio de Arroyo Apolo, en el cual se atestiguaba que las grandes olas de calor que azotaban a toda La Habana se debían a que todo el mundo se levantaba muy temprano para hacer la cola del pan, no con la finalidad de comerse el pan (que para eso no alcanzaba), sino para taponarse con él los oídos y no tener que escuchar ni un capítulo más de *La perlana (o Una pinga envuelta en lana)*, una novela clandestina que un escritor de los arrabales le leía a todo el mundo. Mientras la Tétrica Mofeta le colocaba en el cuello los binoculares a la Vieja Duquesa de Valero, que había terminado de redactar su informe, siguieron cayendo más informes. Informes por alteración del orden público, informes por desacato, por predelincuencia, por robo, por corrupción, por abuso de poder, por negligencia, por blandenguería, por bestialismo, por sodomía, por amiguismo y, en fin, por conspirar contra los Poderes del Estado y, por lo tanto, por alta traición. Los papeles seguían cayendo torrencialmente sobre el jardín... También se elevó un informe detalladísimo donde se acusaba a Fifo de asesino alevoso, traficante de drogas y gángster internacional. Pero el personaje que presentó ese informe (un viejo general de brigada, retirado y en desgracia) fue engullido al instante por la computadora que recibió el informe. El hombre desapareció conjuntamente con todos sus ayudantes, que lo acompañaban. Fifo, que vio esta ejecución sumaria, quedó muy satisfecho con la eficacia de sus máquinas y mandó que toda la muchedumbre de informantes abandonara el jardín, aun aquellas personas que no habían podido entregar sus papeles.

—Mañana podrán hacerlo —dijo—. Ahora nos toca a nosotros.

Mientras los enanos expulsaban con violencia a todos los informantes, Fifo les rogó a sus invitados que entregaran sus informes. Seguido por los miembros del convite, Fifo (él el primero) avanzó y ante una inmensa computadora, la Computadora Fifal, depositó su informe.

—Es mi examen de conciencia —dijo—. Ahora les toca a ustedes.

Al instante, numerosos invitados, con sus regios atuendos, se acercaron a las computadoras y comenzaron a entregar sus informes.

Alguien presentó un informe contra las debilidades sentimentales e ideológicas de Tiburón Sangriento. La condesa de Merlín aprovechó la oportunidad para presentar una denuncia por alta traición contra su rival, la Chelo. Dos esquimales presentaron un informe contra Federico Fellini. La reina de Castilla presentó un informe contra su esposo en el cual se afirmaba que el rey era el jefe de la ETA, en tanto que la emperatriz de Yugoslavia presentaba un informe contra su madre, explicando que esta señora dirigía el prostíbulo máximo del Brasil y que conspiraba con la nieta de Mao para tomar el poder e implantar en la América del Sur un estado neo-nazi. Había un informe contra el Papa en el cual se decía que además de ser una mujer era el jefe de la KGB; la brigada Antonio Maceo, con sede en Miami, presentó un casete donde aparecía el presidente de los Estados Unidos haciendo el amor con un conejo. También se presentó una denuncia contra la Madre Teresa por haber propagado el sida en toda la India. A Marlon Branto se le acusó de haber infestado toda África y Oceanía. También se elevó una fotografía a color donde aparecía Agostino Neto haciéndole la paja a un rinoceronte.

Imposible relacionar aquí todos los informes que, con gran elegancia, los invitados suministraban a las computadoras. Lo único que podemos agregar es que Fifo se sentía cada vez más optimista ante aquellos informes que las máquinas le descifraban al instante. Si esto sigue así, pensaba, yo quedaré como un ángel. Pero en el momento en que los informes de los invitados contra los invitados o contra personalidades destacadísimas seguían proliferando, uno de los enanos se acercó a Fifo y le comunicó una noticia fulminante. Gertrudis Gómez de Avellaneda, en medio de la confusión, se había escapado en una lancha no sin antes haber lanzado un informe por las rejas donde calificaba a Fifo de «aquilón sanguinario».

—¡No puede ser! ¡No puede ser! —bramó Fifo—. Eso daña mi imagen pública. ¡Detengan a esa puta! ¡O háganle por lo menos un acto de repudio! ¡Que vuelva desprestigiada a España! ¡Y sobre todo que *El País* no le vaya a hacer ninguna entrevista o le retiro mi ayuda económica a ese periódico! Envíen a Raúl y a uno de mis dobles para que presidan el acto de repudio. ¡Un gran acto de repudio! ¡Y que comience de una vez el carnaval!

Al instante, la comitiva se preparó para partir con Fifo rumbo al carnaval mientras los enanos organizaban el acto de repudio contra la Avellaneda y secretamente planeaban ultimarla. Carros blindados, carrozas, quitrines, una volanta, trenes con ruedas de goma, Alfa Romeos, camiones llenos de banderas y todo tipo de vehículos fueron ocupados por los invitados, al frente de los cuales se colocó Fifo dentro de un globo gigantesco, iluminado y transparente, encima del cual, en letras rojas, el nombre de FIFO se encendía y apagaba intermitentemente.

Pero antes de tomar este artefacto colosal, el jefe de protocolo, que era el mismo Raúl Kastro, que ya tenía que partir hacia el acto de repudio, se acercó a Fifo, le entregó un uniforme de gala y unas botas nuevas y le recordó que antes de la inauguración del carnaval había programada otra actividad.

—¡¿Cuál?! —gritó Fifo con un pie en el globo lumínico.

—Un paseo por La Habana Vieja en compañía de Alejo Sholejov —dijo el segundo al mando, que aún alentaba la esperanza de ser muy pronto el primero.

—¡Pues para La Habana Vieja vamos! ¡Así que dile a Sholejov que vaya preparando su perorata! ¡Y que sea breve, porque inmediatamente después va a quedar inaugurado el carnaval!

Tata, teta, tito, toto, tuto...
(Las aventuras de Toto con la hotentota)

¡Oh, Tito, una hotentota!, comenta Toto. Y ante tan titánicas tetas tatuadas otea totalmente al armatoste. Serás mi tata, le dice a la hotentota. Y tú mi tótem, contesta con la testa el armatoste. ¿Cómo hacer para hacer un gran total, yo que soy una mulata de tal?, le tartamudea Toto a la hotentota. ¡Tate, tate!, exclama la gigantota hotentota: Escribe sobre vacas, sobre Thetis, totíes, titíes, titiriteros y titiribíes en el lago Titicaca. Escribe sólo caca. No olvides, tonto Toto: al tonto, tonterías, que como son tantos los tontos nos sacaremos la lotería. Llena páginas completas de tataguas y tautologías, tatoles a tutiplén, tártaras tartanas, tarántulas tetánicas, toneladas de tórtolas con tortícolis, Tartufos tartamudos, cotorras con cototo, motetes, catetos, panfletos, contuntos con teteros, testeros, testículos tostados, tuntunes, zunzunes tintos, totomoios titulados y extintos, titileos, titubeos, tamtanes, totumas, tintines, totopos y titanes. Y sé siempre amigo de los grandes camajanes. Ahora, tonto, contento atente a mis portentos y porcientos y trabaja como un bruto que yo toco el fotuto... Así Toto del brazo de la hotentota ha llenado el mundo de tantas tonterías que estoy intentando tumbar las librerías.

(A la Marquesa de Macondo y a Karment Valcete)

El culipandeo

Una criatura pisciforme y calva (Julio Gámez) estiró su cuerpo gelatinoso; una loca redonda y enana (la Lois Suardíaz) comenzó a girar; un sijú gris (la Jibaroinglesa) abrió sus ojos acuosos y redondos, desentumeció sus alas y empezó a emitir cortos revoloteos; aquel pájaro rollizo y erizado (Mendivito, le decían) sacó unas telas horripilantes (por él pintadas) pobladas de cotorras picassianas y falos imposibles, y con ellas como estandarte espeluznante se puso en movimiento. Aquella loca barbada y de proporciones que se desparramaban (la Emilio Bedel) empujó el aire con su cuerpo voluminoso. Un garabato vestido de negro (Oliente Churre) arrastró la tienda de campaña donde agonizaba infinitamente su madre... La Supersatánica (saliendo a toda velocidad del castillo) tomó una jeringuilla, la llenó con su propia sangre contaminada con el virus del sida y esgrimiéndola se alineó también al grupo de los despechados. Una loca desencajada (en toda la extensión de la palabra) echó a correr por la costa con unas enormes tijeras. ¿A dónde iba aquella loca con aquellas tijeras descomunales?

—¿A dónde, maricón? A cortarle las pestañas postizas a Coco Salas en pleno carnaval, pues no voy a permitir que ese gnomo haya alardeado en la gran fiesta de unas pestañas que no le pertenecen y que consiguió gracias a crueles delaciones, entre las que hay que incluir las que le hizo a su padre ya ejecutado. Por eso azotó a las perras del trineo para...

—¿¡Del trineo!?

Sí, del trineo, chica. ¿O es que acaso no puedo usar un trineo sobre la arena?... ¡Allá voy! ¡Y apártate, Sakuntala, que te arrollo!...

La loca azotaba las perras del trineo (en el cual se acababa de encaramar) insultándolas verbalmente al llamarlas Vicentina Antuna, Vilma Espina, Clementina Cirea, María Roca Almendros. Las perras, ante tales insultos, corrían cada vez más enfurecidas.

Siguiendo a la loca del trineo, que desde luego iba a una velocidad considerable, marchaban ahora todos los integrantes del grupo de los despechados, que heroicamente habían aguardado cerca del castillo subterráneo de Fifo. Marchaban (o mejor dicho, corrían) en pos de Fifo y de su espléndida comitiva con el fin de tomar venganza y, si era posible, no dejar que Fifo ni su comitiva llegaran con vida al carnaval.

Pero una loca de la corte de Fifo, astuta y satánica (la Delfín Proust), abarcó con su mirada rural todo el ámbito, calculó la furia de los atacantes y rápidamente ideó un plan de defensa sin igual. El mismo consistía en poner en la retaguardia a Halisia Jalonzo caminando de espaldas e interpretando la escena de la locura del primer acto de *Giselle*. De este modo, los furibundos perseguidores, al ver a aquella bruja manipulando una espada con el pelo erizado, los dientes de hiena y la descomunal nariz ganchuda, quedaron paralizados por unos instantes y la imperial comitiva de Fifo pudo sin mayores riesgos encaminarse al carnaval, no sin antes realizar el paseo por La Habana Vieja en compañía de Alejo Sholejov. Sólo una persona no se inmutó ante el cuadro horripilante que ofrecía la bailarina clásica. Era el esposo de Karilda Olivar Lúbrico, quien, sable en alto, con el fin de descuartizar a la poetisa, siguió avanzando mientras lanzaba estocadas de muerte al aire, que silbaba aterrorizado. Karilda Olivar Lúbrico abandonó la comitiva oficial y se internó en el barullo del carnaval acompañada por sus fieles gatas.

Como un bólido pasó el esposo de Karilda por entre la comitiva, dispuesto a descuartizar a la poetisa.

—Qué hacer —le preguntó Fifo a través de su micrófono a la cabeza pensante y calva de la Güevaavara, a la cual acudía casi siempre en momentos críticos.

—Que empiece el meneo general mientras nosotros proseguimos con lo de Sholejov —respondió la loca regia—. No olvides que aquí está la UNASCO y va a soltar plata.

Al momento, todas las grandes orquestas fifales, incluyendo la Orquesta Aragón y cien más aún peores, comenzaron a tocar desenfrenadamente. Sonaban los ritmos de una salsa, de un merengue, de un dengue, de una guaracha, de un mambo, de una pachanga, de un chachachá, de una rumba, de una lambada, de un trotón, de algo desentangulador que despertaba en quien lo oyese una necesidad inaplazable de menearse. Todos movían culos y caderas, piernas, hombros y cuellos. Los macharranes más portentosos movían sus nalgas rozando las de otros macharranes únicos, quienes a no ser por aquella música y aquella fiesta los hubiesen descuartizado a puñetazos... Ay, niña, qué cosquilleo, que no me puedo aguantar. Es como un revolico dentro de la sangre, un corcomilleo, un descuajeringamiento. ¡Dale! ¡Dale!,

¡suena la catana, Marijuana! ¡Pasito alante, varón! ¡Dale! ¡Dale! ¡Cógele bien el compás, cógele el vaivén, cógele el compás! ¡Me desentangulo! ¡Me desentangulo! ¡Ay, ahora están tocando «Vamos a gozar en el platanal de Bartolo»! ¡En el platanal hay un plátano, un plátano gigantesco, más grande que el que se mete Rapet Diego en el culo! ¡Ay!, un plátano grandísimo. Así. Ayyy... ¡Dale! ¡Dale! Que no me puedo aguantar. Y mientras me meneo, pienso sin saber por qué en la palabra «cacarajicaras». Y sigo contonéandome sin poderme controlar al son de ese ritmo. ¡Qué ritmo! ¡Que no me puedo aguantar! ¡Dale! ¡Dale! ¡Es nuestro ritmo nacional! ¡Es nuestro meneo original! ¡Es nuestro sin igual culipandeo!...

Siguen retumbando las orquestas. Sigue el meneo integral, por lo cual (¡voto a tal!) Fifo puede ponerse su uniforme verde y descomunal y realizar el paseo oficial por La Habana Vieja y con su delegación perpleja, luego de haber visto sepultarse a la Aleja, se alegra y se integra al carnaval sin igual. Con un estruendo de timbales, del globo fifal parten los fuegos artificiales con un preludio vibrante en tanto que ya llegan los integrantes del gran acto de repudio... Siguieron retumbando las orquestas y todos, mientras bailaban, con las pintas llenas de cerveza, se excitaban. Y sin importarles qué era lo que tenían a su lado, ni quién los miraba, se palpaban, se restregaban, se apretaban. Y allí mismo, en plena muchedumbre, se enculaban o por lo menos mamaban... Y en la bola gigantesca e iluminada como un resplandeciente papamóvil, Fifo, flotando a unos tres pies de la tierra, saluda a los millones de culipandeantes y él mismo, mientras saluda, se menea, pero al momento se pone muy serio; pero al instante se vuelve a menear; pero otra vez recobra su compostura y pone cara de Pedro el Malo. ¡Ay!, pero al instante, sin poderse dominar, se remenea... Su tragedia es la dualidad, pensó un ensayista uruguayo (premio Casa de las Américas) y, dejando de menearse, comenzó a escribir un ensayo que provisionalmente tituló *La dualidad del genio*. El vil ensayista pensaba que si las cosas se ponían malas para Fifo, sustituiría la palabra «genio» por «tirano» y optaría al premio Mikhail Gorbachov que auspiciaba el Pen Club de Nueva York.

Tra, tre, tri, tro, tru...

En un tris, aquel triste tracatrán en traje de astracán murió trágicamente al tratar de tragarse la tranca de un tractorista intratable y trotón llamado Truco Trovo. A pesar de tan trágica y tremenda destrucción, que dio al traste con todas sus tropelías y tratados, en tropel ha sido tratado de traidor por sus truculentos detractores.

(Para Sakuntala la Mala, cuyo nombre es Nene Sarrogoitía)

La dualidad de Fifo

Y no obstante, la infancia del monstruo fue triste...

—Oiga, pero eso ya lo escribió José Manuel Poveda hace más de ochenta años.

¡Atrevido! ¿Acaso la cultura cubana no es patrimonio del pueblo, de la masa y, por lo tanto, cualquiera la puede amasar? A callar o a bailar, o a mamar, que yo prosigo. Sí, tristísima fue la infancia del ángel; digo, del diablo; digo, del loco; digo, del niño; digo, del monstruo, que es lo mismo. Por un lado, la influencia de su madre campesina, ex criada y ex puta, católica y sufrida, ejerció en Fifo un deseo entrañable de ser femenino. ¡Oh!, cómo le atraían las braguetas contundentes de aquellos obreros y campesinos que a golpes de látigo y bayonetazos trabajaban en la gran finca de su padre. Sí, la influencia de su madre fue decisiva en su formación mariconil. ¡Ah!, pero ¿qué me dice usted del padre, español de pura cepa, gallego para mayor calamidad? De un tiro descolgaba a un campesino de la mata de coco donde el pobre se había trepado para saciar su sed. Ni agua le daba el señor feudal al miserable. El ejemplo machista de su padre, que violaba a las yeguas, a las gallinas, a las tortugas y a su propia madre, que primero había sido la cocinera de aquella mansión, despertó en Fifo un incontenible deseo heterosexual, aunque el autor de esta novela (una loca de atar) lo niegue. Muchas mujeres tuvo, al igual que muchos maridos... ¡Ay!, pero el ejemplo de su tatarabuelo, cuyo placer fundamental era templarse un caballo y darle por el culo a todo ser masculino, desde un majá de Santa María hasta un gallo fino, despertó desde muy niño en el corazón de Fifo ansias bugarroniles. Pero si a eso añadimos que, en la escuela de jesuitas donde se educó, los padres de la santa misión siempre estaban enculando a los alumnos y él, Fifo, con su culo holgado y a la vez plano, fue un foco o bahía donde carenaban los venerables padres de la Compañía luego de haber cumplido sus labores docentes y pías, pues loca, loquísima, sí señor, también nos salió el crío, que ya tenía bastante con los ejemplos de su madre... En su corazoncito latían tres inquietudes, las llamadas del culo o mariconas, las llamadas del falo o bugarronas y las llamadas de los cojones (o mujeriegas), que le despertaban el deseo de querer preñar a todas las hembras y dejar así constancia humana de su tránsito por este valle de lágrimas. Así, nuestro hombre no halló paz en la Tierra. Cuando veía a una hermosa mujer se apasionaba, cuando veía a un hombre se desmayaba de deseo y cuando veía a una loca se inflamaba de rubor bugarronil. Y lo peor era que cuando poseía a un hombre quería poseer a la madre de aquel efebo y cuando poseía a una mujer quería ser poseído por el hermano de la misma, y cuando finalmente llegaba a ser poseído por el hermano deseaba poseer al padre de la criatura que lo poseía. Nada lo satisfacía, nada lo colmaba. A veces, por consejo de la Paula Amanda, organizaba múltiples orgías. De esta manera, él, en el centro (como le recomendaba la Paula), podía disfrutar de templar y ser templado a la vez. Pero ni modo: hallándose en el centro de la cadena sexual quería ser el último o el primero. Y la cadena se rompía violentamente, y el pobre hombre no hallaba paz alguna.

Y ahora, en su globo transparente, que él mismo ilumina por dentro, ve aquel culipandeo incesante, aquellos meneos desaforados ejecutados por hombres, mujeres y pájaros, y ya mirando aquel culo, ya mirando aquel falo, ya mirando aquellas tetas, Fifo, a pesar de sus años, unos noventa (aunque el autor de esta novela lo pinte más joven), siente una erección incontenible y presionando el botón automático apaga el globo y se masturba. ¡Ay!, pero al final, en el momento de la eyaculación, no hay lugar exacto (bollo, culo o falo) en el cual posar su imaginación y tener así una buena venida. ¡No, decididamente no hay paz en la Tierra!, clamó Fifo envuelto en su inmensa hopalanda verde. Y de nuevo encendió la luz interior de su globo flotante, y así, brillante, marcial, *mecánica y ecuménica* (ya el autor de la novela lo dijo en otra novela) levantó sonriente un brazo y saludó a la muchedumbre que lo aplaudía mientras él presidía el gran desfile. Carroza mayor delante de todas las demás carrozas. Pero lo cierto es que mientras levantaba el brazo y saludaba con aparente entusiasmo y alegría, por dentro lloraba. ¡Ah!, si pudiera ser aquel negro que moviéndose sin cesar hace alarde de sus dotes delanteras, o aquella puta que vestida de miliciana danza sobre el muro, o aquella loca que con disimulo y pasión soba a un soldado patrio, o aquel viejo que le toca las nalgas a un niño entusiasmado. Pero no, era todo eso a la vez y por lo tanto no era nada. Era todos ellos y no era ninguno de ellos. Y por lo tanto, al no ser ningún ser humano definido sólo podía encontrar sosiego en la destrucción de todo instinto vital y por lo mismo auténtico. Así, mientras seguía el culipandeo, Fifo casi bramaba de pena y soledad. Lo único que poseía era el poder. Pero el poder no lo podía poseer a él. El poder era la soledad y la muerte.

Fue entonces cuando la voz de Raúl, que vestido de rojo desfilaba en un tanque de guerra, le llegó a través del intercomunicador.

—Fifo, no olvides que ya he ajusticiado a todos tus amigos más nobles, tal como me lo pediste, incluyendo al mismo Arnaldo. Espero que en medio de tu discurso me proclames tu heredero.

¡Ella! ¡Ella!, pensó Fifo viendo a Raúl Kastro con sus atuendos rojos sobre la máquina de guerra. Ella al menos sabe lo que quiere y lo consigue. Se ha pasado a todo mi ejército por el culo.

—¡No! —gritó Fifo a través de su intercomunicador—. No dejaré heredero alguno. Mi sustituto será aquel que más méritos haya acumulado. Además, no pienso morirme nunca.

Y sin aguardar respuesta alguna, Fifo cerró el intercomunicador y siguió con mirada trágica el ritmo gigantesco del culipandeo.

En el gigantesco urinario

No vayas a pensar, hermana marica, que Tedevoro se resignó a quedarse en la sede de la UNEAC mientras aquellos tambores retumbaban haciendo vibrar hasta los pliegues más íntimos de su culo virginal. Sí, a pesar de tantos esfuerzos, «virginal»... No, ni lo pienses, pájaro. Cuando el carnaval estaba en pleno apogeo, la loca, a pesar de las amenazas de muerte que la rondaban por habérsele lanzado a la pinga del famoso corredor de larga distancia, se apoderó de las obras completas de Nicolás Guillotina y con ellas hizo una monumental escalera. Y sin más, siempre aferrada al tomo 27.º de las *Obras completas* de Lenin, escaló la cerca de la UNEAC y lanzóse al vacío. Del otro lado la esperaba, para matarla, Juantormenta; pero la loca le tiró en la cabeza el tomo 46.º de las *Obras completas* de Lenin. Juantormenta perdió el sentido, y la loca salió despotricada luego de tomar el famoso tomo 30.º de las *Obras completas* de Vladimir.

Desesperada recorrió bares y cloacas, puentes y todo tipo de recovecos. Así, nada encontrando, pero siempre buscando, se internó en el Paseo del Prado, donde pudo ver a la loca de las grandes tijeras saltar de su trineo, darle alcance a Coco Salas y cortarle las pestañas. Así, en punta, despinguificada, Tedevoro vio cómo la Tétrica Mofeta era poseída por un negro sin igual sobre uno de los laureles del paseo. Así, descuajeringada, vio pasar por encima de su cuerpecillo al marido de Karilda Olivar Lúbrico con su sable en alto. Y Tedevoro le gritó:

—¡Traspásame, yo soy Karilda!

Pero no, aquel sable no era para ella.

El marido, ofendido, le tiró una mirada de furia, le lanzó una patada y continuó persiguiendo a la poetisa senil y uterina. Dios mío, en medio de aquella debacle, de aquellos tambores retumbando, conminando, clamando, lanzando tamtanes libidinosos, la loca vio a la Supersatánica con su jeringuilla llena de sangre infestando con el sida a cientos de personas y le pidió, por piedad, que la traspasase con aquella aguja, pero la Supersatánica, siempre lanzando jeringuillazos a diestro y siniestro le dijo:

—Ni lo pienses, querida, estás condenada a vivir mil años, si no los has cumplido ya, y a morirte finalmente de virginitis crónica.

—¡No! ¡No! —gritó Tedevoro enloquecido, integrándose al meneo de una conga donde mulatos estupendos alzaban maracas y claves abriendo sus piernas y mostrando otras maracas y claves aún más magníficas que las que hacían repicar sus expertas manos.

Tedevoro bailó, se meneó, danzó, pero tampoco fue atendido por los guaracheros de Regla. En medio del tumulto vio otra vez a la Tétrica Mofeta, ahora persiguiendo con un machete a Tatica para vengarse del robo de sus primeras patas de rana, pero ni ese espectáculo la pudo sacar de sus escozores. Tedevoro fue atropellado por la Dama del Velo, que corría enloquecida hacia una gigantesca carroza del Ministerio de la Construcción, pero tampoco ese golpe le devolvió el tino o la razón, que por otra parte nunca había tenido. Su meta era encontrar un hombre y por eso miró sin reparo a un policía enfundado en su uniforme verde, con grandes guantes, botas, casco, visera y tolete. Parecía realmente un centauro aquel policía descomunal sobre un caballo también descomunal. Tedevoro, luego de reparar en los testículos del caballo, reparó en las entrepiernas del policía, que permanecía impávido entre la muchedumbre que se deslizaba por sus flancos. Tedevoro le brindó una pinta de cerveza al policía, quien declinó gentilmente la invitación diciendo que como estaba de servicio no podía beber. Tedevoro, alentado por aquellas palabras corteses, se acercó más al centauro y mientras le mostraba el libro de tapas rojas de Lenin para ganarse aún más su confianza política le dijo que había participado en cuarenta y nueve zafras del pueblo y que se había ganado todos los gallardetes. El centauro le lanzó una mirada de aprobación. Tedevoro acarició entonces las patas del caballo, sus descomunales testículos; del caballo pasó al jinete, le tocó una bota militar, le tocó una pierna y ya con un pie en el estribo (cual nueva Cervantes) se enhorquetó en el pescuezo del caballo, y allí mismo comenzó con ambas manos unidas a reverenciar la cintura del policía y a tocar con la lengua la punta de la montura donde el *grand homme* permanecía sentado. Se hizo más fuerte el repicar de los tambores. Tedevoro no pudo más y con el libro de Lenin bajo el brazo zambulló su cabeza rapada y numerada en las entrepiernas del policía. Entonces el agente de la autoridad se levantó la visera que le dejaba al descubierto sólo los ojos, se quitó el casco y con él golpeó la cabeza de Tedevoro hasta derribarlo del caballo, que al momento comenzó a patear a la loca. Entre las patas de la bestia, Tedevoro alzó la vista y vio que el policía no era un hombre, sino una mujer que ahora, desprovista del casco, mostraba sus facciones femeninas y hasta una larga cabellera rubia. Tedevoro se había confundido por culpa de aquellos malditos atuendos policiales. La loca echó a correr trabajosamente por entre la muchedumbre.

—¡Criminal! —le gritaba la mujer policía persiguiéndolo con su feroz caballo—. ¡¿Cómo te atreves a mancillar la moral de una mujer revolucionaria?! ¡Criminal! ¡Serás castigado por la ley!

La temible mujer policía (condecorada además con la Orden Lydia y Clodomira) lanzó su caballo sobre el pobre Tedevoro, quien a manera de escudo se protegía con el tomo 27.º de las *Obras completas* de Lenin. Pero la terrible policía seguía azuzando a la bestia que pateaba y volvía a patear el libro de tapas rojas bajo el cual Tedevoro agonizaba. Ya a punto de expirar, clamó otra vez por la piedad de santa Marica. Y santa Marica, a pesar de los dolores en los huesos y a pesar de ella misma, que había renegado de su condición de santa, descendió de las nubes coloreadas por los grandes reflectores que iluminaban la noche carnavalesca, y con un soplo de su boca atroz hizo que la jeringuilla llena de arsénico que los agentes de Fifo acababan de lanzar desde el balcón del apartamento de Virgilio Piñera se desviara de su ruta y se clavara sobre las nalgas del caballo asesino, el cual al recibir aquella dosis de veneno expiró al instante.

—¡Párate ahí, hijo de puta, que has matado a mi caballo! —gritó la mujer policía y haciendo varios disparos al aire se lanzó a pie detrás de Tedevoro.

Pero la loca, aprovechando la confusión y el corre-corre, partió a escape, tropezando con el indignado marido de Karilda Olivar Lúbrico, quien desató toda su furia contra el pobre Tedevoro y de un solo sablazo le partió en dos el tomo 39.º de las *Obras completas* de Lenin. Tedevoro, renunciando al libro, siguió corriendo por entre la muchedumbre. Como una centella voló por entre la multitud y llegó a la Avenida del Puerto, saltó por encima de la volanta de la condesa de Merlín, arrancándole su peluca, y se refugió en uno de los recovecos del puerto mientras a distancia retumbaban los disparos de la mujer policía y muy cerca continuaba el grandioso desfile.

Pasaban miles de pájaros, miles de macharranes, pasaban miles de mujeres haciendo rechinar sus tetas gigantescas, pasaban miles de enanos inspeccionando los bolsillos de todo el público, pasaban los militares de alta graduación, los atletas, los trapecistas y los bailarines que iban a hacer sus ejecuciones junto al globo de Fifo. Pasaban ahora miles de soldados rasos haciendo retumbar su tambores y mostrando sus radiantes timbales. Aquello era demasiado para la vista sensible de cualquier ser humano. Tedevoro abandonó su escondite y se entregó otra vez al desenfreno de la muchedumbre.

¿Cuántos hombres, en medio del culipandeo, no se pegaban a los otros y así, semientollados por los que los seguían, continuaban? ¡Ay!, en medio de aquella conga, de aquella música, ¿cuántas locas abrían portañuelas y masturbaban a los respetables mozos que besaban (allá arriba) a sus novias oficiales ante la mirada aprobatoria de la futura suegra, que era poseída por un enano fugaz? Pero ella, la devoratriz, nada encontraba. Semiagonizante, se apoyó en el tronco de un álamo en cuyo follaje un grupo de marineros poseía, ¡Jesús!, a Coco Salas mientras más arriba el Aereopagita se masturbaba. La loca miró para todos los árboles y descubrió que las copas estaban llenas de enanos que también se masturbaban o se poseían al ritmo de los gemidos de goce de Coco Salas, que parecía ser la reina de la orgía arborescente. ¡Dios mío!, nada menos que Coco Salas, una de las locas más horribles del mundo... Y Tedevoro pensó autodegollarse, y pensó otra vez en la botellita de gasolina blanca que ahora le había sustraído a Clara de sus bidones del hueco. *Sí, me pegaré candela en medio de la multitud, me inmolaré como un monje desesperado que no encuentra a su Dios.* Pero un fuerte olor a orines le devolvió el razonamiento y el rumbo. Sí, el rumbo, porque de algún sitio provenía aquel olor a orines de hombre y Tedevoro comenzó a buscar ese sitio olfateando árboles, paredes, personas y escaleras. Así tropezó con un enorme urinario de madera instalado para la eventualidad carnavalesca en el mismo centro del Prado. Muchos hombres, con pintas de cerveza en la mano y caras iluminadas por la música, entraban en aquel recinto sagrado y ninguno salía. Como un bólido, Tedevoro entró en el urinario en busca de su anhelo... Ya está en otro gigantesco urinario. No hay luz, pues algún pájaro astuto la habrá apagado. En medio de aquella tiniebla se dibujan bultos agachados, figuras regias de pie, macharranes con los pantalones desabrochados. Se oyen ruidos de lenguas hábiles, aullidos de placer, bocas que chupan, labios que se extienden como ventosas. Se oye (pues allí casi nada se ve) los bufidos de placer de varios hombres que son poseídos con violencia por sus socios, sus aseres o sus primos hermanos borrachos. Glugluteos, chupones, mamones, atragantamientos, ingurgitamientos, chasquidos; bocas y gargantas que se abren como cavernas y engullen produciendo unos ruidos tan sonoros y contundentes que electrizan, encrespan y erotizan hasta a los que entraron allí con la sola finalidad de orinar. Retumban los entollamientos frenéticos. Y los hombres siguen entrando.

Y las locas, y las que no parecen locas, siguen mamando. Policías con casco y tolete renuncian por un momento a sus labores represivas y se agachan ante un negro heroico que viene de pelear en las guerras internacionales y trae un atraso de diez años. Todos en medio de la oscuridad recuperan su identidad final. Tedevoro siente que lo acarician, que lo aprietan, que lo soban, que vuelven a acariciarlo de pies a cabeza, no es una mano, son varias manos las que lo palpan y lo aprietan; algo duro y a la vez inexplicablemente blando, resbaladizo y suave recorre su cuerpo; algo contundente e inclasificable pasa por su rostro. Mientras lo amasan le bajan los pantalones. ¡Oh!, ¿será un sueño? No, no. En medio del olor a orines nocturnos y a semen, en la oscuridad, mientras afuera retumba el carnaval, Tedevoro siente que unas manos potentes lo frotan, llegan hasta su cabeza, le acarician el cuello, le aprietan las tetillas, bajan hasta sus caderas, se regodean en sus muslos, le dan masajes en las piernas, suben con fruición hasta su culo, le restriegan, soban y abren sus virginales nalguitas. Algo como un puño cerrado y envuelto en una crema espesa penetra en el trasero de Tedevoro, abriéndose paso casi hasta las mismas entrañas. El aullido de goce que da Tedevoro es tan descomunal que sólo los tambores que afuera siguen repiqueteando lo pueden opacar. Mientras es taladrado, Tedevoro recula y el artefacto contundente, carnoso y viscoso, sigue entrando y saliendo de su cuerpo a la vez que decenas de manos o ventosas lo acarician. Sin poder contenerse Tedevoro eyacula varias veces mientras lo siguen penetrando y sobando. En éxtasis y al borde del desmayo, Tedevoro sale del urinario. Entonces, al olerse y mirarse, descubre que lo han embetunado con mierda de pies a cabeza. Alguien por pura maldad o por un extraño goce, le ha cubierto todo el cuerpo de excremento hasta convertirlo en un mojón humano. No lo han poseído, le han llenado de mierda hasta el culo y la boca. Mierda, mierda. Hasta las cejas las tiene llenas de mierda. Lo han convertido en una capa de mierda que ahora, a la luz de los potentes focos, reluce como algo siniestro. Tedevoro suelta un grito, tira unos golpes enloquecidos, matando a la Pornopop (la Única Loca Yeyé Que Quedaba en Cuba), y como una exhalación pestífera echa a correr Prado abajo por la brecha que todos le abren espontáneamente. Llega al Malecón, se quita toda su ropa cagada, se lanza a las olas y nada mar afuera tratando de desprenderse de aquella peste a mierda a la vez que desea que un tiburón lo posea o por lo menos lo devore. Pero los tiburones, al olfatear a aquella loca hedionda, salen huyendo. La loca enmierdada sigue flotando en el mar, se zambulle y vuelve a zambullirse, queriendo deshacerse de una peste que cada vez se hace más intolerable. Mientras flota (y ya lleva horas en el agua), Tedevoro cree ver cómo el Malecón de La Habana comienza a alejarse. Tedevoro trata de nadar hacia la costa, pero la costa se aleja cada vez más. Ya la ciudad es un punto remoto con sus tambores y el resplandor del carnaval.

Va, ve, vi, vo, vu...

No es una bola el bolero de Valero en un velero, como veleta violeta, entre velos y volandas, huye de los bolos y de sus bulas, se embala y bala, vela en vilo vuelve sus alas y suelta un vale por una viola, y ya sin valijas y sin valores, vilipendiada sube el volumen de la balada, en una vuelta se hace una bola y volatilízase...

(Para la Vieja Duquesa de Valero)

La Dama del Velo

Desde luego que los diligentes enanos no habían olvidado las órdenes de Fifo de matar a la Dama del Velo en pleno carnaval de una puñalada en el bollo para que pareciera un crimen pasional. Matar a la Dama del Velo era fácil, pero matarla de una puñalada en el bollo era otra cosa. Primero, porque envuelta en tantos velos era muy difícil pronosticar dónde se encontraba el bollo de aquella dama; segundo, porque la susodicha dama, a pesar de su alcurnia, había abandonado su carruaje y se había mezclado en la turba carnavalesca, desplazándose a insólita velocidad por entre la muchedumbre.

Los diligentes enanos con sus puñales y cuchillos corrían en pos del bollo de la dama, pero, niña, era tanta la apretazón de la multitud que ahora resultaba prácticamente imposible agacharse y apuñalarle a alguien el bollo. Si la orden hubiese sido matarla de una puñalada en el cuello, en las tetas o hasta en la misma cintura, los pobres enanos no hubieran tenido que padecer tanto; pero descender hasta la crica era por el momento imposible; además del espacio requerido para el puñal y la mano hacía falta otro espacio para tomar impulso y lanzar el golpe mortal. Por otra parte, la Dama del Velo caminaba cada vez más veloz, tal vez impulsada por los velos que ya eran velas, escurriéndose entre la muchedumbre como una serpiente. Los diligentes enanos no sabían adónde se dirigía aquella mujer enloquecida envuelta en tantos trapos que por ser noche de carnaval, y además la última, pasaba casi desapercibida en medio de tantas figuras estrambóticas.

—¿Adónde iba despetroncada la Dama de los siete mil velos?

Querida Sakuntala, no son siete mil velos aunque lo parezca. Por otra parte, ¿adónde iba? Sólo ella y yo lo sabemos. He aquí la causa de sus avatares secretos y de su personal despepitaje.

Desde su país, donde ella era la máxima o la jefa supuestamente todobollipoderosísima, había tenido noticias del carnaval fifal y específicamente de la existencia de una carroza sin igual, llamada La Cucharacha, auspiciada por el Ministerio de la Construcción. En aquel flamante carromato iban unas quince putas meneándose alrededor de una cuchara mecánica que se alzaba y descendía hacia algo parecido a una mezcla de cemento, concreto y agua. En el centro de esa cuchara obrera iba una rumbera regia y semidesnuda, la reina sin duda de aquella fiesta proletaria y delirante. La carroza tenía en su base una gigantesca pecera iluminada donde nadaban cientos de peces tropicales, lo que hacía que todo el mundo mirara aquella carroza y desde luego admirara a la bailarina que se descoyuntaba sobre la cuchara. Desde que vio un documental sobre el carnaval anterior de Fifo (documental realizado por Manuel Octavo Gómez y primer premio en el festival de Fezzán), el sueño de la Dama del Velo fue sustituir a la puta de la cuchara. Con ese propósito (ser una mamboleta obrera, ser la reina del meneo, mientras peces tropicales evolucionaban a sus pies y la muchedumbre ebria la aclamaba) había viajado de incógnito a Cuba y se había hospedado, gracias a sus credenciales de terrorista y multimillonaria árabe, en el palacio de Fifo. Y ahora, pisando gatas, excrementos, latas vacías, niños de teta abandonados por sus madres y otros miles de objetos, la Dama del Velo corría rumbo a la carroza del Ministerio de la Construcción, siempre perseguida de cerca por los infatigables enanos, que no lograban ultimarla. Jadeante llegó a la carroza y extrajo un frasco que contenía un licor único preparado con un recetario extraído de un pasaje inédito de *Las mil y una noches* árabes (pasaje que nadie se había atrevido a publicar). La Dama del Velo invitó a beber a todas las putas del cuerpo de baile, quienes sólo con oler el frasco cayeron en un profundo sueño entre los brazos de los enanos asesinos, que aprovechaban la ocasión para violarlas. En un momento en que la monumental cuchara descendió, la Dama del Velo le ofreció su bebida a la rumbera regia, quien al instante se precipitó desde la cuchara cayendo sobre la muchedumbre que bailaba. De un salto, la Dama del Velo se subió a la cuchara y comenzó a danzar. La cuchara ascendía casi hasta las nubes, bajaba, mezclándose en una suerte de espuma semejante a la argamasa bajo la cual nadaban los vistosos peces tropicales. La cuchara se alzaba, la cuchara bajaba, y ella, contonéandose de una manera cada vez más despampanante y única, agitaba velos, culo, cuello, manos de largos dedos, dejando arrobada a la multitud que también se contoneaba y aplaudía. Y mientras todo eso sucedía, Fifo, dentro de su globo, impartía de nuevo su orden secreta y apremiante a los enanos a través de su intercomunicador: ¡Al bollo! ¡Al bollo! ¡Apuñálenmela en el bollo! Tan violenta y urgente era aquella orden que los enanos, formando una suerte de pirámide humana, consiguieron que uno de ellos se subiese a la cuchara y se introdujese entre los velos de la danzarina con su arma mortífera, dispuesto a clavársela en el bollo. Pero no fue bollo lo que halló sino unos cojones gigantescos y un falo que hizo casi morir de envidia al enano, por lo que, sin poder contenerse, comenzó a succionarlo. La Dama del Velo, enfurecida, tomó al enano por el cuello, lo estranguló y lo lanzó a la muchedumbre, que bramó en el colmo del delirio. Se formó de nuevo la pirámide humana. Otro enano se metió debajo de los velos de la Dama e hizo el mismo descubrimiento, y sufrió las mismas tentaciones, y fue lanzado muerto sobre la muchedumbre, que lanzó una ovación.

—¡Pare mientras danza! —fue el comentario de la multitud.

Sucesivamente la Dama del Velo fue lanzando enanos muertos sobre la muchedumbre delirante, mientras Fifo, cada vez más enfurecido gritaba:

—¡Al bollo! ¡Al bollo!

Hasta que uno de los enanos a quien no le interesaban para nada los hombres, pues era una mujer, le comunicó a Fifo a través de su aparato:

—No tiene bollo, sino pinga.

—¡Pues dale entonces una puñalada en el culo! —fue el decreto de Fifo.

El enano, con un cuchillo entre los dientes, se trepó de nuevo a la carroza y le asestó un terrible golpe cular a la Dama del Velo, quien al recibir aquella herida en el trasero danzó aún más vertiginosamente. Era su canto de cisne y desde luego lo prolongaría todo el tiempo que pudiera. La Dama del Velo giraba enloquecida y herida en la cuchara cuando fue divisada por el esposo de Karilda Olivar Lúbrico, quien pensó que aquella puta que allá arriba se meneaba llena de trapos y con un antifaz no podía ser otra que su esposa que no quería ser descubierta. Arma en ristre, el esposo ofendido se trepó a la carroza, se subió a la cuchara con un salto de judoca y de un solo sablazo le abrió todos los velos a la dama, quedando entonces al descubierto el cuerpo desnudo de Omar Radafy, quien con el cuchillo clavado en el trasero expiró. Pero antes dio varios giros. Su cuerpo desnudo, como si fuera un surtidor, bañó con sangre a la multitud, la cual, pensando que se trataba de otro espectáculo de la eximia bailarina, la aclamó de una manera aún más desenfrenada.

El culipandeo

Ay, qué meneíto tan sabroso, susurraba y hasta gritaba la muchedumbre mientras se contoneaba con los vasos de cartón llenos de cerveza. A veces, los bailadores depositaban los vasos con el divino líquido en el malecón y en grupos de tres, de veinte y hasta de cien se zambullían, roían la plataforma insular y volvían a la fiesta, donde proseguían meneándose y bebiendo. Algunos policías dejaban su casco en el malecón y también se zambullían royendo la plataforma insular. Negras rumberas desaparecían por unos instantes de sus carrozas, se zambullían, roían y volvían a incorporarse al baile; reclutas, marineros de la Flota del Golfo (y por lo tanto expertos en avatares acuáticos), jefes de brigada, oficiales del ejército y miembros del partido también se daban su zambullidita, roían y luego aún con más entusiasmo aplaudían el maravilloso desfile. Por el centro del paseo del Malecón cruzaban trapecistas que daban unos insólitos saltos, caían al mar, roían la plataforma insular y volvían de un salto al centro del desfile haciendo grandes genuflexiones ante el globo donde viajaba Fifo. Detrás de los trapecistas venía Halisia Jalonzo bailando el cisne negro mientras Coco Salas multiplicaba sus mosquitos; algunos de sus bailarines secundarios, de un solo jeté, se zambullían en el mar, roían y se incorporaban al coro. No se puede decir que Halisia hiciera la vista gorda, pues vista no tenía, ni gorda ni fina, y además estaba fatigadísima luego de haber participado en el acto de repudio no lejos de donde ahora, otra vez, bailaba.

Después de Halisia venían Pablito Malaés y Salvia Rodríguez, quienes dando unos enormes aullidos cantaban «Por amor se está hasta matando» (por entre aquellos cantantes cruzaron aterrorizadas las gatas de Karilda Olivar Lúbrico, quien había desaparecido entre la multitud). Desfilaban ahora miles de pintores, quienes encaramados sobre una tela gigantesca colocada en un caballete rodante, del cual colgaban amarrados por la cintura, pintaban, mientras desfilaban, el retrato colosal de Fifo. Seguían centenares de conjuntos musicales, orquestas, congas y luego todos los carruajes oficiales con los personajes invitados por Fifo, quien en su globo rojo marchaba a la cabeza del desfile. Entre los invitados se destacaba en su regia volanta la condesa de Merlín, con una inmensa cabellera postiza y su abanico sin igual y con un enano pintado de negro sobre sus faldas y a veces bajo ellas. La condesa le lanzaba serpentinas de colores a todo el público. Tan entusiasmada estaba la condesa con el espectáculo y sobre todo con el lanzamiento de las serpentinas, en cuyo reverso estaba escrita una larga diatriba contra Fifo, que no se percató cuando la Supersatánica, sentándose en la volanta, le clavó su jeringuilla mortal cumpliendo órdenes de la Chelo. La condesa, pensando que se trataba de un pellizco cariñoso, le dio las gracias a la Supersatánica y la despidió de su carruaje con un suave puntapié... Mientras continuaba el desfile, la Tétrica Mofeta perseguía ahora aún más encarnizadamente a Tatica, el ladrón de sus primeras patas de rana. Aunque Tatica se perdió entre los delincuentes de Arroyo Arenas, la Tétrica persistía en su empeño, pues había hecho de aquella persecución una cuestión de honor. Clara Mortera exhibió su colección de disfraces prohibidos, obra en verdad única que imponía un nuevo grito tanto en la moda carnavalesca como mundial, pero no obstante fue opacada por Evattt, la Viuda Negra (como se le conocía desde hacía muchos años), quien ganó la Palma Pública al exhibir su monumental ropón de luto tejido a punto crochet y acribillado de cruces hechas con alambre de púas. Pasaron cientos de poetas recitando un himno compuesto en honor a Fifo. Pasaron ahora los periodistas que formaban un ejército, tirando fotos a diestro y siniestro y sobre todo tratando de fotografiar el globo de Fifo. De pronto, rompiendo aquel desfile, aquel jolgorio de tambores, meneo y sandunga, surgió entre la muchedumbre Raúl Kastro envuelto en un inmenso mosquitero con una cola de caballo y una corona de laurel. Exhalando lastimeros y altisonantes gemidos atravesó la multitud y desde el malecón lanzóse al océano en un acto final de protesta contra Fifo, quien se había negado a transferirle el poder absoluto. Cuando el militar, envuelto en el mosquitero, cayó al mar como un extraño paracaidista interplanetario, Fifo desde su globo emitió una carcajada que fue coreada por la multitud, que seguía contoneándose frenéticamente. En medio del barullo, Delfín Proust anunció que había llegado el momento de la elevación del Santo Clavo.

Ya, ye, lla, llo, yo...

En medio del barullo, Yeya, la hija de Yeyo, hallóse entollada por un camello amarillo.

(A la Pornopop, la Única Loca Yeyé Que Quedaba en Cuba)

La elevación del Santo Clavo

Hace unos años, o quizá sólo unas horas, pues con este repiqueteo de tambores mi pobre cabecita loca no puede coordinar las medidas de tiempo, Fifo, bajo el alias de Chicho, comisionó a Delfín Proust, alias la Reina de las Arañas, para que hiciese una selección de jóvenes bugarrones que serían invitados a su gran fiesta; dentro de esos jóvenes, Hiram, o la Reina de las Arañas, o Delfín Proust, tenía también que seleccionar al pepillo de dotes más gentiles y de figura más apuesta para que al frente de todos los mancebos, y como suma total de los mismos, iluminase con su presencia la fiesta catacumbal. Luego de numerosos catamientos, mediciones y cómputos, la elección recayó sobre Lázaro González Carriles, alias la Llave del Golfo. La Llave del Golfo fue elegido para que, al igual que Juan Atocha (hace mil siete años), actuase como *boyfriend* entre los invitados a la fiesta fifal y erotizase a primeros ministros, a presidentes, a reyes y a grandes damas y magnates para que en medio del paroxismo firmasen algún convenio económico (favorable a Fifo) y si era necesario firmasen también su propia condena a muerte. La Llave del Golfo, con discreción y gallardía, a pesar de las miradas fulminantes de la Tétrica Mofeta, se desenvolvió con verdadera habilidad en estos menesteres, logrando que el presidente de la Argentina le cediese a Fifo toda la Patagonia y que la primera ministra del Canadá le regalase la Península del Labrador... Ya en pleno carnaval, las divinas proporciones de la Llave del Golfo, sus piernas únicas, sus brazos torneados, su cintura apretada, su ancho pecho, su pelo ensortijado y sobre todo su falo descomunal le sirvieron para ser elegido como el dios que debía presidir la ceremonia de la elevación del Santo Clavo. Este rito sólo podía realizarse en un momento como aquél, momento sacro, en que Fifo celebraba la apoteosis del triunfo de sus cincuenta años en el poder.

El joven (o el eterno adolescente), completamente desnudo, fue amarrado a una cruz de madera mientras su falo iba creciendo a causa de las constantes caricias de que era objeto por quienes lo crucificaban.

De este modo tuvo lugar una doble erección, la erección del joven y la erección de la cruz gigantesca que fue izada en el centro del carnaval.

—¡Han resucitado los grandes dioses! —dijo Mahoma la astuta, contemplando al bello efebo erotizado que se alzaba en la cruz.

Al momento, todos cayeron de rodillas ante tales noblezas.

Era realmente fascinante contemplar a aquel joven desnudo y erotizado amarrado a la cruz. La multitud no podía dejar de mirar hacia arriba, donde se bamboleaba como una espada de Damocles, victoriosa e irrebatible, el falo único que mientras más era contemplado más crecía. Cientos de fieles llevaban en alto la cruz. Pero a veces se detenían y permitían que algún beato incontrolable se trepase al madero y ante la vista arrobada de la multitud mamase la gloriosa picha. Picha que al recibir esta ofrenda oscilaba, crecía aún más y descargaba un latigazo de afecto en el rostro del desesperado engullidor. El repiqueteo de los tambores se hizo aún más alto. Súbitamente no fue un pájaro, ni un hombre, ni una mujer, sino todo el pueblo el que quería saborear el Santo Clavo. Karilda, a pesar de sus años, se trepó a la cruz y mamó, seguida por sus gatas, que también mamaron, y arañaron enfurecidas a Karilda, de quien ya no querían saber nada. Hasta los enanos encargados de mantener el orden secreto se treparon como ardillas voraces y mamaron... ¡Ay!, querida pajarita, cosas muy señaladas han ocurrido y ocurrirán en el mundo, pero el espectáculo de aquella cruz atravesando la multitud con un joven desnudo y erotizado cuyo falo era chupado sin cesar por reyes, obispos, obreros, militares, jóvenes comunistas, jóvenes terroristas, monjas de clausura, señoritas, enanos, amas de casa y locas de atar, es algo que no tiene paralelo en los acontecimientos que han conmocionado, o conmocionarán al globo de un polo a otro polo. ¡Niña! Ni el degollamiento de María Antonieta, ni las orgías de Catalina la Grande, ni la aparición de la Virgen María al papa Pío XII, ni el naufragio del *Titanic,* ni la súbita e insólita preñez del rey de Suecia, ni el fusilamiento de Elena Ceucesco, ni el descubrimiento (que tendrá lugar dentro de quince años) de que el gran rabino de Israel es una mujer, ni la extraña e inexplicable caída de una ballena viva en la Plaza de España de Madrid (acontecimiento que sucederá dentro de seis meses), ni el hecho de que la isla de Jamaica amaneciese cubierta de nieve (como ocurrió el año pasado), ni el electrocutamiento de Ethel Rosemberg, ni la toma de la Bastilla (que se realizará dentro de diez años), ni la caída del muro de Berlín, ni la revelación (1998) de que Greta Garbo era un hombre, ni la misteriosa desaparición de Australia, ni la noticia (1996) de que todos los cuadros de Dalí fueron pintados por José Gómez Sicre, ni la caída del Imperio austrohúngaro (que tendrá lugar dentro de tres meses), ni la caída de Fifo (que tendrá lugar dentro de treinta y cinco minutos), ni las bodas del príncipe Pan Carlos con la Chelo (que tendrán lugar el próximo año), ni la terrible explosión del volcán Asteria en la Plaza de la Concordia en París han causado (o causarán) tal reperpero ni tal meneo internacional. La Llave del Golfo seguía desfilando por entre la multitud arrobada y desesperada y su miembro, al ser engullido por el mamante de turno, adquiría un color más rosáceo y sus dimensiones hacían estremecer de gozo hasta a las Divinas Parcas.

Fifo, dentro de su globo único, volvió a apagar la luz y se masturbó. La condesa de Merlín le ordenó a su enano pintado de negro que se metiese debajo de sus faldas y la poseyera violentamente en tanto que ella seguía, al parecer impasible, saludando al público. Teodoro Tapón, a pesar de su obesidad, se trepó al palo mayor y se prendió al falo de la Llave del Golfo con tal vehemencia que hicieron falta doscientos cacos celosos y una escuadra de milicianas para poder desprender a Teodoro de aquel Caramelo Divino. Los trapecistas expertos, los bailarines y los miembros del alto clero invitado daban una gran voltereta en el aire, se bajaban los pantalones y reculando eran ensartados por la Llave del Golfo, quien, luego de poseerlos, a un solo oscilamiento de su falo los lanzaba sobre la muchedumbre que se afanaba en treparse a la cruz.

En medio de aquella batahola surgió la Tétrica Mofeta con una escalera de mano y, dominada por los celos (pues ella amaba a la Llave del Golfo), se trepó a la cruz. Pero la despechada y maligna, en lugar de carenar como todo el mundo en el falo del macharrán, puso su boca en una de sus orejas y le pronunció estas alentadoras palabras:

—Acaban de abrir la embajada de Bulgaria. Todo el que quiera puede asilarse allí. Fifo retiró sus postas.

Al oír aquellas palabras (que desde luego eran falsas), la Llave del Golfo que —como casi todos los que habitaban aquella isla— quería irse de allí como fuese, se desamarró de la cruz y saltando sobre la muchedumbre echó a correr rumbo a la embajada de Bulgaria en busca de asilo político. Al instante, los adoradores del Santo Clavo, que eran prácticamente todos los que estaban en el carnaval, partieron detrás del joven, quien dando bandazos con su falo como si fuera una manopla seguía avanzando hacia la sede diplomática.

¡Niña! ¡El despepite! Todo el mundo se iba detrás del divino prepucio, hasta las mismas moscas. Los músicos sin dejar de tocar, los enanos sin dejar de amenazar, los policías-centauros con sus caballos también erotizados corrían tras el joven bujarrón. La misma Halisia se orientaba a tientas guiándose tal vez por el olfato de su prominente nariz. Entonces la Tétrica Mofeta, sabiendo que con aquella treta no iba a lograr que la muchedumbre abandonase a su preferido, haciendo uso de su escalera portátil se subió a los hombros de Mahoma la astuta y con grandes lágrimas en los ojos dio esta terrible noticia:

—¡En estos momentos se está efectuando el entierro de Virgilio Piñera!

El entierro de Virgilio Piñera

En un dos por tres o en tres por cuatro, que en música yo soy la torpeza máxima, la muchedumbre se detuvo.

—Sí —gritó la Tétrica Mofeta llorando—. Virgilio ha sido asesinado y lo llevan a enterrar. Y sobre su féretro ni siquiera va un pajarito cantando el pío pío, cantando el pío pa...

—¡Eso sí que es algo inconcebible! —bramó Mahoma amplificando y rajando su voz como si fuese la Tétrica Mofeta, que sólo hacía las mímicas—. ¡El hombre, es decir, la loca más grande de Cuba ha sido asesinada y la llevan a enterrar a altas horas de la madrugada para que nadie pueda acompañarlo y nosotros aquí, bailando y persiguiendo a un vil bugarrón! ¡Nuestro deber es correr al entierro de Virgilio Piñera y rendirle nuestro último testimonio de gratitud a quien todo lo ha sacrificado por nosotras, mal agradecidas!

La noticia del asesinato de Virgilio Piñera y su entierro clandestino corrió como pólvora por entre toda la multitud. El pueblo se encaminó como pudo hacia el Cementerio de Colón, donde a toda velocidad marchaba un coche fúnebre con los restos mortales del autor de *Electra Garrigó*. Pronto la muchedumbre divisó al carruaje que más que corría volaba por la calle Línea y se propuso darle alcance. Miles de personas corrían desatracadas. Cientos de locas tomaron carros de alquiler de la piquera de Fifo, otras desviaron varias guaguas, algunas se transportaban en carriolas. Numerosos adolescentes corrían en bicicletas.

Los policías políticos más alertas de Fifo se incorporaron a la comitiva portando grandes coronas y puchas de rosas entre las cuales se escondían grabadoras con sensibles micrófonos con el fin de registrar cualquier comentario, queja, llanto, lamento, suspiro u otro tipo de manifestación sentimental. También engrosaban la comitiva fúnebre miles de personas que sólo conocían de nombre a Virgilio Piñera o que ni siquiera conocían su nombre pero que consideraban un deber (o un acto de protesta contra Fifo) el acompañarlo en su último viaje.

Entre la multitud también iban miles de enanos y demás agentes encargados de mantener el orden. En fin, que por una u otra razón la multitud carnavalesca cambió de rumbo y se dirigió a todo trapo hacia el Cementerio de Colón, donde tendrían lugar las exequias del gran maestro.

Fifo, al no poder contener aquella multitud, decidió que era mejor presidirla, por lo que les ordenó a sus diligentes enanos que soplaran el globo con todas sus fuerzas encaminándolo hacia el cementerio. Inmediatamente se comunicó con la Paula Amanda y la orientó para que despidiese el duelo. Detrás de Fifo marchaban todos sus invitados regios. La condesa de Merlín puso a su volanta un crespón de luto y comenzó a rezar una oración en francés, sin duda algo de Bossuet. La conmoción era realmente casi general. La misma Karilda Olivar Lúbrico, perseguida otra vez de cerca por su infatigable esposo, se paró en medio de la multitud y levantando los brazos le gritó:

—¡Mátame de una vez pero no prosigamos con este escándalo en un momento tan trágico!

El casi asesino depuso su sable, bajó la vista y le tomó una mano a Karilda en tanto que las gatas, reconciliadas por la pena, maullaban de dolor junto a los pies de la pareja.

La Llave del Golfo bajó su falo y tomando unas hojas de una musa paradisíaca que crecía en un jardín de El Vedado cubrió su desnudez, y a toda velocidad se incorporó a la comitiva fúnebre. Evattt, la Viuda Negra, se deslizaba en patines, desplegando su enorme traje, muy apropiado para un entierro. En tanto, los roedores, enterados del último crimen de Fifo, roían con más furia la plataforma insular mientras lloraban. Hasta los tiburones, cual nuevos caballos de Patroclo, lloraron mientras roían, conmovidos ante la muerte del pájaro genial. ¡Ay!, pero como estaban bajo el agua, nadie (sólo yo) supo de aquellas lágrimas que agrandaban el océano.

Abandonando la estampida funeraria, la Tétrica Mofeta, agobiada de penas, y Clara Mortera, derrotada por Evattt, regresaron a sus respectivos tugurios. Cuando se internaban en La Habana Vieja, ahora desierta, vieron al padre Gastaluz, quien sobre una carreta tirada por Cynthio Metier corría hacia el cementerio.

—¡Más rápido! ¡Más rápido! —le gritaba el padre Gastaluz a Cynthio, golpéandolo con su enorme escapulario—. ¡Más rápido o no llego a tiempo para bendecir por última vez a Virgilio!

La partida

Tantos fueron los golpes que con el inmenso escapulario le propinó el padre Gastaluz a Cynthio que dejaron atrás el carruaje fúnebre, que marchaba a toda velocidad, pues Fifo quería que el entierro de Virgilio, ya que no podía ser secreto, que por lo menos se realizase antes de que llegara la multitud. Pero todos los esfuerzos del chofer fueron inútiles. Cuando llegó al cementerio ya estaba allí todo el pueblo con sus trajes de fiesta y sus caras de malanoche esperando al poeta para darle el último adiós. Que todo se haga lo más rápidamente posible, le había ordenado Fifo a la Paula Amanda quien para no comprometerse y ser además breve, redactó una despedida de duelo de sólo siete palabras. El texto, leído por la Paula Amanda, decía así:

«Virgilio Piñera nació y murió en Cuba».

Se levantó el féretro, el padre Gastaluz lo roció con el agua bendita que había en su hisopo de plata, y a toda velocidad fue lanzado a la fosa bajo la mirada supervisora de Marcia Leseca. Pero no fue la caída de un féretro sobre la tierra lo que se escuchó, sino el chapoteo de algo que cae al agua: un agua que además salpicó a todos los que estaban cerca de la tumba recién abierta. Evidentemente, no podía hablarse de un entierro, pues el cadáver no había caído en tierra sino en agua. Al oír el murmullo de aquella agua que corría a unos dos o tres metros de profundidad, todos comprendieron que la isla había sido al fin separada de su plataforma y que aquel chapuzón fúnebre era el aviso de una liberación total.

La isla, desprendida de su base, partía hacia lo ignoto.

Fa, fe, fi, fo, fu...
(Final)

Vamos pues marcialmente hacia un mar macilento, donde una marmórea marmota murmura miríada de maltratos; mas se va, finalmente, al confín de todas las pifias, al gran prostíbulo sumergido donde aún farfulla un fonógrafo su fofa filantropía y una mefítica sifilítica, afónica y antifotogénica nos ofrece piafando la ofensa de su furiosa fisonomía.

(A todos nosotros)

Clara en llamas

Cuando Clara Mortera entró en su cuarto una ilimitada sensación de derrota la invadió. Sus regios disfraces, en los cuales con tanto fervor había trabajado, no habían ganado el premio. Y lo peor era que había sido derrotada por Evatt, una mujer frívola que desconocía (según Clara) el arte del verdadero devaneo y el sentimiento profundo del exhibicionismo. También en el carnaval había perdido a Teodoro Tapón. Y lo que era aún más grave: su esposo se había trepado a la cruz donde flameaba el falo de la Llave del Golfo y, ataviado con los divinos atuendos que Clara le confeccionara, había mamado públicamente y más tiempo del reglamentario, por lo que tuvo que ser despegado, como si fuera una lapa, por la multitud, que lo pateó. A pesar de los golpes, incluyendo los que la misma Clara le propinó, Teodoro desapareció tras el falo nunca antes visto de la Llave del Golfo. En verdad, Teodoro nunca había demostrado aquella devoción por Clara. Como si todo aquello fuera poco, luego de la derrota sufrida en la exhibición, los hijos de Clara la abandonaron, pues sabían que ella estaba liquidada: nadie le compraría jamás ninguno de sus disfraces prohibidos. He sido derrotada, pero no destruida, pensó Clara adquiriendo un aire hemingüeyano que se avenía a su edad y a sus inclinaciones autodestructivas. No, no estoy destruida, tengo mi obra, mis cuadros.

Y Clara Mortera abrió el hueco que comunicaba con el convento con el fin de consolarse mirando su obra. Pero esta obra ya no existía. Los esbirros de Fifo, cuando entraron en el convento para apoderarse del *Retrato de Karilda Olivar Lúbrico*, destruyeron (tal vez por órdenes de Fifo, tal vez por puro placer) todas las demás obras de Clara. Los tapices, las sábanas y los mosquiteros que ostentaban pinturas geniales eran ahora un picotillo minucioso. Nada quedaba de las obras maestras de la pintora.

Clara contempló por unos minutos aquel desastre. Luego fue hasta donde estaban los dos bidones de gasolina blanca, se empapó todo el cuerpo y ralló un fósforo Chispa. Pero no fue precisamente una chispa lo que se produjo, sino el encendimiento de una antorcha gigantesca, la erupción de un volcán; todo el convento se convirtió en una bola de fuego que se expandió cubriendo la manzana. Los chisporroteos y las llamas llegaban a las nubes.

El despepite

Partía, partía. La isla partía. Ya no se trataba de una loca que se tiraba al mar y convertida en pargo (como la Ñica y compañía) nadaba hasta Cayo Hueso; ya no se trataba de un recluta que cansado de los atropellos militares se abría camino en el mar sobre una goma de camión; ya no se trataba de un negro formidable que luego de haber sido doblemente discriminado (como hombre y como negro) partía sobre un madero flotante; ya no se trataba de una familia que sobre una balsa hecha con la mesa del comedor se lanzaba al golfo; ya no se trataba de miles de hombres fluyendo en cualquier cosa que flotase en busca de un destino incierto, pero al menos esperanzador. Se trataba de que el país en sí mismo partía en estampida geológica y geográfica. Algo sin duda insólito en la historia del éxodo: la isla de Cuba, desasida de su base, abandonaba el golfo y como una inmensa nave (causando un remolino de espuma arrollador) salía al mar abierto, dejando sumergido el gran palacio catacumbal, sobre el cual bramaban las computadoras mientras se hundían en medio de sordas explosiones de furia; atrás quedaban también los grandes arsenales subterráneos de armas, los depósitos atómicos, los túneles construidos por Fifo para refugiarse en caso de emergencia, los tesoros que, como hombre de origen campesino, había enterrado en huecos profundos. Todo eso era pasto de las olas.

En medio de aquella estampida, el pueblo, tocado por la euforia de la fuga y por lo tanto de la libertad, comenzó a dar gritos de júbilo mientras con las manos, cual si fueran remos, trataba de conducir la isla hacia puntos diferentes.

En tanto, Fifo, dentro de su globo, les ordenaba a los enanos que ametrallaran a todos los sediciosos, que traspasaran a cuchillo a todos los traidores, que ahorcaran inmediatamente a los cabecillas de la revuelta para amedrentar a sus seguidores, que ultimaran a todos los que aplaudían, que barriesen con La Habana y con todas las ciudades rebeldes y que lanzasen incluso la bomba atómica. ¡Que la sangre llegue a Polonia!, gritaba enfurecido dentro de su globo. Pero los enanos se lanzaban al agua desesperados, sabiendo que de quedarse en tierra serían ultimados por las multitudes enardecidas. Además, con qué armas iban a poder defenderse si todos los grandes arsenales habían sido sepultados por las olas. Así, uno tras otro y a veces en grupos de cien y hasta de mil, los enanos se fueron tirando al mar y a medida que se lanzaban eran devorados por los tiburones, que en su inmensa mayoría, luego de la muerte de la Mayoya, se habían pasado a las filas enemigas de Fifo. Los tiburones lógicamente deducían que en esos momentos todos los que se tiraban al agua eran agentes de Fifo que querían escapar. Fifo saltaba y pataleaba dentro de su globo, pero los enanos seguían tirándose al mar junto con numerosos militares y altos funcionarios, aunque otros más astutos se pasaron al bando ganador de los roedores y eran los que más furiosamente aplaudían el triunfo de la partida y pedían a gritos la ejecución inmediata de Fifo. ¡Que lo maten, que lo maten, que lo maten ahora mismo por su falta de civismo!, era la consigna que todos coreaban, incluyendo a la Fray Bettino, a la Barniz, a la Paula Amanda y hasta a Vilma Spinar (ése era su nuevo apellido). Muchos invitados extranjeros partían en cualquier artefacto que volara o flotara, pero otros se quedaron y organizaban comités y movimientos de repudio contra Fifo. La condesa de Merlín, que había izado la bandera francesa en su volanta, proclamaba que Fifo debía ser guillotinado. La Güevaavara pedía una ejecución ejemplar. Hasta la Marquesa de Macondo declaraba ahora que lo que estaba pasando era «maravilloso» y confesó que en varias ocasiones había tratado de matar a Fifo pero no había tenido éxito. Una heroína resultaba ser ahora la vil marquesa... Dios mío, cada vez el clamor de la muchedumbre, que hasta hacía unos minutos había aplaudido a Fifo, y pedía ahora su aniquilamiento era más estentóreo. Y él, Fifo, dentro de su globo, seguía flotando a menos de un metro de altura de la muchedumbre y sin poder controlar el artefacto, pues los enanos sopladores ya habían perecido entre las fauces de los tiburones. Dentro de aquel balón transparente Fifo creía asfixiarse, se desgarraba las vestiduras, daba gritos histéricos, se revolvía como una serpiente en medio de las llamas, apretaba los puños, vociferaba, hacía gestos amenazantes que se convertían en extrañas mímicas y ademanes mudos para todo el público, que lo veía y que soltaba una carcajada. Una vez desaparecidos los enanos y los funcionarios y militares que portaban los micrófonos, la voz de Fifo no podía salir de su globo lumínico, que por otra parte, por esas maldiciones de la técnica contemporánea, ahora ni siquiera podía apagar. En medio de la multitud surgió un pájaro (¿Mahoma?, ¿la Sanjuro?, ¿la Triplefea?, ¿la Reina?, ¿la Superchelo?, ¿Coco Salas?) y sacándose un alfiler de su atuendo pinchó el globo donde viajaba Fifo. Al instante el globo, desinflándose, se elevó como un cometa; luego, convertido en una suerte de preservativo gigantesco, cayó con Fifo en el mar, donde Tiburón Sangriento lo esperaba con las fauces abiertas.

Retumbó en toda la isla flotante un inmenso clamor de alegría.

Ya algunos proponían que debían encaminarse hacia los Estados Unidos lo más pronto posible pues necesitaban ayuda económica. Pero otro grupo, capitaneado por Oliente Churre, proponía poner proa hacia Inglaterra y hacerse miembros de la Comunidad Británica. Pero al momento otros manifestaron rotundamente que debían dirigirse a las costas de España, «pues de allá provenimos y no es éste el momento de ponerse a aprender una lengua extranjera». Entonces un líder negro dijo con voz potente que si a algún continente tenían que acercarse era al africano, pues el mismo carnaval que los había liberado con su estruendo de tambores era una prueba fehaciente de las fuertes raíces africanas que el pueblo cubano poseía, y, pasando de la teoría a la práctica, con sus propias manos comenzó a orientar la isla hacia el Cabo de Buena Esperanza. ¡Eso sería el colmo del retroceso!, clamaron los partidarios de la condesa de Merlín, ¿por qué ir para el África cuando podían escoger un destino más civilizado, un destino que, sin duda alguna, tiene que ser Francia? Y la condesa de Merlín, junto con su numeroso grupo, intentó que la isla navegara hacia las costas francesas. Pero otra comisión que se autodenominaba Superindependiente proclamó la neutralidad política y por lo mismo llegó a la conclusión, en forma enfática, que donde debía carenar la isla era en las costas de Suecia... Para que nos muramos de frío y se nos congelen hasta nuestros dioses, interrumpió con voz sarcástica una figura patriarcal y barbada... ¡No! ¡No! ¡No! Somos latinoamericanos. Navegaremos hacia el sur y nos detendremos cerca de las islas Malvinas o en las costas de Brasil... ¡Basta ya de nacionalismos tontos!, proclamó el dirigente de un partido llamado de Centro-Democrático. ¡Situémonos entre el meridiano 40 y el paralelo 37, por donde pasan todos los barcos y aviones del mundo civilizado... Yo propongo que nos encaminemos hacia el Mar Negro y nos acojamos a la nueva política caucasiana, aconsejó Lois Suardíaz, quien había sido entollado por un bañista en las aguas del Mar Negro. ¡Para la India!, gritó una loca que había visto mil veces la película *Pater Panchali*. ¡Para Sumatra, donde podamos vivir en paz lejos de todos los chanchullos políticos!, clamaba una criatura de tendencias selváticas y marinas, y para reforzar su tesis agregaba: Fíjense que nadie habla de Sumatra... Imagínense ustedes lo que significa poder llegarnos de un salto a Venecia y estar sólo a unos kilómetros de Roma... Yo pienso que, con la voluntad de Dios, podíamos recalar en el mar Adriático, proponía solemnemente el padre Gastaluz. ¡Hacia el Japón!, ordenaba un técnico electricista. ¡Hacia Nueva Guinea!, voceaba una señora que sólo sentía un buen espasmo cuando era poseída por un cocodrilo. Mientras así discutían, los enanos que se habían quedado rezagados entre los árboles eran compelidos a lanzarse al mar y los que no se lanzaban por su propia voluntad eran lanzados por la multitud junto con todas las personas (a su juicio) sospechosas de haber colaborado con Fifo, por lo que la cantidad de tiburones que merodeaban las costas era cada vez más numerosa. Y mientras tanto, la isla, con Clara en llamas, seguía a la deriva.

Botellas al agua

Ajeno a todo lo que no fuera su propia tragedia (la muerte de Virgilio, la traición pública de la Llave del Golfo, la imposibilidad de castigar a Tatica), la Tétrica Mofeta entró en su cuarto del hotel Monserrate. Para aumentar aún más su sentimiento trágico de la vida, cual nueva Unamula...

—Niña, Unamula no, Unamuno.

¿¡Será posible que hasta última hora me estés persiguiendo con tu imbecilidad profesoral, Sakuntala!? *¡Unamula!* ¿Oíste? *¡Unamula* porque me da la gana! ¡Y se acabó! ¡Aquí mismo te borro del mapa para siempre!

Para aumentar aún más su sentimiento trágico de la vida, cual nueva Unamula, se miró en el espejo. Qué espanto. Se trataba definitivamente de una loca vieja. Una loca vieja a quien la mala noche le había puesto al descubierto sus arrugas y sus ojeras más espeluznantes. Te ha llegado el momento de la partida, querida, se dijo Gabriel mirándose en el espejo. Además, agregó Reinaldo, ayer le escribiste una carta a tus dobles diciéndoles que hoy abandonarías el país. Y sin más preámbulos, la loca se subió a la barbacoa, tomó las botellas que guardaba debajo de la cama y fue metiendo en ellas toda su novela *El color del verano*, que en ese mismo instante casi terminaba (pues la loca a medida que embotellaba la novela le daba los toques finales). Cuando hubo empacado su novela, tapó las botellas, las metió en un saco, metió las patas de rana que le había conseguido su tía Orfelina y con su preciosa carga salió rumbo a la costa. La Tétrica Mofeta se calzó las patas de rana y con el inmenso saco lleno de botellas se tiró al mar.

En el mismo instante en que caía al agua, Reinaldo vio cómo la isla se alejaba velozmente con todo el pueblo dando brincos sobre ella. De manera que mientras la isla partía, Gabriel se quedaba en el mismo sitio donde estuviera la isla hacía sólo unos segundos. No era pues él quien partía, era la isla. Él se quedaba en medio de un remolino de aguas que no le permitían avanzar y que amenazaban con llevárselo hasta el fondo, junto con todas las botellas.

La Tétrica Mofeta miró a su alrededor y pudo ver a Raúl Kastro con un mosquitero, cola de caballo y corona de laurel flotando en el remolino mientras varios tiburones se lo disputaban; más allá divisó a Tedevoro cubierto de excrementos, y flotando junto a ella, la Tétrica, vio a cientos de enanos que se debatían en el torbellino tratando de mantenerse a flote y a la Llave huir de los voraces tiburones. La Tétrica Mofeta, sabiendo que de un momento a otro sería pasto de los peces o se ahogaría en aquel remolino, comenzó a lanzar las botellas fuera del torbellino. Aunque pereciera (y ya eso era inminente) su obra se salvaría, pensaba abriendo el saco y lanzando botellas. Pero a medida que las botellas caían al agua eran devoradas por los tiburones. La última botella ni siquiera llegó al agua. Un tiburón experto y erotizado, el mismo Tiburón Sangriento, de un salto que lo sacó del agua cogió la botella y se la tragó en el aire. Inmediatamente el animal, mirando con ojos tenebrosos a Gabriel, se zambulló y enfiló todos sus dientes hacia Reinaldo. En el mismo instante en que el tiburón lo devoraba, la Tétrica Mofeta comprendió no sólo que perdía la vida, sino que antes de perderla tenía que recomenzar la historia de su novela.

La historia

Ésta es la historia de una isla cuyos hijos nunca pudieron encontrar sosiego. Más que una isla parecía un incesante campo de batalla, de intrigas, de atropellos y de sucesivos espantos y de chanchullos sin fin. Nadie le perdonaba nada a nadie, mucho menos la grandeza. Cuando alguien tenía alguna idea genial los demás no colaboraban para que la idea se desarrollase, sino para apropiarse de ella. Ésta es la historia de una isla que salía de una guerra para entrar en otra aún más prolongada, que salía de una dictadura para caer en otra aún más cruel, que salía de un campo de guerra para entrar en un campo de concentración. Ésta es la historia de una isla donde no cesaba nunca el guirigay, el brete, la intriga, la mala intención y las ambiciones descomunales; y quien no participaba en aquel tenebroso meneo nacional era de una u otra forma devorado por la maldición de la isla. De manera que sus habitantes, no pudiendo soportar aquella isla pero tampoco el vivir fuera de ella, decidieron arrancar la isla de su sitio y salir libres y a la deriva en busca de otros mares donde poder carenar y formar un gobierno independiente. Pero mientras iban al garete no lograban ponerse de acuerdo sobre cuál mar elegir para finalmente encallar y allí sobrevivir. Mucho menos lograban ponerse de acuerdo sobre qué tipo de gobierno iban a instaurar. Cada cual proponía algo distinto. Cada cual quería, en fin, gobernar la isla a su manera y conducirla a un sitio diferente al elegido por el prójimo. A medida que la isla avanzaba, el alboroto y las protestas de todos sus habitantes se iban intensificando en medio de grandes saltos, injurias y pataletas. Finalmente, aquel pataleo con el que todos se manifestaban se hizo tan poderoso que la isla, que carecía de plataforma, se hundió en el mar entre un fragor de gritos de protesta, de insultos, de maldiciones, de glugluteos y de ahogados susurros.

Glosario

Este glosario, elaborado por Liliane Hasson,* comprende, por voluntad de Reinaldo Arenas, sólo los nombres de los personajes reales ya fallecidos que se mencionan en el libro.

NÉSTOR ALMENDROS (Barcelona, 1930-Nueva York, 1992). Operador y director de fotografía, vivió en Cuba desde 1948 a 1962; en 1964 se trasladó a París, donde empezó a colaborar con importantes directores, como E. Rohmer, F. Truffaut y B. Schroeder, y después a Estados Unidos. Recibió un Oscar a la mejor fotografía en 1977 por *Days of heaven (Días de cielo)*, de T. Malik. Codirigió dos documentales sobre la represión en Cuba: *Conducta impropia* (1984), en el que se entrevista a Reinaldo Arenas, y *Nadie escucha* (1989).

OLGA ANDREU. Esta «mecenas pobre», como la llamaban afectuosamente sus amigos, desempeñó un importante papel en la vida cultural cubana durante los años sesenta y setenta al organizar en su casa tertulias en las que escritores de todas las generaciones se reunían para leer sus textos. Se suicidó en La Habana en 1988.

EMILIO BALLAGAS (1908-1954). Poeta, sus obras acusan la influencia del surrealismo. Publicó sus primeros versos en la revista *Antenas*, y, junto con Mariano Brull, Eugenio Florit y Nicolás Guillén, representó la poesía «nueva» en sus dos principales vertientes: la poesía «pura», con *Júbilo y fuga* (1931), y el «negrismo», en *Poesía negra* (1934) y *Mapa de la poesía negra americana* (1946), entre otros libros.

ISABEL DE BOBADILLA (?-1543). Dama española, hija de Pedrarias Dávila, gobernador del Darién, y esposa de Hernando de Soto, gobernador de Santiago de Cuba. En 1539, Hernando de Soto confió provisionalmente su cargo a su esposa y partió a una expedición a Florida, en el curso de la cual murió.

MARIANO BRULL (Camagüey, 1891-Marianao, 1956). Poeta, adepto de la poesía «pura», y traductor de Paul Valéry, ingresó en la carrera

* Liliane Hasson, ensayista francesa especializada en la literatura cubana, es también la traductora al francés de autores tan prestigiosos como Virgilio Piñera, Zoé Valdés y Carlos Victoria; ha traducido a la lengua francesa siete libros de Reinaldo Arenas, entre ellos *El color del verano* (París, Éditions Stock, 1996). *(N. del E.)*

diplomática en 1917. Entre sus obras destaca *Poemas en menguante* (1928) y *Canto redondo* (1934).

LYDIA CABRERA (La Habana, 1900-Miami, 1991). Cuentista, etnóloga, ensayista y autora de *El Monte* (1954), obra vastísima sobre el mundo afrocubano donde erudición y poesía aparecen estrechamente unidas. Su primera obra, *Cuentos negros de Cuba (Contes nègres de Cuba)*, aparece antes en francés. En 1960 se exilió y se instaló en Miami, donde prosiguió su obra.

ALEJO CARPENTIER (La Habana, 1904-París, 1980). Nacido de padre francés y madre rusa, fue autor de, entre otras, las novelas *El Siglo de las Luces* (1962) y *El recurso del método* (1974). Miembro del grupo Minorista a partir de 1923, fue encarcelado por protestar contra la dictadura de Machado y abandonó secretamente Cuba para trasladarse a París; allí entró en contacto con el grupo surrealista. Regresó a Cuba en 1939. Formando parte de un jurado literario, se opuso a que Reinaldo Arenas recibiera un premio por *El mundo alucinante* (Tusquets Editores, colección Andanzas 314) debido a su contenido «subversivo». Desde 1966 y hasta su muerte ejerció altos cargos diplomáticos en la Embajada de Cuba en París.

JULIÁN DEL CASAL (La Habana, 1863-*id.*, 1893). Autor del libro *Bustos y rimas* (1893), publicado póstumamente, este poeta cantó a la soledad y al dolor. Muy influido por los parnasianos, los simbolistas franceses y Baudelaire, a quien tradujo, fue un gran precursor del modernismo.

ELISEO DIEGO (La Habana, 1920-México, 1994). Autor de cuentos, poeta y ensayista, cofundador de la revista *Orígenes*. Tradujo a Walt Whitman. En sus obras se aprecia la influencia de la literatura anglosajona. Su principal libro de poemas, *Calzada de Jesús del Monte* (1949), explora los mitos fundacionales de la nación cubana.

GERTRUDIS GÓMEZ DE AVELLANEDA (Puerto Príncipe, 1814-Madrid, 1873). Hija de un oficial español y de una cubana, fue dramaturga, actriz aficionada, y principalmente poeta. Vivió en España desde 1836 hasta 1859. Tuvo amores tormentosos, y su abundante obra dramática alcanzó grandes éxitos. De regreso a Cuba, fue acogida triunfalmente. Después volvió a España, país que ya no abandonó. A lo largo de toda su vida desarrolló una intensa actividad epistolar. Como poeta, destaca por la fuerza de la pasión y el fervor religioso. Escribió asimismo el prólogo a *La Havane (Viaje a la Habana)* de la condesa Merlin.

RAMÓN GRAU SAN MARTÍN (La Palma, 1889-La Habana, 1969). Médico y político, fue presidente de la república de Cuba en dos ocasiones: unos meses entre 1933 y 1934, y desde 1944 hasta 1948.

NICOLÁS GUILLÉN (Camagüey, 1902-La Habana, 1989). Es el más popular de los poetas cubanos. En su obra reunió los valores folfkóricos afrocubanos, los valores político-sociales y los universales. Su volumen *Sóngoro cosongo* (1931) se considera su obra más importante, pero también destacan *El son entero* y *La paloma de vuelo popular* (1958). Desde 1961 hasta su muerte ocupó el cargo de presidente de la UNEAC (Unión Nacional de Escritores y Artistas de Cuba), cargo de considerables responsabilidades políticas y culturales.

JOSÉ MARÍA HEREDIA Y HEREDIA (Santiago de Cuba, 1803-México, 1839). Primo de su homónimo, el poeta parnasiano José María de Heredia. Poeta, dramaturgo y ensayista, en 1823, tras conspirar contra los españoles, se exilió y se instaló en Estados Unidos, luego en Venezuela y finalmente en México. Autor del melancólico *En el Teocalli de Cholula;* en el *Himno del desterrado* expresa la nostalgia por su patria, y, como en la *Oda al Niágara,* canta las bellezas del continente americano.

ENRIQUE LABRADOR RUIZ (Sagua la Grande, 1902-Miami, 1991). Novelista, cuentista, ensayista y cronista, postuló una fabulación innovadora y contra el realismo. Es autor de varias novelas, entre ellas *El laberinto de sí mismo* (1933), en las que explora el subconsciente de manera tierna, dolorosa y poética. En 1973 partió al exilio y se instaló en Miami.

WIFREDO LAM (Sagua la Grande, 1902-París, 1982). Pintor, de padre chino y de madre cubana, residió en Madrid entre 1924 y 1937. Posteriormente, en París, siguió de cerca los pasos de Picasso y de los surrealistas, para después desarrollar una obra original y de exuberante fantasía en la que ocupan un lugar preponderante los mitos sincréticos afrocubanos.

JOSÉ LEZAMA LIMA (La Habana, 1910-*id.,* 1976). Célebre poeta, novelista y ensayista que ejerció una gran influencia a través de la revista *Orígenes* (1944-1956). Su primer libro de poemas, *Muerte de Narciso* (1937), mostraba ya su talento innovador. *Paradiso* (1966), su novela más importante, tuvo un impacto considerable, aunque fue tachada de «pornográfica» por la descripción de escenas homosexuales y el autor quedó desde ese momento marginado. En 1970 apareció su ensayo sobre el barroco titulado *La cantidad hechizada.*

FRANCISCO LÓPEZ DE GÓMARA (1512?-1572?). Uno de los primeros historiadores de las Indias, hizo una apología de Hernán Cortés en su *Historia general de las Indias y conquista de México* (Zaragoza, 1552).

DULCE MARÍA LOYNAZ (La Habana, 1903-*id.,* 1997). Poeta cuya obra se inscribe en el intimismo postmodernista; la amargura e inquietud

metafísica de los primeros poemas —como se aprecia en *Versos 1920-1938*—
dieron paso a una serenidad contemplativa y a un estilo simbólico.
Autora de una novela lírica, *Jardín* (1951), y de la colección de crónicas *Un verano en Tenerife* (1958), recibió en 1992 el Premio Cervantes.

LUISA FERNANDA. Título de una zarzuela española, muy apreciada
en Cuba, con música de Federico Moreno Torroba y texto de Federico
Romero y G. Fernández Shaw.

ANTONIO MACEO (Santiago de Cuba, 1845-Punta Brava, 1896), llamado el «Titán de bronce». Mulato, fue general de la armada insur-
gente y héroe de las dos guerras de Independencia de Cuba (1868-1878
y 1895-1898). Murió en el curso de un combate.

JUAN MARINELLO (Santiago del Valle, 1898-La Habana, 1977). Escritor y político, presidió el partido comunista cubano en los años cuarenta. Ejerció cargos oficiales bajo el régimen castrista, como el de embajador en la UNESCO. Escribió numerosos ensayos sobre Antonio
Maceo, Nicolás Guillén y, sobre todo, José Martí.

LEVÍ MARRERO (Cuba, 1913-Miami, 1995). Geógrafo, autor de una
Geografía de Cuba que constituye una obra de referencia en la materia,
historiador y sociólogo, es autor de un vasto volumen sobre el periodo
colonial titulado *Cuba, economía y sociedad (1510-1868)*. Se exilió en
1961.

JOSÉ MARTÍ (La Habana, 1853-Dos Ríos, 1895). Escritor, político y
héroe de la Independencia cubana. «El Apóstol», como se le llama en
Cuba, murió en un combate de resultas de una acción temeraria, pese
a las advertencias de los jefes militares Máximo Gómez y Antonio Maceo. Escribió su drama en verso *Abdala* a los dieciséis años, en 1869,
el mismo año en que se lanzó a la lucha contra el régimen colonial.
Pasó gran parte de su vida en el exilio, y residió en España, en diversos
países sudamericanos y en Estados Unidos. En Nueva York desplegó
una gran actividad como periodista y poeta. Su mejor obra poética es
la titulada *Versos sencillos* (1891), donde exalta el amor y el heroísmo,
como en el célebre poema «Los zapaticos de rosa».

JULIO ANTONIO MELLA (La Habana, 1903-México, 1929). Ensayista
y uno de los fundadores del partido comunista cubano. Autor de *Cuba:
un pueblo que jamás ha sido libre* (1924), murió asesinado en México.

CONDESA MERLIN (María de las Mercedes Santa Cruz y Montalvo)
(La Habana, 1789-París, 1852). En 1809 se casó en Madrid con el
conde Merlin, general del ejército de Napoleón. Vivió en París, y su
salón era frecuentado por los literatos más destacados del momento.
Cantante de gran talento, su regreso al país natal le inspiró el texto *La
Havane (Viaje a La Habana)*, publicado en 1844 y escrito en francés.

En 1836 había publicado sus *Souvenirs et mémoires de Madame la comtesse Merlin (Souvenirs d'une créole)*.

DOMINGO DEL MONTE (Maracaibo, 1804-Madrid, 1853). Llegó a Cuba de niño y se distinguió como periodista y crítico literario. Gran erudito, sus obras constituyen un documento indispensable para la historia política, social y literaria de esos años. Su lucha en favor de la abolición de la esclavitud le supuso el exilio. Vivió también en Estados Unidos y en Francia.

CARLOS MONTENEGRO (Galicia, España, 1900-Miami, 1981). De madre cubana, vivió en Cuba desde los siete años. Novelista y periodista, en 1918, en el curso de una riña, mató a un hombre, por lo que cumplió una condena de catorce años. *Hombres sin mujer* (1937), su única novela, evoca sus años en prisión. Tanto Alejo Carpentier como la vanguardia literaria lo consideraron el «Gorki cubano». Durante la contienda española de 1936-1939 fue corresponsal de guerra del diario comunista *Hoy*. Se exilió al comienzo de la revolución cubana de 1959.

LINO NOVÁS CALVO (Galicia, España, 1903-Florida, 1983). Después de una dura infancia en España, llega a Cuba, donde ejerce diversas profesiones además de dedicarse a la escritura. Autodidacta, trabaja de periodista y traduce obras de Faulkner, D.H. Lawrence y Huxley. Colaboró con Revista de Occidente y con varios periódicos madrileños. Su biografía, *El negrero, vida novelada de Pedro Blanco Fernández de Trava* (1933) impresiona por la libertad de tono. Durante la guerra civil española, a instancias de su amigo Hemingway y de Carlos Montenegro, escribe como corresponsal de guerra en el bando republicano. En 1960 se exilia a Estados Unidos.

FERNANDO ORTIZ (La Habana, 1881-*id.*, 1969). Gran erudito, filólogo y sociólogo, fue el fundador de los estudios etnológicos cubanos. Cuñado de Lydia Cabrera, de quien Ortiz prologó los *Cuentos negros de Cuba*, ella, a su vez, le dedicó *El Monte*. Su obra *Historia de una pelea cubana contra los demonios* apareció en 1959.

OCTAVIO PAZ (Mixcoac, 1914-México D.F., 1998). Célebre poeta y ensayista, autor de obras poéticas tan conocidas como *Entre la piedra y la flor, Águila o sol* y *Árbol adentro,* y de, entre otros, los ensayos *El laberinto de la soledad, El mono gramático* y *Sor Juana Inés de la Cruz o Las trampas de la fe.* Ganó en 1990 el Premio Nobel de Literatura.

LUISA PÉREZ DE ZAMBRANA (Oriente, 1835?-La Habana, 1922). Poeta romántica que alcanzó una gran popularidad. Autora de «La vuelta al bosque», obra melancólica y de gran lirismo, perdió a su marido y a sus cinco hijos; desde entonces y hasta su muerte, vivió en la miseria y en el más completo olvido.

VIRGILIO PIÑERA (Cárdenas, 1912-La Habana, 1979). Autor de obras teatrales, novelas, cuentos y poemas, así como traductor de Kafka, es el maestro de varias generaciones de escritores cubanos. Su poemario *La Isla en peso* (1943) expresa un doloroso y lúcido amor hacia su país. En lo que respecta al teatro, la pieza *Electra Garrigó* (1941), una versión «cubanizada» de la obra de Sófocles, destaca por su humor corrosivo; *Jesús* (1948) es una sátira del poder político y de la religión, al tiempo que *Falsa alarma*, escrito dos años antes de *La cantante calva*, anuncia a Ionesco. De 1946 a 1958 residió en Buenos Aires, donde trabó amistad con Witold Gombrowicz y supervisó la traducción de *Ferdydurke*. En 1953 publica su primera novela, *La carne de René*, y en 1955 funda la revista *Ciclón*, que reagrupa a la vanguardia literaria; allí publica *Los siervos*, farsa anticomunista que será «olvidada» en la edición de su *Teatro completo* (La Habana, 1960). En 1958 regresa definitivamente a Cuba. Al año siguiente se representa su principal obra dramática, *Aire frío*, que gira en torno a una familia pequeño burguesa que cae en la indigencia, y cuyos personajes, patéticos y ridículos, mantienen conversaciones grotescas en un lenguaje cargado de doble sentido. En *Dos viejos pánicos* (1968), los protagonistas, obnubilados por el terror, expresan su angustia existencial; pese a que ganó un premio oficial, la obra no se representó en Cuba hasta 1989. Piñera llegó a publicar en vida dos novelas alegóricas, bastante irreverentes, tituladas *Pequeñas maniobras* (1963) y *Presiones y diamantes* (1969), y una antología poética. Después, vivió hasta su muerte en el ostracismo más absoluto. Piñera fue doblemente perseguido, por su homosexualidad, y por su inconformismo político y literario. A partir de 1987, en un intento por rehabilitar póstumamente su figura, se publicaron y representaron algunas obras suyas. Reinaldo Arenas, en su autobiografía *Antes que anochezca* (Tusquets Editores, colección Andanzas 165 y Fábula 55), rindió un emotivo homenaje a la persona que le animó en sus comienzos.

JOSÉ MANUEL PÓVEDA (Santiago de Cuba, 1888-Manzanillo, 1926). Cronista literario, poeta y ensayista, autor de *Versos precursores* (1917), sus prosas están recogidas en *Proemios de cenáculo* (1948).

SEVERO SARDUY (Camagüey, 1937-París, 1993). Novelista, poeta, ensayista e incluso pintor, residió en París desde 1960 hasta su muerte. Participó en el movimiento literario de *Tel Quel*. Entre sus novelas cabe destacar *Gestos* (1963), *De donde son los cantantes* (1967), *Cobra* (1972), *Maitreya* (1987), *Colibrí* (1984) y *Cocuyo* (Tusquets Editores, colección Andanzas 125).

JOSÉ ZACARÍAS TALLET (Matanzas, 1893-?). Periodista y poeta, militó en el partido comunista cubano y fue, junto a Nicolás Guillén, uno de los fundadores de la llamada poesía «negra». Es autor de *La semilla estéril* (1951), una de las máximas expresiones del prosaísmo irónico y sentimental de la lírica cubana.

ROBERTO VALERO (Matanzas, 1955-Washington, 1994). Ensayista, novelista y poeta, fue expulsado de la Universidad de La Habana y se exilió en 1980. En 1991 publicó en Miami su tesis doctoral, *El desamparado humor de Reinaldo Arenas*. Éste, por su parte, le dedicó su novela *El asalto*. Algunos de sus libros se publicaron en Madrid, y su novela *Este viento de Cuaresma* apareció en Miami el año mismo de su muerte.

CIRILO VILLAVERDE (Pinar del Río, 1812-Nueva York, 1894). Es autor de *Cecilia Valdés*, primera gran novela cubana. En 1848, arrestado por conspirar contra la corona española, escapa a Estados Unidos, donde permanecerá el resto de sus días. *Cecilia Valdés o La Loma del Ángel* se publicó en Nueva York en 1882, cuatro años antes de la abolición de la esclavitud en Cuba; el melodrama, con centenares de personajes —reales o ficticios— que componen un gran fresco de la sociedad cubana en su gran diversidad étnica y social, es un ardiente alegato contra la esclavitud y el sistema colonial. Reinaldo Arenas escribió una parodia de esta novela, titulada *La Loma del Ángel*.

JUAN CLEMENTE ZENEA (Bayamo, 1832-La Habana, 1871). Hijo de cubana y de un lugarteniente español, fue poeta —autor del poema «A una golondrina», así como de *Cantos de la tarde* (1860) y *Poesías completas* (1872)— y periodista. Tras conspirar contra la corona española, en 1852 se vio forzado a exiliarse a Estados Unidos. Al cabo de dos años, gracias a una amnistía, regresó a Cuba, donde colaboró en diversas publicaciones. Emigró a Estados Unidos por los mismos motivos políticos que en 1852, pero luego, de nuevo en Cuba por una misión, fue arrestado y juzgado durante un proceso inicuo. Condenado a muerte, fue fusilado tras pasar un mes aislado en la prisión de La Cabaña, donde escribió *Diario de un mártir*.

AGRADECIMIENTOS

Agradezco su ayuda al escritor Roberto Valero, alias la «Vieja Duquesa de Valero», quien, poco antes de morir, en Washington, me revelaba, entre risas y nostalgias, quién era quién entre los incontables personajes —más de trescientos— de *El color del verano*.

Le estoy también agradecida a Darío Méndez, de París, que con su erudición me fue de gran ayuda para la redacción de este glosario.

Liliane Hasson

465

Últimos Fábula